SAPIENS

Yuval Noah Harari

SAPIENS

Une brève histoire de l'humanité

Traduit de l'anglais
par Pierre-Emmanuel Dauzat

Albin Michel

En souvenir affectueux de mon père Shlomo Harari

Sommaire

Première partie

LA RÉVOLUTION COGNITIVE

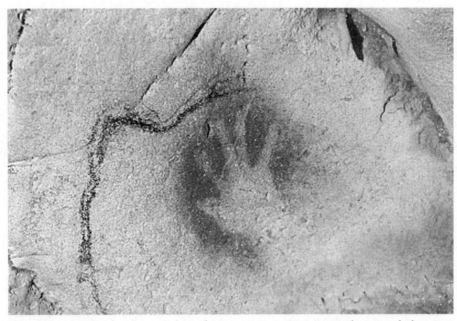

Empreinte de main humaine réalisée il y a environ 30 000 ans sur la paroi de la grotte Chauvet-Pont-d'Arc dans le sud de la France. Quelqu'un a essayé de dire : « J'étais ici ! »

1.

Un animal insignifiant

Il y a environ 13,5 milliards d'années, la matière, l'énergie, le temps et l'espace apparaissaient à l'occasion du Big Bang. L'histoire de ces traits fondamentaux de notre univers est ce qu'on appelle la physique.

Environ 300 000 ans après leur apparition, la matière et l'énergie commencèrent à se fondre en structures complexes, appelées atomes, lesquels se combinèrent ensuite en molécules. L'histoire des atomes, des molécules et de leurs interactions est ce qu'on appelle la chimie.

Voici près de 3,8 milliards d'années, sur la planète Terre, certaines molécules s'associèrent en structures particulièrement grandes et compliquées : les organismes. L'histoire des organismes est ce qu'on appelle la biologie.

Voici près de 70 000 ans, des organismes appartenant à l'espèce *Homo sapiens* commencèrent à former des structures encore plus élaborées : les cultures. Le développement ultérieur de ces cultures humaines est ce qu'on appelle l'histoire.

Trois révolutions importantes infléchirent le cours de l'histoire. La Révolution cognitive donna le coup d'envoi à l'histoire voici quelque 70 000 ans. La Révolution agricole l'accéléra voici environ 12 000 ans. La Révolution scientifique, engagée voici seulement 500 ans, pourrait bien mettre fin à l'histoire et amorcer quelque chose d'entièrement différent. Ce livre raconte comment ces trois révolutions ont affecté les êtres humains et les organismes qui les accompagnent.

*

Il y a eu des êtres humains bien avant qu'il y ait histoire. Des animaux très proches des hommes modernes apparurent il y a environ 2,5 millions d'années. Pendant d'innombrables générations, cependant, ils ne se distinguèrent pas de la myriade d'autres organismes dont ils partageaient les habitats. Voici deux millions d'années, en excursion en Afrique orientale, vous auriez pu tomber sur un éventail de personnages familiers : des mères inquiètes câlinant leurs bébés et des bandes d'enfants insouciants jouant dans la boue ; des jeunes capricieux en révolte contre les diktats de la société et des vieux fatigués qui demandaient seulement qu'on leur fiche la paix ; des machos bombant le torse pour impressionner la beauté locale et de vieilles et sages matriarches qui avaient déjà tout vu. Ces hommes archaïques aimaient, jouaient, nouaient des amitiés et se disputaient rang et pouvoir – mais les babouins, les chimpanzés et les éléphants en faisaient autant. Ils n'avaient rien de très particulier. Personne, et les humains moins que quiconque, n'imaginait que leurs descendants marcheraient un jour sur la Lune, scinderaient l'atome, sonderaient le code génétique et écriraient des livres d'histoire. Ce qu'il faut avant tout savoir des hommes préhistoriques, c'est qu'ils étaient des animaux insignifiants, sans plus d'impact sur leur milieu que des gorilles, des lucioles ou des méduses.

Les biologistes classent les organismes en espèces. On dit d'animaux qu'ils appartiennent à la même espèce s'ils ont tendance à s'accoupler l'un avec l'autre, donnant naissance à des rejetons féconds. Juments et ânes ont un ancêtre commun récent, et partagent maints traits physiques. Sexuellement, cependant, ils ne s'intéressent guère les uns aux autres. Ils s'accoupleront si on les y pousse, mais ils donneront des mules ou des mulets stériles. Les mutations de l'ADN de l'âne ne sauraient donc jamais se transmettre aux chevaux, et inversement. Les deux types d'animaux sont considérés comme des espèces différentes, suivant des voies évolutives différentes. En revanche, un bouledogue et un épagneul paraissent très différents, mais ils sont membres de la même espèce, partageant le même vivier d'ADN. Leur accouplement sera fructueux, et leurs chiots devenus adultes pourront s'accoupler avec d'autres chiens et faire à leur tour des petits.

Les espèces issues d'un ancêtre commun sont réunies sous le vocable de « genre » (en latin *genus*, ou *genera* au pluriel). Lions, tigres, léopards et jaguars sont des espèces différentes du genre *Panthera*. Les biologistes baptisent les organismes d'un double nom latin, indiquant le genre, suivi de l'espèce. Les lions, par exemple, portent le nom de *Panthera leo* : l'espèce *leo*, du genre *Panthera*. Les lecteurs de ce livre sont vraisemblablement tous des *Homo sapiens* : de l'espèce *sapiens* (sage) et du genre *Homo* (homme).

Les genres sont à leur tour regroupés en familles : ainsi des chats (lions, guépards, chats domestiques), des chiens (loups, renards, chacals) ou des éléphants (éléphants, mammouths, mastodontes). Tous les membres d'une même famille peuvent faire remonter leur lignage à une matriarche ou un patriarche fondateur. Par exemple, du plus petit chaton domestique au lion le plus féroce, tous les chats ont un ancêtre félin commun qui vivait il y a environ 25 millions d'années.

Homo sapiens appartient lui aussi à une famille. Un fait banal, qui a été l'un des secrets les mieux gardés de l'histoire. *Homo sapiens* a longtemps préféré se croire à part des autres animaux : un orphelin sans famille, privé de frères et sœurs et de cousins et, surtout, sans parents. Or, ce n'est pas le cas. Qu'on le veuille ou non, nous sommes membres d'une grande famille particulièrement tapageuse : celle des grands singes. Parmi nos plus proches parents vivants figurent les chimpanzés, les gorilles et les orangs-outangs. Les plus proches sont les chimpanzés. Il y a six millions d'années, une même femelle eut deux filles : l'une qui est l'ancêtre de tous les chimpanzés ; l'autre qui est notre grand-mère.

Des squelettes dans le placard

Homo sapiens a caché un secret encore plus dérangeant. Non seulement nous avons pléthore de cousins peu civilisés, mais nous avions aussi jadis bon nombre de frères et sœurs. Nous avons pris l'habitude de nous considérer comme les seuls humains parce que, au cours des 10 000 dernières années, notre espèce a bel et bien été la seule espèce humaine dans les parages. Pourtant, le sens réel du mot « humain » est « animal appartenant au genre *Homo* », et il y a eu beaucoup d'autres espèces de ce genre en plus d'*Homo sapiens*. De surcroît, on le verra dans le dernier chapitre du livre, dans un avenir pas si lointain nous pourrions avoir affaire à des humains non *sapiens*. Afin de clarifier ce point, je précise que j'emploierai souvent le mot « Sapiens » (Sapiens, au pluriel) pour désigner les membres de l'espèce *Homo sapiens*, et réserverai le mot « humain » à tous les membres existants du genre *Homo*.

Les humains sont apparus en Afrique de l'Est voici environ 2,5 millions d'années, issus d'un genre antérieur de singe, *Australopithecus* ou « australopithèque », qui signifie « singe austral ». Il y a environ deux millions d'années, une partie de ces hommes et femmes archaïques quittèrent leur foyer d'origine pour traverser et coloniser de vastes régions d'Afrique du Nord, d'Europe et d'Asie. La survie dans les forêts enneigées d'Europe septentrionale n'exigeant pas les mêmes qualités que la survie dans les jungles fumantes d'Indonésie, les populations humaines évoluèrent dans des directions différentes. Il en résulta diverses espèces distinctes, auxquelles les savants ont assigné des noms latins pompeux.

Les humains d'Europe et d'Asie occidentale ont donné l'*Homo neanderthalensis* (« l'homme de la vallée de Neander »), plus communément connu sous le nom de « Neandertal ». Plus trapu et plus musculeux que le Sapiens, le Neandertal était bien adapté au climat froid de l'Eurasie occidentale à l'âge glaciaire. Les régions orientales de l'Asie étaient peuplés par l'*Homo erectus*, ou « homme dressé », qui y survécut près de deux millions d'années – ce qui en fait l'espèce humaine la plus durable qui ait jamais vécu. Il est peu probable que ce record soit jamais battu, même par notre espèce. Il est douteux qu'*Homo sapiens* soit encore dans les parages dans un millénaire. Alors deux millions d'années est tout à fait inconcevable !

Sur l'île de Java, en Indonésie, vivait l'*Homo soloensis*, «homme de la vallée de Solo», mieux armé pour vivre sous les tropiques. Sur une autre île indonésienne – l'îlot de Florès – vivaient des humains archaïques qui ont subi un processus de rabougrissement. Les humains atteignirent Florès quand le niveau de la mer était exceptionnellement bas, et que l'île était aisément accessible depuis le Continent. Quand le niveau des mers remonta, certains se trouvèrent pris au piège sur l'île, pauvre en ressources. Les grands éléments, qui ont besoin de beaucoup de nourriture, furent les premiers à mourir. Les plus petits survécurent bien plus facilement. Au fil des générations, la population de Florès devint une population de nains. Cette espèce unique, dont le nom scientifique est *Homo floresiensis*, ne dépassait pas un mètre pour un poids maximal de 25 kilos. Ils n'en furent pas moins capables de produire des outils de pierre et, à l'occasion, réussirent à chasser l'éléphant – même si, pour être honnête, il s'agissait aussi d'éléphants nains.

En 2010, un autre frère perdu fut arraché à l'oubli, quand des chercheurs fouillant la grotte de Denisova, en Sibérie, découvrirent une phalange fossilisée. L'analyse génétique prouva que le doigt était celui d'une espèce humaine encore inconnue, qu'on a baptisée du nom d'*Homo denisova*. Qui sait combien de nos parents perdus attendent d'être redécouverts dans d'autres grottes, sur d'autres îles, dans d'autres contrées ?

Pendant que ces humains évoluaient en Europe et en Asie, l'évolution ne s'arrêta pas en Afrique de l'Est. Le berceau de l'humanité continua de nourrir de nombreuses espèces nouvelles, telles que l'*Homo rudolfensis*, «l'homme du lac Rodolphe», l'*Homo ergaster*, «homme artisan», et finalement notre propre espèce, que nous avons immodestement baptisée du nom d'*Homo sapiens*, «homme sage».

Les membres de certaines de ces espèces étaient massifs, d'autres nains. Les uns étaient de redoutables chasseurs quand les autres étaient de faibles cueilleurs. Si certains ne quittèrent jamais leur île, beaucoup écumèrent les continents. Mais toutes appartenaient au genre *Homo*. Tous étaient des êtres humains.

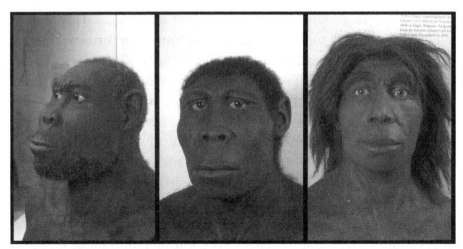

Nos frères et sœurs, selon les reconstructions spéculatives (de gauche à droite) : *Homo rudolfensis* (Afrique de l'Est) ; *Homo erectus* (Asie) ; et *Homo neanderthalensis* (Europe et Asie occidentale). Tous sont des humains.

Un sophisme commun est d'imaginer une ascendance linéaire, avec l'*ergaster* qui engendre *erectus*, qui engendre Neandertal, qui lui-même mène à nous. Or, ce modèle linéaire donne l'impression fausse qu'à tout moment un seul type d'humain aurait habité la Terre, et que toutes les espèces antérieures ne seraient que des modèles plus anciens de nous-mêmes. La vérité est qu'entre voici deux millions d'années et 10 000 ans, le monde a hébergé, en même temps, plusieurs espèces humaines. Et pourquoi pas ? Il existe bien aujourd'hui plusieurs espèces de renards, d'ours et de cochons. Il y a 100 000 ans, au moins six espèces d'homme arpentaient la Terre. C'est notre exclusivité présente, non pas la pluralité d'espèces passée, qui est peut-être particulière – et compromettante. Nous le verrons sous peu, nous, les Sapiens, avons de bonnes raisons de refouler le souvenir de nos frères et sœurs.

LE COÛT DE LA PENSÉE

En dépit de leurs multiples différences, toutes les espèces partagent plusieurs caractéristiques marquantes. La plus notable est la taille extraordinaire du cerveau en comparaison de celui des autres animaux. Les mammifères de 60 kilos ont un cerveau moyen de 200 cm³. Les tout premiers hommes, voici 2,5 millions d'années, avaient un cerveau d'environ 600 cm³. Le Sapiens moderne possède un cerveau moyen de 1 200-1 400 cm³. Les cerveaux de Neandertal étaient encore plus gros.

Que l'évolution ait sélectionné les gros cerveaux peut bien nous sembler couler de source. Nous sommes si épris de notre grande intelligence que nous imaginons qu'en matière de puissance cérébrale plus on en a, mieux c'est. Si tel était le cas, cependant, la famille des félins aurait aussi produit des chats sachant calculer, et les cochons auraient maintenant lancé leur propre programme spatial. Pourquoi les cerveaux géants sont-ils si rares dans le règne animal ?

Un cerveau géant est épuisant pour le corps. Il n'est pas facile à trimballer, surtout enchâssé dans un crâne massif. Il est plus difficile encore à alimenter. Chez l'*Homo sapiens*, le cerveau représente autour de 2 % à 3 % du poids corporel total, mais il consomme 25 % de l'énergie du corps quand celui-ci est au repos, contre 8 % seulement pour le cerveau des autres grands singes. Les humains archaïques payèrent leurs gros cerveaux de deux façons. Premièrement, ils passèrent plus de temps à chercher de quoi se nourrir. Deuxièmement, leurs muscles s'atrophièrent. Comme un gouvernement détourne des fonds de la défense vers l'éducation, les hommes détournèrent de l'énergie des biceps vers les neurones. Que ce soit une bonne stratégie pour survivre dans la savane ne va pas de soi. Si un chimpanzé ne peut l'emporter dans une discussion avec un *Homo sapiens*, le singe peut le déchiqueter comme une poupée de chiffons.

Aujourd'hui, nos gros cerveaux donnent de bons résultats car nous savons produire des voitures et des fusils, qui nous permettent d'aller plus vite que les chimpanzés et de les abattre à bonne distance au lieu de lutter avec eux. Or, voitures et fusils sont un phénomène récent. Pendant plus de deux millions d'années, les réseaux neuronaux de l'homme n'ont cessé de croître, mais en dehors de couteaux en silex ou de bâtons pointus, il n'était pas grand-chose de précieux pour l'attester. Comment expliquer l'évolution du cerveau humain massif au cours de ces deux millions d'années ? Franchement, nous n'en savons rien.

Un autre trait humain singulier est que nous marchons redressé, sur deux jambes. Debout, il est plus facile de scruter la savane, de guetter le gibier ou l'ennemi, tandis que les bras, devenus inutiles pour la locomotion, sont libérés à d'autres fins : lancer des pierres ou des signaux, par exemple. Plus ces mains pouvaient faire de choses, plus leurs propriétaires connaissaient de réussite, de sorte que la pression évolutive s'est traduite par une concentration croissante de nerfs et de muscles tout en délicatesse dans les paumes et les doigts. De ce fait, les humains peuvent accomplir avec leurs mains des tâches d'une extrême complexité. Ils peuvent notamment produire des outils élaborés. La première preuve d'une production d'outil date d'il y a environ 2,5 millions d'années, et la manufacture et l'utilisation d'outils sont, selon les archéologues, les critères auxquels on reconnaît les anciens humains.

Marcher redressé avait cependant son revers. Le squelette de nos ancêtres primates se développa des millions d'années durant pour supporter une créature qui marchait à quatre pattes et avait une tête relativement petite. S'ajuster à la position debout était un défi d'autant plus redoutable que l'échafaudage devait supporter un crâne extra-large. L'espèce humaine paya sa hauteur de vues et ses mains industrieuses par des migraines et des raideurs dans la nuque.

Pour les femmes, il y eut un prix supplémentaire. La position droite nécessitait des hanches plus étroites, resserrant le canal utérin – et ce, au moment précis où la tête des bébés devenait toujours plus grosse. La mort en couches fut un risque majeur pour les femelles humaines. Celles qui accouchaient tôt, quand le cerveau et la tête du bébé étaient encore relativement petits et souples, s'en sortaient mieux et pouvaient avoir plus d'enfants. En conséquence, la sélection naturelle favorisa les naissances précoces. De fait, en comparaison d'autres animaux, les humains naissent prématurés, alors que nombre de leurs systèmes vitaux sont encore sous-développés. Un poulain peut trottiner peu après sa naissance ; un chaton de quelques semaines quitte sa mère pour explorer le monde tout seul. Les bébés d'homme sont démunis, tributaires durant de longues années de leurs aînés qui assurent leur nourriture, leur protection et leur éducation.

Cet élément a grandement contribué aux extraordinaires capacités sociales de l'humanité comme à ses problèmes sociaux uniques. Avec leurs enfants accrochés à leurs basques, les mères solitaires ne pouvaient guère trouver assez de nourriture pour leurs rejetons et pour elles-mêmes. Élever des enfants nécessitait l'aide constante des autres membres de la famille et des voisins. Il faut une tribu pour élever un homme. Ainsi l'évolution favorisa-t-elle ceux qui sont capables de nouer de robustes liens sociaux. De surcroît, les humains naissant sous-développés, ils se prêtent bien mieux qu'aucun autre animal à l'éducation et à la socialisation. La plupart des mammifères sortent de la matrice telle une poterie émaillée d'un four : vouloir la remodeler, c'est seulement risquer de l'égratigner ou de la briser. Les humains sortent de la matrice comme du verre fondu d'un four. On peut les tourner, les étirer et les façonner avec un étonnant degré de liberté. C'est bien pourquoi nous pouvons aujourd'hui éduquer nos enfants, en faire des chrétiens ou des bouddhistes, des capitalistes ou des socialistes, des hommes épris de guerre ou de paix.

*

Nous supposons qu'un gros cerveau, l'usage d'outils, des capacités d'apprentissage supérieures et des structures sociales complexes sont des avantages immenses. Que ceux-ci aient fait de l'espèce humaine l'animal le plus puissant sur Terre paraît aller de soi. Or, deux bons millions d'années durant, les humains ont joui de tous ces avantages en demeurant des créatures faibles et marginales. Les humains qui vivaient voici un million d'années, malgré leurs gros cerveaux et leurs outils de pierre tranchants, connaissaient la peur constante des prédateurs, du gros gibier rarement chassé, et subsistaient surtout en cueillant des plantes, en ramassant des insectes, en traquant des petits animaux et en mangeant les charognes abandonnées par d'autres carnivores plus puissants.

Un des usages les plus courants des premiers outils de pierre consistait à ouvrir les os pour en extraire la moelle. Selon certains chercheurs, telle serait notre niche originelle. De même que la spécialité des pics est d'extraire les insectes des troncs d'arbre, de même les premiers hommes se spécialisèrent dans l'extraction de la moelle. Pourquoi la moelle ? Eh bien, imaginez que vous observiez une troupe de lions abattre et dévorer une girafe. Vous attendez patiemment qu'ils aient fini. Mais ce n'est pas encore votre tour à cause des chacals et des hyènes – vous n'avez aucune envie de vous frotter à eux – qui récupèrent les restes. C'est seulement après que vous et votre bande oserez approcher de la carcasse, en regardant prudemment à droite et à gauche, puis fouiller les rares tissus comestibles abandonnés.

C'est là une clé pour comprendre notre histoire et notre psychologie. Tout récemment encore, le genre *Homo* se situait au beau milieu de la chaîne alimentaire. Des millions d'années durant, les êtres humains ont chassé des petites créatures et ramassé ce qu'ils pouvaient, tout en étant eux-mêmes chassés par des prédateurs plus puissants. Voici 400 000 ans seulement que plusieurs espèces d'hommes ont commencé à chasser régulièrement le gros gibier ; et 100 000 ans seulement, avec l'essor de l'*Homo sapiens*, que l'homme s'est hissé au sommet de la chaîne alimentaire.

Ce bond spectaculaire du milieu au sommet a eu des conséquences considérables. Les autres animaux situés en haut de la pyramide, tels les lions ou les requins, avaient eu des millions d'années pour s'installer très progressivement dans cette position. Cela permit à l'écosystème de développer des freins et des contrepoids qui empêchaient lions et requins de faire trop de ravages. Les lions devenant plus meurtriers, les gazelles ont évolué pour courir plus vite, les hyènes pour mieux coopérer, et les rhinocéros pour devenir plus féroces. À l'opposé, l'espèce humaine s'est élevée au sommet si rapidement que l'écosystème n'a pas eu le temps de s'ajuster. De surcroît, les humains eux-mêmes ne se sont pas ajustés. La plupart des grands prédateurs de la planète sont des créatures majestueuses. Des millions d'années de domination les ont emplis d'assurance. Le Sapiens, en revanche, ressemble plus au dictateur d'une république bananière. Il n'y a pas si longtemps, nous étions les opprimés de la savane, et nous sommes pleins de peurs et d'angoisses quant à notre position, ce qui nous rend doublement cruels et dangereux. Des guerres meurtrières aux catastrophes écologiques, maintes calamités historiques sont le fruit de ce saut précipité.

UNE RACE DE CUISINIERS

Dans cette ascension, une étape significative fut la domestication du feu. Il y a 800 000 ans, déjà, certaines espèces humaines faisaient peut-être, à l'occasion, du feu. Voici environ 300 000 ans, *Homo erectus*, les Neandertal et les ancêtres d'*Homo sapiens* faisaient quotidiennement du feu. Les humains disposaient alors d'une source de lumière et de chaleur fiable, ainsi que d'une arme redoutable contre les lions en maraude. Peu après, les hommes ont bien pu commencer à mettre délibérément le feu aux alentours de leur habitat. Un feu soigneusement maîtrisé pouvait transformer des fourrés stériles et infranchissables en pâture de choix grouillant de gibier. En outre, le feu une fois éteint, les entrepreneurs de l'Âge de pierre arpentaient les restes fumants à la recherche d'animaux carbonisés, de noix et de tubercules. Mais la meilleure chose qu'ait apportée le feu, c'est la cuisine.

Des aliments indigestes sous leurs formes naturelles – ainsi du blé, du riz et des pommes de terre – devinrent des produits de base de notre régime grâce à la cuisine. Mais le feu ne changea pas seulement la chimie des aliments, il en changea aussi la biologie. La cuisine tua des germes et des parasites qui infestaient les aliments. Il devint aussi beaucoup plus facile aux hommes de mâcher et de digérer leurs vieux aliments favoris en les cuisinant : fruits, noix, insectes et charognes. Tandis qu'un chimpanzé passe cinq heures à mâchonner de la nourriture crue, une heure suffit à un homme qui mange de la nourriture cuisinée.

L'apparition de la cuisine permit aux hommes de manger des aliments plus variés, de passer moins de temps à se nourrir, et de le faire avec des dents plus petites et des intestins plus courts. Selon certains spécialistes, il existe un lien direct entre l'apparition de la cuisine, le raccourcissement du tube digestif et la croissance du cerveau. Les longs intestins et les gros cerveaux dévorant chacun de l'énergie, il est difficile d'avoir les deux. En raccourcissant les intestins et en réduisant leur consommation d'énergie, la cuisine a sans le vouloir ouvert la voie aux jumbo-cerveaux des Neandertal et des Sapiens[1].

Le feu a aussi ouvert le premier gouffre significatif entre l'homme et les autres animaux. La puissance de presque tous les animaux leur vient de leur corps : la force de leurs muscles, la taille de leurs dents, l'envergure de leurs ailes. S'ils peuvent exploiter vents et courants, ils sont bien incapables de maîtriser ces forces naturelles, et sont toujours contraints par leur physique. Les aigles, par exemple, identifient les colonnes qui s'élèvent du sol, déploient leurs ailes géantes et laissent l'air chaud les porter. En revanche, ils ne sauraient maîtriser la place des colonnes, et leur capacité de portage maximale est strictement proportionnelle à leur envergure.

Domestiquant le feu, les hommes s'emparèrent d'une force obéissante et potentiellement illimitée. À la différence des aigles, ils purent choisir quand et où allumer une flamme, puis exploiter le feu pour diverses tâches. Qui plus est, la puissance du feu n'était pas limitée par la forme, la structure ou la vigueur du corps humain. Une femme seule avec un silex et un bâton à feu pouvait brûler une forêt entière en quelques heures. La domestication du feu était un signe des choses à venir.

GARDIENS DE NOS FRÈRES

Malgré les bénéfices du feu, les humains d'il y a 150 000 ans étaient encore des créatures marginales. Ils pouvaient maintenant effrayer les lions, se réchauffer quand les nuits étaient fraîches et, à l'occasion, brûler la forêt. Mais, toutes espèces humaines confondues, ils étaient moins d'un million à vivre, en s'en sortant à peine, entre l'archipel indonésien et la péninsule Ibérique : un simple *blip* sur le radar écologique.

---

1. Ann Gibbons, « Food for Thought : Did the First Cooked Meals Help Fuel the Dramatic Evolutionary Expansion of the Human Brain ? », *Science*, 316:5831, 2007, p. 1558-1560.

Notre propre espèce, *Homo sapiens*, était déjà présente sur la scène mondiale, mais jusque-là elle se mêlait de ses affaires dans un coin de l'Afrique. Nous ne savons pas exactement quand les animaux que l'on peut classer comme *Homo sapiens* ont évolué à partir d'un type d'humains antérieur, mais la plupart des spécialistes conviennent cependant qu'il y a 150 000 ans l'Afrique orientale était peuplée de Sapiens qui nous ressemblaient énormément. Si l'un d'eux finissait dans une morgue aujourd'hui, le pathologiste ne remarquerait rien de particulier. Grâce aux bienfaits du feu, ils avaient des dents et des mâchoires plus petites que leurs ancêtres, alors qu'ils avaient des cerveaux massifs, d'une taille égale aux nôtres.

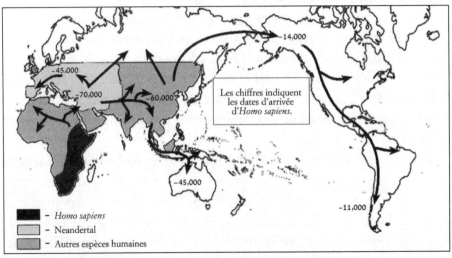

Lieux et dates de la conquête du globe avant notre ère par *Homo sapiens*.

Les spécialistes s'accordent aussi à penser qu'il y a environ 70 000 ans Sapiens atteignit l'Arabie depuis l'Afrique orientale, et que depuis la péninsule Arabique cette population a rapidement investi le bloc continental eurasien.

Quand l'*Homo sapiens* débarqua en Arabie, la majeure partie de l'Eurasie était déjà colonisée par d'autres êtres humains. Qu'advint-il d'eux ? Il existe deux théories contradictoires. La « Théorie du métissage » raconte une savoureuse histoire d'attirance, de sexe et de mélange. Les immigrants africains essaimant autour du monde se mêlèrent à d'autres populations humaines. Les populations actuelles sont le fruit de ce mélange.

Par exemple, quand les Sapiens atteignirent le Moyen-Orient et l'Europe, ils rencontrèrent des Neandertal. Ces humains étaient plus musclés que les Sapiens, avaient des cerveaux plus grands et étaient mieux adaptés aux climats froids. Utilisant des outils et le feu, ils étaient habiles à la chasse ; visiblement, ils prenaient soin de leurs malades et de leurs infirmes. Les archéologues ont découvert des os de Neandertal qui vécurent de longues années avec de graves handicaps physiques – preuve que leurs parents s'occupaient d'eux. Les Neandertal sont souvent caricaturés au point que l'on en fait l'archétype de l'«homme des cavernes» brutal et stupide, mais des données récentes ont changé leur image.

Selon la Théorie du métissage, quand Sapiens se répandit dans les terres des Neandertal, il fraya avec ceux-ci, jusqu'au mélange des deux populations. Si tel est le cas, les Eurasiens actuels ne sont pas de purs Sapiens, mais un mélange de Sapiens et de Neandertal. De même, quand Sapiens atteignit l'Asie de l'Est, il se mêla à l'Erectus local, si bien que Chinois et Coréens sont un mélange de Sapiens et d'Erectus.

L'approche opposée, la «Théorie du remplacement», raconte une histoire très différente d'incompatibilité et de révulsion, voire de génocide. Selon cette théorie, les Sapiens et les autres humains avaient des anatomies différentes, et très probablement des habitudes d'accouplement, voire des odeurs, différentes. Sexuellement, ils ne se seraient guère intéressés les uns aux autres. Même si un Roméo Neandertal et une Juliette Sapiens étaient tombés amoureux, leurs enfants eussent été incapables d'engendrer à leur tour, parce que le fossé génétique qui séparait les deux populations était déjà infranchissable. Les deux populations restèrent entièrement distinctes, et quand les Neandertal moururent, ou furent tués, leurs gènes disparurent avec eux. Dans cette optique, Sapiens remplaça toutes les populations humaines antérieures sans se mêler à elles. Si tel est le cas, on peut faire remonter tous les lignages humains contemporains à la seule Afrique orientale, voici 70 000 ans. Nous sommes tous de «purs Sapiens».

Ce débat est lourd de conséquences. Dans la perspective de l'évolution, 70 000 ans est un intervalle relativement bref. Si la Théorie du remplacement est juste, tous les hommes vivants possèdent *grosso modo* le même bagage génétique, et les distinctions de race sont quantité négligeable. En revanche, si la Théorie du métissage est exacte, il pourrait bien exister

des différences génétiques entre Africains, Européens et Asiatiques qui remontent à des centaines de milliers d'années. C'est de la dynamite politique, qui peut donner des matériaux à des théories raciales explosives.

Reconstruction spéculative d'un enfant Neandertal. Les données génétiques laissent penser qu'au moins certains Neandertal avaient la peau claire et les cheveux blonds.

Dans les dernières années, la Théorie du remplacement a été communément reçue. Elle se prévalait de données archéologiques plus solides et elle était plus politiquement correcte (les chercheurs n'avaient aucune envie d'ouvrir la boîte de Pandore du racisme en invoquant une diversité génétique significative entre populations humaines modernes). Mais cette situation a pris fin en 2010, quand ont été publiés les résultats de quatre années d'efforts pour dresser la carte du génome néandertalien. Les généticiens ont recueilli suffisamment d'ADN intact sur des fossiles pour procéder à une large comparaison avec l'ADN des humains contemporains. Les résultats ont stupéfié la communauté scientifique.

Il est apparu que de 1 % à 4 % de l'ADN unique des populations modernes du Moyen-Orient et d'Europe est de l'ADN de Neandertal. Ce n'est pas énorme, mais c'est significatif. Un second choc survint quelques mois plus tard, quand il apparut que l'ADN extrait du doigt fossilisé de Denisova partageait jusqu'à 6 % de son ADN unique avec les Mélanésiens et les aborigènes d'Australie actuels !

Si ces résultats sont valables – et il ne faut pas perdre de vue que de nouvelles recherches en cours peuvent corroborer ces conclusions ou les corriger –, les tenants du métissage ont eu au moins raison sur certains points. Pour autant, cela ne signifie pas que la Théorie du remplacement soit totalement fausse. Les Neandertal et les Dénisoviens n'ayant fourni qu'une petite quantité d'ADN à notre génome actuel, on ne saurait parler de « fusion » entre Sapiens et d'autres espèces humaines. Si les différences entre elles n'étaient pas assez importantes pour empêcher entièrement des rapports féconds, elles étaient suffisantes pour rendre ces contacts très rares.

Mais alors, comment comprendre la parenté biologique des Sapiens, des Neandertal et des Dénisoviens ? Visiblement, il ne s'agissait pas d'espèces tout à fait différentes comme les chevaux et les ânes. Par ailleurs, ce n'étaient pas non plus juste des populations différentes de la même espèce, comme les bouledogues et les épagneuls. La réalité biologique n'est pas en noir et blanc. Il existe d'importantes zones grises. Deux espèces ayant évolué à partir d'un ancêtre commun, comme les chevaux et les ânes, ont été à une époque simplement deux populations de la même espèce comme les bouledogues et les épagneuls. Il dut y avoir un moment où les deux populations étaient déjà très différentes l'une de l'autre mais encore capables, en de rares occasions, d'avoir des relations sexuelles et d'engendrer des rejetons féconds. Puis une nouvelle mutation trancha ce dernier fil, et les deux espèces suivirent des voies évolutives séparées.

Il semble que, voici 50 000 ans environ, Sapiens, Neandertal et Dénisoviens aient été à ce point limite. C'étaient des espèces presque entièrement séparées, mais pas tout à fait. Les Sapiens, nous le verrons dans le prochain chapitre, étaient déjà très différents des Neandertal et des Dénisoviens par leur code génétique et leurs traits physiques, mais aussi par leurs capacités cognitives et sociales. Il apparaît pourtant qu'il était encore possible, à de rares occasions, à un Sapiens et à un Neandertal de donner un rejeton fécond. Les populations n'ont donc pas fusionné, mais quelques gènes Neandertal chanceux ont eu la chance de monter dans l'Express Sapiens. Il est déroutant, voire saisissant, de penser qu'il fut un temps où nous, Sapiens, pouvions copuler avec un animal d'une espèce différente et avoir des enfants ensemble.

Mais, si les Neandertal, les Dénisoviens et autres espèces humaines n'ont pas été purement et simplement assimilés par les Sapiens, pourquoi ont-ils disparu ? Une possibilité est que l'*Homo sapiens* les ait poussés à l'extinction. Imaginez une bande de Sapiens arrivant dans une vallée des Balkans habitée depuis des centaines de milliers d'années par des Neandertal. Les nouveaux venus se mirent à chasser le cerf et à ramasser les noix et les baies qui étaient la nourriture de base traditionnelle des Neandertal. Forts de meilleures techniques et de compétences sociales supérieures, les Sapiens étaient des chasseurs et des cueilleurs plus efficaces, ce qui leur permit de se multiplier et d'essaimer. Moins doués, les Neandertal eurent alors de plus en plus de mal à se nourrir. Leur population s'amenuisa jusqu'à dépérir lentement, hormis, peut-être, un ou deux membres qui rejoignirent leurs voisins Sapiens.

Une autre possibilité est que la concurrence autour des ressources ait dégénéré en violences et en génocide. La tolérance n'est pas une marque de fabrique du Sapiens. Dans les Temps modernes, une petite différence de couleur de peau, de dialecte ou de religion a suffi à pousser un groupe de Sapiens à en exterminer un autre. Les anciens Sapiens auraient-ils été plus tolérants envers une espèce humaine entièrement différente ? Il se peut fort bien que la rencontre des Sapiens et des Neandertal ait donné lieu à la première et la plus significative campagne de nettoyage ethnique de l'histoire.

Quoi qu'il ait pu se produire, les Neandertal (et les autres espèces humaines) sont un des grands « et si » de l'histoire. Imaginez comment les choses auraient pu tourner si les Neandertal et les Dénisoviens avaient survécu à côté des *Homo sapiens*. Quel genre de cultures, de sociétés et de structures politiques serait apparu dans un monde où auraient coexisté plusieurs espèces d'hommes ? Par exemple, comment les confessions religieuses se seraient-elles développées ? Lirait-on dans le livre de la Genèse que les Neandertal descendent d'Adam et Ève ? Jésus serait-il mort pour les péchés des Dénisoviens ? Et le Coran eût-il réservé des places au Ciel pour tous les justes, quelle que fût leur espèce ? Les Neandertal auraient-ils pu servir dans les légions romaines ou la bureaucratie tentaculaire de la Chine impériale ? La Déclaration d'indépendance américaine affirmerait-elle comme une évidence que tous les membres du genre *Homo* sont créés égaux ? Karl Marx eût-il appelé à l'union les prolétaires de toutes les espèces ?

Au fil des 10 000 dernières années, *Homo sapiens* s'est si bien habitué à être la seule espèce humaine que nous peinons à envisager toute autre possibilité. Faute de frères et sœurs, il nous est plus facile de nous imaginer comme la quintessence de la création, séparée du reste du règne animal par un gouffre béant. Quand Charles Darwin expliqua qu'*Homo sapiens* n'était qu'une espèce d'animal parmi les autres, les gens poussèrent de hauts cris. Aujourd'hui encore, beaucoup refusent d'y croire. Si les Neandertal avaient survécu, nous considérerions-nous encore comme une créature à part ? Peut-être est-ce précisément ce qui incita nos ancêtres à effacer les Neandertal. Ils étaient trop familiers pour que l'on feigne de les ignorer, trop différents pour qu'on les tolère.

*

Qu'il faille ou non les en blâmer, les Sapiens n'étaient pas plutôt arrivés quelque part que la population indigène s'éteignait. Les derniers restes d'*Homo soloensis* datent d'environ 50 000 ans. L'*Homo denisova* disparut peu après, il y a quelque 40 000 ans. Les Neandertal quittèrent la scène voici près de 30 000 ans. Les derniers nains humains ont disparu de l'île Florès il y a environ 12 000 ans. Ils laissèrent derrière eux des os, des outils de pierre, quelques gènes de notre ADN, et une foule de questions sans réponse. Ils ont aussi laissé derrière eux *Homo sapiens*, la dernière espèce humaine : nous.

Quel est le secret de la réussite des Sapiens ? Comment avons-nous réussi à nous établir aussi rapidement dans tant d'habitats distants et écologiquement différents ? Comment avons-nous refoulé dans les oubliettes toutes les autres espèces d'hommes ? Pourquoi même les Neandertal, robustes, résistants au froid et malins, n'ont pu survivre à notre assaut ? Le débat continue de faire rage. La réponse la plus probable est la chose même qui rend le débat possible : c'est avant tout par son langage unique qu'*Homo sapiens* a conquis le monde.

2.

L'Arbre de la connaissance

Dans le chapitre précédent, nous avons vu que même si les Sapiens peuplaient déjà l'Afrique orientale voici 150 000 ans, ils commencèrent à envahir le reste de la planète Terre et à pousser les autres espèces humaines à l'extinction il y a seulement 70 000 ans. Dans les millénaires qui séparent ces deux dates, et alors même que ces Sapiens archaïques nous ressemblaient en tout point et que leurs cerveaux avaient la taille des nôtres, ils n'avaient pas d'avantage décisif sur une autre espèce humaine, ne produisaient pas d'outils particulièrement sophistiqués et n'accomplissaient pas d'autres prouesses.

En fait, dans la première rencontre attestée entre Sapiens et Neandertal, ce sont ces derniers qui gagnèrent. Voici quelque 100 000 ans, certains groupes de Sapiens s'aventurèrent au Levant – le territoire des Neandertal – mais ne réussirent pas à s'y implanter vraiment. Méchanceté des indigènes ? Climat peu clément ? Parasites locaux peu familiers ? Quelle que soit la raison, les Sapiens finirent par battre en retraite, laissant les Neandertal maîtres du Moyen-Orient.

Ce piètre bilan a conduit certains chercheurs à spéculer que la structure interne du cerveau de ces Sapiens était probablement différente de la nôtre. Ils nous ressemblaient, mais leurs capacités cognitives – apprentissage, remémoration, communication – étaient bien plus limitées. Apprendre l'anglais à un ancien Sapiens, le persuader de la vérité du dogme chrétien, ou l'amener à comprendre la théorie de l'évolution eût probablement été sans résultat. Inversement, nous aurions eu beaucoup de mal à apprendre sa langue et à comprendre sa façon de penser.

Mais ensuite, il y a environ 70 000 ans, *Homo sapiens* commença à faire des choses très particulières. Des bandes de Sapiens quittèrent l'Afrique une seconde fois, pour refouler les Neandertal et les autres espèces humaines du Moyen-Orient, mais aussi les effacer de la surface de la Terre. Dans un laps de temps étonnamment court, les Sapiens arrivèrent en Europe et en Asie de l'Est. Voici quelque 45 000 ans, ils se débrouillèrent pour traverser la mer et débarquèrent en Australie : un continent où les humains ne s'étaient encore jamais aventurés. La période qui va des années 70 000 à 30 000 vit l'invention des bateaux, des lampes à huile, des arcs et des flèches, des aiguilles (essentielles pour coudre des vêtements chauds). Les premiers objets que l'on puisse appeler des objets d'art ou des bijoux datent de cette ère, de même que les premières preuves irrécusables de religion, de commerce et de stratification sociale.

La plupart des chercheurs pensent que ces réalisations sans précédent sont le produit d'une révolution touchant les capacités cognitives du Sapiens. Ils pensent que les hommes qui poussèrent les Neandertal vers l'extinction, se fixèrent en Australie et sculptèrent l'homme-lion de Stadel étaient aussi intelligents, sensibles et créatifs que nous. Si nous rencontrions les artistes de la caverne de Stadel, nous pourrions apprendre leur langue, et eux la nôtre. Nous pourrions leur expliquer tout ce que nous savons – des aventures d'*Alice au pays des merveilles* à la physique quantique –, et ils pourraient nous dire comment eux voient le monde.

Figurine en ivoire d'« homme-lion » (ou de « femme-lionne ») en provenance de la grotte de Stadel, en Allemagne (il y a autour de 32 000 ans). Le corps est humain, la tête léonine. C'est l'un des premiers exemples incontestables d'art, mais probablement aussi de religion et de la capacité de l'esprit humain à imaginer des choses qui n'existent pas vraiment.

L'apparition de nouvelles façons de penser et de communiquer, entre 70 000 et 30 000 ans, constitue la Révolution cognitive. Quelle en fut la cause ? Nous n'avons pas de certitude. Selon la théorie la plus répandue, des mutations génétiques accidentelles changèrent le câblage interne du cerveau des Sapiens, leur permettant de penser de façons sans précédent et de communiquer en employant des langages d'une toute nouvelle espèce. Nous pourrions parler à ce propos de mutation de l'Arbre de la Connaissance. Pourquoi s'est-elle produite dans l'ADN des Sapiens, plutôt que dans celui des Neandertal ? Pur hasard, pour autant qu'on puisse le dire. Mais il importe davantage de comprendre les conséquences de la mutation de l'Arbre de la Connaissance que ses causes. Que possédait de si particulier la nouvelle langue des Sapiens, qu'elle nous ait permis de conquérir le monde[1] ?

Ce n'était pas la première langue. Tous les animaux possèdent une sorte de langage. Même les insectes, comme les abeilles et les fourmis, savent communiquer de manières subtiles, s'informant mutuellement des endroits où trouver de la nourriture. Ce ne fut pas non plus le premier langage vocal. Beaucoup d'animaux, y compris toutes les espèces de singes, ont des langages vocaux. Les singes verts, par exemple, communiquent par diverses sortes d'appels vocaux. Les zoologistes ont identifié un appel qui signifie : « Attention, un aigle ! » et un autre, un peu différent : « Attention, un lion ! » Quand les chercheurs ont passé un enregistrement du premier appel à un groupe de singes, ceux-ci ont suspendu leurs activités pour regarder en l'air, apeurés. Entendant un enregistrement du second appel, concernant les lions, le même groupe s'est empressé de grimper à un arbre. Le Sapiens produit plus de sons distincts que les singes verts, mais les baleines et les éléphants ont également des capacités impressionnantes. Un perroquet peut dire tout ce qu'Albert Einstein pouvait dire, mais aussi imiter les sons

---

1. Ici et dans les pages qui suivent, quand il est question du langage des Sapiens, je pense aux facultés linguistiques de base de notre espèce, et pas à un dialecte particulier. L'anglais, l'hindi et le chinois sont autant de variantes du langage des Sapiens. Visiblement, même au temps de la Révolution cognitive, les différents groupes de Sapiens avaient des dialectes différents.

du téléphone qui sonne, les portes qui claquent et les mugissements des sirènes. Quelle est donc la singularité de notre langage ?

La réponse la plus courante est qu'il est d'une étonnante souplesse. Nous pouvons associer un nombre limité de sons et de signes pour produire un nombre infini de phrases, chaque fois avec un sens distinct. Ainsi pouvons-nous assimiler, stocker et communiquer une prodigieuse quantité d'informations sur le monde qui nous entoure. Un singe vert peut crier à ses congénères : « Attention, un lion ! », mais un humain moderne peut raconter à ses amis que, ce matin, près du coude de la rivière, il a vu un lion suivre un troupeau de bisons. Il peut indiquer l'endroit exact, y compris les différents sentiers qui y conduisent. Forts de cette information, les membres de sa bande peuvent y réfléchir et en discuter : doivent-ils aller vers la rivière éloigner le lion et chasser le bison ?

Selon une deuxième théorie, notre langage unique aurait évolué comme moyen de partager des informations sur le monde. Mais l'information la plus importante qu'il fallait transmettre concernait les humains, non pas les lions ou les bisons. Notre langage a évolué comme une manière de bavarder. Suivant cette théorie, *Homo sapiens* est essentiellement un animal social. La coopération sociale est la clé de notre survie et de notre reproduction. Il ne suffit pas aux hommes et aux femmes de savoir où sont les lions et les bisons. Il importe bien davantage pour eux de savoir qui, dans leur bande, hait qui, qui couche avec qui, qui est honnête, qui triche.

La quantité d'informations qu'il faut obtenir et emmagasiner pour suivre les relations en perpétuelle évolution de quelques douzaines d'individus seulement est renversante. (Pour une bande de 50 individus, il y a 1 225 relations de personne à personne et d'innombrables combinaisons sociales plus complexes.) Tous les singes montrent un vif intérêt pour ces informations sociales, mais ils ont du mal à bavarder efficacement. Les Neandertal et les *Homo sapiens* archaïques avaient probablement aussi du mal à parler dans le dos des autres : une faculté très calomniée qui est en vérité essentielle à la coopération en nombre. Les nouvelles capacités linguistiques que le Sapiens moderne a acquises voici quelque 70 millénaires lui ont permis de bavarder des heures d'affilée. Avec des informations

fiables sur les personnes de confiance, les petites bandes ont pu former des bandes plus grandes, et Sapiens a pu élaborer des formes
de coopération plus resserrées et plus fines[1].

On pourrait croire à une plaisanterie, mais de nombreuses
études corroborent cette théorie du commérage. Aujourd'hui
encore, la majeure partie de la communication humaine – e-mails,
appels téléphoniques et échos dans la presse – tient du bavardage.
Celui-ci nous est si naturel qu'il semble que notre langage se soit
précisément développé à cette fin. Vous croyez vraiment que les
professeurs d'histoire parlent des causes de la Première Guerre
mondiale quand ils se retrouvent à déjeuner ou que, dans les confé-
rences scientifiques, les physiciens nucléaires profitent des pauses-
café pour parler de quarks ? Ça arrive. Plus souvent, toutefois, ils
parlent de la prof qui a découvert que son mari la trompait, de la
querelle entre le chef de département et le doyen, ou des rumeurs
suivant lesquelles un collègue se sert de ses crédits de recherche
pour se payer une Lexus. Les commérages se focalisent habituellement sur les méfaits. Les propagateurs de rumeur sont à l'origine
du « quatrième pouvoir », des journalistes qui informent la société
et la protègent des tricheurs et des pique-assiette.

*

Très vraisemblablement, la théorie du commérage et la théorie
du lion près de la rivière sont toutes deux valables. Mais la caractéristique véritablement unique de notre langage, c'est la capacité
de transmettre des informations non pas sur des hommes et des
lions, mais sur des choses qui n'existent pas. Pour autant que nous
le sachions, seuls les Sapiens peuvent parler de toutes sortes d'entités qu'ils n'ont jamais vues, touchées ou senties.

Légendes, mythes, dieux et religions – tous sont apparus avec
la Révolution cognitive. Auparavant, beaucoup d'animaux et d'espèces humaines pouvaient dire : « Attention, un lion ! » Grâce à la
Révolution cognitive, *Homo sapiens* a acquis la capacité de dire :

---

1. Robin Dunbar, *Grooming, Gossip, and the Evolution of Language*, Cambridge,
Mass., Harvard University Press, 1998.

« Le lion est l'esprit tutélaire de notre tribu. » Cette faculté de parler de fictions est le trait le plus singulier du langage du Sapiens.

On conviendra sans trop de peine que seul l'*Homo sapiens* peut parler de choses qui n'existent pas vraiment et croire à six choses impossibles avant le petit déjeuner. Jamais vous ne convaincrez un singe de vous donner sa banane en lui promettant qu'elle lui sera rendue au centuple au ciel des singes. Mais pourquoi est-ce important ? Somme toute, la fiction peut dangereusement égarer ou distraire. Les gens qui vont dans la forêt en quête de fées ou de licornes sembleraient avoir moins de chance de survie que ceux qui cherchent des champignons ou des cerfs. Et si vous passez des heures à prier des esprits tutélaires inexistants, ne perdez-vous pas un temps précieux qui serait mieux employé à fourrager, vous battre ou forniquer ?

Or, c'est la fiction qui nous a permis d'imaginer des choses, mais aussi de le faire *collectivement*. Nous pouvons tisser des mythes tels que le récit de la création biblique, le mythe du Temps du rêve des aborigènes australiens ou les mythes nationalistes des États modernes. Ces mythes donnent au Sapiens une capacité sans précédent de coopérer en masse et en souplesse. Fourmis et abeilles peuvent aussi travailler ensemble en grands nombres, mais elles le font de manière très rigide et uniquement avec de proches parents. Loups et chimpanzés coopèrent avec bien plus de souplesse que les fourmis, mais ils ne peuvent le faire qu'avec de petits nombres d'autres individus qu'ils connaissent intimement. Sapiens peut coopérer de manière extrêmement flexible avec d'innombrables inconnus. C'est ce qui lui permet de diriger le monde pendant que les fourmis mangent nos restes et que les chimpanzés sont enfermés dans les zoos et les laboratoires de recherche.

LA LÉGENDE DE PEUGEOT

Nos cousins chimpanzés vivent habituellement en petites troupes de plusieurs douzaines d'individus. Ils nouent des amitiés solides, chassent ensemble et se serrent les coudes contre les babouins, les guépards et les chimpanzés ennemis. Leur structure sociale a tendance à être hiérarchisée. Le membre dominant, presque toujours un mâle, est appelé « mâle alpha ». Les autres mâles et femelles montrent leur soumission au mâle alpha en s'inclinant devant lui tout en poussant des grognements, à la manière des sujets qui font des courbettes devant le roi. Le mâle alpha s'efforce de faire régner l'harmonie sociale au sein de sa troupe. Quand deux individus se battent, il intervient pour faire cesser la violence. Avec moins de bienveillance, il pourrait monopoliser des aliments particulièrement convoités et empêcher les mâles subalternes de s'accoupler avec les femelles.

Quand deux mâles se disputent la position alpha, ils le font habituellement en formant à l'intérieur du groupe de très larges coalitions de partisans, tant mâles que femelles. Les liens entre membres d'une coalition reposent sur des contacts intimes quotidiens : étreintes, caresses, baisers, toilette et échange de faveurs. De même que les politiciens en campagne serrent les mains et embrassent les bébés, de même, dans un groupe de chimpanzés, les aspirants à la position la plus haute passent beaucoup de temps à embrasser, taper sur le dos et bisouiller les bébés. Le mâle alpha conquiert habituellement sa position non pas par une force physique supérieure, mais parce qu'il dirige une coalition grande et stable. Ces coalitions jouent un rôle central non seulement au cours des luttes ouvertes pour la position alpha, mais dans presque toutes les activités au jour le jour. En temps de troubles, les membres d'une coalition passent plus de temps ensemble, partagent la nourriture et s'entraident.

Il existe des limites claires à la taille des groupes qui peuvent se former et se maintenir ainsi. Pour que ça marche, tous les membres du groupe doivent se connaître intimement. Deux chimpanzés qui ne se sont jamais rencontrés ni battus et qui ne se sont jamais livrés à une toilette mutuelle ne sauront pas s'ils peuvent se fier l'un à l'autre, si cela vaudrait la peine de s'entraider, et lequel est le plus haut placé. Dans des conditions naturelles, une troupe typique de chimpanzés compte entre 20 et 50 individus. Si le nombre de chimpanzés d'une troupe augmente, l'ordre social se déstabilise au point de déboucher finalement sur une rupture et sur la formation par certains éléments d'une nouvelle troupe.

Les zoologistes n'ont observé des groupes de plus de 100 chimpanzés que dans une poignée de cas. Les groupes séparés coopèrent rarement et ont tendance à se disputer territoire et nourriture. Des chercheurs ont étudié de longues guerres entre groupes, et même un cas d'activité « génocidaire », avec une troupe qui massacrait systématiquement la plupart des membres d'une bande voisine[1].

De semblables configurations dominèrent probablement la vie sociale des premiers humains, dont l'*Homo sapiens* archaïque. Comme les chimpanzés, les humains ont des instincts sociaux qui permirent à nos ancêtres de forger des amitiés et des hiérarchies, de chasser et de combattre ensemble. Toutefois, comme les instincts sociaux des singes, ceux des hommes n'étaient adaptés que pour de petits groupes d'intimes. Le groupe devenant trop grand, l'ordre social s'en trouvait déstabilisé et la bande se scindait. Même si une vallée particulièrement fertile pouvait nourrir 500 Sapiens archaïques, il n'y avait pas moyen pour tant d'inconnus de vivre ensemble. Comment choisir qui serait le chef, qui devrait chasser et où, qui devait s'accoupler ?

Dans le sillage de la Révolution cognitive, le bavardage aida *Homo sapiens* à former des bandes plus larges et plus stables. Mais lui-même a ses limites. La recherche sociologique a montré que la taille « naturelle » maximale d'un groupe lié par le commérage est d'environ 150 individus. La plupart n'en peuvent connaître intimement plus de 150 ; on retrouve la même limite quant aux bavardages efficaces.

---

1. Frans de Waal, *Chimpanzee Politics : Power and Sex among Apes*, Baltimore, Johns Hopkins University Press, 2000 ; Frans de Waal, *Our Inner Ape : A Leading Primatologist Explains Why We Are Who We Are*, New York, Riverhead Books, 2005 ; Michael L. Wilson et Richard W. Wrangham, « Intergroup Relations in Chimpanzees », *Annual Review of Anthropology*, 32, 2003, p. 363-392 ; M. McFarland Symington, « Fission-Fusion Social Organization in *Ateles* and *Pan* », *International Journal of Primatology*, 11:1, 1990, p. 49 ; Colin A. Chapman et Lauren J. Chapman, « Determinants of Groups Size in Primates : The Importance of Travel Costs », in Sue Boinsky et Paul A. Garber (dir.), *On the Move : How and Why Animals Travel in Groups*, Chicago, University of Chicago Press, 2000, p. 26.

Aujourd'hui encore, le seuil critique de la capacité d'organisation humaine se situe autour de ce chiffre magique. En deçà de ce seuil, les communautés, les entreprises, les réseaux sociaux et les unités militaires peuvent se perpétuer en se nourrissant essentiellement de connaissance intime et de rumeurs colportées. Nul n'est besoin de rangs officiels, de titres et de codes de loi pour maintenir l'ordre[1]. Un peloton de 30 soldats ou même une compagnie de 100 soldats peuvent parfaitement fonctionner sur la base de relations intimes, avec un minimum de discipline formelle. Un sergent respecté peut devenir le « roi de la compagnie » et peut même exercer une autorité sur des officiers. Une petite affaire familiale peut survivre et prospérer sans conseil d'administration ni PDG ni service de comptabilité.

Une fois franchi le seuil de 150 individus, cependant, les choses ne peuvent plus fonctionner ainsi. On ne conduit pas une division forte de milliers de soldats comme on dirige un peloton. Les entreprises familiales qui réussissent traversent généralement une crise quand elles prennent de l'importance et embauchent du personnel. Si elles ne savent pas se réinventer, elles font faillite.

Comment *Homo sapiens* a-t-il réussi à franchir ce seuil critique pour finalement fonder des cités de plusieurs dizaines de milliers d'habitants et des empires de centaines de millions de sujets? Le secret réside probablement dans l'apparition de la fiction. De grands nombres d'inconnus peuvent coopérer avec succès en croyant à des mythes communs.

Toute coopération humaine à grande échelle – qu'il s'agisse d'un État moderne, d'une Église médiévale, d'une cité antique ou d'une tribu archaïque – s'enracine dans des mythes communs qui

---

1. Dunbar, *Grooming, Gossip, and the Evolution of Language*, p. 69-79; Leslie C. Aiello et R. I. M. Dunbar, « Neocortex Size, Group Size, and the Evolution of Language », *Current Anthropology*, 34:2, 1993, p. 189. Pour une critique de cette approche, Christopher McCarthy *et al.*, « Comparing Two Methods for Estimating Network Size », *Human Organization*, 60:1, 2001, p. 32; R. A. Hill et R. I. M. Dunbar, « Social Network Size in Humans », *Human Nature*, 14:1, 2003, p. 65.

n'existent que dans l'imagination collective. Les Églises s'enracinent dans des mythes religieux communs. Deux catholiques qui ne se sont jamais rencontrés peuvent néanmoins partir en croisade ensemble ou réunir des fonds pour construire un hôpital parce que tous deux croient que Dieu s'est incarné et s'est laissé crucifier pour racheter nos péchés. Les États s'enracinent dans des mythes nationaux communs. Deux Serbes qui ne se sont jamais rencontrés peuvent risquer leur vie pour se sauver l'un l'autre parce que tous deux croient à l'existence d'une nation serbe, à la patrie serbe et au drapeau serbe. Les systèmes judiciaires s'enracinent dans des mythes légaux communs. Deux juristes qui ne se sont jamais rencontrés peuvent néanmoins associer leurs efforts pour défendre un parfait inconnu parce que tous deux croient à l'existence des lois, de la justice, des droits de l'homme – et des honoraires qu'ils touchent.

Pourtant, aucune de ces choses n'existe hors des histoires que les gens inventent et se racontent les uns aux autres. Il n'y a pas de dieux dans l'univers, pas de nations, pas d'argent, pas de droits de l'homme, ni lois ni justice hors de l'imagination commune des êtres humains.

Nous comprenons aisément que les « primitifs » ciment leur ordre social en croyant aux fantômes et aux esprits, et se rassemblent à chaque pleine lune pour danser autour du feu de camp. Ce que nous saisissons mal, c'est que nos institutions modernes fonctionnent exactement sur la même base. Prenez l'exemple du monde des entreprises. Les hommes d'affaires et les juristes modernes sont en fait de puissants sorciers. Entre eux et les shamans tribaux, la principale différence est que les hommes de loi modernes racontent des histoires encore plus étranges. La légende de Peugeot nous en offre un bon exemple.

*

De Paris à Sydney apparaît sur des automobiles, des camions et des mobylettes une icône qui ressemble un peu à l'homme-lion de Stadel : la figurine qui orne le capot des Peugeot, l'un des constructeurs automobiles les plus anciens et les plus importants d'Europe.

Au début, Peugeot était une petite affaire familiale de Valentigney, un village situé à 300 kilomètres seulement de la grotte de Stadel. Aujourd'hui, la société emploie plus de 200 000 personnes à travers le monde – la plupart étant de parfaits étrangers les uns pour les autres. Ces étrangers coopèrent si efficacement qu'en 2008 Peugeot produisait plus de 1,5 million de véhicules, pour un chiffre d'affaires tournant autour de 55 milliards d'euros.

Le Lion de Peugeot.

En quel sens pouvons-nous dire que Peugeot SA – nom officiel de la société – existe ? Il existe quantité de véhicules Peugeot, mais les véhicules et la société sont deux choses différentes. Même si toutes les Peugeot du monde étaient simultanément mises à la ferraille et vendues au prix du métal, Peugeot SA ne disparaîtrait pas. Elle continuerait de produire de nouvelles voitures et de publier son rapport annuel. La compagnie possède des usines, des machines et des *showrooms*, et elle emploie des mécaniciens, des comptables et des secrétaires, mais tous ceux-ci réunis ne font pas pour autant Peugeot. Une catastrophe pourrait tuer chacun de ses employés, détruire toutes ses chaînes de montage et les bureaux de ses dirigeants, la société pourrait malgré tout emprunter, embaucher de nouveaux employés, construire de nouvelles usines et acheter de nouvelles machines. Peugeot a des dirigeants et des actionnaires, qui ne constituent pas davantage la société. Tous les dirigeants pourraient être écartés, toutes les actions vendues : la compagnie n'en demeurerait pas moins intacte.

Non que Peugeot SA soit invulnérable ou immortelle. Si un juge devait ordonner la dissolution de la compagnie, ses usines resteraient debout, et ses ouvriers, ses comptables, ses dirigeants et ses actionnaires continueraient de vivre, mais Peugeot SA disparaîtrait immédiatement. Bref, Peugeot SA semble n'avoir aucune relation essentielle avec le monde physique. Existe-t-elle vraiment ?

Peugeot est une création de notre imagination collective. Les juristes parlent de « fiction de droit ». On ne saurait la montrer du doigt ; ce n'est pas un objet matériel. En revanche, elle existe en tant qu'entité juridique. Au même titre que vous et moi, elle est liée par les lois des pays dans lesquels elle opère. Elle peut ouvrir un compte en banque et posséder des biens. Elle paie des impôts, elle peut être poursuivie, même indépendamment des personnes qui la possèdent ou qui travaillent pour elle.

Peugeot appartient à un genre particulier de fictions juridiques, celle des « sociétés anonymes à responsabilité limitée ». L'idée qui se trouve derrière ces compagnies compte parmi les inventions les plus ingénieuses de l'humanité. Des millénaires et des millénaires durant, *Homo sapiens* a vécu sans elles. Pendant la majeure partie de l'histoire, seuls ont pu posséder des biens des hommes de chair et de sang – du genre qui se tient sur deux jambes et a un gros cerveau. Si, dans la France du XIIIe siècle, Jean montait un atelier de chariots, l'affaire et lui ne faisaient qu'un. Si un chariot qu'il avait fabriqué se brisait une semaine après la vente, l'acheteur mécontent l'aurait poursuivi personnellement. Si Jean avait emprunté mille pièces d'or pour monter son atelier puis fait faillite, c'était à lui de rembourser en vendant ses biens personnels : sa maison, sa vache, sa terre. Il pouvait même être obligé de vendre ses enfants, les vouant ainsi à la servitude. S'il ne parvenait à couvrir sa dette, il pouvait être jeté en prison par l'État ou réduit en esclavage par ses créanciers. Il était totalement comptable, sans limites, pour toutes les obligations contractées par son atelier.

Si vous aviez vécu à cette époque, vous y auriez probablement réfléchi à deux fois, voire beaucoup plus, avant de lancer votre entreprise. De fait, cette situation légale décourageait l'esprit d'entreprise. Les gens avaient peur de lancer de nouvelles affaires et de prendre des risques économiques. Valait-il la peine de risquer de plonger les siens dans une misère noire ?

De là vient que l'on se mit collectivement à imaginer l'existence de sociétés à responsabilité limitée : des sociétés indépendantes des personnes qui les lançaient, investissaient en elles ou les dirigeaient. Au cours des derniers siècles, ces sociétés sont devenues les principaux acteurs de l'arène économique, et nous nous y sommes à ce point habitués que nous oublions qu'elles n'existent que dans notre imagination. Aux États-Unis, cette société anonyme à responsabilité limitée porte le nom de « corporation » – ce qui est ironique quand on sait que le mot vient du latin *corpus*, « corps » : la seule chose que ne possèdent pas ces sociétés. Alors même qu'elles n'ont pas de corps, le système juridique américain les traite comme des personnes juridiques, comme des êtres de chair et de sang.

Tel était aussi le cas du système français en 1896, quand Armand Peugeot, qui avait hérité de ses parents un atelier produisant des ressorts, des scies et des bicyclettes, décida de se lancer dans l'automobile. S'il donna son nom à la société, celle-ci resta indépendante de lui. Si une voiture tombait en panne, l'acheteur pouvait poursuivre Peugeot, mais pas Armand Peugeot. Si la société empruntait des millions avant de faire faillite, Armand Peugeot ne devait pas le moindre franc à ses créanciers. Après tout, le prêt avait été accordé à Peugeot, la société, non pas à Armand Peugeot, l'*Homo sapiens*. Armand Peugeot est mort en 1915. La société Peugeot est toujours en vie.

Comment, au juste, Armand Peugeot, l'homme, a-t-il créé la société Peugeot ? En gros, comme les prêtres et les sorciers ont créé dieux et démons tout au long de l'histoire, et comme des milliers de curés français créaient encore le corps du Christ chaque dimanche dans leur église paroissiale. Il s'agissait au fond de raconter des histoires et de convaincre les gens d'y croire. Dans le cas des curés, l'histoire cruciale était celle de la vie et de la mort du Christ telle que l'Église catholique la raconte. Selon cette histoire, si le prêtre revêtu de ses habits sacerdotaux prononce solennellement les bons mots au bon moment, le pain et le vin se transforment en chair et en sang du Christ. *Hoc est corpus meum !* s'exclamait le prêtre : « Ceci est mon corps ! » Et, *hocus pocus*, le pain devenait chair. Voyant que le prêtre avait assidûment et convenablement suivi la procédure, des millions de catholiques fervents se conduisaient comme si Dieu était réellement présent dans le vin et le pain consacrés.

Dans le cas de Peugeot SA, l'histoire cruciale est celle du code de lois français, fruit du travail des parlementaires. Selon les législateurs français, si un juriste certifié suivait la liturgie et les rituels de rigueur, écrivait les charmes et serments requis sur un bout de papier merveilleusement décoré et apposait sa signature et son paraphe au bas du document, alors *hocus pocus...* une nouvelle société était constituée. Quand, en 1896, Armand Peugeot voulut créer sa société, il chargea un juriste de suivre cette procédure sacrée. L'homme de loi ayant exécuté les bons rituels et prononcé tous les charmes et serments requis, des millions de Français se conduisirent comme si la société Peugeot existait vraiment.

*

Raconter des histoires efficaces n'est pas facile. La difficulté n'est pas de raconter l'histoire, mais de convaincre tous les autres d'y croire. Une bonne partie de l'histoire tourne autour de cette question : comment convaincre des millions de gens de croire des histoires particulières sur les dieux, les nations ou les sociétés anonymes à responsabilité limitée ? Quand ça marche, pourtant, cela donne au Sapiens un pouvoir immense, parce que cela permet à des millions d'inconnus de coopérer et de travailler ensemble à des objectifs communs. Essayez donc d'imaginer combien il eût été difficile de créer des États, des Églises ou des systèmes juridiques, si nous ne pouvions parler que de ce qui existe réellement, comme les rivières, les arbres et les lions.

*

Au fil des ans a été tissé un réseau d'histoires d'une incroyable complexité. Dans ce réseau, des fictions comme Peugeot non seulement existent, mais elles accumulent un immense pouvoir.

Dans les cercles universitaires, le genre de choses que les gens créent à travers ce réseau d'histoires porte le nom de « fictions », « constructions sociales » ou « réalités imaginaires ». Une réalité imaginaire n'est pas un mensonge. Je mens quand je dis qu'il y a un lion près de la rivière alors que je sais parfaitement qu'il n'y en a pas. Mentir n'a rien de très particulier. Les singes verts et les chimpanzés peuvent mentir. On a observé un singe vert crier : « Attention, un lion ! », alors qu'il n'y avait pas de lion dans les

parages. L'alerte avait l'avantage d'effrayer un con̶
de trouver une banane, que le menteur put conser̶

Contrairement au mensonge, une réalité in̶
chose à laquelle tout le monde croit ; tant que c̶
mune persiste, la réalité imaginaire exerce une fo̶
Très probablement, le sculpteur de la grotte Stadel pouva̶
cèrement croire à l'existence de l'esprit tutélaire homme-lion.
Certains sorciers sont des charlatans, mais la plupart croient sincèrement à l'existence de dieux et de démons. La plupart des millionnaires croient sincèrement à l'existence de l'argent et des sociétés anonymes à responsabilité limitée. La plupart des défenseurs
des droits de l'homme croient sincèrement à l'existence des droits
de l'homme. Personne ne mentait quand, en 2011, les Nations
unies exigèrent du gouvernement libyen qu'il respecte les droits
de l'homme de ses citoyens, alors même que les Nations unies, la
Libye et les droits de l'homme sont des fictions nées de notre imagination fertile.

Depuis la Révolution cognitive, les Sapiens ont donc vécu dans
une double réalité. D'un côté, la réalité objective des rivières, des
arbres et des lions ; de l'autre, la réalité imaginaire des dieux, des
nations et des sociétés. Au fil du temps, la réalité imaginaire est
devenue toujours plus puissante, au point que de nos jours la survie même des rivières, des arbres et des lions dépend de la grâce
des entités imaginaires comme le Dieu Tout-Puissant, les États-Unis
ou Google.

CONTOURNER LE GÉNOME

La capacité de créer une réalité imaginaire à partir de mots a
permis à de grands nombres d'inconnus de coopérer efficacement.
Mais elle a fait plus. La coopération humaine à grande échelle repo-
sant sur des mythes, il est possible de changer les formes de coopération en changeant les mythes, en racontant des histoires différentes. Dans les circonstances appropriées, les mythes peuvent
changer vite. En 1789, la population française changea de croyance

presque du jour au lendemain, abandonnant la croyance au mythe du droit divin des rois pour le mythe de la souveraineté du peuple. Depuis la Révolution cognitive, *Homo sapiens* a toujours pu réviser rapidement son comportement au gré de ses besoins changeants. Cela a ouvert une voie rapide à l'évolution culturelle, contournant les embouteillages de l'évolution génétique. Filant sur cette voie, *Homo sapiens* eut tôt fait de dépasser toutes les autres espèces humaines et animales par sa capacité de coopérer.

Le comportement des autres animaux sociaux est largement déterminé par leurs gènes. L'ADN n'est pas un autocrate. Le milieu et les excentricités individuelles influencent aussi le comportement des animaux. Dans un environnement donné, néanmoins, les animaux de la même espèce auront tendance à se conduire de manière similaire. En règle générale, il ne saurait y avoir de changement significatif de comportement social sans mutations génétiques. Les chimpanzés ordinaires ont génétiquement tendance à vivre en groupes de plusieurs douzaines d'individus dirigés par un mâle alpha. Les bonobos, une espèce très proche des chimpanzés, vivent aussi en groupes plus égalitaires dominés par des alliances de femelles. Les femelles chimpanzés ordinaires ne sauraient prendre exemple sur leurs parentes bonobos et fomenter une révolution féministe. Les mâles ne sauraient se réunir en constituante pour abolir la position de mâle alpha et proclamer que, dorénavant, tous les chimpanzés doivent être traités en égaux. Des changements de comportement aussi spectaculaires ne sauraient se produire que si des changements intervenaient dans l'ADN des chimpanzés.

Pour de semblables raisons, les hommes archaïques ne lancèrent pas de révolutions. Pour autant qu'on puisse le dire, les changements de structures sociales, l'invention de nouvelles techniques et le peuplement d'habitats étrangers résultèrent de mutations génétiques et de pressions du milieu, plus que d'initiatives culturelles. C'est pourquoi il fallut des centaines de milliers d'années pour franchir ces étapes. Voici deux millions d'années, des mutations génétiques se traduisirent par l'apparition d'une nouvelle espèce humaine appelée l'*Homo erectus*. Son émergence s'accompagna de la mise au point d'une nouvelle technique d'outils de pierre, aujourd'hui considérée comme un trait saillant de cette espèce. Tant que l'*Homo erectus* ne subit pas de nouvelles altérations génétiques, ses outils de pierre restèrent *grosso modo* les mêmes – pendant près de deux millions d'années !

En revanche, depuis la Révolution cognitive, Sapiens a toujours pu changer de comportement rapidement et en transmettre de nouveaux aux générations futures sans aucun besoin de changement génétique ou environnemental. Un exemple de choix est l'apparition répétée d'élites sans enfants telles que le clergé catholique, les moines bouddhistes et les bureaucraties chinoises d'eunuques. L'existence de pareilles élites va contre les principes les plus fondamentaux de la sélection naturelle puisque ces membres dominants de la société renoncent volontiers à la procréation. Tandis que, chez les chimpanzés, les mâles alpha se servent de leur pouvoir pour copuler avec le plus grand nombre de femelles possible, et de ce fait engendrent une bonne partie des jeunes de leur troupe, le mâle alpha catholique s'abstient totalement de rapports sexuels et de soins aux enfants. Cette abstinence ne tient pas à des conditions environnementales particulières telles qu'une grave pénurie de vivres ou le manque de partenaires potentielles. Elle n'est pas non plus le fruit d'une étrange mutation génétique. Ce n'est pas en refilant le « gène du célibat » d'un pape à l'autre que l'Église catholique a survécu, mais en transmettant les histoires du Nouveau Testament et du droit canon.

Autrement dit, alors que les modèles de comportement des humains archaïques restaient figés pendant des dizaines de milliers d'années, les Sapiens ont pu transformer en une décennie ou deux leurs structures sociales, la nature de leurs relations interpersonnelles, leurs activités économiques et une pléiade d'autres comportements. Prenez une Berlinoise née en 1900 et vivant jusqu'à l'âge mûr de cent ans. Elle a vécu son enfance sous les Hohenzollern de Guillaume II ; sa vie adulte sous la république de Weimar, le IIIe Reich nazi puis l'Allemagne de l'Est communiste ; et elle est morte en citoyenne d'une Allemagne démocratique et réunifiée. Elle s'est débrouillée pour vivre sous cinq régimes sociopolitiques très différents, bien que son ADN soit demeuré exactement le même.

Ce fut la clé de la réussite du Sapiens. En un combat singulier, un Neandertal aurait probablement battu un Sapiens. Mais dans un conflit de plusieurs centaines d'individus, les Neandertal n'avaient pas la moindre chance. Ils pouvaient partager des renseignements sur les déplacements des lions, mais probablement ne pouvaient-ils raconter – ni réviser – des histoires sur les esprits tribaux. Bien incapables de composer des fictions, les Neandertal étaient incapables de coopérer effectivement en grands nombres; ils ne pouvaient adapter leur comportement social à des défis qui se renouvelaient rapidement.

Si nous ne pouvons nous insinuer dans l'esprit des Neandertal pour comprendre leur façon de penser, nous avons des preuves indirectes des limites de leur cognition en comparaison de leurs rivaux Sapiens. Les archéologues qui fouillent des sites Sapiens de 30 000 ans au cœur de l'Europe découvrent parfois des coquillages des côtes méditerranéennes et atlantiques. Il est très vraisemblable que ces coquilles se soient retrouvées à l'intérieur des terres du fait d'un commerce à longue distance entre bandes de Sapiens. On ne signale aucune trace d'un pareil commerce sur les sites néandertaliens. Chaque groupe fabriquait ses outils avec les matériaux du coin[1].

Un autre exemple nous vient du Pacifique Sud. Les bandes de Sapiens qui vivaient sur l'île de Nouvelle-Irlande, au nord de la Nouvelle-Guinée, se servaient d'une roche vitreuse volcanique, l'obsidienne, pour fabriquer des outils particulièrement robustes et tranchants. Or, la Nouvelle-Irlande ne possède pas de gisements naturels d'obsidienne. Des tests en laboratoire ont révélé que l'obsidienne employée venait de gisements de Nouvelle-Bretagne, à quatre cents kilomètres de là. Certains habitants de ces îles devaient être d'excellents navigateurs qui commerçaient d'île en île sur de longues distances[2].

---

1. Yvette Taborin, «Shells of the French Aurignacian and Perigordian», in Heidi Knecht, Anne Pike-Tay et Randall White (dir.), *Before Lascaux: The Complete Record of the Early Upper Paleolithic*, Boca Raton, CRC Press, 1993, p. 211-228.

2. G. R. Summerhayes, «Application of PIXE-PIGME to Archaeological Analysis of Changing Patterns of Obsidian Use in West New Britain, Papua New

Le commerce peut passer pour une activité très pragmatique, qui ne nécessite aucune base fictive. Mais le fait est qu'aucun autre animal que le Sapiens ne s'y livre et que tous les réseaux commerciaux de Sapiens que nous connaissons en détail reposaient sur des fictions. Le commerce ne saurait exister sans confiance, et il est très difficile de se fier à des inconnus. Le réseau commercial mondial actuel repose sur notre confiance en des entités fictionnelles comme le dollar, la Federal Reserve Bank et les marques commerciales totémiques des sociétés. Quand deux inconnus d'une société tribale veulent commercer, ils vont souvent instaurer la confiance en invoquant un dieu commun, ancêtre mythique ou animal totem.

Si les Sapiens archaïques croyant à de telles fictions faisaient commerce de coquillages et d'obsidienne, il va de soi qu'ils pouvaient aussi échanger des informations, créant ainsi un réseau de savoir plus dense et plus vaste que celui des Neandertal et des autres humains archaïques.

Les techniques de chasse donnent une autre illustration de ces différences. Les Neandertal chassaient habituellement seuls ou en petits groupes. Les Sapiens, en revanche, mirent au point des techniques supposant la coopération de plusieurs douzaines d'individus, voire de bandes différentes. Une méthode particulièrement efficace consistait à encercler tout un troupeau d'animaux, de chevaux sauvages par exemple, et à les refouler dans une gorge étroite, où il était facile de les massacrer en masse. Si tous respectaient le plan, les bandes pouvaient recueillir des tonnes de viande, de graisse et de peaux en un seul après-midi d'effort collectif, et soit consommer ces richesses dans un potlatch géant, soit les sécher, fumer et congeler pour un usage ultérieur. Des archéologues ont découvert des sites où des troupeaux entiers étaient ainsi massacrés chaque année. Il existe même des sites où l'on dressait des clôtures et des obstacles pour créer des pièges artificiels et des terrains de carnage.

Guinea», in Steven M. Shackley (dir.), *Archaeological Obsidian Studies: Method and Theory*, New York, Plenum Press, 1998, p. 129-158.

On imagine que les Neandertal n'étaient pas vraiment ravis de voir leurs terrains de chasse traditionnels transformés en abattoirs sous le contrôle des Sapiens. Mais, si des violences éclataient entre les deux espèces, les Neandertal n'étaient guère mieux lotis que les chevaux sauvages. Cinquante Neandertal coopérant de manière statique et traditionnelle n'étaient pas de taille à affronter cinq cents Sapiens polyvalents et novateurs. Et même si les Sapiens perdaient la première manche, ils pouvaient rapidement inventer de nouveaux stratagèmes qui leur permettaient de prendre leur revanche.

Que s'est-il donc produit dans la Révolution cognitive ?

Nouvelles facultés	Conséquences plus larges
Faculté de transmettre de grandes quantités d'informations sur le monde entourant l'*Homo sapiens*	Préparation et exécution d'actions complexes, par exemple pour éviter les lions et chasser le bison
Faculté de transmettre de grandes quantités d'informations sur les relations sociales des Sapiens	Groupes plus grands et plus soudés, pouvant aller jusqu'à 150 individus
Faculté de transmettre de grandes quantités d'informations sur des choses qui n'existent pas vraiment, telles que les esprits tribaux, les nations, les sociétés anonymes à responsabilité limitée et les droits de l'homme	a. Coopération entre des nombres très importants d'inconnus b. Innovation rapide en matière de comportement social

HISTOIRE ET BIOLOGIE

L'immense variété des réalités imaginaires que Sapiens inventa et la diversité des formes de comportement qui en résulta sont les principaux éléments constitutifs de ce que nous appelons du nom de « cultures ». Jusqu'à la Révolution cognitive, les agissements de toute l'espèce humaine relevaient de la biologie ou, si vous préférez, de la préhistoire (j'ai tendance à éviter ce mot, parce qu'il implique à tort que dès avant la Révolution cognitive les humains étaient dans une catégorie bien à eux). À compter de la Révolution cognitive, les récits historiques remplacent les théories biologiques en tant que principales explications du développement de l'*Homo sapiens*. Pour comprendre l'essor du christianisme ou la Révolution française, il ne suffit pas de comprendre l'interaction des gènes, des hormones et des organismes. Il est nécessaire de prendre en compte également l'interaction des idées, des images et des fantasmes.

Ce qui ne veut pas dire qu'*Homo sapiens* et la culture humaine se soient soustraits aux lois biologiques. Nous sommes encore des animaux, et nos capacités physiques, émotionnelles et cognitives demeurent façonnées par notre ADN. Nos sociétés sont construites avec les mêmes éléments que les sociétés de Neandertal et de chimpanzés, et plus nous examinons ces éléments – sensations, émotions, liens familiaux –, moins nous percevons de différences entre nous et les autres singes.

On aurait cependant tort de rechercher les différences au niveau de l'individu ou de la famille. Pris un par un, voire dix par dix, nous sommes fâcheusement semblables aux chimpanzés. Des différences significatives ne commencent à apparaître que lorsque nous franchissons le seuil de 150 individus ; quand nous atteignons les 1 500-2 000 individus, les différences sont stupéfiantes. Si vous essayiez de réunir des milliers de chimpanzés à Tian'anmen, à Wall Street, au Vatican ou au siège des Nations unies, il en résulterait un charivari. En revanche, les Sapiens se réunissent régulièrement par milliers dans des lieux de ce genre. Ensemble, ils créent des structures ordonnées – réseaux commerciaux, célébrations de masse et institutions politiques – qu'ils n'auraient jamais pu créer isolément. Entre nous et les chimpanzés, la vraie différence réside dans la colle mythique qui lie de grands nombres d'individus, de familles et de groupes. Cette colle a fait de nous les maîtres de la création.

Bien entendu, d'autres compétences étaient aussi nécessaires, telles que la capacité de fabriquer et d'utiliser des outils. Mais fabriquer des outils est sans grande conséquence si cela ne va pas de pair avec la faculté de coopérer avec beaucoup d'autres. Comment se fait-il que nous ayons des missiles intercontinentaux pourvus d'ogives nucléaires alors que, voici 30 000 ans, nous n'avions que des bâtons aux extrémités pourvues de silex ? Physiologiquement, notre capacité de fabriquer des outils ne s'est pas sensiblement améliorée au cours des 30 000 dernières années. Albert Einstein était bien moins habile de ses mains qu'un ancien chasseur-cueilleur. Toutefois, notre capacité de coopérer avec des masses d'étrangers s'est spectaculairement améliorée. La pointe de lance en silex était taillée en quelques minutes par une seule personne, qui s'en remettait aux conseils et à l'aide d'une poignée d'amis intimes. La production d'une ogive nucléaire nécessite la coopération de millions d'inconnus à travers le monde – des ouvriers qui extraient l'uranium des profondeurs de la Terre aux spécialistes de physique théorique qui écrivent de longues formules mathématiques pour décrire les interactions des particules subatomiques.

*

Pour résumer la relation entre biologie et histoire après la Révolution cognitive :

a. La biologie fixe les paramètres de base du comportement et des capacités de l'*Homo sapiens*. Toute l'histoire se déroule dans les limites de cette arène biologique.
b. Toutefois, cette arène est extraordinairement vaste, permettant au Sapiens de se livrer à une variété stupéfiante de jeux. Grâce à leur capacité d'inventer des fictions, les Sapiens créent des jeux toujours plus complexes, que chaque génération développe et élabore encore.
c. En conséquence, pour comprendre comment les Sapiens se conduisent, il nous faut décrire l'évolution historique de leurs actions. Se référer exclusivement aux contraintes biologiques serait se conduire comme un journaliste sportif de radio qui, suivant la coupe du monde de football, ne donnerait à ses auditeurs qu'une description minutieuse du terrain au lieu d'expliquer ce que font les joueurs.

À quels jeux jouaient donc nos ancêtres de l'Âge de pierre dans l'arène de l'histoire ? Pour autant que nous le sachions, les hommes qui sculptèrent l'homme-lion de Stadel voici 30 000 ans possédaient les mêmes facultés physiques, émotionnelles et intellec-

tuelles que nous. Le matin, au réveil, que faisaient-ils ? Que pre-
naient-ils au petit déjeuner et au repas de midi ? À quoi ressemblaient leurs sociétés ? Avaient-ils des relations monogames et des
familles nucléaires ? des cérémonies, des codes moraux, des compé-
titions sportives et des rituels religieux ? Faisaient-ils la guerre ? Le
prochain chapitre jette un coup d'œil derrière le rideau des siècles
pour examiner à quoi ressemblait la vie dans les millénaires séparant la Révolution cognitive de la Révolution agricole.

3.

Une journée dans la vie d'Adam et Ève

Pour comprendre notre nature, notre histoire et notre psychologie, il nous faut entrer dans la tête de nos ancêtres chasseurs-cueilleurs. Pendant la quasi-totalité de leur histoire, les Sapiens ont été des fourrageurs. Les deux cents dernières années au cours desquelles des nombres toujours croissants de Sapiens ont gagné leur pain quotidien comme travailleurs urbains et employés de bureau et les dix mille années antérieures durant lesquelles les Sapiens ont vécu du travail de la terre et des troupeaux sont un clin d'œil en comparaison des dizaines de milliers d'années durant lesquelles nos ancêtres ont chassé et cueilli.

Suivant la psychologie de l'évolution, qui est aujourd'hui un domaine florissant, nombre de nos caractéristiques sociales et psychologiques actuelles ont été façonnées au cours de cette longue ère préagricole. Aujourd'hui encore, à en croire les spécialistes, nos cerveaux et nos esprits sont adaptés à une vie de chasse et de cueillette. Nos habitudes alimentaires, nos conflits et notre sexualité sont tous le fruit de l'interaction de nos esprits de chasseur-cueilleur et de notre environnement post-industriel actuel, avec ses mégalopoles, ses avions, ses téléphones et ses ordinateurs. Cet environnement nous assure plus de ressources matérielles et une vie plus longue qu'à aucune autre génération antérieure. De ce fait, cependant, nous nous sentons souvent aliénés, déprimés et pressurés.

Si l'on veut comprendre pourquoi, soutiennent les spécialistes de psychologie de l'évolution, il nous faut sonder le monde du chasseur-cueilleur qui nous a façonnés, le monde qu'inconsciemment nous continuons d'habiter.

Par exemple, pourquoi nous gorgeons-nous d'aliments hyper-caloriques qui ne font guère de bien à notre corps ? Les socié-tés d'abondance actuelles sont en proie au fléau de l'obésité, qui se répand rapidement dans les pays en voie de développement. Pourquoi nous nous bâfrons de la nourriture la plus sucrée et la plus grasse que nous puissions trouver est une énigme qui disparaît quand on se penche sur les habitudes alimentaires de nos ancêtres fourra-geurs. Dans les savanes et les forêts qu'ils habitaient, les douceurs étaient fort rares et la nourriture en général demeurait insuffisante. Il y a 30 000 ans, un fourrageur typique n'avait accès qu'à un seul type de produit sucré : le fruit mûr. Si une femme de l'Âge de pierre tombait sur un figuier, le mieux qu'elle pût faire était d'en man-ger le plus possible sur-le-champ avant que la bande de babouins du coin ne dépouille l'arbre entièrement. L'instinct qui nous pousse à engloutir des aliments très caloriques est profondément inscrit dans nos gènes. Nous pouvons bien habiter aujourd'hui de grands immeubles équipés de réfrigérateurs pleins à craquer, notre ADN croit encore que nous sommes dans la savane. C'est ce qui nous fait engloutir un pot entier de glace Ben & Jerry's quand nous en trou-vons un au congélo et un Coca géant pour la faire descendre.

Cette théorie du « gène de la goinfrerie » est largement acceptée. D'autres théories sont bien plus contestées. Par exemple, certains psychologues de l'évolution soutiennent que les anciennes bandes de fourrageurs ne se composaient pas de familles nucléaires cen-trées sur des couples monogames. Les fourrageurs vivaient plutôt en « communes » qui ignoraient la propriété privée, les relations monogames et même la paternité. Dans une bande de ce genre, une femme pouvait avoir des relations sexuelles et nouer des liens intimes avec plusieurs hommes (et femmes) en même temps. Tous les adultes de la bande coopéraient pour élever les enfants. Aucun homme ne sachant vraiment quels enfants étaient les siens, ils mon-traient une sollicitude égale pour tous les petits.

Cette structure sociale n'a rien d'une utopie de l'Ère du Verseau. Elle est amplement attestée chez les animaux, notamment parmi nos plus proches parents : les chimpanzés et les bonobos. Il y a même quelques cultures humaines actuelles qui pratiquent la paternité collective : par exemple, les Indiens Bari. Dans les croyances de ces sociétés, un enfant ne naît pas du sperme d'un seul homme, mais de l'accumulation du sperme dans la matrice d'une femme. Une bonne mère se fera un devoir de coucher avec plusieurs hommes, surtout quand elle est enceinte, afin que son enfant jouisse des qualités (et des soins paternels) du meilleur chasseur, mais aussi du meilleur conteur, du guerrier le plus valeureux et de l'amant le plus prévenant. Cela vous paraît idiot ? Ne perdez pas de vue qu'avant l'essor des études embryologiques modernes on n'avait aucune preuve que les bébés sont toujours engendrés par un seul père plutôt que par plusieurs.

Suivant les tenants de cette théorie de la « commune ancienne », les infidélités fréquentes caractéristiques des mariages modernes et le pourcentage élevé de divorces, sans parler de la pléthore de complexes psychologiques dont souffrent les enfants comme les adultes, résultent de l'obligation faite aux hommes de vivre dans des familles mononucléaires et d'avoir des relations monogames qui sont incompatibles avec notre logiciel biologique[1].

Beaucoup de chercheurs rejettent vivement cette théorie. La monogamie et la formation de familles nucléaires, insistent-ils, sont au cœur des comportements humains. Même si les sociétés de chasseurs-cueilleurs avaient tendance à être plus communautaires et égalitaires que les sociétés modernes, soulignent ces chercheurs, elles n'en comprenaient pas moins des cellules séparées, avec chacune un couple jaloux et les enfants qu'ils avaient eus ensemble. C'est précisément pour cela que les relations monogames et les familles nucléaires sont la norme dans l'immense majorité des cultures, que

---

1. Christopher Ryan et Cacilda Jethá, *Sex at Dawn : The Prehistoric Origins of Modern Sexuality*, New York, Harper, 2010 ; Stephen Beckerman et Paul Valentine (éd.), *Cultures of Multiple Fathers. The Theory and Practice of Partible Paternity in Lowland South America*, Gainesville, University Press of Florida, 2002.

les hommes et les femmes sont très possessifs avec leurs partenaires et leurs enfants et que, même dans des États modernes comme la Corée du Nord et la Syrie, l'autorité politique passe de père en fils.

Pour trancher cette controverse et comprendre notre sexualité, notre société et notre système politique, il faut apprendre quelque chose des conditions de vie de nos ancêtres, examiner comment Sapiens vivait entre la Révolution cognitive d'il y a 70 000 ans et le début de la Révolution agricole, voici quelque 12 000 ans.

*

Malheureusement, quelques incertitudes subsistent sur la vie de nos ancêtres fourrageurs. Le débat entre l'école de la « commune ancienne » et celle de la « monogamie éternelle » repose sur des preuves fragiles. Bien entendu, nous n'avons pas de traces écrites de l'âge des fourrageurs, et les données archéologiques consistent essentiellement en os fossilisés et en outils de pierre. Les artefacts composés de matériaux plus périssables – bois, bambous ou cuir – ne survivent que dans des conditions exceptionnelles. L'impression commune que les êtres humains préagricoles vivaient dans un Âge de pierre est une méprise fondée sur ce travers archéologique. Plutôt que d'Âge de pierre, il serait plus exact de parler d'Âge du bois, parce que la plupart des outils qu'utilisaient les chasseurs-cueilleurs étaient en bois.

Toute reconstruction de la vie des anciens chasseurs-cueilleurs à partir d'artefacts survivants est extrêmement problématique. Une des différences les plus flagrantes entre les anciens fourrageurs et leurs descendants agricoles et industriels est que les premiers avaient fort peu d'artefacts, et que ceux-ci jouaient un rôle relativement modeste dans leur vie. Au cours de sa vie, un membre typique d'une société d'abondance moderne possédera plusieurs millions d'artefacts – des voitures et des maisons aux couches jetables et aux packs de lait. Il n'est guère d'activité, de croyance ou même d'émotion qui ne passe par des objets de notre conception. Nos habitudes alimentaires passent par la médiation d'une ahurissante panoplie d'articles de ce genre – des cuillers et des verres aux laboratoires de génie génétique et aux cargos transocéaniques. Dans nos jeux, nous utilisons pléthore de jouets – des cartes en plastique aux stades de cent mille spectateurs. Nos histoires de cœur et de sexe recourent à toutes sortes d'adjuvants : bagues, lits, beaux habits, lingerie sexy, préservatifs, restaurants à la mode, salons d'aéroport, salles de mariage et traiteurs. Les religions introduisent le sacré dans nos vies à travers les églises gothiques, les mosquées ou les ashrams hindous, les rouleaux de la Torah, les moulins à prières tibétains, les soutanes des prêtres, les bougies, l'encens, les arbres de Noël, les boulettes de *matzah*, les pierres tombales et les icônes.

Ce n'est qu'au moment de déménager que nous prenons conscience de l'ampleur de ce barda. Les fourrageurs changeaient de maison tous les mois, toutes les semaines, voire chaque jour, trimbalant tous leurs biens sur leur dos. Il n'y avait pas de déménageurs, ni de chariots, ni même d'animaux de bât pour partager le fardeau. Aussi devaient-ils se contenter de l'essentiel. On peut donc raisonnablement penser que la majeure partie de leur vie mentale, religieuse et émotionnelle se passait d'artefacts. Dans cent mille ans, un archéologue pourrait se faire une idée raisonnable des croyances et pratiques de l'islam à partir de la multitude d'objets exhumés des ruines d'une mosquée. En revanche, nous avons du mal à essayer de comprendre les croyances et rituels des chasseurs-cueilleurs. C'est à peu près le même dilemme auquel se heurterait un historien futur qui voudrait dépeindre le monde social des ados du XXIe siècle sur la seule base des courriers postaux – puisque leurs conversations téléphoniques, leurs mails, leurs blogs et leurs textos ne laissent aucune trace.

S'en remettre aux artefacts donne ainsi une image déformée de la vie des chasseurs-cueilleurs. Une façon d'y remédier consiste à examiner les sociétés modernes de fourrageurs, qui se prêtent à une étude anthropologique directe. Mais on a de bonnes raisons de se méfier de toute extrapolation des sociétés modernes de fourrageurs vers les sociétés anciennes.

Premièrement, toutes les sociétés de fourrageurs qui ont survécu dans les Temps modernes ont été influencées par les sociétés agricoles et industrielles voisines. Dès lors, il est risqué de supposer que ce qui est vrai d'elles l'était également il y a des dizaines de milliers d'années.

Deuxièmement, les sociétés modernes de fourrageurs ont surtout survécu dans des régions aux conditions climatiques difficiles et au terrain inhospitalier, peu propice à l'agriculture. Les sociétés qui se sont adaptées aux conditions extrêmes de régions comme le désert de Kalahari, en Afrique australe, sont sans doute un modèle très trompeur pour comprendre les sociétés anciennes de régions fertiles comme la vallée du Yangzi. En particulier, la densité de population d'une région comme le désert du Kalahari est très inférieure à ce qu'elle était autour du Yangzi, et ce facteur est lourd de conséquences pour les questions cruciales de la taille et de la structure des bandes humaines et des relations entre elles.

Troisièmement, la caractéristique la plus notable des sociétés de chasseurs-cueilleurs est précisément leur grande diversité. Elles diffèrent d'une région du monde à l'autre, mais aussi au sein d'une même région. Un bon exemple en est l'immense variété que les premiers colons européens découvrirent chez les aborigènes d'Australie. Juste avant la conquête britannique, entre 300 000 et 700 000 chasseurs-cueilleurs vivaient sur le continent dans un nombre de tribus compris entre 200 et 600 – chacune d'elles étant à son tour divisée en plusieurs bandes[1]. Chaque tribu avait sa langue, ses normes et ses coutumes. Autour de l'actuelle Adélaïde, en Australie méridionale, vivaient plusieurs clans patrilinéaires qui se réclamaient d'un ascendant paternel. Ces clans s'associaient en tribus sur une base strictement territoriale. En revanche, certaines tribus du nord de l'Australie donnaient plus d'importance à l'ascendant maternel, et l'identité tribale de la personne dépendait de son totem, plutôt que de son territoire.

Il tombe sous le sens que la diversité ethnique et culturelle des anciens chasseurs-cueilleurs était aussi impressionnante, et que les 5 à 8 millions de fourrageurs qui peuplaient le monde à la veille de la Révolution agricole étaient divisés en milliers de tribus sépa-

---

1. Noel G. Butlin, *Economics and the Dreamtime: A Hypothetical History*, Cambridge, Cambridge University Press, 1993, p. 98-101 ; Richard Broome, *Aboriginal Australians*, Sydney, Allen & Unwin, 2002, p. 15 ; William Howell Edwards, *An Introduction to Aboriginal Societies*, Wentworth Falls, N.S.W., Social Science Press, 1988, p. 52.

rées, avec des milliers de langues et de cultures différentes[1]. C'était, somme toute, un des principaux legs de la Révolution cognitive. Du fait de l'apparition de la fiction, même les populations de constitution génétique identique vivant dans des conditions écologiques similaires pouvaient créer des réalités imaginaires très différentes, qui se manifestaient à travers des normes et des valeurs elles-mêmes différentes.

Par exemple, on a toutes les raisons de penser qu'une bande de fourrageurs qui vivaient il y a 30 000 ans sur le terrain où se dresse aujourd'hui l'Université d'Oxford parlait une langue différente de celle qu'utilisait la bande qui fourrageait du côté de l'actuelle Université de Cambridge. Une bande pouvait être belliqueuse, l'autre pacifique. Peut-être celle de Cambridge vivait-elle en communauté quand celle d'Oxford reposait sur des familles nucléaires. Les Cambridgiens pouvaient passer de longues heures à sculpter dans le bois des statues de leurs esprits tutélaires, tandis que les Oxoniens célébraient leur culte par la danse. Peut-être les premiers croyaient-ils à la réincarnation, que les seconds tenaient pour une sottise. Les relations homosexuelles pouvaient être acceptées chez les uns, taboues chez les autres.

Autrement dit, tandis que les observations anthropologiques des fourrageurs modernes peuvent nous aider à comprendre certaines possibilités offertes aux fourrageurs, l'horizon des possibles était bien plus large, et nous demeure pour l'essentiel caché[2]. Les débats enflammés autour du « mode de vie naturel » d'*Homo sapiens* passent à côté de l'essentiel. Depuis la Révolution cognitive, il n'y a pas eu un seul mode de vie naturel pour les Sapiens. Il n'existe que des choix culturels parmi un éventail de possibles ahurissant.

---

1. Fekri A. Hassan, *Demographic Archaeology*, New York, Academic Press, 1981, p. 196-199 ; Lewis Robert Binford, *Constructing Frames of Reference: An Analytical Method for Archaeological Theory Building Using Hunter Gatherer and Environmental Data Sets*, Berkeley, University of California Press, 2001, p. 143.

2. L'« horizon des possibles » désigne tout le spectre des croyances, pratiques et expériences ouvertes à une société particulière compte tenu de ses limites écologiques, techniques et culturelles. Chaque société et chaque individu n'explorent qu'une infime fraction de leur horizon de possibles.

LA SOCIÉTÉ D'ABONDANCE ORIGINELLE

Quelles généralisations pouvons-nous néanmoins faire à propos de la vie dans le monde préagricole ? On peut dire, apparemment sans crainte de se tromper, que l'immense majorité vivait en petites bandes d'une douzaine d'individus, d'une centaine au plus, et que tous ces individus étaient des humains. Ce dernier point mérite qu'on y insiste parce que c'est loin d'être évident. La plupart des membres des sociétés agricoles et industrielles sont des animaux domestiqués. Ils ne sont pas les égaux de leurs maîtres, bien entendu, mais ils n'en sont pas moins membres. L'actuelle société néo-zélandaise se compose de 4,5 millions de Sapiens et de 50 millions de moutons.

Cette règle générale n'admettait qu'une seule exception : les chiens. Le chien est le premier animal qu'*Homo sapiens* ait domestiqué, et ce *avant* la Révolution agricole. Les experts ne sont pas d'accord sur la date exacte, mais nous avons des preuves incontestables de la domestication des chiens il y a près de 15 000 ans. Peut-être avaient-ils rejoint la meute humaine des milliers d'années auparavant.

On utilisait les chiens pour la chasse et le combat, mais aussi pour donner l'alarme contre les bêtes sauvages et les intrusions humaines. Au fil des générations, l'évolution concomitante des chiens et des hommes leur permit de communiquer fort bien les uns avec les autres. Les chiens les plus attentifs aux sentiments et aux besoins de leurs compagnons humains recevaient des soins et de la nourriture supplémentaires, et ils avaient de meilleures chances de survivre. Dans le même temps, les chiens apprirent à manipuler les hommes pour satisfaire leurs besoins. Une cohabitation de 15 000 ans forgea entre hommes et chiens un lien de compréhension bien plus profond qu'entre les hommes et toute autre espèce d'animal[1]. Les chiens morts étaient parfois inhumés cérémonieusement, comme les êtres humains.

---

1. Brian Hare, *The Genius of Dogs : How Dogs Are Smarter Than You Think*, Dutton, Penguin Group, 2013.

Premier animal domestique? Tombe vieille de 12 000 ans découverte dans le nord d'Israël. Elle contient le squelette d'une femme de 50 ans et celui d'un chiot (en haut, à droite). Le chiot a été enterré à côté de la tête de la femme. Sa main gauche est posée sur le chien, comme pour indiquer un lien émotionnel. Il est bien entendu d'autres explications possibles. Peut-être le chiot était-il un cadeau destiné au portier de l'autre monde.

Les membres d'une même bande se connaissaient très intimement et, tout au long de leur vie, étaient entourés d'amis et de parents. La solitude et l'intimité étaient rares. Les bandes voisines se disputaient probablement les ressources, voire se combattaient, mais elles avaient aussi des contacts amicaux. Elles échangeaient des membres, chassaient ensemble, troquaient des articles de luxe rares, cimentaient des alliances politiques et célébraient des fêtes religieuses. Marque distinctive importante de l'*Homo sapiens*, cette coopération donnait à celui-ci un atout crucial sur toutes les autres espèces humaines. Les relations avec les bandes voisines étaient parfois assez étroites pour former une seule tribu, partageant une langue commune, des mythes communs, ainsi que des normes et des valeurs communes.

Reste qu'il ne faut pas surestimer l'importance de ces relations extérieures. Même si, en temps de crises, les bandes voisines se rapprochaient, et s'il leur arrivait de se rassembler pour chasser ou banqueter ensemble, elles passaient encore le plus clair de leur temps dans l'isolement complet et une indépendance totale. Le commerce se limitait surtout à des articles de prestige tels que les coquillages, l'ambre et les pigments. Rien n'indique qu'elles échangeaient des produits alimentaires de base tels que fruits ou viande, ou que, pour survivre, une bande devait importer les produits d'une autre. Les relations sociopolitiques restaient aussi sporadiques. La tribu n'était pas un cadre politique permanent, et même s'il existait des lieux de rencontre saisonniers, il n'y avait pas de villes ni d'institutions permanentes. L'individu moyen passait de longs mois sans voir ni entendre aucun autre humain que ceux de sa bande; au cours de sa vie entière, il ne rencontrait pas plus de quelques centaines d'hommes. La population Sapiens était clairsemée sur d'immenses territoires. Avant la Révolution agricole, la population humaine de toute la planète était inférieure à celle du Caire aujourd'hui.

La plupart des bandes de Sapiens vivaient « sur la route », cheminant d'un lieu à l'autre en quête de vivres. Leurs déplacements étaient dictés par les changements de saisons, les migrations annuelles des animaux et les cycles de croissance des plantes. Habituellement, elles allaient et venaient sur le même territoire – de quelques dizaines à plusieurs centaines de kilomètres carrés.

À l'occasion, les bandes s'aventuraient hors de leur chasse gardée pour explorer de nouvelles terres : du fait de catastrophes naturelles, de conflits violents ou de pressions démographiques, ou encore à l'initiative d'un chef charismatique. Ces périples ont été le moteur de l'expansion humaine à travers le monde. Si une bande de fourrageurs se scindait tous les quarante ans, et que le groupe scissionniste avait migré vers un nouveau territoire à cent kilomètres plus à l'est, il aurait fallu dix mille ans pour couvrir la distance séparant l'Afrique de l'Est de la Chine.

Dans certains cas exceptionnels, quand les ressources alimentaires étaient particulièrement riches, les bandes établissaient des camps permanents. Les techniques pour sécher, fumer et (dans les régions arctiques) congeler la nourriture permettaient aussi de rester plus longtemps. Qui plus est, le long des côtes et des rivières riches en fruits de mer et en gibier d'eau, les hommes installèrent des villages de pêche : ce sont les premières implantations permanentes de l'histoire, bien antérieures à la Révolution agricole. Les villages de pêche ont pu apparaître sur les côtes des îles indonésiennes dès 45 000 ans. Sans doute est-ce la base à partir de laquelle *Homo sapiens* lança sa première aventure transocéanique : l'invasion de l'Australie.

*

Dans la plupart des habitats, les bandes Sapiens se nourrissaient de façon irrégulière et opportuniste. Elles ramassaient les termites, cueillaient les baies, déterraient des racines, traquaient des lapins et chassaient bisons et mammouths. Nonobstant l'image populaire du « chasseur », la cueillette demeurait la principale activité du Sapiens et lui fournissait l'essentiel de ses calories ainsi que ses matières premières comme le silex, le bois ou le bambou.

Les Sapiens n'étaient pas seulement en quête de nourriture et de matériaux. Ils étaient aussi à l'affût de connaissances. Pour survivre, il leur fallait une carte mentale détaillée de leur territoire. Afin de maximiser l'efficacité de leur quête quotidienne de nourriture, ils devaient se renseigner sur les cycles de croissance de chaque plante et les habitudes de chaque animal. Il leur fallait savoir quels étaient les aliments les plus nourrissants, lesquels rendaient malade ou avaient des effets curatifs. Ils devaient connaître le cycle des saisons et savoir repérer les signes précurseurs d'un orage ou d'une sécheresse. Ils étudiaient chaque ruisseau, chaque noyer, chaque caverne d'ours et chaque gisement de silex du voisinage. Chaque individu devait savoir faire un couteau en silex, repriser un manteau déchiré, tendre un piège à un lapin, faire face à des avalanches, à des morsures de serpent ou à des lions affamés. Il fallait des années d'apprentissage et de pratique pour maîtriser chacune de ces compétences. Il suffisait de quelques minutes à un fourrageur moyen pour transformer un silex en pointe de lance. Vouloir en faire autant nous exposerait à un échec lamentable. La plupart d'entre nous n'ont aucune idée de la façon de faire sauter des éclats de silex ou de basalte et ne possèdent pas les talents moteurs nécessaires pour les utiliser précisément.

Autrement dit, le fourrageur moyen avait une connaissance plus large, plus profonde et plus variée de son environnement immédiat que la plupart de ses descendants modernes. De nos jours, la grande majorité des habitants des sociétés industrielles n'a pas besoin de savoir grand-chose du monde naturel pour survivre. Que faut-il vraiment savoir de la nature pour être informaticien, agent d'assurances, professeur d'histoire ou ouvrier? Il faut être féru dans son tout petit domaine d'expertise mais, pour la plupart des nécessités de la vie, on s'en remet aveuglément à l'aide d'autres connaisseurs, dont le savoir se limite aussi à un minuscule domaine d'expertise. La collectivité humaine en sait aujourd'hui bien plus long que les bandes d'autrefois. Sur un plan individuel, en revanche, l'histoire n'a pas connu hommes plus avertis et plus habiles que les anciens fourrageurs.

De fait, tout indique que la taille du cerveau moyen des Sapiens a bel et bien *diminué* depuis l'époque des fourrageurs[1]. Survivre en ce temps-là nécessitait chez chacun des facultés mentales exceptionnelles. L'avènement de l'agriculture et de l'industrie permit aux gens de compter sur les talents des autres pour survivre et ouvrit de nouvelles « niches pour imbéciles ». On allait pouvoir survivre et transmettre ses gènes ordinaires en travaillant comme porteur d'eau ou sur une chaîne de montage.

Les fourrageurs maîtrisaient non seulement le monde environnant des animaux, des plantes et des objets, mais aussi le monde intérieur de leur corps et de leurs sens. Ils étaient attentifs au moindre frémissement d'herbe pour repérer la présence d'un serpent. Ils observaient attentivement le feuillage des arbres pour y découvrir des

---

1. Christopher B. Ruff, Erik Trinkaus et Trenton W. Holliday, « Body Mass and Encephalization in Pleistocene *Homo* », *Nature*, 387, 1997, p. 173-176 ; M. Henneberg et M. Steyn, « Trends in Cranial Capacity and Cranial Index in Subsaharan Africa During the Holocene », *American Journal of Human Biology*, 5:4, 1993, p. 473-479 ; Drew H. Bailey et David C. Geary, « Hominid Brain Evolution : Testing Climatic, Ecological, and Social Competition Models », *Human Nature*, 20, 2009, p. 67-79 ; Daniel J. Wescott et Richard L. Jantz, « Assessing Craniofacial Secular Change in American Blacks and Whites Using Geometric Morphometry », in *Modern Morphometrics in Physical Anthropology. Developments in Primatology : Progress and Prospects*, Dennis E. Slice (éd.), New York, Plenum Publishers, 2005, p. 231-245.

fruits, des ruches ou des nids d'oiseaux. Ils se déplaçaient moyennant un minimum d'efforts et de bruits et savaient s'asseoir, marcher et courir de la manière la plus agile et la plus efficace qui soit. L'usage varié et constant de leurs corps faisait d'eux de véritables marathoniens. Ils possédaient une dextérité physique qui est aujourd'hui hors de notre portée, même après des années de yoga ou de tai-chi.

*

Si le mode de vie des chasseurs-cueilleurs différait sensiblement d'une région ou d'une saison à l'autre, dans l'ensemble les fourrageurs jouissaient apparemment d'un mode de vie plus confortable et gratifiant que la plupart des paysans, bergers, travailleurs et employés de bureau qui leur succédèrent.

Dans les sociétés d'abondance actuelles, on travaille en moyenne 40 à 45 heures par semaine ; dans le monde en voie de développement, la moyenne hebdomadaire peut aller jusqu'à 60, voire 80 heures. Les chasseurs-cueilleurs qui vivent de nos jours dans les habitats les moins hospitaliers – comme le désert du Kalahari – ne travaillent en moyenne que 35 à 45 heures par semaine. Ils ne chassent qu'un jour sur trois et ne glanent que trois à six heures par jour. En temps ordinaire, c'est suffisant pour nourrir la bande. Il est fort possible que les anciens chasseurs-cueilleurs habitant des zones plus fertiles que le Kalahari passaient encore moins de temps à se procurer vivres et matières premières. De surcroît, côté corvées domestiques, leur charge était bien plus légère : ni vaisselle à laver, ni aspirateur à passer sur les tapis, ni parquet à cirer, ni couches à changer, ni factures à régler.

L'économie des fourrageurs assurait à la plupart des carrières plus intéressantes que l'agriculture ou l'industrie. De nos jours, en Chine, une ouvrière quitte son domicile autour de sept heures du matin, emprunte des rues polluées pour rejoindre un atelier clandestin où elle travaille à longueur de journée sur la même machine : dix heures de travail abrutissant avant de rentrer autour de dix-neuf heures faire la vaisselle et la lessive. Voici 30 000 ans, une fourrageuse pouvait quitter le camp avec les siens autour de huit heures du matin. Ils écumaient les forêts et les prairies voisines, cueillant des champignons, déterrant des tubercules comestibles, attrapant des grenouilles ou, à l'occasion, détalant devant les tigres. Ils étaient de retour au camp en début d'après-midi pour préparer le repas. Cela leur laissait tout le temps de bavarder, de raconter des histoires, de jouer avec les enfants ou de traînasser. Bien entendu, parfois des tigres les attrapaient ou des serpents les mordaient, mais ils n'avaient pas à s'inquiéter d'accidents de la circulation ou de pollution industrielle.

La plupart du temps, dans la plupart des coins, le fourrage assurait une nutrition idéale. Ce n'est guère surprenant : le régime était le même depuis des centaines de milliers d'années, et le corps humain s'y était bien adapté. L'examen des squelettes fossiles nous apprend que les anciens fourrageurs étaient moins exposés à la famine ou à la malnutrition, et qu'ils étaient généralement plus grands et en meilleure santé que leurs descendants cultivateurs. L'espérance de vie moyenne tournait apparemment autour de 30-40 ans, mais c'était largement dû à la forte incidence de la mortalité infantile. Les enfants qui franchissaient le cap des premières années périlleuses avaient de bonnes chances de parvenir à 60 ans, voire, pour certains, à 80 ans et plus. Chez les fourrageurs modernes, les femmes de 45 ans gardent une espérance de vie de 20 ans de plus, et entre 5 % et 8 % de la population a plus de 60 ans[1].

Le secret de la réussite des fourrageurs, ce qui les protégeait de la famine et de la malnutrition, était la diversité de leur alimentation. Les paysans ont tendance à avoir une alimentation très limitée et déséquilibrée. Dans les temps prémodernes, notamment, la population agricole trouvait l'essentiel de ses calories dans une seule culture – blé, pommes de terre ou riz – à laquelle il manque des vitamines, des minéraux ou d'autres éléments nutritifs dont les hommes ont besoin. Dans la Chine traditionnelle, le paysan type mangeait du riz au petit déjeuner, au déjeuner et au dîner. Avec un peu de chance, il espérait manger la même chose le lendemain. En revanche, les anciens fourrageurs consommaient régulièrement des

---

1. Nicholas G. Blurton Jones *et al.*, « Antiquity of Postreproductive Life : Are There Modern Impact on Hunter-Gatherer Postreproductive Life Spans ? », *American Journal of Human Biology*, 14, 2002, p. 184-205.

douzaines d'autres aliments. L'ancêtre du paysan, le fourrageur, pouvait bien manger des baies et des champignons au petit déjeuner ; des fruits, des escargots et une tortue marine à midi ; et du lapin aux oignons sauvages le soir ! Cette diversité aidant, ils recevaient tous les nutriments indispensables.

De surcroît, n'étant pas à la merci d'un seul type d'aliment, ils étaient moins exposés si celui-ci venait à manquer. Les sociétés agricoles sont ravagées par la famine si une sécheresse, un incendie ou un tremblement de terre ruine la récolte annuelle de riz ou de pommes de terre. Les sociétés de fourrageurs n'étaient guère à l'abri des catastrophes naturelles et ont souffert de périodes de disette et de famine, mais elles étaient généralement capables de surmonter plus aisément ces calamités. Si elles perdaient certaines de leurs denrées alimentaires de base, elles pouvaient cueillir ou chasser d'autres espèces, voire se diriger vers une région moins touchée.

Les anciens fourrageurs souffraient aussi moins des maladies infectieuses. La plupart de celles qui ont infesté les sociétés agricoles et industrielles (variole, rougeole et tuberculose) trouvent leurs origines parmi les animaux domestiqués et n'ont été transmises à l'homme qu'après la Révolution agricole. Les anciens fourrageurs, qui n'avaient domestiqué que les chiens, échappaient à ces fléaux. De surcroît, dans les sociétés agricoles et industrielles, la plupart des gens vivaient dans des colonies de peuplement permanentes et peu hygiéniques – pépinières idéales des maladies. Les fourrageurs parcouraient leur territoire en petites bandes où aucune épidémie ne pouvait se développer.

*

Une alimentation saine et variée, une semaine de travail relativement courte et la rareté des maladies infectieuses ont conduit de nombreux experts à parler des sociétés de fourrageurs préagricoles comme des « sociétés d'abondance originelles ». Mais on aurait tort d'idéaliser la vie de ces hommes. S'ils vivaient mieux que la plupart des habitants des sociétés agricoles et industrielles, leur monde pouvait être encore rude et impitoyable. Les périodes de pénurie et d'épreuves n'étaient pas rares, la mortalité infantile restait élevée, des accidents qui seraient mineurs aujourd'hui pouvaient facilement entraîner la mort. La plupart profitaient probablement de l'intimité des bandes en vadrouille, mais les malheureux en butte à l'hostilité ou à la moquerie de leurs comparses souffraient probablement beaucoup. Il arrive que les fourrageurs modernes abandonnent, voire tuent, les vieux ou les invalides incapables de suivre la bande. Les bébés ou enfants indésirables sont parfois tués, et il est même des cas de sacrifice humain d'inspiration religieuse.

Les Aché, peuple de chasseurs-cueilleurs qui vivaient dans les jungles du Paraguay jusque dans les années 1960, offrent un aperçu du monde des fourrageurs dans son côté sombre. Quand un membre apprécié de la bande mourait, la coutume des Aché voulait que l'on tue une fillette et que les deux soient enterrés ensemble. Des anthropologues qui ont interrogé les Aché rapportent un cas d'abandon d'un homme d'âge mûr malade, incapable de suivre les autres. Ils le laissèrent sous un arbre. Les vautours se perchèrent au-dessus de sa tête, dans l'attente d'un repas copieux. Mais l'homme récupéra et, marchant d'un pas vif, réussit à retrouver les siens. Son corps étant couvert de fientes d'oiseaux, cela lui valut le surnom de « Chiures de vautour ».

Quand une vieille Aché devenait un fardeau pour le reste de la bande, un des jeunes hommes se glissait furtivement derrière elle et la tuait d'un coup de hache dans la tête. Un Aché répondit à la curiosité des anthropologues en leur racontant ses premières années dans la jungle. « C'est moi qui tuais les vieilles. Moi qui tuais mes tantes… Les femmes avaient peur de moi… Maintenant, ici avec les blanches, je suis devenu faible. » Les bébés nés sans cheveux, jugés sous-développés, étaient tués sur-le-champ. Une femme raconta que son premier bébé fut tué parce que les hommes de la bande ne voulaient pas d'une autre fille. Une autre fois, un homme tua un petit garçon parce qu'il était « de mauvaise humeur et que l'enfant pleurait ». Un autre enfant fut enterré vivant parce que « c'était drôle et cela fit rire les autres enfants[1] ».

---

1. Kim Hill et A. Magdalena Hurtado, *Ache Life History : The Ecology and Demography of a Foraging People*, New York, Aldine de Gruyter, 1996, p. 164, 236.

Mais gardons-nous de juger trop rapidement les Aché. Les anthropologues qui ont passé des années parmi eux rapportent que les violences entre adultes étaient rares. Hommes et femmes étaient libres de changer de partenaires à volonté. Ils souriaient et riaient tout le temps, n'avaient pas de hiérarchie ni de chef, et fuyaient généralement les personnalités dominatrices. Extrêmement généreux de leurs rares biens, ils n'étaient obsédés ni par la réussite ni par la richesse. Ce qu'ils prisaient le plus dans la vie, c'étaient les bonnes relations sociales et les amitiés de qualité[1]. L'élimination des enfants, des malades ou des personnes âgées était pour eux ce que l'avortement et l'euthanasie sont pour nombre d'entre nous. Il faut aussi rappeler que les Aché étaient traqués et tués sans merci par les fermiers uruguayens. La nécessité d'échapper à leurs ennemis explique probablement l'attitude exceptionnellement sévère envers quiconque pouvait peser sur la bande.

La vérité est que, comme toutes les sociétés humaines, la société Aché était très complexe. Évitons de la diaboliser ou de l'idéaliser sur la base de connaissances superficielles. Ils n'étaient ni anges ni démons : des hommes. Tout comme les anciens chasseurs-cueilleurs.

FANTÔMES QUI PARLENT

Que pouvons-nous dire de la vie spirituelle et mentale des anciens chasseurs-cueilleurs ? Il est possible de reconstituer la base de l'économie fourragère avec une certaine assurance sur la foi de facteurs objectifs et quantifiables. Par exemple, nous pouvons calculer de combien de calories une personne avait besoin par jour pour survivre, combien de calories apportait un kilo de noix et combien de noix il était possible de récolter sur un kilomètre carré de forêt. Forts de ces indications, nous pouvons nous livrer à des conjectures solides sur l'importance relative des noix dans leur alimentation.

---

1. Hill et Hurtado, *Ache Life History*, p. 78.

Mais les noix étaient-elles pour eux un mets de choix ou un produit de base banal ? Croyaient-ils que des esprits habitaient les noyers ? Trouvaient-ils leurs feuilles jolies ? Si un garçon qui fourrageait voulait entraîner une fille dans un coin romantique, l'ombre d'un noyer faisait-elle l'affaire ? Le monde de la pensée, des croyances et de la sensibilité est par définition bien plus difficile à déchiffrer.

La plupart des savants s'accordent à penser que les croyances animistes étaient répandues chez les anciens fourrageurs. L'animisme (du latin *anima*, « âme » ou « esprit ») est la croyance suivant laquelle presque chaque lieu, chaque animal, chaque plante, chaque phénomène naturel a une conscience et des sentiments, et peut communiquer directement avec les humains. Ainsi les animistes peuvent-ils croire que le gros rocher, au sommet de la colline, a des sentiments, des désirs et des besoins. Il pourrait en vouloir à certains de ce qu'ils ont fait ou se réjouir d'une autre action. Il pourrait avertir les gens ou leur demander des faveurs. Les hommes, quant à eux, peuvent s'adresser au rocher, histoire de l'amadouer ou de le menacer. Mais le rocher n'est pas le seul être animé ; ainsi en va-t-il également du chêne au pied de la colline, du ruisseau qui coule plus en aval, de la source dans la clairière, des buissons qui poussent tout autour, du chemin qui mène à la clairière, des souris des champs, des loups et des corbeaux qui viennent y boire. Dans le monde animiste, les objets et les choses vivantes ne sont pas les seuls êtres animés. Il existe aussi des entités immatérielles : les esprits des morts, les êtres amicaux et malveillants, ceux que nous appelons de nos jours les démons, les fées et les anges.

Pour les animistes, aucune barrière ne sépare les humains des autres êtres. Tous peuvent communiquer directement par la parole, le chant, la danse et les cérémonies. Un chasseur peut s'adresser à un troupeau de cerfs et demander à l'un d'eux de se sacrifier. Si la chasse réussit, le chasseur peut prier l'animal mort de lui pardonner. Si quelqu'un tombe malade, un shaman peut contacter l'esprit qui est la cause de la maladie et tâcher de l'apaiser ou de l'effrayer. Au besoin, il peut appeler d'autres esprits à la rescousse. Ce qui caractérise tous ces actes de communication, c'est que les entités auxquelles on s'adresse sont non pas des dieux universels, mais des êtres locaux : un arbre, un ruisseau ou un spectre particulier. De même qu'il n'y a pas de barrière entre les hommes et les autres êtres, de même il n'y a pas de hiérarchie stricte. Les entités non humaines n'existent pas simplement pour satisfaire les besoins de l'homme. Il n'y a pas non plus de dieux tout-puissants qui dirigent le monde à leur guise. Le monde ne tourne pas autour des hommes ni autour d'aucun autre groupe d'êtres en particulier.

L'animisme n'est pas une religion spécifique. C'est le nom générique de milliers de religions, de croyances et de cultes très différents. Ce qui les rend « animistes », c'est cette manière commune d'aborder le monde et la place que l'homme y occupe. Dire que les anciens fourrageurs étaient probablement animistes ou que la plupart des agriculteurs étaient théistes sont des affirmations du même ordre. Le théisme (du grec *theos*, « dieu ») est l'idée que l'ordre universel repose sur une relation hiérarchique entre les hommes et un petit groupe d'êtres éthérés que l'on appelle dieux. Il est certainement légitime de dire que les agriculteurs prémodernes étaient naturellement théistes, mais cela ne nous apprend pas grand-chose de précis. La rubrique générique « théistes » est très large : des rabbins juifs polonais du XVIIIᵉ siècle aux puritains brûleurs de sorcières du Massachusetts au XVIIᵉ siècle ; des prêtres aztèques du Mexique au XVᵉ siècle ou des Soufis iraniens du XIIᵉ aux guerriers Vikings du Xᵉ, aux légionnaires romains du IIᵉ et aux bureaucrates chinois du Iᵉʳ siècle. Chacun de ces groupes jugeait les croyances et pratiques des autres bizarres et hérétiques. Les différences de croyances et de pratiques entre groupes d'« animistes » étaient probablement tout aussi importantes. Sans doute leur expérience religieuse était-elle turbulente et riche en controverses, réformes et révolutions.

On ne saurait pourtant aller au-delà de ces généralisations prudentes. Toute tentative pour décrire les détails de la spiritualité archaïque demeure hautement spéculative, et l'on n'a pour ainsi dire aucune preuve. Quant au peu d'éléments que nous possédons – une poignée d'artefacts et de peintures rupestres –, ils se prêtent à des interprétations multiples. Les théories des chercheurs qui prétendent savoir ce qu'éprouvaient les fourrageurs en disent plus long sur leurs propres préjugés que sur les religions de l'Âge de pierre.

Peinture de la grotte de Lascaux, autour de −15 000/20 000 ans. Que voyons-nous au juste et quel est le sens de cette peinture ? Pour certains, il s'agit d'un homme à tête d'oiseau et le sexe en érection qui se fait tuer par un bison. Sous l'homme, se trouve un autre oiseau, lequel peut symboliser l'âme, délivrée du corps à l'instant de la mort. Si tel est le cas, la peinture ne représente pas un accident de chasse prosaïque, mais le passage de ce monde-ci à l'autre monde. Or, nous n'avons aucun moyen de savoir si ces spéculations sont fondées. Il s'agit d'un test de Rorschach qui nous renseigne plus sur les préjugés des chercheurs modernes que sur les croyances des fourrageurs anciens.

Plutôt que de faire une montagne d'un rien, d'échafauder des théories sur quelques reliques tombales, peintures rupestres, et statuettes en os, mieux vaut être franc et admettre que nous n'avons que des notions pour le moins nébuleuses sur les religions des anciens fourrageurs. Nous supposons qu'ils étaient animistes, mais cela ne nous éclaire guère. Nous ne savons pas quels esprits ils priaient, quelles fêtes ils célébraient, ni quels tabous ils observaient. Qui plus est, nous ignorons quelles histoires ils racontaient. C'est une des plus grosses lacunes de notre intelligence de l'histoire humaine.

Empreintes de mains réalisées par des chasseurs-cueilleurs voici 9 000 ans dans la « Grotte aux mains », en Argentine. Ces mains mortes de longue date donnent l'impression de sortir du rocher et d'être tendues vers nous. C'est une des reliques les plus émouvantes du monde des anciens fourrageurs… mais personne ne sait ce qu'elle signifie.

*

L'univers sociopolitique des fourrageurs est encore un domaine dont nous ne savons quasiment rien. Ainsi qu'on l'a expliqué, les spécialistes ne parviennent même pas à s'entendre sur la base : existence de la propriété privée, familles nucléaires et relations monogames. Probablement les bandes avaient-elles des structures différentes. Certaines étaient sans doute aussi hiérarchiques et violentes que le groupe de chimpanzés le plus hargneux, et d'autres aussi décontractées, paisibles et lascives qu'une bande de bonobos.

À Sounguir, en Russie, des archéologues ont découvert un site d'inhumation de 30 000 ans appartenant à une culture de chasseurs de mammouths. Une tombe contenait le squelette d'un homme de 50 ans, couvert de colliers de perles en ivoire de mammouth. Au total, la tombe en contenait autour de 3 000. La tête du mort était coiffée d'un chapeau orné de dents de renard.

Ses poignets étaient ornés de 25 bracelets d'ivoire. D'autres tombes du même site étaient bien moins fournies. Les spécialistes en déduisirent que les chasseurs de mammouths de Sounguir vivaient dans une société hiérarchique et que le mort était peut-être le chef d'une bande ou d'une tribu formée de plusieurs bandes. Il est peu probable que quelques douzaines de membres d'une seule bande aient pu produire à eux seuls tant d'articles funéraires.

Les archéologues découvrirent ensuite une tombe encore plus intéressante, avec deux squelettes, enterrés en tête à tête. L'un était celui d'un garçon de 12-13 ans ; l'autre, celui d'une fillette de 9-10 ans. Le garçon était couvert de 5 000 perles d'ivoire et portait un chapeau à dents de renard et une ceinture de 250 dents (pour laquelle il avait fallu tuer au moins 60 renards). La fille était parée de 5 250 perles d'ivoire. Les deux enfants étaient entourés de statuettes et de divers objets d'ivoire. Un artisan qualifié (homme ou femme) avait probablement besoin de trois quarts d'heure pour préparer une seule perle. Autrement dit, le façonnage des 10 000 perles qui recouvraient les deux enfants, sans parler des autres objets, nécessitait 7 500 heures de travail délicat : largement plus de trois ans de travail pour un artisan chevronné !

Il est très peu probable qu'à un âge aussi jeune les enfants de Sounguir aient été des chefs ou des chasseurs de mammouths. Seules des croyances culturelles peuvent expliquer un enterrement d'une telle extravagance. Une première théorie est qu'ils devaient leur rang à leurs parents : peut-être étaient-ils les enfants du chef dans une culture qui croyait au charisme familial ou qui appliquait des règles de succession strictes. Selon une deuxième théorie, on aurait reconnu à la naissance dans ses enfants l'incarnation d'esprits de longue date disparus. Mais une troisième théorie soutient que l'enterrement des enfants est un reflet des conditions de leur mort, plutôt que de leur rang dans la vie. Ils auraient été rituellement sacrifiés – peut-être dans le cadre des rites d'inhumation du chef – puis placés dans leur tombe en grande pompe[1].

---

1. Vincenzo Formicola et Alexandra P. Buzhilova, «Double Child Burial from Sunghir (Russia) : Pathology and Inferences for Upper Paleolithic Funerary

Quelle que soit la bonne réponse, les enfants de Sounguir sont parmi les premières preuves que, voici 30 000 ans, Sapiens pouvait inventer des codes sociopolitiques qui allaient bien au-delà des diktats de notre ADN et des formes de comportement des autres espèces humaines et animales.

GUERRE OU PAIX ?

Pour finir, il y a l'épineuse question du rôle de la guerre dans les sociétés de fourrageurs. Certains spécialistes imaginent les anciennes sociétés de fourrageurs comme de paisibles paradis, et assurent que la guerre et la violence n'ont commencé qu'avec la Révolution agricole et la propriété privée, quand les gens se sont mis à accumuler. D'autres assurent que le monde des anciens fourrageurs était exceptionnellement cruel et violent. Les deux écoles de pensée se bercent de chimères, échafaudant des théories qui reposent sur de maigres restes archéologiques et l'observation anthropologique des fourrageurs actuels.

Les données anthropologiques sont fascinantes mais pour le moins problématiques. De nos jours, les fourrageurs vivent surtout dans des régions isolées et inhospitalières comme l'Arctique ou le Kalahari, où la densité de population est très faible et où les occasions de se battre contre d'autres populations sont limitées. D'autre part, les dernières générations de fourrageurs ont été de plus en plus soumises à l'autorité des États modernes qui empêchent les conflits de grande ampleur. Les savants européens n'ont eu que deux occasions d'observer de grandes populations, relativement denses, de fourrageurs indépendants : en Amérique du Nord, au nord-ouest, au XIXe siècle, et dans le nord de l'Australie au XIXe et au début du XXe siècle. Les Amérindiens comme les aborigènes d'Australie se distinguaient par une forte fréquence de conflits armés.

Practices», *American Journal of Physical Anthropology*, 124:3, 2004, p. 189-198 ; Giacomo Giacobini, «Richness and Diversity of Burial Rituals in the Upper Paleolithic», *Diogenes*, 54:2, 2007, p. 19-39 ; en français, «Richesse et diversité du rituel funéraire au Paléolithique supérieur», *Diogène*, 2006, n° 214, p. 24-46.

La question demeure ouverte de savoir si c'était un état «intemporel» ou l'effet de l'impérialisme européen.

Les éléments archéologiques sont à la fois rares et opaques. Quelles traces parlantes peut laisser une guerre qui s'est déroulée il y a des dizaines de milliers d'années? En ce temps-là, il n'y avait ni fortifications ni murs, pas d'obus, pas d'épées ni même de boucliers. Une pointe de lance a fort bien pu servir à la guerre, mais elle a pu tout aussi bien être utilisée à la chasse. Les ossements humains fossilisés ne sont pas moins difficiles à interpréter. Une fracture peut être le signe d'une blessure de guerre ou d'un accident. L'absence de fractures ou d'entailles sur un squelette ne prouve aucunement que son propriétaire ne soit pas mort de mort violente. La mort peut résulter d'une lésion des tissus mous qui ne laisse aucune trace sur les os. Qui plus est, dans la guerre préindustrielle, plus de 90 % des victimes mouraient de faim, de froid ou de maladie plutôt qu'elles n'étaient tuées par des armes. Imaginez une tribu qui, voici 30 000 ans, triomphe de sa voisine et la chasse du terrain fourrager convoité. Au cours de la bataille décisive, dix membres de la tribu vaincue sont tués. L'année suivante, cent membres de la tribu défaite mourront de faim, de froid ou de maladie. Les archéologues qui tombent sur ces cent dix squelettes sont tentés de conclure que la plupart ont été victimes d'une catastrophe naturelle. Comment pourrions-nous dire que tous ont été victimes d'une guerre sans merci?

Dûment prévenus, nous pouvons maintenant nous pencher sur les découvertes archéologiques. Au Portugal, une étude a été menée sur quatre cents squelettes de la période qui précède immédiatement la Révolution agricole. Deux squelettes seulement présentaient des marques claires de violence. Une étude portant sur un échantillon équivalent de la même période en Israël a mis en évidence une seule fracture crânienne imputable à des violences humaines.

Une troisième enquête sur quatre cents squelettes de divers sites préagricoles de la vallée du Danube a dénombré dix-huit cas de violence. Dix-huit sur quatre cents, cela peut sembler assez peu; en vérité, il s'agit d'un pourcentage très élevé. Si les dix-huit sont tous morts de mort violente, cela veut dire que les violences étaient à l'origine de 4,5 % des morts dans l'ancienne vallée du Danube. De nos jours, la moyenne mondiale n'est que de 1,5 % – guerre et crimes confondus. Au XXe siècle, 5 % seulement des morts ont été le fait de violences humaines – et ce dans un siècle qui a vu les guerres les plus sanglantes et les génocides les plus massifs de l'histoire. Si cette révélation est typique, l'ancienne vallée du Danube était aussi violente que le XXe siècle[1].

Les découvertes affligeantes de la vallée du Danube sont corroborées par une série de découvertes tout aussi déprimantes dans d'autres régions. Au Djebel Sahaba, au Soudan, a été découvert un cimetière vieux de 12 000 ans et réunissant cinquante-neuf squelettes. Dans les os ou à proximité de vingt-quatre squelettes, soit 40 % du total, on a retrouvé des fers de lance ou des pointes de flèche. Un squelette de femme portait douze traces de blessure. Dans la grotte d'Ofnet, en Bavière, des archéologues ont découvert les restes de trente-huit fourrageurs, essentiellement de femmes et d'enfants, dont les corps avaient été jetés dans des fosses. La moitié des squelettes, y compris ceux des enfants et des bébés, portaient des traces claires d'impacts d'armes humaines telles que des gourdins ou des couteaux. Les squelettes d'hommes plus âgés portaient les pires marques de violence. Toute une bande de fourrageurs fut probablement massacrée à Ofnet.

*

Des squelettes indemnes d'Israël et du Portugal ou des abattoirs du Djebel Sahaba et d'Ofnet, lesquels représentent le mieux le monde des anciens fourrageurs ? Ni les uns ni les autres. La diversité des taux de violence chez les fourrageurs n'était probablement pas moindre que celle des religions et des structures sociales. Certaines régions et certaines périodes ont pu jouir de la paix et de la tranquillité quand d'autres furent déchirées par des conflits féroces[2].

---

1. On pourrait soutenir que les dix-huit Danubiens anciens ne sont pas tous morts des violences dont leurs restes portent les marques. Certains ne furent que blessés. Mais probablement est-ce compensé par les morts liées aux traumas touchant les tissus mous et aux privations invisibles qui accompagnent la guerre.

2. I. J. N. Thorpe, « Anthropology, Archaeology, and the Origin of Warfare », *World Archaeology*, 35:1, 2003, p. 145-165 ; Raymond C. Kelly, *Warless Societies*

Voile de silence

S'il est difficile d'avoir une vue d'ensemble de la vie des anciens fourrageurs, les événements particuliers nous demeurent largement hors d'atteinte. La première fois qu'une bande de Sapiens pénétra dans une vallée peuplée de Neandertal, les années suivantes ont bien pu connaître un drame historique à couper le souffle. Malheureusement, rien n'aura survécu d'une telle rencontre si ce n'est, dans le meilleur des cas, quelques os fossilisés et une poignée d'outils de pierre qui opposent le silence aux chercheurs qui les pressent de questions. Nous pouvons en tirer des renseignements sur l'anatomie, les techniques et l'alimentation, voire sur les structures sociales. Mais tout cela ne nous dit rien de l'alliance politique forgée entre bandes voisines de Sapiens, rien non plus des morts qui bénirent cette alliance, ni des perles d'ivoire secrètement données au sorcier local pour obtenir la bénédiction des esprits.

Ce voile de silence enveloppe plusieurs dizaines de milliers d'années d'histoire. Ces longs millénaires ont pu être jalonnés de guerres et de révolutions, de mouvements religieux extatiques, de théories philosophiques profondes et de chefs-d'œuvre artistiques incomparables. Les fourrageurs ont bien pu avoir des Napoléon conquérants à la tête d'empires d'une superficie équivalant à la moitié du Luxembourg ; des Beethoven doués qui manquaient d'orchestres symphoniques mais qui arrachaient des larmes au son de leurs flûtes de bambou ; et des prophètes charismatiques qui révélèrent les paroles d'un chêne local plutôt que d'un dieu créateur universel. Mais ce ne sont que conjectures. Le voile de silence est si épais qu'on ne saurait être sûr que de telles choses se soient produites – encore moins en donner une description détaillée. Les

and the Origin of War, Ann Arbor, University of Michigan Press, 2000 ; Azar Gat, *War in Human Civilization*, Oxford, Oxford University Press, 2006 ; Lawrence H. Keeley, *War before Civilization : The Myth of the Peaceful Savage*, Oxford, Oxford University Press, 1996 ; Slavomil Vencl, « Stone Age Warfare », in John Carman et Anthony Harding (dir.), *Ancient Warfare : Archaeological Perspectives*, Stroud, Sutton Publishing, 1999, p. 57-73.

chercheurs ont tendance à poser uniquement les questions auxquelles ils peuvent raisonnablement espérer répondre. Sauf découverte d'outils de recherche encore indisponibles, comme des
machines à remonter le temps où des séances de spiritisme avec
de lointains ancêtres, nous ne saurons probablement jamais ce que
croyaient les fourrageurs anciens, ni quels drames politiques ils
connurent. Or, il est vital de poser des questions auxquelles on n'a
pas de réponse. Sans quoi on pourrait être tenté de balayer d'un
revers de main 60 000 ou 70 000 années d'histoire humaine sous
prétexte que «les populations qui vécurent en ce temps-là n'ont
rien fait d'important».

La vérité est qu'elles ont fait des tas de choses importantes. Elles
ont fait le monde qui nous entoure, bien plus largement que la
plupart en ont conscience. Les marcheurs qui arpentent la toun-
dra sibérienne, les déserts d'Australie centrale et la forêt tropicale
amazonienne imaginent entrer dans des paysages immaculés, quasiment préservés de tout contact humain. Mais c'est une illusion.
Les fourrageurs sont passés par là avant nous et ont produit des
changements spectaculaires jusque dans les jungles les plus denses
et les déserts les plus désolés. Le prochain chapitre expliquera comment les fourrageurs ont entièrement remodelé l'écologie de notre
planète bien avant la construction du premier village agricole. Les
bandes itinérantes de Sapiens conteurs d'histoires ont été la force
la plus importante et la plus destructrice que le royaume animal ait
jamais produite.

4.

Le déluge

Avant la Révolution cognitive, toutes les espèces d'hommes vivaient exclusivement sur le bloc continental afro-asiatique. Certes, ils avaient colonisé quelques îles en traversant à la nage ou sur des radeaux de fortune de petites étendues d'eau. Florès, par exemple, fut colonisée voici 850 000 années. En revanche, les hommes ne purent s'aventurer en pleine mer, et aucun n'atteignit l'Amérique, l'Australie ou de lointaines îles telles que Madagascar, la Nouvelle-Zélande et Hawaii.

La barrière maritime empêcha les hommes, mais aussi de nombreux autres animaux et végétaux afro-asiatiques d'atteindre ce « Monde extérieur ». De ce fait, les organismes de terres lointaines comme l'Australie et Madagascar évoluèrent isolément durant des millions et des millions d'années, prenant des formes et des natures très différentes de celles de leurs lointains parents afro-asiatiques. La planète Terre était partagée en plusieurs écosystèmes distincts, tous composés d'un assemblage unique d'animaux et de végétaux. *Homo sapiens* était sur le point de mettre fin à cette exubérance biologique.

À la suite de la Révolution cognitive, Sapiens acquit la technologie, les compétences organisationnelles et peut-être même la vision nécessaire pour sortir de l'espace afro-asiatique et coloniser le Monde extérieur. Sa première réalisation fut la colonisation de l'Australie voici 45 000 ans. Les spécialistes ont du mal à expliquer cet exploit. Pour atteindre l'Australie, les hommes durent traverser un certain nombre de bras de mer, pour certains de plus de cent kilomètres de large, et, sitôt arrivés, s'adapter presque du jour au lendemain à un écosystème entièrement nouveau.

La théorie la plus raisonnable suggère que, voici environ 45 000 ans, les Sapiens de l'archipel indonésien (groupe d'îles qui ne sont séparées de l'Asie ou les unes des autres que par de modestes détroits) créèrent les premières sociétés de marins. Ils apprirent à construire et à manœuvrer des bateaux de haute mer et devinrent pêcheurs, commerçants et explorateurs. Cela aurait produit une transformation sans précédent des capacités (*capabilities*) humaines et des styles de vie. Tous les autres mammifères marins – phoques, vaches marines et dauphins – mirent une éternité à acquérir des organes spécialisés et un corps hydrodynamique. Les Sapiens indonésiens, descendants des singes de la savane africaine, se transformèrent en marins du Pacifique sans que leur poussent des nageoires et sans devoir attendre que leur nez migre au sommet de leur tête comme chez les baleines. Ils construisirent des embarcations et apprirent à les manœuvrer. Et ces compétences leur permirent d'atteindre l'Australie et de s'y installer.

Certes, les archéologues n'ont pas encore retrouvé de radeaux, de rames ou de villages de pêcheurs qui remontent à 45 000 ans (ce serait difficile, parce que la montée du niveau de la mer a recouvert l'ancienne côte indonésienne sous cent mètres d'océan). Il est néanmoins de nombreuses preuves indirectes pour étayer cette théorie, notamment le fait que, dans les milliers d'années qui suivirent le peuplement de l'Australie, Sapiens colonisa bon nombre d'îlots isolés au nord. Certains, comme Buka et Manus, étaient à quelque deux cents kilomètres de la terre la plus proche. On a peine à croire que quiconque ait pu atteindre et coloniser Manus sans bateaux élaborés et sans compétences de marin. On a aussi des preuves solides d'un commerce maritime régulier entre certaines de ces îles, comme la Nouvelle-Irlande et la Nouvelle-Bretagne[1].

---

1. James F. O'Connel et Jim Allen, «Pre-LGM Sahul (Pleistocene Australia-New Guinea) and the Archeology of Early Modern Humans», in Paul Mellars,

Le voyage des premiers humains vers l'Australie est un des événements les plus importants de l'histoire, au moins aussi important que le voyage de Christophe Colomb vers l'Amérique ou l'expédition d'Apollo 11 vers la Lune. Pour la première fois, un humain était parvenu à quitter le système écologique afro-asiatique ; pour la première fois, en fait, un gros mammifère terrestre réussissait la traversée de l'Afro-Asie vers l'Australie. De plus d'importance encore est ce que les pionniers humains firent dans ce nouveau monde. L'instant où le premier chasseur-cueilleur posa le pied sur une plage australienne fut le moment où l'*Homo sapiens* se hissa à l'échelon supérieur de la chaîne alimentaire et sur un bloc continental particulier, puis devint l'espèce la plus redoutable dans les annales de la planète Terre.

Jusque-là, les hommes avaient manifesté des adaptations et des comportements novateurs, mais leur effet sur l'environnement était demeuré négligeable. Ils avaient remarquablement réussi à s'aventurer dans de nouveaux habitats et à s'y installer, mais ils ne les avaient pas radicalement changés. Les colons de l'Australie ou, plus exactement, ses conquérants ne se contentèrent pas de

Ofer Bar-Yosef et Katie Boyle (dir.), *Rethinking the Human Revolution: New Behavioural and Biological Perspectives on the Origin and Dispersal of Modern Humans*, Cambridge, McDonald Institute for Archaeological Research, 2007, p. 395-410 ; James F. O'Connel et Jim Allen, « When Did Humans First Arrived in Greater Australia and Why Is It Important to Know ? », *Evolutionary Anthropology*, 6:4, 1998, p. 132-146 ; James F. O'Connel et Jim Allen, « Dating the Colonization of Sahul (Pleistocene Australia-New Guinea) : A Review of Recent Research », *Journal of Radiological Science*, 31:6, 2004, p. 835-853 ; Jon M. Erlandson, « Anatomically Modern Humans, Maritime Voyaging, and the Pleistocene Colonization of the Americas », in Nina G. Jablonski (dir.), *The First Americans: the Pleistocene Colonization of the New World*, San Francisco, University of California Press, 2002, p. 59-60, 63-64 ; Jon M. Erlandson et Torben C. Rick, « Archeology Meets Marine Ecology. The Antiquity of Maritime Cultures and Human Impacts on Marine Fisheries and Ecosystems », *Annual Review of Marine Science*, 2, 2010, p. 231-251 ; Atholl Anderson, « Slow Boats from China : Issues in the Prehistory of Indo-China Seafaring », *Modern Quaternary Research in Southeast Asia*, 16, 2000, p. 13-50 ; Robert G. Bednarik, « Maritime Navigation in the Lower and Middle Paleolithic », *Earth and Planetary Sciences*, 328, 1999, p. 559-560 ; Robert G. Bednarik, « Seafaring in the Pleistocene », *Cambridge Archaeological Journal*, 13:1, 2003, p. 41-66.

s'adapter : ils transformèrent l'écosystème australien au point de le rendre méconnaissable.

Les vagues effacèrent aussitôt la première empreinte de pied humain sur le sable d'une plage australienne. En revanche, avançant à l'intérieur des terres, les envahisseurs laissèrent une empreinte de pas différente, qui ne devait jamais être effacée. À mesure qu'ils progressèrent, ils découvrirent un étrange univers de créatures inconnues, dont un kangourou de deux mètres pour deux cents kilos et un lion marsupial aussi massif qu'un tigre moderne, qui était le plus gros prédateur du continent. Dans les arbres évoluaient des koalas beaucoup trop grands pour être vraiment doux et mignons, tandis que dans la plaine sprintaient des oiseaux coureurs qui avaient deux fois la taille d'une autruche. Des lézards dragons et des serpents de cinq mètres de long ondulaient dans la broussaille. Le diprotodon géant, wombat de deux tonnes et demie, écumait la forêt. Hormis les oiseaux et les reptiles, tous ces animaux étaient des marsupiaux : comme les kangourous, ils donnaient naissance à des petits minuscules et démunis, comparables à des fœtus, qu'ils nourrissaient ensuite au lait dans des poches abdominales. Quasiment inconnus en Afrique et en Asie, les mammifères marsupiaux étaient souverains en Australie.

Presque tous ces géants disparurent en quelques milliers d'années : vingt-trois des vingt-quatre espèces animales australiennes de cinquante kilos ou plus s'éteignirent[1]. Bon nombre d'espèces plus petites disparurent également. Dans l'ensemble de l'écosystème australien, les chaînes alimentaires furent coupées et réorganisées. Cet écosystème n'avait pas connu de transformation plus importante depuis des millions d'années. Était-ce la faute d'*Homo sapiens* ?

---

1. Timothy F. Flannery, *The Future Eaters : An Ecological History of the Australasian Lands and Peoples*, Port Melbourne, Vic., Reed Books Australia, 1994 ; Anthony D. Barnosky *et al.*, « Assessing the Causes of Late Pleistocene Extinctions on the Continents », *Science*, 306:5693, 2004, p. 70-75 ; Bary W. Brook et David M. J. S. Bowman, « The Uncertain Blitzkrieg of Pleistocene Megafauna », *Journal of Biogeography*, 31:4, 2004, p. 517-523 ; Gifford H. Miller *et al.*, « Ecosystem Collapse in Pleistocene Australia and a Human Role in Megafaunal Extinction », *Science*, 309:5732, 2005, p. 287-390 ; Richard G. Roberts *et al.*, « New Ages for the Last Australian Megafauna : Continent Wide Extinction about 46,000 Years Ago », *Science*, 292:5523, 2001, p. 1888-1892.

Coupable !

Certains chercheurs essaient d'exonérer notre espèce pour rejeter la faute sur les caprices du climat (le bouc émissaire habituel en pareil cas). On a peine à croire, pourtant, qu'*Homo sapiens* soit entièrement innocent. Trois types de preuve affaiblissent l'alibi du climat et impliquent nos ancêtres dans l'extinction de la mégafaune australienne.

Premièrement, même si le climat de l'Australie a changé voici 45 000 ans, ce bouleversement n'avait rien de remarquable. On voit mal comment le nouveau climat aurait pu provoquer à lui seul une extinction aussi massive. Il est courant de nos jours d'expliquer tout et n'importe quoi par le changement climatique, mais la vérité c'est que le climat de la Terre n'est jamais au repos. Il est perpétuellement en mouvement. L'histoire s'est toujours déroulée sur fond de changement climatique.

En particulier, notre planète a connu de nombreux cycles de refroidissement et de réchauffement. Au fil du dernier million d'années, on a enregistré en moyenne un âge glaciaire tous les 100 000 ans. Le dernier en date se situe entre 75 000 et 15 000 ans. Pas exceptionnellement rigoureux pour un âge glaciaire, il a connu deux pics : le premier il y a environ 70 000 ans, le second il y a environ 20 000 ans. Apparu en Australie il y a plus de 1,5 million d'années, le diprotodon géant avait résisté à au moins dix ères glaciaires antérieures. Il survécut aussi au premier pic du dernier âge glaciaire il y a environ 70 000 ans. Pourquoi a-t-il disparu il y a 45 000 ans ? Si les diprotodons avaient été les seuls gros animaux à disparaître à cette époque, on aurait naturellement pu croire à un hasard. Or, plus de 90 % de la mégafaune australienne a disparu en même temps que le diprotodon. Les preuves sont indirectes, mais on imagine mal que, par une pure coïncidence, Sapiens soit arrivé en Australie au moment précis où tous ces animaux mouraient de froid[1].

---

1. Stephen Wroe et Judith Field, « A Review of Evidence for a Human Role in the Extinction of Australian Megafauna and an Alternative Explanation », *Quaternary*

Deuxièmement, quand le changement climatique provoque des extinctions massives, les créatures marines sont en général aussi durement touchées que les habitants de la terre. Or il n'existe aucune preuve de quelque disparition de la faune océanique il y a 45 000 ans. Le rôle de l'homme explique sans mal que la vague d'extinction ait oblitéré la mégafaune australienne tout en épargnant celle des océans voisins. Malgré ses moyens de navigation en plein essor, *Homo sapiens* restait avant tout une menace terrestre.

Troisièmement, les millénaires suivants ont connu des extinctions de masse proches de l'archétype de la décimation australienne chaque fois qu'une population a colonisé une autre partie du Monde extérieur. Dans tous ces cas, la culpabilité de Sapiens est irrécusable. Par exemple, la mégafaune néo-zélandaise qui avait essuyé sans une égratignure le prétendu « changement climatique » d'il y a environ 45 000 ans a subi des ravages juste après le débarquement des premiers hommes sur ces îles. Les Maoris, premiers colons Sapiens de la Nouvelle-Zélande, y arrivèrent voici 800 ans. En l'espace de deux siècles disparurent la majorité de la mégafaune locale en même temps que 60 % des espèces d'oiseaux locales.

La population de mammouths de l'île Wrangel, dans l'Arctique (à 200 kilomètres au nord des côtes sibériennes), connut le même sort. Les mammouths avaient prospéré pendant des millions d'années dans la majeure partie de l'hémisphère Nord. Avec l'essor d'*Homo sapiens*, cependant, d'abord en Eurasie, puis en Amérique du Nord, les mammouths ont reculé. Voici environ 10 000 ans, il n'y avait plus un seul mammouth au monde, hormis dans quelque île lointaine de l'Arctique, à commencer par Wrangel. Les mammouths

Science Reviews, 25:21-22, 2006, p. 2692-2703 ; Barry W. Brooks *et al.*, « Would the Australian Megafauna Have Become Extinct If Humans Had Never Colonised the Continent ? Comments on "A Review of the Evidence for a Human Role in the Extinction of Australian Megafauna and an Alternative Explanation" by S. Wroe and J. Field », *Quaternary Science Reviews*, 26:3-4, 2007, p. 560-564 ; Chris S. M. Turney *et al.*, « Late-Surviving Megafauna in Tasmania, Australia, Implicate Human Involvement in their Extinction », *Proceedings of the National Academy of Sciences*, 105:34, 2008, p. 12150-12153.

de cette île continuèrent de prospérer encore pendant quelques millénaires, avant de disparaître subitement voici 4 000 ans, au moment précis où les humains y débarquèrent.

Si l'extinction australienne était un événement isolé, nous pourrions accorder aux hommes le bénéfice du doute. Or, l'histoire donne de l'*Homo sapiens* l'image d'un *serial killer* écologique.

*

Les colons d'Australie n'avaient à leur disposition que la technologie de l'Âge de pierre. Comment pouvaient-ils causer une catastrophe écologique ? Il y a trois grandes explications qui s'agencent assez bien.

Les gros animaux – principales victimes de l'extinction australienne – se reproduisent lentement. Le temps de gestation est long, le nombre de petits par grossesse est réduit, et il y a de grandes pauses entre les grossesses. De ce fait, même si les hommes n'abattaient qu'un diprotodon tous les deux ou trois mois, c'était suffisant pour que les morts l'emportent sur les naissances. Quelques milliers d'années, et le dernier diprotodon solitaire disparaissait, et avec lui toute l'espèce[1].

En réalité, malgré leur taille, les diprotodons et autres géants d'Australie n'étaient probablement pas très difficiles à chasser, parce qu'ils durent se laisser surprendre par ces assaillants à deux pattes. Diverses espèces humaines rôdaient et évoluaient en Afro-Asie depuis deux millions d'années. Ils mûrirent lentement leurs talents de chasseurs, et se mirent à traquer les gros animaux voici environ 400 000 ans. Les grandes bêtes d'Afrique et d'Asie apprirent à éviter les humains si bien que, quand le nouveau méga-prédateur – *Homo sapiens* – parut sur la scène afro-asiatique, les grands animaux savaient déjà se tenir à distance des créatures qui leur ressemblaient. En revanche, les géants australiens n'eurent pas le temps d'apprendre à détaler. Les humains ne semblaient pas par-

---

1. John Alroy, « A Multispecies Overkill Simulation of the End-Pleistocene Megafaunal Mass Extinction », *Science*, 292:5523, 2001, p. 1893-1896 ; O'Connel et Allen, « Pre-LGM Sahul », p. 400-401.

ticulièrement dangereux. Ils n'ont ni dents longues et pointues, ni corps souples et musculeux. Quand un diprotodon, le plus gros marsupial qui ait jamais foulé la terre, posa pour la première fois les yeux sur ce singe d'apparence fragile, il lui lança donc probablement un coup d'œil puis retourna mâchonner ses feuilles. Le temps que ces animaux acquièrent la peur de l'espèce humaine, ils auraient disparu.

La deuxième explication est que, lorsqu'il atteignit l'Australie, le Sapiens maîtrisait déjà l'agriculture du bâton à feu. Face à un milieu étranger et menaçant, il brûlait délibérément de vastes zones de fourrés impénétrables et de forêts épaisses afin de créer des prairies, qui attiraient davantage le gibier facile à chasser, convenaient mieux à ses besoins. En l'espace de quelques petits millénaires, il devait ainsi changer du tout au tout l'écologie de grandes parties de l'Australie.

Les plantes fossiles sont parmi les éléments qui corroborent ce point de vue. Les eucalyptus étaient rares en Australie il y a 45 000 ans. L'arrivée de l'*Homo sapiens* inaugura cependant un âge d'or pour l'espèce. Les eucalyptus étant particulièrement résistants au feu, ils se répandirent très vite quand d'autres arbres et arbustes disparaissaient.

Ces changements de végétation eurent des effets sur les animaux qui mangeaient les plantes et les carnivores qui mangeaient les végétariens. Les koalas, qui se nourrissent exclusivement de feuilles d'eucalyptus, investirent allégrement de nouveaux territoires. La plupart des autres animaux souffrirent terriblement. Beaucoup de chaînes alimentaires australiennes s'effondrèrent, menant les maillons les plus faibles à l'extinction[1].

Une troisième explication admet que la chasse et l'agriculture sur brûlis jouèrent un rôle significatif dans l'extinction, mais souligne que nous ne saurions passer totalement sous silence le rôle

---

1. Laurence H. Keeley, « Proto-Agricultural Practices Among Hunter-Gatherers : A Cross-Cultural Survey », in T. Douglas Price et Anne Birgitte Gebauer (dir.), *Last Hunters, First Farmers: New Perspectives on the Prehistoric Transition to Agriculture*, Santa Fe, N.M., School of American Research Press, 1995, p. 243-272 ; Rhys Jones, « Fire-stick Farming », *Australian Natural History*, 16, 1969, p. 224-228.

du climat. Les changements climatiques qui assaillirent l'Australie voici 45 000 ans déstabilisèrent l'écosystème et le rendirent particulièrement vulnérable. Dans des circonstances normales, le système aurait probablement récupéré, comme cela s'était déjà produit maintes fois. Mais c'est à ce tournant critique que l'homme entra en scène et précipita dans l'abîme un écosystème fragile. Cette combinaison du changement climatique et de la chasse humaine est particulièrement dévastatrice pour les gros animaux, alors attaqués depuis des angles différents. Il est difficile de trouver une bonne stratégie de survie, efficace contre de multiples menaces.

À défaut de preuves supplémentaires, il n'y a pas moyen de trancher entre les trois scénarios. Mais on a de bonnes raisons de penser que si *Homo sapiens* n'était jamais venu dans cette région, elle abriterait encore des lions marsupiaux, des diprotodons et des kangourous géants.

LA FIN DU PARESSEUX

L'extinction de la mégafaune australienne est probablement la première marque significative qu'*Homo Sapiens* ait laissée sur notre planète. Suivit une catastrophe écologique encore plus grande, cette fois en Amérique. *Homo sapiens* fut la seule espèce humaine à atteindre le bloc continental de l'hémisphère Ouest, où il arriva voici 16 000 ans, autour de 14 000 avant notre ère. Les premiers Américains arrivèrent à pied : à l'époque, le niveau de la mer était si bas qu'un pont de terre rattachait le nord-est de la Sibérie au nord-ouest de l'Alaska. Non que ce fût facile : le voyage était ardu, plus dur peut-être que la traversée en mer vers l'Australie. Sapiens dut commencer par apprendre à résister aux conditions arctiques extrêmes de la Sibérie du Nord, où le soleil ne brille jamais en hiver et où les températures peuvent tomber à – 50°.

Jusque-là, aucune espèce humaine n'avait réussi à pénétrer des espaces comme la Sibérie du Nord. Même les Neandertal, adaptés au froid, se cantonnèrent à des régions relativement plus chaudes, plus au sud. Mais *Homo sapiens*, dont le corps était fait pour vivre dans la savane africaine plutôt que dans des pays de glace et de neige, trouva des solutions ingénieuses. Quand les bandes de fourrageurs Sapiens migrèrent vers des climats plus froids, ils apprirent à se faire des chaussures de neige et des vêtements thermiques efficaces formés de plusieurs couches de peaux et de fourrures cousues à l'aide d'aiguilles. Ils mirent au point des armes nouvelles et des techniques de chasse sophistiquées qui leur permirent de traquer et de tuer des mammouths ou les autres gros gibiers du Grand Nord. Avec l'amélioration de ses vêtements thermiques et de ses techniques de chasse, Sapiens osa s'aventurer toujours plus profondément dans des régions glaciales. À mesure qu'il allait plus au nord, vêtements, stratégies de chasse et autres techniques de survie continuèrent de progresser.

Mais à quoi bon s'inquiéter ? Pourquoi s'exiler délibérément en Sibérie ? Peut-être certaines bandes furent-elles chassées au nord par la guerre, par des pressions démographiques ou des catastrophes naturelles. D'autres ont pu être attirées par des raisons plus positives comme les protéines animales. Les terres arctiques grouillaient d'animaux savoureux tels que les rennes et les mammouths. Chaque mammouth était source d'une énorme quantité de viande (avec le froid, on pouvait même la congeler pour la consommer plus tard), de graisse goûteuse, de fourrure chaude et d'ivoire précieux. Les découvertes de Sounguir le prouvent : non contents de survivre dans les glaces du Nord, les chasseurs de mammouths prospéraient. Au fil du temps, les bandes essaimèrent largement, traquant mammouths, mastodontes, rhinocéros et rennes. Autour de 14 000 avant notre ère, la chasse en entraîna certains de la Sibérie du Nord-Est vers l'Alaska. Bien entendu, ils ne surent pas qu'ils découvraient un nouveau monde. Pour le mammouth comme pour l'homme, l'Alaska était une simple extension de la Sibérie.

Au départ, les glaciers bloquèrent le passage de l'Alaska vers le reste de l'Amérique, ne permettant qu'à une poignée de pionniers isolés d'explorer les terres plus au sud. Autour de 12 000 avant notre ère, cependant, le réchauffement climatique fit fondre la glace et ouvrit un passage plus facile. Profitant du nouveau couloir, les hommes passèrent au sud en masse, se répandant à travers le continent. Initialement adaptés à la chasse au gros gibier dans l'Arctique, ils ne tardèrent pas à se faire à une stupéfiante diversité de climats et d'écosystèmes. Les descendants des Sibériens colonisèrent les forêts épaisses de l'est des États-Unis, les marais du delta du Mississippi, les déserts du Mexique et les jungles fumantes d'Amérique centrale. Certains se fixèrent dans le bassin de l'Amazone, d'autres s'enracinèrent dans les vallées des Andes ou la pampa argentine. Tout cela en l'espace d'un millénaire ou deux ! Dix mille ans avant notre ère, des hommes habitaient déjà la pointe la plus au sud de l'Amérique, l'île de Terre de Feu, à l'extrême sud du continent. Ce *Blitzkrieg* à travers l'Amérique témoigne de l'incomparable ingéniosité et de l'adaptabilité insurpassée de l'*Homo sapiens*. Aucun autre animal n'avait jamais investi aussi rapidement une telle diversité d'habitats radicalement différents – et ce, en utilisant partout quasiment les mêmes gènes[1].

La colonisation de l'Amérique fut peu sanglante mais laissa derrière elle une longue traînée de victimes. Voici 14 000 ans, la faune américaine était bien plus riche qu'aujourd'hui. Quand les premiers Américains quittèrent l'Alaska pour le Sud, s'aventurant dans les plaines du Canada et de l'ouest des États-Unis, ils trouvèrent des mammouths et des mastodontes, des rongeurs de la taille d'un ours, des troupeaux de chevaux et de chameaux, des lions géants et des douzaines d'espèces de gros animaux qui ont totalement disparu, dont les redoutables chats à dents de cimeterre et les paresseux terrestres géants qui pesaient jusqu'à huit tonnes et pouvaient atteindre six mètres de haut. L'Amérique du Sud hébergeait une ménagerie encore plus exotique de gros mammifères, de reptiles et d'oiseaux. Les Amériques avaient été un grand laboratoire d'expérimentation de l'évolution, un espace où avaient évolué et prospéré des animaux et des végétaux inconnus en Afrique et en Asie.

Mais ce n'est plus le cas. Deux mille ans après l'arrivée du Sapiens, la plupart de ces espèces uniques avaient disparu. Dans ce bref intervalle, suivant les estimations courantes, l'Amérique du Nord perdit 34 de ses 47 genres de gros mammifères, et l'Amérique

---

1. David J. Meltzer, *First Peoples in a New World: Colonizing Ice Age America*, Berkeley, University of California Press, 2009.

du Sud 50 sur 60. Après plus de 30 millions d'années de prospérité, les chats à dents de cimeterre disparurent. Tout comme les paresseux terrestres géants, les lions énormes, les chevaux et les chameaux indigènes d'Amérique, les rongeurs géants et les mammouths. S'éteignirent également des milliers d'espèces de petits mammifères, de reptiles et d'oiseaux, et même d'insectes et de parasites (toutes les espèces de tiques du mammouth sombrèrent dans l'oubli avec ce dernier).

Voici des décennies que paléontologues et zoo-archéologues – ceux qui cherchent et étudient les restes d'animaux – ratissent les plaines et les montagnes des Amériques à la recherche d'os fossilisés d'anciens chameaux ou de fèces pétrifiées de paresseux terrestres géants. Quand ils trouvent ce qu'ils cherchent, ils emballent avec soin leurs trésors pour les expédier dans des laboratoires, où chaque os, chaque coprolithe (appellation technique des excréments fossilisés) est méticuleusement examiné et daté. Ces analyses donnent sans cesse les mêmes résultats : les dernières crottes et les os de chameau les plus récents datent tous de l'époque où les hommes inondèrent l'Amérique – entre 12 000 et 9 000 environ avant l'ère commune. Les chercheurs n'ont découvert des crottes plus récentes que dans une région. Sur diverses îles des Caraïbes, notamment à Cuba et à Hispaniola, ils ont en effet trouvé des fèces pétrifiées de paresseux terrestre qui dataient d'environ 5 000 ans avant notre ère. Or, c'est exactement l'époque où les premiers humains réussirent à traverser la mer des Caraïbes et à coloniser ces deux grandes îles.

De nouveau, certains chercheurs essaient de disculper *Homo sapiens* pour blâmer le changement climatique (ce qui les oblige à postuler que, pour quelque mystérieuse raison, le climat des Antilles demeura statique pendant 7 000 ans alors que le reste de l'hémisphère Ouest se réchauffait). En Amérique, cependant, impossible d'esquiver la crotte. Les coupables, c'est nous. Mieux vaudrait le reconnaître. Il n'y a pas moyen de contourner cette vérité. Même si le changement climatique nous a aidés, la contribution humaine a été décisive[1].

---

1. Paul L. Koch et Anthony D. Barnosky, « Late Quaternary Extinctions : State of the Debate », *The Annual Review of Ecology, Evolution, and Systematics*, 37,

ARCHE DE NOÉ

Si, aux extinctions de masse en Australie et en Amérique, nous ajoutons les extinctions de moindre ampleur qui se produisirent quand *Homo sapiens* se répandit en Afro-Asie – ainsi de l'extinction de toutes les autres espèces humaines – et les extinctions qui accompagnèrent la colonisation par les anciens fourrageurs d'îles aussi lointaines que Cuba, la conclusion est inévitable : la première vague de colonisation Sapiens a été l'une des catastrophes écologiques les plus amples et les plus rapides qui se soient abattues sur le règne animal. Les plus durement touchés furent les gros animaux à fourrure. Au moment de la Révolution cognitive, la planète hébergeait autour de deux cents genres de gros mammifères terrestres de plus de cinquante kilos. Au moment de la Révolution agricole, une centaine seulement demeurait. *Homo sapiens* provoqua l'extinction de près de la moitié des grands animaux de la planète, bien avant que l'homme n'invente la roue, l'écriture ou les outils de fer.

Cette tragédie écologique s'est rejouée en miniature un nombre incalculable de fois après la Révolution agricole. Île après île, les données archéologiques racontent la même histoire. La scène d'ouverture montre une population riche et variée de gros animaux, sans aucune trace d'humains. Dans la scène 2, l'apparition de Sapiens est attestée par un os humain, une pointe de lance et, peut-être, un tesson de poterie. L'enchaînement est rapide avec la scène 3, dans laquelle des hommes et des femmes occupent le centre, tandis que la plupart des gros animaux, et beaucoup de plus petits, ont disparu.

La grande île de Madagascar, à quatre cents kilomètres à l'est du continent africain, en offre un exemple fameux. Au fil de millions d'années d'isolement, un éventail unique d'animaux y était apparu. Ainsi de l'oiseau-éléphant, créature incapable de voler, de trois mètres de haut pour près d'une demi-tonne – le plus gros

---

2006, p. 215-250 ; A. D. Barnosky *et al.*, « Assessing the Causes of Late Pleistocene Extinctions on the Continents », p. 70-75.

oiseau du monde – et des lémurs géants : les plus grands primates de la planète. Les oiseaux-éléphants et les lémurs géants, comme la plupart des autres gros animaux de Madagascar, disparurent subitement voici 1 500 ans, précisément quand les premiers hommes mirent le pied sur l'île.

Dans le Pacifique, la principale vague d'extinction commença autour de 1500 avant notre ère, quand les fermiers polynésiens colonisèrent les îles Salomon, Fidji et la Nouvelle-Calédonie. Directement ou indirectement, ils tuèrent des centaines d'espèces d'oiseaux, insectes, escargots et autres habitants locaux. De là, la vague d'extinction avança progressivement vers l'est, le sud et le nord, au cœur du Pacifique, effaçant sur son passage la faune unique de Samoa et de Tonga (1200 avant notre ère), des Marquises (1 AD), de l'île de Pâques, des îles Cook et d'Hawaii (500 AD) et, pour finir, de Nouvelle-Zélande (autour de 1200).

Des désastres écologiques semblables se produisirent sur presque chacune des îles qui parsèment l'Atlantique, l'océan Indien, l'océan Arctique et la Méditerranée. Jusque sur les îlots les plus minuscules, les archéologues ont découvert les traces de l'existence d'oiseaux, d'insectes et d'escargots qui y vivaient depuis d'innombrables générations, à seule fin de disparaître quand arrivèrent les premiers humains. Une poignée seulement d'îles très lointaines échappèrent à l'attention de l'homme jusqu'à l'âge moderne, et ces îles gardèrent leur faune intacte. Les Galápagos, pour prendre un exemple célèbre, restèrent à l'abri des hommes jusqu'au XIXᵉ siècle, préservant ainsi leur ménagerie unique, dont les tortues géantes qui, comme les anciens diprotodons, ne montrent aucune peur des humains.

La première vague d'extinction, qui accompagna l'essor des fourrageurs et fut suivie par la deuxième, qui accompagna l'essor des cultivateurs, nous offre une perspective intéressante sur la troisième vague que provoque aujourd'hui l'activité industrielle. Ne croyez pas les écolos qui prétendent que nos ancêtres vivaient en harmonie avec la nature. Bien avant la Révolution industrielle, *Homo sapiens* dépassait tous les autres organismes pour avoir poussé le plus d'espèces animales et végétales à l'extinction. Nous avons le privilège douteux d'être l'espèce la plus meurtrière des annales de la biologie.

Si plus de gens avaient conscience des deux premières vagues d'extinction, peut-être seraient-ils moins nonchalants face à la troisième, dont ils sont partie prenante. Si nous savions combien d'espèces nous avons déjà éradiquées, peut-être serions-nous davantage motivés pour protéger celles qui survivent encore. Cela vaut plus particulièrement pour les gros animaux des océans. À la différence de leurs homologues terrestres, les gros animaux marins ont relativement peu souffert des révolutions cognitive et agricole. Mais nombre d'entre eux sont au seuil de l'extinction du fait de la Révolution industrielle et de la surexploitation humaine des ressources océaniques. Si les choses continuent au rythme actuel, il est probable que les baleines, les requins, le thon et le dauphin suivent prématurément dans l'oubli les diprotodons, les paresseux terrestres et les mammouths. Parmi les plus grandes créatures du monde, les seuls survivants du déluge humain sont les hommes eux-mêmes et les animaux de ferme réduits à l'état de galériens dans l'Arche de Noé.

Deuxième partie

LA RÉVOLUTION AGRICOLE

Peinture murale d'une tombe égyptienne datée d'environ 3 500 ans et représentant des scènes agricoles typiques.

5.

La plus grande escroquerie de l'histoire

Pendant 2,5 millions d'années, les hommes se sont nourris de la cueillette des plantes ou de la chasse des animaux qui vivaient et se reproduisaient sans leur intervention. L'*Homo erectus*, l'*Homo ergaster* et le Neandertal ramassaient des figues sauvages et chassaient des moutons sauvages sans décider où les figuiers devaient s'enraciner, dans quelle prairie un troupeau de moutons devait paître ou quel bouc devait féconder quelle chèvre. L'*Homo sapiens* se répandit depuis l'Afrique de l'Est vers le Moyen-Orient, l'Europe et l'Asie, et pour finir l'Australie et l'Amérique – mais partout où ils allèrent les Sapiens continuèrent aussi de vivre en cueillant des plantes sauvages et en chassant des bêtes sauvages. Pourquoi faire autrement quand votre mode de vie vous nourrit amplement et perpétue tout un monde de structures sociales, de croyances religieuses et de dynamiques politiques ?

Tout cela changea voici environ 10 000 ans, quand les Sapiens se mirent à consacrer la quasi-totalité de leur temps et de leurs efforts à manipuler la vie d'un petit nombre d'espèces animales et végétales. De l'aurore au crépuscule, ils se mirent à semer des graines, à arroser les plantes, à arracher les mauvaises herbes et à conduire les troupeaux vers des pâturages de choix. Un travail qui, dans leur idée, devait leur assurer plus de fruits, de grains et de viande. Ce fut une révolution du mode de vie : la Révolution agricole.

La transition agricole commença autour de 9500-8500 avant l'ère commune dans les terres montagneuses du sud-est de la Turquie, de l'ouest de l'Iran et du Levant. Elle s'amorça lentement et dans une zone géographique restreinte. Blé et chèvres furent domestiqués autour de −9000 ; pois et lentilles vers −8000 ; oliviers vers −5000 ; chevaux autour de −4000 ; et vignes −3500. Certains animaux et végétaux, comme les chameaux et les anacardiers (noix de cajou) furent domestiqués encore plus tard, mais vers 3500 avant notre ère la principale vague de domestication était terminée. Aujourd'hui encore, malgré nos technologies avancées, plus de 90 % des calories qui nourrissent l'humanité proviennent de la poignée de plantes que nos ancêtres domestiquèrent entre −9500 et −3500 : blé, riz, maïs, pommes de terre, millet et orge. Aucun animal ni aucun végétal important n'a été domestiqué au cours des deux derniers millénaires. Si nos esprits sont ceux des chasseurs-cueilleurs, notre cuisine est celle des anciens fermiers.

Les savants croyaient autrefois que l'agriculture s'était répandue depuis un seul point d'origine moyen-oriental vers les quatre coins de la planète. De nos jours, les spécialistes pensent que l'agriculture a surgi indépendamment dans d'autres parties du monde, et non parce que les cultivateurs du Moyen-Orient auraient exporté leur révolution. Les habitants d'Amérique centrale domestiquèrent le maïs et les haricots sans rien savoir de la culture du blé et des pois au Moyen-Orient. Les Sud-Américains apprirent à faire pousser des patates et à élever des lamas sans savoir ce qui se passait au Mexique ou au Levant. Les premiers révolutionnaires de la Chine domestiquèrent le riz, le millet et les cochons. Les premiers jardiniers d'Amérique du Nord sont ceux qui se lassèrent de fouiller les sous-bois en quête de gourdes comestibles et décidèrent de cultiver des citrouilles. Les Néo-Guinéens apprivoisèrent canne à sucre et bananes, tandis que les premiers cultivateurs ouest-africains soumirent à leurs besoins le millet, le riz, le sorgho et le blé. De ces premiers foyers, l'agriculture essaima. Au Ier siècle de notre ère, l'immense majorité des hommes dans la majeure partie du monde étaient des agriculteurs.

Pourquoi des révolutions agricoles ont-elles éclaté au Moyen-Orient, en Chine et en Amérique centrale, mais pas en Australie, en Alaska ou en Afrique du Sud? La raison est simple: la plupart des espèces de végétaux et d'animaux ne sauraient être domestiquées. Si les Sapiens pouvaient déterrer de délicieuses truffes et traquer des mammouths laineux, il était hors de question de domestiquer ces espèces. Les champignons étaient bien trop insaisissables, les bêtes géantes trop féroces. Sur les milliers d'espèces que nos ancêtres chassaient et cueillaient, une poignée d'entre elles seulement étaient de bons candidats à la culture et à l'élevage. Ces rares espèces vivaient dans des endroits particuliers, et c'est là que se produisirent des révolutions agricoles.

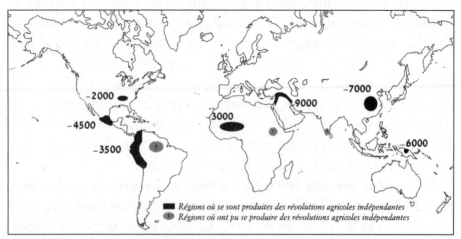

Lieux et dates des révolutions agricoles d'avant notre ère. Ces données sont sujettes à controverse, et la carte est sans cesse redessinée pour que les découvertes archéologiques les plus récentes y soient intégrées[1].

*

Les savants proclamaient jadis que la Révolution agricole fut un grand bond en avant pour l'humanité. Ils racontaient une histoire du progrès alimentée par l'énergie du cerveau humain. L'évolution produisait peu à peu des êtres de plus en plus intelligents. Les hommes finirent par être si malins qu'ils purent déchiffrer les secrets de la nature, lesquels leur permirent d'apprivoiser les moutons et de cultiver le blé. Dès lors, ils se firent une joie d'abandon-

---

1. Cette carte repose essentiellement sur Peter Bellwood, *First Farmers: The Origins of Agricultural Societies*, Malden, Blackwell Pub., 2005.

ner la vie éreintante, dangereuse et souvent spartiate des chasseurs-cueilleurs, pour se fixer et goûter la vie plaisante de fermiers repus.

Tout cela n'est que pure fantaisie. Rien ne prouve que les hommes soient devenus plus intelligents au fil du temps. Les fourrageurs connaissaient les secrets de la nature bien avant la Révolution agricole, puisque leur survie dépendait d'une connaissance intime des animaux qu'ils chassaient ou des plantes qu'ils cueillaient. Loin d'annoncer une ère nouvelle de vie facile, la Révolution agricole rendit généralement la vie des cultivateurs plus difficile, moins satisfaisante que celle des fourrageurs. Les chasseurs-cueilleurs occupaient leur temps de manière plus stimulante et variée et se trouvaient moins exposés à la famine et aux maladies. Certes, la Révolution agricole augmenta la somme totale de vivres à la disposition de l'humanité, mais la nourriture supplémentaire ne se traduisit ni en meilleure alimentation ni en davantage de loisirs. Elle se solda plutôt par des explosions démographiques et l'apparition d'élites choyées. Le fermier moyen travaillait plus dur que le fourrageur moyen, mais se nourrissait moins bien. La Révolution agricole fut la plus grande escroquerie de l'histoire[1].

Qui en fut responsable ? Ni les rois, ni les prêtres, ni les marchands. Les coupables furent une poignée d'espèces végétales, dont le blé, le riz et les pommes de terre. Ce sont ces plantes qui domestiquèrent l'*Homo sapiens*, plutôt que l'inverse.

Considérez un instant la Révolution agricole du point de vue du blé. Voici 10 000 ans, le blé n'était qu'une herbe sauvage, parmi tant d'autres, cantonnée dans une petite partie du Moyen-Orient. À peine quelques petits millénaires plus tard, il poussait dans le monde entier. Suivant les critères évolutionnistes de base de la survie et de la reproduction, le blé est devenu l'une des plantes qui a le mieux réussi dans l'histoire de la Terre. Dans des régions comme les Grandes Plaines d'Amérique du Nord, où ne poussait pas une

---

1. Jared Diamond, *Guns, Germs and Steel: The Fate of Human Societies*, New York, W. W. Norton, 1997 ; en français, *De l'inégalité parmi les sociétés. Essai sur l'homme et l'environnement dans l'histoire*, trad. P.-E. Dauzat, Paris, Gallimard, 2000 ; rééd. « Folio », 2007.

seule tige de blé voici dix mille ans, on peut parcourir des centaines et des centaines de kilomètres sans rencontrer aucune autre plante. Les emblavures couvrent autour de 2,25 millions de kilomètres carrés à travers le monde, soit près de dix fois la superficie de la Grande-Bretagne. Comment, de plante insignifiante, cette herbe est-elle devenue omniprésente ?

Le blé y parvint en manipulant *Homo sapiens* à son avantage. Il y a près de 10 000 ans, ce singe menait encore une vie assez confortable de chasse et de cueillette, mais c'est alors qu'il commença à investir toujours plus d'efforts dans la culture du blé. En l'espace de deux millénaires, les hommes de nombreuses parties du monde ne devaient plus faire grand-chose d'autre, du matin au soir, que prendre soin de leurs plants de blé.

Ce n'était pas facile. Le blé exigeait beaucoup d'eux. Il n'aimait ni les cailloux ni les galets, ce qui obligeait les Sapiens à se casser le dos pour en débarrasser les champs. Le blé n'aimait pas partager la place, l'eau et les nutriments avec d'autres plantes, si bien qu'hommes et femmes passaient de longues journées à désherber sous un soleil de plomb. Le blé tombait malade, et les Sapiens devaient rester vigilants à l'égard des vers et de la nielle. Le blé était attaqué par les lapins et les essaims de sauterelles, ce qui obligeait les cultivateurs à dresser des clôtures et à monter la garde autour des champs. Le blé avait soif, et les hommes creusèrent des canaux d'irrigation ou transportèrent des seaux pour l'arroser. Sapiens recueillit même les excréments des animaux pour nourrir la terre où poussait le blé.

Le corps de l'*Homo sapiens* n'avait pas évolué à ces fins. Il était fait pour grimper aux pommiers ou courser les gazelles, non pour enlever les cailloux ou porter des seaux d'eau. Ce sont les genoux, la voûte plantaire, la colonne vertébrale et le cou qui en firent les frais. L'étude des anciens squelettes montre que la transition agricole provoqua pléthore de maux : glissement de disques, arthrite et hernies. De surcroît, les nouvelles tâches agricoles prenaient beaucoup de temps, ce qui obligeait les hommes à se fixer à côté des champs de blé. Leur mode de vie s'en trouva entièrement changé. Ce n'est pas nous qui avons domestiqué le blé, c'est lui qui nous a domestiqués. Le mot « domestiquer » vient du latin *domus*, « maison ». Or, qui loge dans une maison ? Pas le blé, le Sapiens.

Comment le blé a-t-il convaincu l'*Homo sapiens* d'abandonner une assez bonne vie pour une existence plus misérable ? Qu'a-t-il apporté en échange ? Il n'a pas offert une meilleure alimentation. Ne perdez pas de vue que les hommes sont alors des singes omnivores qui se nourrissent d'un large éventail de vivres. Les céréales ne constituaient qu'une petite fraction de leur alimentation avant la Révolution agricole. Une alimentation fondée sur les céréales est pauvre en minéraux et en vitamines ; difficile à digérer, elle fait du mal aux dents et aux gencives.

Le blé n'assurait pas aux gens la sécurité économique. Une vie de cultivateur est moins sûre que celle d'un chasseur-cueilleur. Les fourrageurs disposaient de plusieurs douzaines d'espèces pour survivre et pouvaient donc affronter les années difficiles sans stocks de vivres. Une espèce venait-elle à manquer ? Ils pouvaient en cueillir ou en chasser d'autres. Tout récemment encore, les sociétés agricoles tiraient le gros de leur ration calorique d'une petite variété de plantes domestiquées. Dans bien des régions, ils n'avaient qu'un seul produit de base : blé, pommes de terre ou riz. S'il pleuvait, s'il arrivait des nuées de sauterelles ou si un champignon infectait l'une de ces plantes, les cultivateurs mouraient par milliers ou par millions.

Le blé n'assurait non plus aucune sécurité contre la violence des hommes. Les premiers cultivateurs étaient au moins aussi violents, sinon plus, que leurs ancêtres fourrageurs. Ils avaient plus de biens et avaient besoin de terre à cultiver. Une razzia de leurs voisins sur leurs pâturages pouvait faire la différence entre subsistance et famine, en sorte qu'il y avait beaucoup moins de place pour les compromis. Si une bande rivale plus forte faisait pression sur des fourrageurs, ils pouvaient habituellement aller voir ailleurs. C'était difficile et dangereux, mais faisable. Si un ennemi puissant menaçait un village agricole, battre en retraite signifiait abandonner champs, maisons et greniers. Ce qui, bien souvent, condamnait les réfugiés à la famine. Les cultivateurs avaient donc tendance à se battre jusqu'au bout.

De nombreuses études anthropologiques et archéologiques montrent que, dans les sociétés agricoles simples, sans encadrement politique au-delà du village et de la tribu, la violence humaine était responsable de 15 % des morts (25 % pour les hommes). Dans la Nouvelle-Guinée contemporaine, la violence explique 30 % des morts masculines dans la société tribale agricole des Dani, et 35 % chez les Enga. En Équateur, jusqu'à 60 % des adultes Huaorani (ou Waorani) meurent entre les mains d'un autre homme[1] ! Avec le temps, la formation de cadres sociaux plus larges – villes, royaumes et États – a permis de placer la violence humaine sous contrôle. Mais il a fallu des millénaires pour construire des structures politiques aussi immenses et aussi efficaces.

La vie villageoise procura certainement des avantages immédiats aux premiers cultivateurs, comme une meilleure protection contre les bêtes sauvages, la pluie et le froid. Pour l'individu moyen, cependant, les inconvénients l'emportaient probablement sur les avantages. Ce sont des choses difficiles à apprécier pour les habitants de nos sociétés prospères. Comme nous connaissons l'abondance et la sécurité, dont les fondations ont été posées par la Révolution agricole, nous imaginons que celle-ci a été un merveilleux progrès. Or, on a tort de juger de millénaires d'histoire dans la perspective qui est la nôtre aujourd'hui. Bien plus représentatif est le point de vue d'une fillette de trois ans qui meurt de faim dans la Chine du Ier siècle, parce que les récoltes de son père ont été mauvaises. Tiendrait-elle ce langage ? « Je meurs de malnutrition, mais dans deux mille ans les gens auront largement de quoi manger et habiteront de grandes maisons équipées de l'air conditionné… Ma souffrance est un sacrifice qui en vaut la peine ! »

Mais alors, qu'est-ce que le blé a offert aux agriculteurs, y compris à la petite Chinoise mal nourrie ? Sur un plan individuel, rien. C'est à l'espèce *Homo sapiens* qu'il a apporté quelque chose. La culture du blé a assuré plus de vivres par unité de territoire, ce qui a permis à l'*Homo sapiens* une croissance exponentielle. Environ 13 000 ans avant notre ère, quand les hommes se nourrissaient de

---

1. Azar Gat, *War in Human Civilization*, Oxford, Oxford University Press, 2006, p. 130-131 ; Robert S. Walker et Drew H. Bailey, « Body Counts in Lowland South American Violence », *Evolution and Human Behavior*, 34, 2013, p. 29-34.

la cueillette de plantes sauvages et de la chasse, les alentours de l'oasis de Jéricho, en Palestine, pouvaient faire vivre tout au plus une bande itinérante d'une centaine de personnes relativement bien portantes et bien nourries. Vers 8500 avant notre ère, quand les champs de blé remplacèrent les plantes sauvages, l'oasis pouvait faire vivre un gros village, encombré, d'un millier d'habitants, qui souffraient bien plus de maladie et de malnutrition.

La monnaie de l'évolution, ce n'est ni la faim ni la souffrance, mais les copies d'hélices d'ADN. De même qu'on mesure la réussite économique d'une société uniquement au solde de son compte en banque, et non au bonheur de ses employés, de même la réussite d'une espèce dans l'évolution se mesure au nombre de copies de son ADN. S'il ne reste plus de copies de son ADN, l'espèce est éteinte, tout comme une société sans liquidités fait faillite. Si une espèce multiplie les copies d'ADN, c'est une réussite, et elle prospère. Dans cette perspective, 1 000 copies valent toujours mieux que 100. Telle est l'essence de la Révolution agricole : la faculté de maintenir plus de gens en vie dans des conditions pires. Mais pourquoi les individus se soucient-ils de ce calcul évolutionniste ? Pourquoi un individu sain d'esprit abaisserait-il son niveau de vie à seule fin de multiplier le nombre de copies du génome de l'*Homo sapiens* ? Personne n'a accepté ce marché. La Révolution agricole fut un piège.

LE PIÈGE DU LUXE

L'essor de l'agriculture se fit très progressivement au fil des siècles et des millénaires. Une bande d'*Homo sapiens* cueillant des champignons et des noix ou chassant le cerf et le lapin ne s'établit pas du jour au lendemain dans un village permanent pour retourner la terre, semer du blé et acheminer de l'eau depuis la rivière. Le changement se fit par étapes, moyennant chaque fois une petite altération de la vie quotidienne.

Homo sapiens arriva au Moyen-Orient il y a quelque 70 000 ans. Au cours des 50 000 ans suivants, nos ancêtres y fleurirent sans agriculture. Les ressources de la région étaient suffisantes pour entretenir sa population. En temps d'abondance, nos ancêtres avaient un peu plus d'enfants ; en temps de pénurie, un peu moins. Comme beaucoup de mammifères, les hommes sont pourvus de mécanismes hormonaux et génétiques qui aident à contrôler la procréation. En périodes fastes, les femelles arrivent à la puberté plus tôt, et leurs chances de tomber enceintes sont un peu plus grandes. Dans les périodes sombres, la puberté tarde, la fécondité décroît.

À ces contrôles naturels de la population vinrent s'ajouter des mécanismes culturels. Bébés et petits enfants, qui évoluent lentement et requièrent beaucoup d'attention, étaient un fardeau pour les fourrageurs nomades, qui essayaient d'espacer les naissances de trois ou quatre ans. Les femmes le faisaient en ne cessant d'allaiter leurs enfants qu'à un âge avancé (donner le sein réduit sensiblement le risque de tomber enceinte). Mais il existait d'autres méthodes : l'abstinence totale ou partielle (étayée peut-être par des tabous culturels), l'avortement et, à l'occasion, l'infanticide[1].

Tout au long de ces millénaires, il arrivait à nos ancêtres de manger des grains de blé, mais ce n'était qu'un élément marginal de leur alimentation. Voici environ 18 000 ans, le dernier âge glaciaire céda la place à une période de réchauffement mondial. Les pluies augmentèrent en même temps que les températures. Le nouveau climat était idéal pour le blé et d'autres céréales du Moyen-Orient, qui se multiplièrent et se répandirent. Les gens se mirent à manger plus de blé et, ce faisant, propagèrent sans le vouloir son essor. Comme il était impossible de manger des grains sauvages sans commencer par les vanner, les moudre et les cuire, ceux qui les récoltaient les rapportaient à leur camp temporaire pour les transformer. Les grains de blé sont petits et nombreux : inévitablement, certains tombaient sur le chemin du camp et se perdaient. Avec le temps, il y eut toujours plus de blé le long des trajets favoris et près des camps.

---

1. Katherine A. Spielmann, « A Review : Dietary Restriction on Hunter-Gatherer Women and the Implications for Fertility and Infant Mortality », *Human Ecology*, 17:3, 1989, p. 321-345. Voir aussi Bruce Winterhalder et Eric Alden Smith, « Analyzing Adaptive Strategies : Human Behavioral Ecology at Twenty Five », *Evolutionary Anthropology*, 9:2, 2000, p. 51-72.

Quand les hommes brûlaient forêts et fourrés, cela aidait également le blé. Le feu éliminait les arbres et les arbustes, permettant au blé et à d'autres herbes de monopoliser le soleil, l'eau et les nutriments. Le blé devenant particulièrement abondant, il en alla de même pour le gibier et d'autres ressources alimentaires, et les bandes humaines purent progressivement délaisser leur style de vie nomade pour s'établir en camps saisonniers, voire permanents.

Au début, ils pouvaient s'arrêter quatre semaines durant, le temps de la moisson. Une génération plus tard, les plants de blé se multipliant et se propageant, le camp pouvait rester cinq semaines, puis six, pour se transformer finalement en village permanent. On a retrouvé des traces de ces implantations à travers tout le Moyen-Orient, notamment au Levant, où la culture natoufienne s'épanouit entre 12500 et 9500 avant notre ère. Les Natoufiens étaient des chasseurs-cueilleurs qui se nourrissaient de plusieurs douzaines d'espèces sauvages, mais vivaient en villages permanents et passaient une bonne partie de leur temps à la cueillette intensive et à la transformation des céréales sauvages. Ils construisirent des maisons et des greniers de pierre, stockant le grain en prévision de périodes de disette. Ils inventèrent de nouveaux outils : des faux de pierre pour moissonner le blé sauvage ainsi que des pilons et des mortiers pour le broyer.

Après 9500 avant l'ère commune, les descendants des Natoufiens continuèrent à cueillir et à transformer les céréales, mais se mirent aussi à les cultiver de façon toujours plus élaborée. Quand ils récoltaient les grains sauvages, ils prenaient soin de mettre de côté une partie de la moisson pour ensemencer les champs la saison suivante. Ils s'aperçurent qu'ils pouvaient obtenir de bien meilleurs résultats en semant les grains en profondeur plutôt qu'en les éparpillant de manière aléatoire à la surface. Ils se mirent alors à biner et à labourer. Peu à peu, ils eurent l'idée de sarcler, de préserver les champs des parasites, de les arroser et de les fertiliser. Le surcroît d'effort consacré à la culture céréalière laissait moins de temps pour cueillir et chasser des espèces sauvages. Les fourrageurs se transformèrent en cultivateurs.

Entre la femme qui ramasse du blé sauvage et celle qui cultive le blé domestiqué, il n'y a pas vraiment de solution de continuité tranchée. Il est donc difficile de dire à quel moment exactement se fit la transition agricole décisive. En 8500 avant notre ère, cependant, le Moyen-Orient était parsemé de villages permanents comme Jéricho, dont les habitants passaient le plus clair de leur temps à cultiver quelques espèces domestiquées.

Avec le passage aux villages permanents et l'augmentation de l'offre alimentaire, la population commença à croître. L'abandon du nomadisme permit aux femmes d'avoir un enfant chaque année. Les bébés étaient sevrés plus tôt, puisqu'on pouvait les nourrir de bouillie et de gruau. On avait terriblement besoin de mains supplémentaires aux champs, mais les bouches supplémentaires eurent tôt fait d'engloutir le surplus alimentaire, obligeant à cultiver de nouveaux champs. Alors que la population vivait dans des campements infestés de maladies, que les enfants se nourrissaient davantage de céréales et moins de lait maternel et devaient disputer leur bouillie à plus de frères et de sœurs, la mortalité infantile monta en flèche. Dans la plupart des sociétés agricoles, au moins un enfant sur trois mourait avant d'atteindre ses vingt ans[1]. Mais la natalité continua d'augmenter plus vite que la mortalité : les hommes avaient toujours plus d'enfants.

Avec le temps, le « marché du blé » devint de plus en plus pesant. Les enfants mouraient en masse ; les adultes mangeaient du pain à la sueur de leur front. L'habitant moyen de Jéricho en 8500 avant notre ère avait une vie plus rude qu'en 9500 ou 13000 avant J.-C. Mais personne ne comprit ce qu'il se passait. Chaque génération continua de vivre comme la génération précédente, moyennant de petites améliorations ici ou là dans la manière de procéder. Paradoxalement, une série d'« améliorations », toutes censées rendre la vie plus facile, ajoutèrent une meule autour du cou de ces cultivateurs.

Pourquoi cette erreur de calcul fatidique ? Les raisons sont les mêmes que tout au long de l'histoire. Les gens ont été incapables de mesurer toutes les conséquences de leurs décisions. Chaque fois

---

1. Alain Bideau, Bertrand Desjardins et Hector Perez-Brignoli (éd.), *Infant and Child Mortality in the Past*, Oxford, Clarendon Press, 1997 ; Edward Anthony Wrigley *et al.*, *English Population History from Family Reconstitution, 1580-1837*, Cambridge, Cambridge University Press, 1997, p. 295-296, 303.

qu'ils décidèrent d'accomplir une tâche supplémentaire – mettons, de biner au lieu d'éparpiller les semences à la surface des champs –, ils se dirent : « Il va falloir en effet travailler plus dur, mais la moisson sera si abondante ! Nous n'aurons plus à nous inquiéter des années maigres. Nos enfants ne se coucheront pas affamés. » Cela avait du sens. Travailler plus pour gagner plus. Plus belle la vie. Tel était le plan.

La première partie se déroula en douceur. Les gens travaillèrent bel et bien davantage. Mais ils n'avaient pas prévu que le nombre d'enfants augmenterait, et que le surcroît de blé devrait être partagé entre plus d'enfants. Les premiers cultivateurs ne comprirent pas davantage que nourrir les enfants avec plus de bouillie et moins de lait maternel affaiblirait leur système immunitaire, et que les peuplements permanents seraient des pépinières de maladies infectieuses. Ils ne devinèrent pas qu'en augmentant leur dépendance envers une source de nourriture unique, ils s'exposaient davantage encore aux déprédations de la sécheresse. Ils n'avaient pas non plus prévu que, les bonnes années, leurs greniers florissants tenteraient les voleurs et les ennemis, les obligeant à construire des murs et à monter la garde.

Mais alors, que n'ont-ils abandonné l'agriculture quand le plan se retourna contre eux ? En partie parce qu'il fallut des générations pour s'apercevoir que les petits changements s'accumulaient et transformaient la société, et qu'à ce moment-là personne ne se souvenait avoir jamais vécu autrement. Et en partie parce que la croissance démographique brûla les vaisseaux de l'humanité. Si l'adoption du labourage fit passer la population d'un village de cent à cent dix, quels sont les dix qui eussent été volontaires pour mourir de faim afin que les autres reviennent au bon vieux temps ? Impossible de revenir en arrière. Le piège s'était refermé.

La poursuite d'une vie plus facile engendra de rudes épreuves. Et ce ne fut pas la dernière fois. Cela nous arrive aussi aujourd'hui. Combien de jeunes étudiants ont trouvé une place dans de grandes entreprises, acceptant de bosser dur dans l'idée de se faire un petit pécule qui leur permettrait de se retirer et de s'occuper de ce qui les intéresse vraiment quand ils auront trente-cinq ans ? Mais quand ils arrivent à cet âge, ils ont de lourdes hypothèques sur le dos, des

enfants à l'école, une maison dans une banlieue huppée qui nécessite au moins deux voitures par famille, et le sentiment que la vie ne
vaut pas la peine d'être vécue sans un excellent vin et des vacances
coûteuses à l'étranger. Que faire ? Revenir à la recherche de tubercules ? Non, redoubler d'efforts et continuer de trimer.

Une des lois d'airain de l'histoire est que les produits de luxe
deviennent des nécessités et engendrent de nouvelles obligations.
Dès lors que les gens sont habitués à un certain luxe, ils le tiennent
pour acquis. Puis se mettent à compter dessus. Et ils finissent par
ne plus pouvoir s'en passer. Prenons un autre exemple familier de
notre temps. Au fil des dernières décennies, nous avons inventé
d'innombrables moyens de gagner du temps qui sont censés nous
faciliter la vie : machines à laver, aspirateurs, lave-vaisselle, téléphones, iPhone, ordinateurs, e-mail. Auparavant, écrire une lettre,
indiquer l'adresse, la timbrer et la porter à la boîte était un gros travail. Il fallait des jours ou des semaines, voire des mois, pour recevoir une réponse. Désormais, je peux rédiger en quatrième vitesse
un mail qui va faire un demi-tour du monde et, si mon destinataire
est en ligne, recevoir une réponse une minute après. Autant de soucis épargnés et de temps gagné, mais ma vie est-elle plus détendue ?

Hélas, non. À l'époque du courrier postal escargot, on n'écrivait que si l'on avait des choses importantes à dire. Au lieu
d'écrire la première chose qui vous passait par la tête, vous preniez le temps de réfléchir à ce que vous vouliez dire et à la manière
de le formuler. Et on s'attendait à recevoir une réponse tout aussi
mûrement réfléchie. La plupart des gens n'écrivaient et ne recevaient pas plus d'une poignée de lettres par mois et se sentaient
rarement obligés d'y répondre immédiatement. Maintenant, je
reçois des dizaines de mails tous les jours, chaque fois de gens
qui attendent une réponse rapide. Nous imaginions gagner du
temps, au lieu de quoi la routine de la vie s'est emballée : tout va
dix fois plus vite qu'avant et rend nos journées angoissées et agitées.

Ici ou là, un luddite résiste et refuse d'ouvrir un compte de mes-
sagerie électronique, de même que, voici des milliers d'années, certaines bandes humaines refusèrent de travailler la terre et échappèrent ainsi au piège du luxe. Mais la Révolution agricole n'avait

pas besoin de la mobilisation de toutes les bandes d'une région donnée. Il suffisait d'une. Du jour où une bande se fixa et se mit à labourer, que ce soit au Moyen-Orient ou en Amérique centrale, l'agriculture fut irrésistible. Et comme celle-ci créa les conditions d'une croissance démographique rapide, les cultivateurs purent habituellement l'emporter sur les fourrageurs par la simple force de leurs effectifs. Il ne restait alors aux fourrageurs qu'à fuir, à abandonner leurs terrains de chasse aux champs et aux pâturages ou à se mettre eux-mêmes à retourner la terre. Dans les deux cas, la vie ancienne était condamnée.

L'histoire du piège du luxe est porteuse d'une leçon importante. La recherche par l'humanité d'une vie plus facile a libéré des forces de changement immenses qui ont transformé le monde d'une façon que personne n'envisageait ni ne désirait. Personne ne complota d'accomplir la Révolution agricole ni ne voulut rendre l'humanité tributaire de la culture des céréales. Une chaîne de décisions triviales visant essentiellement à remplir quelques ventres et à gagner un peu de sécurité eut pour effet cumulé de forcer d'anciens fourrageurs à passer leur journée à porter des seaux d'eau sous un soleil de plomb.

INTERVENTION DIVINE

Ce scénario présente la Révolution agricole comme une erreur de calcul. Il est très plausible. L'histoire fourmille d'erreurs de calculs bien plus idiotes. Mais il existe une autre possibilité. Et si ce n'était pas la recherche d'une vie plus facile qui produisit cette transformation ? Peut-être les Sapiens avaient-ils d'autres aspirations et voulaient-ils sciemment se rendre la vie plus difficile pour les réaliser ?

Les hommes de science aiment à attribuer des évolutions historiques à des facteurs économiques et démographiques froids. Cela cadre mieux avec leurs méthodes rationnelles et mathématiques. Dans le cas de l'histoire moderne, les chercheurs ne peuvent éviter de prendre en compte des facteurs non matériels comme l'idéologie et la culture. Les preuves écrites leur forcent la main. Nous avons assez de documents, de lettres et de Mémoires pour prouver que la

Seconde Guerre mondiale n'est pas le résultat de pénuries alimentaires ou de pressions démographiques. En revanche, nous n'avons pas de documents de la culture natoufienne. S'agissant des périodes anciennes, l'école matérialiste est souveraine. Il est difficile de prouver que les populations d'avant l'écriture étaient motivées par la foi plutôt que par la nécessité économique.

Dans quelques rares cas, cependant, nous avons assez de chance pour trouver des indices parlants. En 1995, des archéologues commencèrent à fouiller le site de Göbekli Tepe dans le sud-est de la Turquie. Dans la couche la plus ancienne, ils découvrirent non pas les signes d'un peuplement, d'habitations ou d'activités quotidiennes, mais des constructions monumentales à piliers décorés de gravures spectaculaires. Chaque pilier de pierre pesait jusqu'à sept tonnes pour une hauteur de cinq mètres. Dans une carrière voisine, ils trouvèrent un pilier inachevé d'une cinquantaine de tonnes. Au total, ils découvrirent plus de dix structures monumentales – la plus grande atteignant près de trente mètres.

À gauche: Vestiges d'une construction monumentale de Göbekli Tepe. *À droite*: Un des piliers de pierre décoré (autour de cinq mètres de haut).

Les archéologues connaissent bien ces constructions monumentales que l'on retrouve partout dans le monde: l'exemple le mieux connu est celui de Stonehenge, en Grande-Bretagne. Mais, étudiant

Göbekli Tepe, ils ont découvert un fait stupéfiant. Stonehenge date de 2500 avant notre ère et fut l'œuvre d'une société agricole développée. Les constructions de Göbekli Tepe sont datées d'environ 9500 avant J.-C., et tout indique qu'elles sont l'œuvre de chasseurs-cueilleurs. Dans un premier temps, la communauté des archéologues a eu du mal à y croire, mais les tests successifs ont confirmé l'ancienneté des structures et l'appartenance de leurs bâtisseurs à une société préagricole. Les capacités des anciens fourrageurs et la complexité de leurs cultures paraissent bien plus impressionnantes qu'on ne l'avait soupçonné jusque-là.

Pourquoi une société de fourrageurs bâtirait-elle de telles structures ? Sur un plan utilitaire, celles-ci n'avaient aucune fin évidente : ni abattoirs de mammouths ni abris pour se protéger de la pluie ou se cacher des lions. Nous en sommes donc réduits à penser que leur construction répondait à une mystérieuse fin culturelle que les archéologues ont du mal à déchiffrer. Quelle qu'elle fût, les fourrageurs estimèrent qu'elle valait beaucoup d'efforts et de temps. Göbekli Tepe ne pouvait voir le jour que si des milliers de fourrageurs appartenant à des bandes et tribus différentes acceptaient de coopérer durablement. Seul pouvait justifier de tels efforts un système religieux ou idéologique sophistiqué.

Göbekli Tepe recelait un autre secret. Depuis de longues années, les généticiens recherchaient les origines du blé domestiqué. Des découvertes récentes prouvent qu'au moins une variante domestiquée – l'engrain – trouve son origine dans les collines de Karacadağ, à une trentaine de kilomètres de Göbekli Tepe[1].

Ce ne saurait guère être un hasard. Probablement le centre culturel de Göbekli Tepe est-il lié d'une façon ou d'une autre à la domestication initiale du blé par l'humanité, et de l'humanité par le blé. Nourrir les gens qui ont construit et utilisé les structures monumentales nécessitait des quantités de vivres particulièrement importantes. Il est fort possible que les fourrageurs soient passés de la cueillette de blé sauvage à la culture intensive du blé non pas

---

1. Manfred Heun *et al.*, «Site of Einkorn Wheat Domestication Identified by DNA Fingerprints», *Science*, 278:5341, 1997, p. 1312-1314.

pour accroître leur approvisionnement normal, mais pour soutenir la construction et l'activité d'un temple. Suivant le schéma conventionnel, des pionniers commencèrent par bâtir un village. La prospérité venant, ils bâtirent un temple au centre. Or, Göbekli Tepe suggère que le temple a pu être construit d'abord, et qu'un village se forma ensuite autour.

VICTIMES DE LA RÉVOLUTION

Le pacte faustien entre hommes et grains ne fut pas le seul marché que fit notre espèce. Il y en eut un autre, concernant le sort des moutons, des chèvres, des cochons et des poulets. Les bandes nomades qui traquaient les moutons sauvages modifièrent peu à peu la constitution des troupeaux dont elles faisaient leur proie. Le processus commença probablement par une chasse sélective. Les hommes apprirent qu'ils avaient intérêt à chasser les béliers adultes et les moutons vieux ou malades et à épargner les femelles fertiles et les agnelets afin de préserver la vitalité à long terme du troupeau local. La deuxième étape put être de défendre le troupeau contre les prédateurs en chassant les lions, les loups et les bandes humaines rivales. Après quoi il fallut sans doute parquer le troupeau dans une gorge étroite pour mieux le surveiller et le défendre. Et finalement les hommes se mirent à procéder à une sélection plus méticuleuse des moutons au gré de leurs besoins. Les premiers abattus furent les béliers les plus agressifs, les plus récalcitrants au contrôle des hommes. Puis ce fut le tour des femelles les plus décharnées et indiscrètes. (Les bergers n'aiment pas les moutons que leur curiosité éloigne du troupeau.) À chaque génération, les moutons devinrent plus gras, plus dociles et moins curieux. Et voilà ! Marie avait un agnelet, qui la suivait partout où elle allait.

Inversement, les chasseurs purent attraper et « adopter » un agneau, l'engraisser au cours des mois d'abondance pour l'abattre à la saison maigre. Le moment venu, ils se mirent à garder plus d'agneaux de ce genre. Certains arrivèrent à la puberté et purent faire des petits. Les premiers abattus furent les plus agressifs et les plus turbulents. Les plus dociles et les plus attachants étaient laissés en vie plus longtemps et pouvaient se reproduire, donnant naissance à un troupeau de moutons domestiqués et soumis.

Ces animaux domestiqués – moutons, poules, ânes et autres – fournirent nourriture (viande, lait, œufs), matières premières (peaux, laine) et force musculaire. Jusqu'ici accomplis par les hommes, les transports, le labourage, le moulage et d'autres tâches furent de plus en plus délégués aux animaux. Dans la plupart des sociétés agricoles, la priorité était donnée à la culture des plantes ; l'élevage n'était qu'une activité secondaire. Dans certains endroits apparut cependant une nouvelle espèce de société essentiellement fondée sur l'exploitation des animaux : des tribus de bergers pastoralistes.

Les animaux domestiqués se répandirent en même temps que les hommes à travers le monde. Voici 10 000 ans, pas plus de quelques millions de moutons, de bestiaux, de chèvres, de sangliers et de poulets vivaient dans des niches afro-asiatiques restreintes. De nos jours, le monde contient près d'un milliard de moutons, un milliard de cochons, plus d'un milliard de bestiaux et plus de 25 milliards de poules. Et ils sont partout. Le poulet domestique est la volaille la plus répandue de tous les temps. Le bétail, le cochon et le mouton domestiqués sont les deuxième, troisième et quatrième gros mammifères les plus répandus dans le monde – après l'*Homo sapiens*. Dans une perspective évolutionniste étroite, qui mesure la réussite au nombre de copies de l'ADN, la Révolution agricole a été une prodigieuse aubaine pour les poulets, le bétail, les porcs et les moutons.

Malheureusement, la perspective évolutionniste est une mesure incomplète du succès. Elle juge tout d'après les critères de la survie et de la reproduction, sans considération de la souffrance et du bonheur individuels. La domestication des poulets et du bétail peut bien être une *success story* de l'évolution, mais ces créatures comptent parmi les plus misérables qui aient jamais vécu. La domestication des animaux se fonda sur une série de pratiques brutales dont la cruauté ne fit que s'accentuer au fil des siècles.

La durée de vie naturelle des poulets sauvages est de sept à douze ans, celle du bétail de vingt à vingt-cinq ans. À l'état sauvage, la plupart des poulets mouraient bien avant, mais ils avaient encore une bonne chance de vivre un nombre respectable d'années. De nos jours, en revanche, l'immense majorité des poulets et des bestiaux domestiqués sont abattus après quelques semaines, voire quelques mois, parce que, dans une perspective économique, tel a toujours été l'âge optimal d'abattage. (Pourquoi continuer de nourrir un coq durant trois ans s'il a déjà atteint son poids maximal au bout de trois mois ?)

On laisse parfois vivre plusieurs années les poules pondeuses, les vaches laitières et les animaux de trait, mais au prix de leur sujétion à un mode de vie totalement étranger à leurs besoins et à leurs désirs. On peut raisonnablement penser, par exemple, que les taureaux préfèrent passer leurs journées en vadrouille dans les prairies en compagnie d'autres taureaux et de vaches plutôt que de tirer des charrettes et des charrues sous le joug d'un singe muni d'un fouet.

Pour transformer des taureaux, des chevaux, des ânes et des chameaux en animaux de trait obéissants, il fallut briser leurs instincts naturels et leurs liens sociaux, contenir leur agressivité et leur sexualité, et amputer leur liberté de mouvement. Les cultivateurs mirent au point diverses techniques pour enfermer les animaux dans des enclos et des cages, les brider avec des harnais et des laisses, les dresser à coups de fouet ou de pique et les mutiler. Le domptage implique presque toujours la castration des mâles, qui empêche l'agressivité et donne aux hommes un contrôle sélectif de la procréation du troupeau.

Dans beaucoup de sociétés néo-guinéennes, la richesse d'une personne est traditionnellement déterminée par le nombre de cochons qu'elle possède. Pour éviter qu'ils ne s'enfuient, les cultivateurs du nord de la Nouvelle-Guinée leur tranchent un bout du groin. Chaque fois que le cochon veut renifler, la douleur est vive. Un cochon ne pouvant trouver de la nourriture ni même son chemin sans renifler, cette mutilation le met totalement à la merci de ses propriétaires humains. Dans une autre région de Nouvelle-Guinée, la coutume s'est imposée d'énucléer les cochons, qu'ils ne puissent voir où ils vont[1].

---

1. Charles Patterson, *Eternal Treblinka : Our Treatment of Animals and the Holocaust*, New York, Lantern Books, 2002, p. 9-10 ; en français, *Éternel Treblinka,*

Peinture d'une tombe égyptienne, environ 1200 avant J.-C. : deux bœufs labourant un champ. À l'état sauvage, le bétail vadrouillait à sa guise en troupeaux régis par une structure sociale complexe. Le bœuf castré et domestiqué a perdu sa vie sous le fouet et dans un enclos étroit, travaillant seul ou deux par deux, d'une façon qui ne convenait ni à sa morphologie ni à ses besoins sociaux ou émotionnels. Quand un bœuf ne pouvait plus tirer la charrue, il était abattu. (Observez la position voûtée du paysan égyptien qui, comme le bœuf, menait une vie de labeur oppressante pour son corps, son esprit et ses relations sociales.)

L'industrie laitière dispose de moyens propres pour forcer les animaux à se plier à ses volontés. Vaches, chèvres et brebis ne produisent du lait qu'après avoir donné naissance à des veaux, des chevreaux et des agneaux, et juste le temps d'allaiter les petits. Pour qu'elles continuent à avoir du lait, il leur faut des petits qui tètent, tout en les empêchant de monopoliser le lait. Une méthode courante, tout au long de l'histoire, a été de simplement massacrer les veaux et les chevreaux peu après la naissance, de traire la mère et de faire en sorte qu'elle retombe enceinte. C'est une tech-

---

trad. D. Letellier, Paris, Calmann-Lévy, 2008 ; Peter J. Ucko et G. W. Dimbleby (éd.), *The Domestication and Exploitation of Plants and Animals*, Londres, Duckworth, 1969, p. 259.

nique toujours très répandue. Dans de nombreuses fermes laitières modernes, une vache laitière vit autour de cinq ans avant d'être abattue. Au cours de ces cinq années, elle est presque constamment enceinte, et elle est fécondée dans les 60 à 120 jours qui suivent une naissance pour assurer une production de lait maximale. Ses veaux sont séparés d'elle peu après la naissance. Les femelles sont élevées pour en faire la génération suivante de vaches laitières ; les mâles sont confiés aux soins de la filière viande[1].

Une autre méthode consiste à garder veaux et chevreaux à proximité de leurs mères tout en trouvant des stratagèmes pour les empêcher de téter trop de lait. La solution la plus simple consiste à laisser le chevreau ou le veau commencer à téter, puis à l'écarter dès que le lait commence à couler. Cette méthode se heurte habituellement à la résistance du petit et de la mère. Certaines tribus pastorales tuaient les petits, en mangeaient la chair puis les empaillaient. Le petit empaillé était alors présenté à la mère afin d'encourager par sa présence sa production laitière. Les Nuer du Soudan allaient jusqu'à imprégner les animaux empaillés de l'urine maternelle afin de donner aux contrefaçons une odeur familière, vivante. Une autre technique nuer consistait à accrocher un anneau d'épines autour de la bouche du veau : ainsi piquait-il sa mère, qui l'empêchait alors de téter[2]. Dans le Sahara, les éleveurs de chameaux touaregs avaient l'habitude de percer ou de trancher des parties du naseau et de la

---

1. Avi Pinkas (éd.), *Animaux de ferme en Israël – Recherche, Humanisme et Activité*, Rishon Le-Ziyyon, Association des Animaux de ferme, 2009 (en hébreu), p. 169-199 ; « Production de lait – la vache » (en hébreu), Conseil laitier, accès le 22 mars 2012, http://www.milk.org.il/cgi-webaxy/sal/sal.pl?lang=he&ID=645657_milk&act=show&dbid=katavot&dat aid=cow.htm.

2. Edward Evan Evans-Pritchard, *The Nuer : A Description of the Modes of Livelihood and Political Institutions of a Nilotic People*, Oxford, Oxford University Press, 1969, et en français, *Les Nuer. Description des modes de vie et des institutions politiques d'un peuple nilote*, trad. L. Évrard, Paris, Gallimard, 1994 ; E. C. Amoroso et P. A. Jewell, « The Exploitation of the Milk-Ejection Reflex by Primitive People », in A. E. Mourant et F. E. Zeuner (dir.), *Man and Cattle : Proceedings of the Symposium on Domestication at the Royal Anthropological Institute, 24-26 May 1960*, Londres, The Royal Anthropological Institute, 1963, p. 129-134.

lèvre supérieure des chameaux pour que téter leur soit douloureux et les décourager ainsi de prendre trop de lait[1].

*

Toutes les sociétés agricoles ne furent pas aussi cruelles envers leurs animaux de ferme. La vie des animaux domestiqués pouvait être fort bonne. Les moutons élevés pour la laine, les chiens et chats de compagnie, et les chevaux de guerre ou de course bénéficiaient souvent d'un certain confort. L'empereur romain Caligula avait un cheval favori, Incitatus, qu'il envisageait de nommer consul. Tout au long de l'histoire, des pasteurs et des cultivateurs montrèrent de l'affection à leurs animaux et prirent grand soin d'eux, de même que beaucoup de maîtres avaient de l'affection et de la sollicitude pour leurs esclaves. Ce n'est pas un hasard si rois et prophètes se disaient bergers et comparaient les attentions des dieux à l'égard de leurs peuples à celles d'un pasteur pour son troupeau.

Du point de vue du troupeau, plutôt que de celui du berger, il est pourtant difficile de se défaire de cette impression : pour l'immense majorité des animaux domestiqués, la Révolution agricole a été une terrible catastrophe. Leur « réussite » en termes d'évolution n'a aucun sens. Un rhinocéros sauvage rare au bord de l'extinction est probablement plus satisfait qu'un veau qui passe sa brève vie dans une boîte minuscule, engraissé pour donner de la viande savoureuse. Le rhinocéros satisfait n'est pas moins content parce qu'il est le dernier de son espèce. Quant à la réussite numérique de l'espèce du veau, elle n'est guère une consolation de la souffrance qu'endure l'individu.

Ce décalage entre la réussite au regard de l'évolution et la souffrance individuelle est peut-être la leçon la plus importante qu'il nous faille tirer de la Révolution agricole. Quand nous étudions le parcours de plantes telles que le blé ou le maïs, peut-être la perspective purement évolutive a-t-elle du sens. Dans le cas du bétail, du mouton et du Sapiens, c'est-à-dire d'animaux qui ont tous un

1. Johannes Nicolaisen, *Ecology and Culture of the Pastoral Tuareg*, Copenhague, National Museum, 1963, p. 63.

monde complexe de sensations et d'émotions, il nous faut examiner comment le succès de l'évolution se traduit en expérience individuelle. Au fil des chapitres suivants, nous aurons maintes occasions de voir qu'une augmentation spectaculaire de la force collective et le succès apparent de notre espèce sont allés de pair avec de grandes souffrances individuelles.

Un veau moderne dans une ferme industrielle. Sitôt né, le veau est séparé de sa mère et enfermé dans une minuscule cage à peine plus grande que son corps. Le veau y passe sa vie entière: en moyenne, quatre mois. Il ne quitte jamais sa cage: on ne le laisse jamais jouer avec d'autres ni même gambader, histoire que ses muscles ne se développent pas trop et donnent une viande tendre et savoureuse. La seule occasion qui lui soit offerte de marcher, d'étirer ses muscles et de se frotter à d'autres veaux, c'est sur le chemin de l'abattoir. En termes d'évolution, c'est l'une des espèces animales les plus réussies qui ait jamais existé. Dans le même temps, il n'est guère d'animaux plus malheureux sur la planète.

6.

Bâtir des pyramides

La Révolution agricole est l'un des événements les plus controversés de l'histoire. Certains de ses partisans proclament qu'elle a engagé l'humanité sur la voie de la prospérité et du progrès. D'autres soutiennent qu'elle est la voie de la perdition. C'est à ce tournant, selon eux, que Sapiens s'arracha à sa symbiose intime avec la nature pour sprinter vers la cupidité et l'aliénation. Où qu'elle menât, c'était une voie sans retour. L'agriculture permit aux populations une croissance si forte et si rapide qu'aucune société complexe ne pourrait plus jamais subvenir à ses besoins en revenant à la chasse et à la cueillette. Autour de 10 000 ans avant notre ère, avant la transition agricole, la terre hébergeait de 5 à 8 millions de fourrageurs nomades. Au Ier siècle avant notre ère, il ne restait que 1 à 2 millions de fourrageurs (essentiellement en Australie, en Amérique et en Afrique), mais ils ne pesaient plus rien en comparaison des 250 millions de cultivateurs du monde[1].

L'immense majorité d'entre eux vivaient dans des implantations permanentes ; une poignée seulement était des pasteurs nomades. Se fixer réduisit de manière spectaculaire le terrain de la plupart.

---

1. Angus Maddison, *The World Economy*, vol. 2, Paris, Development Centre of the Organization of Economic Cooperation and Development, 2006, p. 636 ; « Historical Estimates of World Population », U.S. Census Bureau, accès le 10 décembre 2010, http://www.census.gov/ipc/www/worldhis.html.

Les anciens chasseurs-cueilleurs vivaient habituellement dans des territoires couvrant plusieurs dizaines, voire des centaines de kilomètres carrés. Le « foyer » était la totalité du territoire, avec ses collines, ses ruisseaux, ses bois et le ciel.

Les cultivateurs, en revanche, passaient le plus clair de leur journée à travailler un petit champ ou un verger, et leur vie domestique tournait autour d'une construction encombrée de bois, de pierre ou de boue d'à peine quelques dizaines de mètres : la maison. Le cultivateur typique se prenait d'un attachement très fort à cette structure. Ce fut une révolution de très grande portée, dont l'impact fut autant psychologique qu'architectural. Dès lors, l'attachement à « sa maison » et la séparation d'avec les voisins devint la marque psychologique d'une créature bien plus égocentrique.

Les nouveaux territoires agricoles n'étaient pas seulement beaucoup plus petits que ceux des anciens fourrageurs, mais aussi beaucoup plus artificiels. Hormis l'usage du feu, les chasseurs-cueilleurs apportaient peu de changements délibérés aux terres dans lesquelles ils évoluaient. Les cultivateurs, en revanche, vivaient sur des îles humaines artificielles qu'ils s'employaient à détacher de leur environnement sauvage. Ils abattirent des forêts, creusèrent des canaux, défrichèrent des champs, bâtirent des maisons, retournèrent la terre et plantèrent des arbres fruitiers en rangées bien soignées. L'habitat artificiel qui en résulta était destiné uniquement aux hommes ainsi qu'à « leurs » plantes et à « leurs » animaux et était souvent protégé par des murs ou des haies. Les familles de cultivateurs firent leur possible pour tenir à l'écart herbes folles et animaux sauvages. Les intrus étaient chassés. S'ils s'obstinaient, leurs adversaires humains cherchaient les moyens de les exterminer. Des défenses particulièrement robustes étaient érigées autour du foyer : la maison. Depuis l'aube de l'agriculture jusqu'à aujourd'hui, des milliards d'êtres humains armés de branches, de tapettes, de chaussures ou d'insecticides ont mené une guerre sans merci aux fourmis diligentes, aux cafards furtifs, aux araignées aventureuses et aux scarabées égarés qui ne cessent de s'infiltrer dans leurs domiciles.

Pendant le plus clair de l'histoire, ces enclaves artificielles restèrent très petites, entourées de vastes étendues de nature indomptée. La surface de la planète est d'environ 500 millions de km², dont 155 millions de terres. En l'an 1400 de notre ère, l'immense majorité des paysans, avec leurs plantes et leurs animaux, se regroupait dans à peine 11 millions de km², soit 2 % de la surface totale[1]. Le reste était trop froid, trop chaud, trop sec, trop humide ou inadapté pour une raison ou pour une autre à la culture. C'est sur cette minuscule scène de 2 % que se déroula l'histoire.

Il était difficile aux hommes de quitter leurs îles artificielles. Ils ne pouvaient abandonner leurs maisons, leurs champs et leurs greniers sans s'exposer à de graves risques de pertes. De surcroît, le temps passant, ils accumulèrent de plus en plus de choses : des objets, malaisément transportables, qui les clouaient sur place. Les paysans d'antan nous sembleraient bien miséreux, mais une famille typique possédait davantage d'artefacts que toute une tribu de fourrageurs.

L'AVÈNEMENT DU FUTUR

L'espace agricole se rétrécissant, le temps agricole augmenta. Habituellement, les fourrageurs ne perdaient guère de temps à s'interroger sur le mois suivant. Les paysans se projetaient en imagination à des années, voire des décennies du temps présent.

Les fourrageurs n'avaient cure du futur parce que les aliments allaient directement de la main à la bouche et qu'ils pouvaient difficilement conserver des aliments ou accumuler des biens. Certes, ils faisaient visiblement des préparatifs à long terme. Les décorateurs des grottes de Chauvet, Lascaux et Altamira espéraient très certainement que leur travail durerait des générations. De même, alliances sociales et rivalités politiques étaient des affaires à long terme. Il fallait souvent des années pour rendre une faveur ou venger un tort. Dans l'économie de subsistance de la chasse et de la cueillette, la limite de cette planification à long terme était cepen-

---

1. Robert B. Mark, *The Origins of the Modern World: A Global and Ecological Narrative*, Lanham, MD, Rowman & Littlefield Publishers, 2002, p. 24.

dant évidente. Paradoxalement, cela épargnait aux fourrageurs quantité d'angoisses. Il ne rimait à rien de s'inquiéter de choses sur lesquelles ils n'avaient aucune influence.

La Révolution agricole rendit le futur bien plus important qu'il ne l'avait jamais été. Les paysans ne doivent jamais perdre de vue le futur et doivent se mettre à son service. L'économie agricole reposait sur un cycle saisonnier de production, formé de longs mois de culture suivis de pics de courte durée consacrés aux moissons. La nuit suivant la fin d'une récolte abondante, les paysans pouvaient faire la fête, mais une semaine plus tard il leur fallait retourner aux champs dès l'aube pour une longue journée de travail. Même s'il y avait assez à manger pour aujourd'hui, la semaine prochaine, voire le mois suivant, ils devaient s'inquiéter de l'année suivante et de l'année d'après.

Le souci de l'avenir s'enracinait dans les cycles saisonniers de production, mais aussi dans l'incertitude fondamentale de l'agriculture. La plupart des villages vivant de la culture d'une variété très limitée de plantes et d'animaux domestiqués, ils étaient à la merci de sécheresses, d'inondations et d'épidémies. Les paysans étaient obligés de produire plus qu'ils ne consommaient afin de constituer des réserves. Sans grain dans le silo, jarres d'huile d'olive au cellier, fromages dans le garde-manger, et saucisses pendues aux chevrons, ils mourraient de faim les mauvaises années. Or, il y aurait tôt ou tard de mauvaises années. Un paysan faisant comme si de rien n'était ne vivait pas longtemps.

Dès l'avènement de l'agriculture, les soucis quant à ce que réservait le futur devinrent de grands acteurs dans le théâtre de l'esprit humain. Si les paysans dépendaient des pluies pour arroser leurs champs, comme au Levant, le début de l'automne était synonyme de journées plus courtes et de visages soucieux. Tous les matins, les paysans scrutaient l'horizon, humant le vent. Un nuage ? Les pluies viendraient-elles à temps ? Seraient-elles suffisantes ? Des orages violents emporteraient-ils les semences et détruiraient-ils les jeunes plants ? Pendant ce temps, dans les vallées de l'Euphrate, de l'Indus et du fleuve Jaune, d'autres paysans ne tremblaient pas moins en surveillant la hauteur de l'eau. Ils avaient besoin que la crue des rivières dépose une couche de terre fertile charriée depuis les hautes terres et remplisse leurs vastes réseaux d'irrigation. Mais une crue trop forte ou intempestive pouvait détruire leurs champs autant qu'une sécheresse.

Si les paysans se souciaient de l'avenir, ce n'est pas seulement qu'ils avaient des raisons de s'inquiéter, mais aussi parce qu'ils y pouvaient quelque chose. Ils pouvaient défricher un autre champ, creuser un autre canal d'irrigation et semer d'autres cultures. Le paysan anxieux était aussi frénétique et dur à la tâche qu'une fourmi moissonneuse en été, suant pour planter des oliviers dont ses enfants et petits-enfants seulement presseraient l'huile, mettant de côté pour l'hiver ou l'année suivante des vivres qu'il mourait d'envie de manger tout de suite.

Le stress de la culture fut lourd de conséquences. Ce fut le fondement de systèmes politiques et sociaux de grande ampleur. Tristement, les paysans diligents ne connaissaient quasiment jamais la sécurité économique dont ils rêvaient en se tuant au travail. Partout surgirent des souverains et des élites qui se nourrirent du surplus des paysans et leur laissèrent juste de quoi subsister.

Ces surplus de nourriture confisqués alimentèrent la vie politique, la guerre, l'art et la philosophie, permettant de bâtir palais, forts, monuments et temples. Jusqu'à la fin des Temps modernes, plus de 90 % des hommes étaient des paysans qui se levaient chaque matin pour cultiver la terre à la sueur de leur front. L'excédent produit nourrissait l'infime minorité de l'élite qui remplit les livres de l'histoire : rois, officiels, soldats, prêtres, artistes et penseurs. L'histoire est une chose que fort peu de gens ont faite pendant que tous les autres labouraient les champs et portaient des seaux d'eau.

UN ORDRE IMAGINAIRE

De pair avec les nouveaux moyens de transport, les excédents de nourriture permirent à de plus en plus de gens de s'entasser dans des grands villages, puis dans des bourgs et enfin dans des villes, tous unis par des royaumes et des réseaux commerciaux.

Pour tirer parti de ces nouvelles opportunités, excédents alimentaires et amélioration des transports ne suffisaient pourtant pas. Le simple fait de pouvoir nourrir mille habitants dans le même bourg ou un million de gens dans le même royaume ne garantit pas qu'ils puissent s'entendre sur le partage de la terre et de l'eau, le règlement des différends et des conflits, et la manière d'agir en temps de sécheresse ou de guerre. Et si aucun accord n'est trouvé, le conflit se propage – même si les entrepôts regorgent de vivres. Les pénuries alimentaires ne sont pas à l'origine de la plupart des guerres et des révolutions de l'histoire. Ce sont des avocats aisés qui ont été le fer de lance de la Révolution française, non pas des paysans faméliques. La République romaine atteignit le faîte de sa puissance au Ier siècle avant notre ère, quand des flottes chargées de trésors de toute la Méditerranée enrichirent les Romains au-delà des rêves les plus fous de leurs ancêtres. Or, c'est à ce moment d'abondance maximale que l'ordre politique romain s'effondra dans une série de guerres civiles meurtrières. La Yougoslavie de 1991 avait largement de quoi nourrir tous ses habitants, ce qui ne l'empêcha pas de se désintégrer en un terrible bain de sang.

Le problème qui est à la racine de ces calamités est que, des millions d'années durant, les hommes évoluèrent en petites bandes de douzaines d'individus. Les quelques millénaires qui séparent la Révolution agricole de l'apparition des villes, des royaumes et des empires n'ont pas laissé assez de temps pour qu'un instinct de coopération s'épanouisse.

Malgré l'absence de tels instincts biologiques, les mythes partagés permirent à des centaines d'inconnus de coopérer à l'époque des fourrageurs. Mais cette coopération restait vague et limitée. Toutes les bandes de Sapiens n'en continuèrent pas moins à mener leur vie indépendamment et à satisfaire elles-mêmes leurs propres besoins. Voici 20 000 ans, un sociologue archaïque ignorant tout de ce qui allait suivre la Révolution agricole aurait fort bien pu conclure que la mythologie avait un champ assez limité. Les histoires d'esprits ancestraux et de totems tribaux étaient assez fortes pour permettre à cinq cents personnes d'échanger des coquillages, célébrer une fête et joindre leurs forces pour éliminer une bande de

Neandertal, mais pas plus. L'ancien sociologue aurait conclu que jamais la mythologie ne pourrait permettre à des millions d'inconnus de coopérer au quotidien.

Ce qui était faux. Il apparut que les mythes étaient plus forts qu'on aurait pu l'imaginer. Quand la Révolution agricole ouvrit la possibilité de créer des villes très peuplées et de puissants empires, les gens inventèrent des histoires de grands dieux, des mères patries et des sociétés par actions pour assurer les liens sociaux nécessaires. Alors que l'évolution humaine suivait son cours d'escargot habituel, l'imagination construisait de stupéfiants réseaux de coopération de masse tels qu'on n'en avait encore jamais vu sur terre.

Autour de 8500 avant l'ère commune, les plus grandes colonies de peuplement du monde étaient des villages comme Jéricho, qui comptaient quelques centaines d'individus. En 7000 avant notre ère, la ville de Çatal Höyük, en Anatolie, comptait entre 5 000 et 10 000 habitants. Peut-être était-ce alors la plus grande agglomération du monde. Aux Ve et IVe millénaires, des villes comptant plusieurs dizaines de milliers d'habitants surgirent dans le Croissant fertile, chacune dominant à son tour une multitude de villages voisins. En 3100 avant notre ère, toute la vallée du Nil inférieur était unie dans le premier royaume égyptien.

Les pharaons régnaient sur des milliers de kilomètres carrés et des centaines de milliers de gens. Autour de 2250 avant J.-C., Sargon fonda le premier empire : l'empire d'Akkad, fort d'un million de sujets et d'une armée permanente de 5 400 soldats. Entre 1000 et 500 apparurent au Moyen-Orient les premiers méga-empires : l'Empire néo-assyrien, l'Empire babylonien et l'Empire perse, à la tête de plusieurs millions de sujets et commandant des dizaines de milliers de soldats.

En 221 avant notre ère, la dynastie Qin unit la Chine. Peu après, ce fut au tour de Rome d'unir le Bassin méditerranéen. Les impôts levés par les Qin sur leurs 40 millions de sujets financèrent une armée permanente de centaines de milliers de soldats et une bureaucratie complexe forte de plus de 100 000 fonctionnaires. À son zénith, l'Empire romain collectait des impôts auprès de 100 millions de sujets. Ces recettes financèrent une armée permanente de 250 000 à 500 000 soldats, un réseau de routes encore utilisé 1500 ans plus tard, ainsi que des théâtres et des amphithéâtres où l'on donne encore des spectacles.

Sans doute est-ce impressionnant, mais gardons-nous de toute illusion idyllique sur les « réseaux de coopération de masse » tels que l'Égypte pharaonique ou l'Empire romain. « Coopération » paraît très altruiste, mais celle-ci n'est pas toujours volontaire, et elle est rarement égalitaire. La plupart des réseaux de coopération humaine reposent sur l'oppression et l'exploitation. Ce sont les paysans qui payèrent les réseaux de coopération foisonnants avec leurs précieux excédents alimentaires, désespérant de voir les collecteurs d'impôt éponger d'un seul coup de plume impériale une année entière de dur labeur. Les fameux amphithéâtres romains ont été souvent construits par des esclaves pour permettre à de riches Romains oisifs de regarder d'autres esclaves s'affronter dans de terribles combats de gladiateurs. Même les prisons et les camps de concentration sont des réseaux de coopération et ne peuvent fonctionner que parce que des milliers d'inconnus parviennent tant bien que mal à coordonner leurs actions.

*

Tous ces réseaux de coopération – des villes mésopotamiennes jusqu'aux empires Qin et romain – étaient des « ordres imaginaires ». Les normes sociales qui les sous-tendaient ne reposaient ni sur des instincts enracinés ni sur des connaissances personnelles, mais sur l'adhésion à des mythes partagés.

Comment des mythes peuvent-ils soutenir des empires entiers ? Nous avons déjà traité d'un exemple de ce genre : Peugeot. Arrêtons-nous maintenant sur deux des mythes les mieux connus de l'histoire : le code d'Hammurabi, autour de 1776 avant notre ère, qui servit de manuel de coopération à des centaines de milliers d'anciens Babyloniens ; et la Déclaration d'indépendance américaine, en 1776, qui reste le manuel de coopération de centaines de millions d'Américains modernes.

En 1776 avant notre ère, Babylone était la plus grande ville du monde. Avec plus d'un million de sujets, l'Empire babylonien était probablement le plus vaste du monde. Il gouvernait la majeure partie de la Mésopotamie, dont le gros de l'Irak moderne ainsi que des parties de la Syrie et de l'Iran actuels. Le roi de Babylone le plus connu de nos jours est Hammurabi. Sa gloire tient avant tout au texte qui porte son nom, le code d'Hammurabi : un recueil de ses lois et décisions de justice. Son propos est de présenter ce code comme le modèle de rôle du roi juste, d'en faire la base d'un système juridique plus uniforme à travers l'Empire babylonien et d'enseigner aux générations futures ce qu'est la justice et comment agit un roi juste.

Les générations suivantes y prêtèrent attention. L'élite intellectuelle et bureaucratique de Mésopotamie canonisa le texte, et les apprentis scribes continuèrent de le copier longtemps après la mort d'Hammurabi et la ruine de son Empire. Ce code est donc une bonne source pour comprendre les Mésopotamiens anciens et leur idéal en matière d'ordre social[1].

Le texte commence par dire que les dieux Anum, Enlil et Marduk – les principales divinités du panthéon mésopotamien – chargèrent Hammurabi de « proclamer le droit dans le Pays, pour éliminer le mauvais et le pervers, pour que le fort n'opprime pas le faible[2] ». Suivent près de trois cents jugements, toujours rendus suivant une formule consacrée : « S'il se passe telle ou telle chose… le jugement est… » Voici, par exemple, les jugements 196-199 et 209-214 :

196. Si quelqu'un a crevé l'œil d'un homme libre, on lui crèvera l'œil.
197. S'il a brisé l'os d'un homme libre, on lui brisera l'os.
198. S'il a crevé l'œil d'un *mushkenu* [entre homme libre et esclave] ou brisé l'os d'un *mushkenu*, il pèsera 1 mine d'argent.
199. S'il a crevé l'œil de l'esclave d'un particulier, ou brisé l'os de l'esclave d'un particulier, il pèsera la moitié de son prix[3].

---

1. Raymond Westbrook, « Old Babylonian Period », in Raymond Westbrook (éd.), in *A History of Ancient Near Eastern Law*, vol. 1, Leyde, Brill, 2003, p. 361-430 ; Martha T. Roth, *Law Collections from Mesopotamia and Asia Minor*, 2ᵉ éd., Atlanta, Scholars Press, 1997, p. 71-142 ; M. E. J. Richardson, *Hammurabi's Laws : Text, Translation and Glossary*, Londres, T & T Clark International, 2000 ; en français, cf. André Finet (éd.), *Le Code de Hammurabi*, Paris, Cerf, 2004.

2. Roth, *Law Collections from Mesopotamia*, p. 76 ; Finet, éd., *Le Code de Hammurabi*, p. 33.

3. *Ibid.*, p. 121 ; trad. fr. citée, p. 115.

209. Si quelqu'un a frappé quelque femme libre et (s') il lui a fait expulser le fruit de son sein, il pèsera dix sicles d'argent pour le fruit de son sein.
210. Si cette femme est morte, on tuera sa fille.
211. Si c'est à quelque femme *mushkenu* que, à la suite d'un coup, il a fait expulser le fruit de son sein, il pèsera cinq sicles d'argent.
212. Si cette femme est morte, il pèsera une demi-mine d'argent.
213. Si c'est une esclave de particulier qu'il a frappée et à qui il a fait expulser le fruit de son sein, il pèsera deux sicles d'argent.
214. Si cette esclave est morte, il pèsera un tiers de mine d'argent[1].

Après avoir donné la liste de ses jugements, le code redit que telles sont

les prescriptions du droit que Hammurabi, le roi puissant, a solidement établies et qu'il a fait prendre au Pays comme une voie sûre et une direction excellente. Je suis Hammurabi, le roi parfait. Pour les populations qu'Enlil m'a données et dont Marduk m'a remis le pastorat, je n'ai pas été négligent, je n'ai pas laissé tomber le bras[2].

L'ordre social babylonien, affirme le code d'Hammurabi, s'enracine dans les principes universels et éternels de justice dictés par les dieux. Le principe de la hiérarchie est d'une suprême importance. Suivant le code, les gens sont divisés en deux sexes et trois classes : les hommes libres, les roturiers et les esclaves. Les membres de chaque classe et de chaque sexe ont des valeurs différentes. La vie d'une femme de la catégorie intermédiaire vaut trente sicles d'argent, celle d'une esclave vingt, tandis que l'œil d'un homme de la catégorie intermédiaire en vaut soixante.

Le code établit aussi au sein des familles une hiérarchie stricte où les enfants ne sont pas des personnes indépendantes, mais la propriété de leurs parents. Dès lors, si un homme libre tue la fille d'un autre homme libre, la fille du meurtrier sera exécutée en châtiment. Il peut nous paraître étrange qu'il ne soit fait aucun mal au tueur, dont la fille innocente est tuée à sa place, mais la chose était

---

1. *Ibid.*, p. 122-123 ; trad. fr. citée, p. 117.
2. *Ibid.*, p. 133-134 ; trad. fr. citée, p. 141.

parfaitement juste aux yeux d'Hammurabi et des Babyloniens. Le code d'Hammurabi reposait sur l'idée que, si tous les sujets du roi acceptaient leur position au sein de la hiérarchie et agissaient en conséquence, le million d'habitants de l'Empire pourrait coopérer efficacement. Leur société pourrait alors produire assez de vivres pour ses membres, les distribuer efficacement, se protéger contre ses ennemis et étendre son territoire en sorte d'acquérir plus de richesse et de mieux assurer sa sécurité.

Environ 3 500 ans après la mort d'Hammurabi, les habitants de treize colonies britanniques d'Amérique du Nord eurent le sentiment que le roi d'Angleterre les traitait injustement. Leurs représentants se réunirent à Philadelphie et, le 4 juillet 1776, les colonies décidèrent que leurs habitants n'étaient plus sujets de la Couronne britannique. La Déclaration d'indépendance proclamait des principes universels et éternels de justice qui, comme ceux d'Hammurabi, s'inspiraient d'une force divine. Mais le principe le plus important dicté par le dieu américain était précisément un peu différent du principe édicté par les dieux de Babylone. Ainsi lit-on dans la Déclaration d'indépendance :

> Nous tenons pour évidentes par elles-mêmes les vérités suivantes : tous les hommes sont créés égaux ; ils sont doués par le Créateur de certains droits inaliénables ; parmi ces droits se trouvent la vie, la liberté et la recherche du bonheur. [Traduction de Thomas Jefferson.]

Comme le code d'Hammurabi, le texte fondateur américain promet que, si les hommes se conforment à ses principes sacrés, ils seront des millions à pouvoir coopérer efficacement, à vivre en sécurité et paisiblement dans une société juste et prospère. De même que le code d'Hammurabi, la Déclaration d'indépendance n'était pas simplement un document ancré dans une époque et dans un lieu : les générations futures devaient l'accepter également. Depuis plus de deux siècles, les petits écoliers américains la recopient et l'apprennent par cœur.

Les deux textes nous mettent en présence d'un dilemme évident. Le code d'Hammurabi comme la Déclaration d'indépendance américaine prétendent tous deux esquisser des principes de justice universels et éternels, mais selon les Américains tous les hommes sont égaux, alors qu'ils sont résolument inégaux pour les Babyloniens. Bien entendu, les Américains diraient qu'ils ont raison, qu'Hammurabi se trompe. Naturellement, Hammurabi protesterait qu'il a raison et que les Américains ont tort. En fait, Hammurabi et les Pères fondateurs américains imaginaient pareillement une réalité gouvernée par des principes universels et immuables de justice comme l'égalité ou la hiérarchie. Or, ces principes universels n'existent nulle part ailleurs que dans l'imagination fertile des Sapiens et dans les mythes qu'ils inventent et se racontent. Ces principes n'ont aucune validité objective.

Il nous est facile d'accepter que la division en hommes « supérieurs » et en « commun des mortels » est un caprice de l'imagination. Pourtant, l'idée que tous les humains sont égaux est aussi un mythe. En quel sens les hommes sont-ils égaux les uns aux autres ? Existe-t-il, hors de l'imagination humaine, une réalité objective dans laquelle nous soyons véritablement égaux ? Tous les hommes sont-ils biologiquement égaux ? Essayons donc de traduire en termes biologiques le fameux passage de la Déclaration d'indépendance des États-Unis :

> Nous tenons pour évidentes par elles-mêmes les vérités suivantes : tous les hommes sont **créés égaux** ; ils sont **doués** par le Créateur de certains **droits inaliénables** ; parmi ces droits se trouvent la vie, la **liberté** et la recherche du **bonheur**.

Pour la biologie, les hommes n'ont pas été « créés » : ils ont évolué. Et ils n'ont certainement pas évolué vers l'« égalité ». L'idée d'égalité est inextricablement mêlée à celle de création. Les Américains tenaient l'idée d'égalité du christianisme, pour lequel chaque homme est pourvu d'une âme créée par Dieu, et toutes les âmes sont égales devant Dieu. Mais, si nous ne croyons pas aux mythes chrétiens sur Dieu, la création et les âmes, que signifie « tous les hommes sont égaux » ? L'évolution repose sur la différence, non pas sur l'égalité. Chacun est porteur d'un code génétique légèrement différent et, dès la naissance, se trouve exposé aux influences différentes de son environnement. Tout cela se traduit par le développement de qualités différentes qui sont porteuses de chances de survie différentes. « Créés égaux » doit donc se traduire par « ont évolué différemment ».

De même que les hommes n'ont jamais été créés, de même pour la biologie il n'y a pas non plus de « Créateur » qui les « dote » de quoi que ce soit. Il y a juste un processus d'évolution aveugle, sans dessein particulier, qui conduit à la naissance d'individus : « doués par le Créateur » doit se traduire tout simplement par « nés ».

Il n'existe rien qui ressemble à des droits en biologie, juste des organes, des facultés et des traits caractéristiques. Si les oiseaux volent, ce n'est pas qu'ils aient le droit de voler, mais parce qu'ils ont des ailes. Et il n'est pas vrai que ces organes, ces facultés et ces caractéristiques soient « inaliénables ». Beaucoup subissent des mutations constantes et peuvent se perdre totalement au fil du temps. L'autruche est un oiseau qui a perdu sa capacité de voler. Il convient donc de traduire les « droits inaliénables » en « caractéristiques muables ».

Et quelles caractéristiques ont évolué chez les êtres humains ? La « vie », assurément. Mais la « liberté » ? Il n'existe rien de tel en biologie. De même que l'égalité, les droits et les sociétés à responsabilité limitée, la liberté est une invention des hommes, et qui n'existe que dans leur imagination. D'un point de vue biologique, il n'y a pas de sens à dire que les hommes des sociétés démocratiques sont libres, mais qu'ils ne le sont pas sous une dictature. Et le « bonheur » ? Jusqu'ici la recherche biologique n'a pas su trouver de définition claire du bonheur ni un moyen de le mesurer objectivement. La plupart des études biologiques reconnaissent uniquement l'existence du plaisir, qui se laisse plus aisément définir et mesurer. Il faut donc traduire « la vie, la liberté et la recherche du bonheur » en « vie et recherche du plaisir ».

Voici donc, traduit en langage biologique, le passage de la Déclaration d'indépendance :

> Nous tenons pour évidentes par elles-mêmes les vérités suivantes : tous les hommes ont évolué différemment ; ils sont nés avec certaines caractéristiques muables ; parmi ces caractéristiques se trouvent la vie et la recherche du plaisir.

Cette forme de raisonnement ne manquera pas de scandaliser les tenants de l'égalité et des droits de l'homme, qui rétorqueront sans doute : « Nous savons bien que les hommes ne sont pas égaux biologiquement ! Mais si nous croyons que nous sommes tous foncièrement égaux, cela nous permettra de créer une société stable et prospère. » Je n'ai pas d'objection. C'est exactement ce que j'appelle « ordre imaginaire ». Nous croyons à un ordre particulier : non qu'il soit objectivement vrai, mais parce qu'y croire nous permet de coopérer efficacement et de forger une société meilleure. Les ordres imaginaires ne sont ni des conspirations exécrables ni de vains mirages. Ils sont plutôt la seule façon pour les hommes de coopérer effectivement. Mais ne perdez pas de vue qu'Hammurabi aurait pu défendre son principe hiérarchique en usant de la même logique : « Je sais bien que les hommes libres, les hommes intermédiaires et les esclaves ne sont pas des espèces par nature différentes. Mais, si nous croyons qu'ils le sont, cela nous permettra de créer une société stable et prospère. »

Vrais croyants

Probablement plus d'un lecteur s'est-il tortillé sur son siège en lisant les paragraphes qui précèdent. La plupart d'entre nous sommes éduqués pour réagir ainsi. On admet volontiers que le code d'Hammurabi n'est qu'un mythe, mais nous ne voulons pas entendre que les droits de l'homme sont aussi un mythe. Y a-t-il un risque que la société s'effondre si les gens s'aperçoivent que les droits de l'homme n'existent que dans l'imagination ? « Dieu n'existe pas, disait Voltaire, mais ne le dites pas à mon valet, il me truciderait dans la nuit ! » Hammurabi en aurait dit autant à propos de son principe de hiérarchie, et Thomas Jefferson au sujet des droits de l'homme. *Homo sapiens* n'a pas de droits naturels, pas plus que n'en ont les araignées, les hyènes et les chimpanzés. Mais ne le dites pas à nos domestiques, ils nous trucideraient dans la nuit.

Ces peurs sont justifiées. Un ordre naturel est un ordre stable. Il n'y aucune chance que la loi de la gravitation cesse d'opérer demain, même si les gens cessent d'y croire. En revanche, un ordre imaginaire court toujours le danger de s'effondrer, parce qu'il dépend de mythes, et que les mythes se dissipent dès que les gens cessent d'y croire. Préserver un ordre imaginaire requiert des efforts acharnés à chaque instant. Certains prennent la forme de violence et de contraintes. Armées, polices, tribunaux et prisons œuvrent sans cesse pour forcer les gens à se conformer à l'ordre imaginaire. Quand un Babylonien crevait l'œil d'un voisin, une certaine violence était habituellement nécessaire pour appliquer la loi du « œil pour œil ». Quand, en 1860, une majorité de citoyens américains conclurent que les esclaves africains étaient des êtres humains et devaient donc jouir du droit à la liberté, il fallut une guerre civile sanglante pour que les États du Sud acquiescent.

La seule violence ne saurait suffire à perpétuer un ordre imaginaire. Il faut aussi de vrais croyants. Le prince Talleyrand, qui débuta sa carrière de caméléon sous Louis XVI, servit plus tard la Révolution et le régime napoléonien, avant de changer à nouveau d'allégeance et de terminer ses jours au service de la monarchie restaurée, résuma d'une formule des décennies d'expérience du pouvoir : « On peut tout faire avec des baïonnettes, sauf s'asseoir dessus. » Un prêtre seul fait souvent le travail d'une centaine de soldats – pour bien moins cher et beaucoup plus efficacement. De surcroît, si efficaces que soient les baïonnettes, il faut quelqu'un pour les manier. Pourquoi soldats, geôliers, juges et policiers défendraient-ils un ordre imaginaire auquel ils ne croient pas ? De toutes les activités humaines collectives, la violence est la plus difficile à organiser. Dire qu'un ordre social se maintient à la force des armes soulève aussitôt une question : qu'est-ce qui maintient l'ordre militaire ? Il est impossible d'organiser une armée uniquement par la coercition. Il faut au moins qu'une partie des commandants et des soldats croient à quelque chose : Dieu, l'honneur, la patrie, la virilité ou l'argent.

Une question plus intéressante encore concerne ceux qui sont au sommet de la pyramide sociale. Pourquoi imposeraient-ils un ordre imaginaire auquel ils ne croient pas ? Il est courant de dire que l'élite peut le faire par simple cupidité cynique. Mais un cynique qui ne croit à rien a peu de chances d'être cupide. Il suffit de pas grand-chose pour satisfaire les besoins biologiques objectifs de l'*Homo sapiens*. Ses besoins satisfaits, on peut dépenser le reste à bâtir des pyramides, faire le tour du monde, financer une campagne électorale ou votre organisation terroriste préférée, ou placer l'argent en bourse et en gagner encore : autant d'activités qu'un cynique véritable jugerait absolument dénuées de sens. Le philosophe grec Diogène, fondateur de l'école cynique, logeait dans un tonneau. Un jour qu'Alexandre le Grand lui rendit visite, Diogène se prélassait au soleil. Alexandre voulut savoir s'il pouvait faire quelque chose pour lui, et le Cynique lui répondit : « Oui, en effet. Ôte-toi de mon soleil ! »

Voilà pourquoi les cyniques ne bâtissent pas d'empire, et pourquoi un ordre imaginaire ne saurait être maintenu que si de grandes sections de la population – notamment, de l'élite et des forces de sécurité – y croient vraiment. Le christianisme n'aurait pas duré deux mille ans si la majorité des évêques et des prêtres n'avaient pas cru au Christ. La démocratie américaine n'aurait pas duré deux siècles et demi si la majorité des Présidents et des membres du Congrès n'avaient pas cru aux droits de l'homme. Le système économique moderne n'aurait pas duré un seul jour si la majorité des investisseurs et des banquiers ne croyaient pas au capitalisme.

LES MURS DE LA PRISON

Comment amener les gens à croire à un ordre imaginaire comme le christianisme, la démocratie ou le capitalisme ? Premièrement, vous ne voulez pas admettre que l'ordre est imaginaire. Vous protestez toujours que l'ordre qui soutient la société est une réalité objective créée par les grands dieux ou les lois de la nature. Les gens sont inégaux : non parce qu'Hammurabi l'a dit, mais parce qu'Enlil et Marduk l'ont décrété. Les gens sont égaux : ce n'est pas Thomas Jefferson qui l'a dit, mais Dieu qui les a créés ainsi. Le marché est le meilleur système économique : ce n'est pas Adam Smith qui l'a dit, ce sont les lois immuables de la nature.

Vous les éduquez aussi systématiquement. Dès la naissance, vous ne cessez de leur inculquer les principes de l'ordre imaginaire, qui sont mis à toutes les sauces. Intégrés aux contes de fées, aux drames, aux tableaux, aux chants, à l'étiquette, à la propagande politique, à l'architecture, aux recettes et aux modes. Par exemple, de nos jours, les gens croient à l'égalité, et il est donc de bon ton chez les gosses de riches de porter des jeans, qui étaient à l'origine un accoutrement de la classe ouvrière. Au Moyen Âge, les gens croyaient aux divisions de classe, et pour rien au monde un jeune noble n'aurait porté un sarrau de paysan. En ce temps-là, se faire appeler « Sieur » ou « Dame » était un privilège rare réservé à la noblesse, souvent acquis par le sang. Aujourd'hui, la politesse exige que toute lettre, quel qu'en soit le destinataire, commence par « Cher Monsieur » ou « Chère Madame ».

Les sciences humaines et sociales consacrent une bonne partie de leur énergie à expliquer comment l'ordre imaginaire se mêle au tissu de la vie. Faute de place, nous ne pouvons qu'effleurer la surface. Trois grands facteurs empêchent les gens de comprendre que l'ordre qui régit leur vie n'existe que dans leur imagination :

a. L'ordre imaginaire est incorporé au monde matériel. Bien que l'ordre imaginaire n'existe que dans notre esprit, il peut être tissé au monde matériel, voire inscrit dans la pierre. La plupart des Occidentaux croient à l'individualisme. Ils croient que chaque être humain est un individu, dont la valeur ne dépend pas de ce que les autres pensent de lui ou d'elle. Chacun de nous est porteur d'une lumière vive qui donne valeur et sens à notre vie. Dans les écoles occidentales modernes, maîtres et parents apprennent aux enfants que si leurs camarades se moquent d'eux, ils doivent faire comme si de rien n'était. Eux seuls, pas les autres, savent ce qu'ils valent.

Dans l'architecture moderne, ce mythe jaillit de l'imagination pour prendre forme dans le mortier et la pierre. La maison moderne idéale est divisée en multiples petites chambres, pour que chaque enfant ait un espace à lui, soustrait aux regards des autres et lui assurant un maximum d'autonomie. Cette chambre a presque invariablement une porte et, dans bien des ménages, il est admis que l'enfant la ferme, même à clé. Interdiction est faite aux parents d'entrer sans frapper et sans demander la permission. La chambre est décorée à la fantaisie de l'enfant, avec des posters de rock-stars sur les murs et des chaussettes sales qui traînent par terre. Un enfant qui grandit dans un tel espace ne saurait s'imaginer autrement qu'en « individu », dont la vraie valeur émane de l'intérieur, non pas de l'extérieur.

Les nobles du Moyen Âge ne croyaient pas à l'individualisme. La valeur des gens venait de leur place dans la hiérarchie sociale et de ce que les autres disaient d'eux. Être moqué était une terrible indignité. Les nobles apprenaient à leurs enfants à protéger leur nom, quoi qu'il en coûte. Comme l'individualisme moderne, le système de valeurs du Moyen Âge quitta l'imagination pour se manifester dans la pierre des châteaux. Le château comprenait rarement des chambres pour enfants (pas plus que pour quiconque, au demeurant). Le fils adolescent d'un baron n'avait pas de chambre à part à l'étage, avec des posters de Richard Cœur de Lion ou du roi Arthur aux murs, ni un verrou à sa porte pour empêcher ses parents d'entrer. Il couchait dans une grande salle, avec beaucoup d'autres jeunes. Il était toujours exposé et devait toujours tenir compte de ce que les autres voyaient et disaient. Grandir dans ces conditions amenait naturellement à conclure qu'un homme tire sa vraie valeur de sa place dans la hiérarchie sociale et dans ce que les autres disent de lui[1].

b. L'ordre imaginaire façonne nos désirs. La plupart des gens ne veulent pas admettre que l'ordre qui régit leur vie soit imaginaire, mais en fait chacun naît dans un ordre imaginaire préexistant ; dès la naissance, les mythes dominants façonnent nos désirs. Nos désirs personnels deviennent ainsi les défenses les plus importantes de l'ordre imaginaire.

Par exemple, les désirs les plus chers des Occidentaux actuels sont façonnés par des mythes romantiques, nationalistes, capitalistes et humanistes en circulation depuis des siècles. Entre amis, on

---

1. Constance Brittaine Bouchard, *Strong of Body, Brave and Noble: Chivalry and Society in Medieval France*, New York, Cornell University Press, 1998, p. 99 ; Mary Martin McLaughlin, « Survivors and Surrogates : Children and Parents from the Ninth to Thirteenth Centuries », in Carol Neel (éd.), *Medieval Families : Perspectives on Marriage, Household and Children*, Toronto, University of Toronto Press, 2004, p. 81, n. 81 ; Lise E. Hull, *Britain's Medieval Castles*, Westport, Praeger, 2006, p. 144.

se donne souvent ce conseil : « Suis donc ton cœur ! » Or, le cœur est un agent double qui tient souvent ses instructions des mythes dominants de l'époque. Cette recommandation même nous a été inculquée par un mélange de mythes romantiques du XIXe siècle et de mythes consuméristes du siècle dernier. La société Coca-Cola, par exemple, a vendu son *Coca light* dans le monde entier sous le slogan : « Faites ce qui vous fait du bien. »

Même ce que les gens considèrent comme leurs désirs personnels les plus égoïstes sont habituellement programmés par l'ordre imaginaire. Prenons l'exemple du désir populaire de prendre des vacances à l'étranger. Qui n'a rien d'évident ni de naturel. Jamais un mâle alpha chimpanzé n'aurait l'idée d'utiliser son pouvoir pour aller en vacances sur le territoire d'une bande voisine de chimpanzés. L'élite de l'Égypte ancienne dépensa des fortunes à bâtir des pyramides et à faire momifier ses cadavres, mais aucun de ses membres ne songea à faire du shopping à Babylone ou à passer des vacances de ski en Phénicie. De nos jours, les gens dépensent de grosses sommes en vacances à l'étranger parce que ce sont des vrais croyants, adeptes des mythes du consumérisme romantique.

Le consumérisme romantique mêle deux idéologies modernes dominantes : le romantisme et le consumérisme. Le romantisme nous dit que, pour tirer le meilleur parti de notre potentiel humain, il nous faut multiplier autant que possible les expériences. Nous devons nous ouvrir à un large spectre d'émotions, expérimenter diverses sortes de relations, essayer des cuisines différentes, apprendre à apprécier divers styles de musique. Une des meilleures façons d'y parvenir est de rompre avec la routine de tous les jours, d'abandonner notre cadre familier et de voyager au loin, où nous pouvons « expérimenter » la culture, les odeurs, les goûts et les normes d'autres peuples. On ne cesse de nous ressasser les mythes romantiques sur le thème, « comment une nouvelle expérience m'a ouvert les yeux et a changé ma vie ».

Le consumérisme nous dit que, pour être heureux, il faut consommer autant de produits et de services que possible. Si nous avons le sentiment que quelque chose nous manque ou laisse à désirer, probablement avons-nous besoin d'acheter un produit (voiture, vêtements neufs, aliments organiques) ou un service (heures de ménage, thérapie relationnelle, cours de yoga). Chaque publicité à la télévision est une petite légende de plus sur le thème « la consommation d'un produit ou d'un service rendra la vie meilleure ».

Le romantisme, qui encourage la variété, s'accorde parfaitement avec le consumérisme. Leur mariage a donné naissance à un « marché des expériences » infini sur lequel se fonde l'industrie moderne du tourisme. Celle-ci ne vend pas des billets d'avion ou des chambres d'hôtel, mais des expériences. Paris n'est pas une ville, ni l'Inde un pays : ce sont des expériences. La consommation est censée élargir nos horizons, accomplir notre potentiel humain et nous rendre plus heureux. Dès lors, quand un couple de millionnaires bat de l'aile, le mari emmène sa femme à Paris. Le voyage n'est pas l'expression de quelque désir indépendant mais traduit une croyance fervente aux mythes du consumérisme romantique. En Égypte ancienne, il ne serait jamais venu à l'idée d'un homme riche de résoudre une crise conjugale en emmenant sa femme en vacances à Babylone. Sans doute lui aurait-il fait construire le tombeau somptueux de ses rêves.

Comme l'élite égyptienne, la plupart des gens, dans la plupart des cultures, passent leur vie à construire des pyramides. D'une culture à l'autre, seuls changent les noms, les formes et les tailles de ces pyramides : villa de banlieue chic avec piscine et pelouse ou penthouse étincelant avec vue imprenable. Peu contestent ces mythes qui nous font désirer une pyramide.

c. L'ordre imaginaire est intersubjectif. Même si au prix d'un effort surhumain je réussis à libérer mes désirs personnels de l'emprise de l'ordre imaginaire, je ne suis qu'un parmi d'autres. Pour changer l'ordre imaginaire, je dois persuader des millions d'inconnus de coopérer avec moi. Car l'ordre imaginaire n'est pas un ordre subjectif qui existe dans mon imagination, mais plutôt un ordre intersubjectif qui existe dans l'imagination partagée de milliers et de millions de gens.

Pour le comprendre, il faut saisir la différence entre « objectif », « subjectif » et « intersubjectif ».

Un phénomène **objectif** existe indépendamment de la conscience et des croyances humaines. La radioactivité, par exemple, n'est pas un mythe. Les émissions radioactives n'ont pas attendu qu'on les découvre pour se produire, et elles sont dangereuses même si l'on n'y croit pas. Marie Curie, une des découvreuses de la radioactivité, passa de longues années à étudier les matériaux radioactifs sans savoir qu'ils pouvaient nuire à son corps. Elle ne croyait pas que la radioactivité pût la tuer, mais elle mourut d'anémie aplasique – une maladie mortelle dont la cause est une surexposition aux matériaux radioactifs.

Est **subjectif** une chose dont l'existence dépend de la conscience et des croyances d'un seul individu. Qu'un individu change de croyances, et cette chose disparaît et change. Plus d'un enfant croit en l'existence d'un ami imaginaire qui est invisible et inaudible au reste du monde. L'ami imaginaire n'existe que dans la conscience subjective de l'enfant ; quand celui-ci grandit et cesse d'y croire, l'ami s'évanouit.

Est **intersubjectif** ce qui existe au sein du réseau de communication qui lie la conscience subjective de nombreux individus. Qu'un individu change de croyances ou même meure est sans grande importance. Mais, si la plupart des individus du réseau meurent ou changent de croyances, le phénomène intersubjectif changera ou disparaîtra. Les phénomènes intersubjectifs ne sont ni des impostures malveillantes ni des charades insignifiantes. Ils existent autrement que des phénomènes physiques comme la radioactivité, mais leur impact sur le monde peut être encore considérable. Nombre des moteurs les plus importants de l'histoire sont intersubjectifs : loi, argent, dieux et nations.

Peugeot, par exemple, n'est pas l'ami imaginaire du PDG de Peugeot. La société existe dans l'imagination partagée de millions de gens. Le PDG croit à l'existence de la société parce que le conseil d'administration y croit lui aussi, tout comme les avocats de l'entreprise, les secrétaires du bureau voisin, les caissiers de la banque, les courtiers à la Bourse et les revendeurs – de la France à l'Australie. Si le PDG seul cessait soudain de croire à l'existence de Peugeot, il ne tarderait pas à se retrouver dans l'hôpital psychiatrique le plus proche tandis qu'un autre prendrait sa place.

De même, le dollar, les droits de l'homme et les États-Unis d'Amérique existent dans l'imagination partagée de milliards d'individus, et aucun individu à lui seul ne saurait en menacer l'existence. Si j'étais seul à cesser de croire au dollar, aux droits de l'homme ou aux États-Unis, ce serait sans grande importance. Ces ordres imaginaires sont intersubjectifs, si bien que pour les changer il nous faut simultanément changer la conscience de milliards de gens, ce qui n'est pas facile. Un changement d'une telle ampleur ne peut se faire qu'avec le concours d'une organisation complexe : un parti politique, un mouvement idéologique ou un culte religieux. Pour établir des organisations aussi complexes, il faut cependant convaincre beaucoup d'inconnus de croire en des mythes partagés. Il s'ensuit que, pour changer un ordre imaginaire existant, il nous faut d'abord croire à un ordre imaginaire de substitution.

Pour démanteler Peugeot, par exemple, il nous faut imaginer quelque chose de plus puissant, comme le système juridique français. Pour défaire celui-ci, il faut imaginer plus puissant : l'État français. Si nous voulions le démanteler, il nous faudrait trouver quelque chose d'encore plus puissant.

Il n'y a pas moyen de sortir de l'ordre imaginaire. Quand nous abattons les murs de notre prison et courons vers la liberté, nous courons juste dans la cour plus spacieuse d'une prison plus grande.

7.

Surcharge mémorielle

L'évolution n'a pas pourvu les hommes de la capacité de jouer au football. Certes, elle nous a donné des jambes pour frapper, des épaules pour donner des coups irréguliers et des bouches pour jurer, mais cela ne nous permet jamais que de tirer des penalties tout seuls. Pour entrer dans une partie avec les inconnus que nous trouvons dans la cour de l'école, n'importe quel après-midi, il nous faut non seulement travailler de concert avec quatre coéquipiers que nous n'avons sans doute encore jamais vus, mais aussi savoir que les onze joueurs de l'équipe opposée suivent les mêmes règles. Les autres animaux qui affrontent des inconnus dans des formes d'agression ritualisées le font largement d'instinct : les chiots du monde entier se chamaillent en suivant des règles inscrites dans leurs gènes. Or, les ados humains qui n'ont pas de gènes du foot n'en peuvent pas moins jouer avec de parfaits inconnus parce que tous ont appris des idées identiques sur le foot : des idées largement imaginaires, mais du moment que tout le monde les partage, nous pouvons tous y jouer.

Il en va de même, à plus grande échelle, pour les royaumes, les églises et les réseaux commerciaux – à une différence de taille près. Les règles du foot sont relativement simples et concises, assez comparables à celles qui sont nécessaires à la coopération dans une bande de fourrageurs ou dans un petit village. Chaque joueur peut aisément les emmagasiner dans son cerveau et garder de la place pour les chansons, les images et les listes de courses. En revanche, les systèmes de coopération qui impliquent non pas vingt-deux, mais des milliers, voire des millions d'êtres humains nécessitent de manier et de stocker d'énormes masses d'informations – bien plus qu'un cerveau d'homme n'en peut contenir et traiter.

Si les grandes sociétés que l'on trouve dans d'autres espèces, comme les fourmis et les abeilles, sont stables et résilientes, c'est que la plupart des informations nécessaires pour les faire vivre sont codées dans le génome. Une larve d'abeille femelle peut se développer en reine ou en ouvrière, suivant ce qu'elle ingère. Son ADN programme les comportements nécessaires pour les rôles qu'elle sera appelée à tenir dans la vie. Les ruches peuvent être des structures sociales très complexes, contenant de multiples catégories d'ouvrières : butineuses, nourrices ou nettoyeuses. Jusqu'ici, pourtant, les chercheurs n'ont pas réussi à repérer des avocates. Les abeilles n'en ont aucun besoin parce qu'il n'y a aucun risque qu'elles tentent d'oublier ou de violer la constitution de la ruche. La reine ne floue pas la nettoyeuse de sa nourriture et elles ne se mettent jamais en grève pour obtenir des augmentations de salaire.

Les humains, en revanche, passent leur temps à faire des choses pareilles. L'ordre social Sapiens étant un ordre imaginaire, les hommes ne sauraient préserver les informations critiques pour le diriger en faisant simplement des copies de leur ADN et en les transmettant à leur progéniture. Un effort délibéré doit être consenti pour faire vivre les lois, les coutumes, les procédures, et les mœurs, sans quoi l'ordre social aurait tôt fait de s'effondrer. Par exemple, le code d'Hammurabi décréta que les hommes se composent d'hommes libres, d'hommes du commun et d'esclaves. À la différence du système de classe de la ruche, ce n'est pas une division naturelle : il n'y en a pas la moindre trace dans le génome humain. Si les Babyloniens avaient été incapables de garder cette «vérité» présente à l'esprit, leur société eût cessé de fonctionner. De même, quand Hammurabi transmit son ADN à son fils, celui-ci ne comprenait pas la décision de son père de réclamer trente sicles d'argent à un homme libre qui a tué une femme du commun.

Hammurabi dut délibérément transmettre les lois de son empire à ses fils, à charge pour eux et ses petits-fils d'en faire autant.

Les empires engendrent d'énormes quantités d'informations. Au-delà des lois, les empires doivent tenir les comptes des transactions et des impôts, des inventaires de leur matériel militaire et des navires marchands, ainsi que des calendriers des fêtes et des victoires. Des millions d'années durant, les hommes ne stockèrent l'information qu'à un seul endroit : leur cerveau. Malheureusement, le cerveau humain n'est pas un bon moyen de stockage pour les bases de données de la taille d'un empire. Il y a à cela trois raisons.

Premièrement, le cerveau est d'une capacité limitée. Certes, d'aucuns sont doués de mémoires stupéfiantes et, dans les temps anciens, il y avait des professionnels de la mémoire qui pouvaient emmagasiner la topographie de provinces entières et les codes de lois de plusieurs États. Il est néanmoins une limite que les mnémonistes les plus doués ne sauraient dépasser. Un juriste pourrait savoir par cœur tout le code de lois du Commonwealth du Massachusetts, mais pas les détails de toutes les procédures engagées dans cet État depuis le procès des sorcières de Salem.

Deuxièmement, les hommes meurent, et leur cerveau meurt avec eux. Toute l'information stockée dans un cerveau sera effacée dans moins d'un siècle. Il est bien entendu possible de transmettre des souvenirs d'un cerveau à l'autre, mais à la suite de quelques transmissions, l'information a tendance à s'embrouiller ou à se perdre.

Troisièmement, et c'est le plus important, le cerveau humain a été fait pour stocker et traiter uniquement des types d'information bien particuliers. Pour survivre, les chasseurs-cueilleurs anciens devaient se souvenir des formes, des qualités et des comportements de milliers d'espèces végétales et animales. Ils devaient se souvenir qu'un champignon jaune fripé poussant l'automne sous un orme est très probablement vénéneux, mais qu'un champignon semblable qui pousse l'hiver sous un chêne est un bon remède quand on a mal au ventre. Les chasseurs-cueilleurs devaient aussi garder présentes à l'esprit les opinions et les relations de plusieurs douzaines de membres de leur bande. Si Lucy avait besoin de l'aide d'un membre pour convaincre John de cesser de la harceler, autant se souvenir que John avait rompu la semaine passée avec Mary, qui pouvait donc être une alliée enthousiaste. Les pressions de l'évolution ont ainsi adapté le cerveau humain au stockage d'immenses quantités d'informations botaniques, zoologiques, topographiques et sociales.

Mais quand, à la veille de la Révolution agricole, commencèrent à apparaître des sociétés particulièrement complexes, un nouveau type d'information entièrement nouveau devint vital : les chiffres. Les fourrageurs ne furent jamais obligés de manipuler de grosses quantités de données mathématiques. Un fourrageur n'avait aucun besoin de se rappeler le nombre de fruits sur chaque arbre de la forêt. Le cerveau humain ne s'adapta donc pas au stockage et au traitement des chiffres. Pour garder un grand royaume, en revanche, les données mathématiques étaient capitales. Jamais il ne fut suffisant de légiférer et de raconter des histoires sur les dieux tutélaires. Il fallait aussi collecter des impôts. Pour taxer des centaines de milliers de gens, il était impératif de recueillir des données sur leurs revenus et possessions, sur les paiements effectués, sur les arriérés, les dettes et les amendes, les remises et les exonérations. Tout cela faisait des millions d'éléments à stocker et à traiter. Sans cette capacité, l'État n'aurait jamais su de combien de ressources il disposait ni quelles ressources supplémentaires il pouvait exploiter. Face à la nécessité de mémoriser, de se rappeler et de manipuler tous ces chiffres, la plupart des cerveaux humains faisaient une overdose ou s'endormaient.

Cette limite mentale faisait peser une contrainte sévère sur la taille et la complexité des collectivités humaines. Quand le nombre d'hommes et la masse des biens dépassaient un seuil critique dans une société particulière, il devenait nécessaire de stocker et de traiter de grosses quantités de données mathématiques. Le cerveau humain en étant bien incapable, le système s'effondrait. Des millénaires durant, après la Révolution agricole, les réseaux sociaux restèrent relativement petits et simples.

Les premiers à surmonter le problème furent les Sumériens, dans le sud de la Mésopotamie. Le soleil de plomb qui s'abattait sur les riches plaines limoneuses assurait des récoltes abondantes et des cités prospères. Avec la croissance démographique s'accrut aussi la quantité d'informations nécessaires pour coordonner leurs affaires. Entre 3500 et 3000 avant notre ère, pour stocker et traiter des informations hors de leur cerveau, des génies sumériens inconnus inventèrent un système élaboré permettant de traiter de grosses quantités de données mathématiques. Ce faisant, les Sumériens parvinrent à soustraire leur ordre social aux limites du cerveau humain, ouvrant la voie à l'apparition des villes, des royaumes et des empires. Le système de traitement des données inventé par les Sumériens est ce qu'on appelle « l'écriture ».

Signé, Kushim

L'écriture est une méthode de stockage de l'information à travers des signes matériels. Le système d'écriture sumérien y parvint en mêlant deux types de signes, pressés sur des tablettes d'argile. Un type de signes représentait les chiffres. Il y avait des signes pour 1, 10, 60, 600, 3 600, et 36 000. (Les Sumériens employaient une combinaison de systèmes de numération de base 6 et de base 10. Leur système de base 6 nous a laissé plusieurs héritages importants, comme la division du jour en 24 heures et celle du cercle en 360 degrés.) L'autre type de signes représentait des hommes, des animaux, des marchandises, des territoires, des dates et ainsi de suite. En mêlant les deux types de signes, les Sumériens réussirent à préserver plus de données que n'importe quel cerveau d'homme n'en pouvait mémoriser ou que n'importe quelle chaîne d'ADN n'en pouvait coder.

À ce premier stade, l'écriture était limitée aux faits et aux chiffres. Le grand roman sumérien, s'il exista jamais, ne fut pas livré aux tablettes d'argile. Écrire prenait du temps, et le lectorat était infime, en sorte que nul ne voyait de raison de s'en servir à une autre fin que la tenue des archives essentielles. Si nous recherchons les premiers mots de sagesse venus de nos ancêtres, voici 5 000 ans, nous allons au-devant d'une grosse déception. Les tout premiers messages que nos ancêtres nous aient laissés sont du style : « 29 086 mesures orge 37 mois Kushim.» Très probablement faut-il comprendre: «Un total de 29 086 mesures d'orge a été reçu en 37 mois. Signé, Kushim.» Malheureusement, les premiers textes d'histoire ne contiennent ni aperçus philosophiques, ni poésie, ni légendes, ni lois, ni même triomphes royaux. Ce sont de banals documents économiques enregistrant le paiement des taxes, l'accumulation des dettes et la propriété de tels ou tels biens.

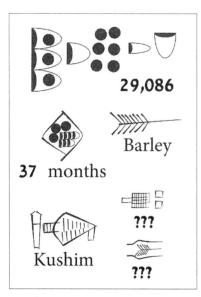

Tablette d'argile avec un texte administratif de la ville d'Uruk, vers 3400-3000 avant notre ère. «Kushim» peut être le titre générique d'un dignitaire, ou le nom d'un particulier. Si Kushim était bel et bien une personne, c'est peut-être le premier individu dont le nom nous soit connu! Tous les noms antérieurs de l'histoire humaine – Neandertal, Natoufiens, grotte Chauvet ou Göbekli Tepe – sont des inventions modernes. Nous n'avons pas la moindre idée du nom que les constructeurs de Göbekli Tepe donnaient au site en question. Avec l'apparition de l'écriture, nous commençons à entendre l'histoire à travers l'oreille de ses protagonistes. Quand ses voisins l'appelaient, ils criaient réellement «Kushim!». Il est significatif que le premier nom attesté de l'histoire appartienne à un comptable, plutôt qu'à un prophète, un poète ou un conquérant[1].

---

1. Andrew Robinson, *The Story of Writing*, New York, Thames and Hudson, 1995, p. 63; Hans J. Nissen, Peter Damerow et Robert K. Englung, *Archaic Bookkeeping: Writing and Techniques of Economic Administration in the Ancient Near East*, Chicago, Londres, The University of Chicago Press, 1993, p. 36.

Un seul autre type de texte nous est parvenu de ces temps anciens, et il est encore moins excitant : listes de mots inlassablement recopiés par des apprentis scribes en guise d'exercices de formation. Même si un élève qui s'ennuyait avait voulu coucher par écrit quelques-uns de ses poèmes, plutôt qu'un acte de vente, il n'aurait pu le faire. La toute première écriture sumérienne était partielle, plutôt que complète. Une écriture complète est un système de signes matériels qui peut représenter plus ou moins la totalité du langage parlé. Elle peut donc exprimer tout ce que les gens peuvent dire, y compris la poésie. L'écriture partielle, en revanche, est un système de signes matériels qui peut représenter uniquement des types particuliers d'information, relevant d'un champ d'activité limité. L'écriture latine, les hiéroglyphes égyptiens et le braille sont des écritures complètes, dont on peut se servir pour écrire des registres fiscaux, des poèmes d'amour, des livres d'histoire, des recettes et des textes de droit commercial.

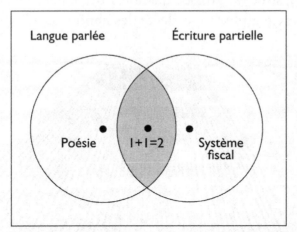

L'écriture partielle ne saurait exprimer tout le spectre d'un langage parlé, mais elle peut exprimer des choses qui sortent du champ du langage parlé. Des écritures partielles comme le sumérien et le langage mathématique ne peuvent servir à écrire de la poésie, mais elles sont très efficaces pour tenir le compte des taxes.

À l'opposé, la toute première écriture sumérienne comme les symboles mathématiques modernes et la notation musicale sont des écritures partielles. On peut faire des calculs avec l'écriture mathématique, mais pas écrire des poèmes.

Que leur écriture ait été mal adaptée à la poésie ne dérangeait pas les Sumériens. Ils l'inventèrent non pas pour copier le langage parlé, mais pour faire ce dont celui-ci était incapable. Certaines cultures, comme celle des Indes précolombiennes, ne se servirent tout au long de leur histoire que d'écritures partielles. Nullement perturbées par les limites de leur langage, elles n'éprouvaient pas le besoin d'une écriture complète. L'écriture andine était très différente de son homologue sumérien. En vérité, elle était à ce point différente que beaucoup diraient qu'elle n'était pas du tout une écriture. Elle ne s'écrivait ni sur des tablettes d'argile ni sur des bouts de papier, mais en faisant des nœuds sur des cordes colorées : les *quipus*. Chaque *quipu* consistait en multiples cordes de laine ou de coton et de couleurs différentes. Sur chaque corde, divers nœuds étaient noués à des places différentes. Un même *quipu* pouvait compter des centaines de ficelles et des milliers de nœuds. En combinant divers nœuds de ficelles aux couleurs différentes, il était possible d'enregistrer de grosses quantités de données mathématiques relatives, par exemple, à la collecte des impôts ou à la propriété[1].

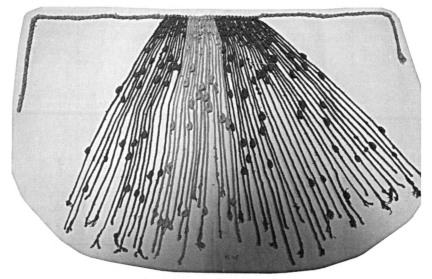

Quipu des Andes, XIIe siècle.

1. Marcia et Robert Ascher, *Mathematics of the Incas-Code of the Quipu*, New York, Dover Publications, 1981.

Pendant des centaines, voire des milliers d'années, les *quipus* ont été essentiels aux affaires des cités, des royaumes et des empires[1]. Leur potentiel fut pleinement exploité sous l'Empire inca, qui dirigeait 10 à 12 millions d'habitants et correspondait au territoire actuel du Pérou, de l'Équateur, de la Bolivie et de certaines parties du Chili, de l'Argentine et de la Colombie. Grâce aux *quipus*, les Incas pouvaient sauvegarder et traiter de grosses quantités de données sans lesquelles ils n'auraient pu faire tourner la machine administrative complexe que nécessitait un empire de cette taille.

En réalité, les *quipus* étaient si efficaces et précis que, dans les premières années qui suivirent la conquête de l'Amérique du Sud, les Espagnols eux-mêmes y recoururent pour administrer leur nouvel empire. Le problème était qu'ils ne savaient pas faire des *quipus* ni les lire, ce qui les mettait à la merci de professionnels. Les nouveaux maîtres du continent se rendirent compte que cela les plaçait dans une position précaire : les spécialistes indigènes des *quipus* pouvaient aisément les égarer et tromper leurs suzerains. Sitôt la domination de l'Espagne solidement établie, les *quipus* furent écartés au profit de l'écriture et des chiffres romains. De très rares *quipus* survécurent à l'occupation espagnole, mais ils demeurent indéchiffrables puisque, malheureusement, l'art de lire les *quipus* s'est perdu.

LES MERVEILLES DE LA BUREAUCRATIE

Les Mésopotamiens finirent par écrire autre chose que des données mathématiques monotones. Entre 3000 et 2500 avant notre ère, le système sumérien ne cessa de s'enrichir de signes qui le transformèrent progressivement pour en faire l'écriture complète que nous appelons le cunéiforme. En 2500 avant J.-C., les rois utilisaient le cunéiforme pour promulguer des décrets, les prêtres

---

1. Gary Urton, *Signs of the Inka Khipu*, Austin, University of Texas Press, 2003 ; Galen Brokaw, *A History of the Khipu*, Cambridge, Cambridge University Press, 2010.

pour enregistrer des oracles et des citoyens moins haut placés pour écrire des lettres personnelles. À peu près à la même époque, les Égyptiens mirent au point une autre écriture complète dite hiéroglyphique. D'autres écritures complètes virent le jour en Chine autour de −1200 et en Amérique centrale autour de 1000-500 avant notre ère.

Les écritures complètes se répandirent largement depuis ces centres initiaux, prenant des formes nouvelles et remplissant des tâches inédites. On se mit alors à écrire de la poésie, des livres d'histoire, des romans, des drames, des prophéties et des livres de cuisine. Mais la tâche la plus importante de l'écriture resta de stocker des masses de données mathématiques, et cette tâche demeura la prérogative de l'écriture partielle. La Bible hébraïque, l'*Iliade* pour les Grecs, le *Mahabharata* hindou et le Tipitaka bouddhiste sont tous nés d'œuvres orales. Pendant de longues générations, ils se transmirent oralement et se seraient perpétués même si l'écriture n'avait jamais été inventée. Mais les registres d'impôts et les bureaucraties complexes étaient nés avec l'écriture partielle, et demeurent inexorablement liés à ce jour comme des frères siamois : il n'est qu'à penser aux entrées énigmatiques des bases de données et des tableaux informatisés.

De plus en plus de choses étant écrites, les archives administratives prirent notamment des proportions considérables et de nouveaux problèmes surgirent. L'information stockée dans le cerveau est facile à retrouver. Mon cerveau emmagasine des milliards de « bits de données », mais je peux rapidement, presque instantanément, retrouver le nom de la capitale de l'Italie, me remémorer juste après ce que j'ai fait le 11 septembre 2001, puis reconstruire le trajet qui mène de chez moi à l'Université hébraïque de Jérusalem. Si la façon dont procède exactement le cerveau demeure un mystère, nous savons tous que son système de récupération est d'une efficacité stupéfiante… sauf quand vous essayez de vous souvenir où vous avez bien pu mettre les clés de la voiture.

Mais comment faire pour trouver et retrouver l'information stockée sur les ficelles des *quipus* ou sur les tablettes d'argile ? Si vous n'aviez qu'une dizaine ou une centaine de tablettes, ce ne serait pas un problème. Mais si vous en avez accumulé des milliers comme un des contemporains d'Hammurabi, le roi Zimri-Lim de Mari ?

Transportons-nous un instant à Mari en 1776 avant notre ère. Deux habitants se disputent la possession d'un champ de blé. Jacob assure l'avoir acheté il y a trente ans à Ésaü, qui proteste l'avoir non pas vendu, mais loué avec un bail de trente ans ; le terme étant maintenant échu, il compte bien le récupérer. Ils crient, se chamaillent et en viennent aux mains avant de se rendre compte qu'ils peuvent régler leur différend en faisant un tour aux archives royales, où sont entreposés les contrats et les actes de vente de tous les biens immobiliers du royaume. Sur place, les archivistes ne cessent de se renvoyer la balle. Les pauses thé se succèdent, on les invite à revenir demain, avant qu'un employé mal embouché finisse par les accompagner pour qu'ils jettent un œil sur la tablette d'argile qui les concerne. L'employé ouvre la porte et les conduit dans une immense pièce dont les murs sont couverts de milliers de tablettes d'argile, du sol au plafond. La mine revêche de l'employé n'a rien d'étonnant : comment est-il censé retrouver un contrat vieux de trente ans ? Même s'il met la main dessus, comment s'assurer que ce document est bien le dernier en date concernant le champ contesté ? S'il ne le retrouve pas, est-ce pour autant la preuve qu'Ésaü n'a jamais vendu ni loué le champ ? À moins que le document ne se soit perdu ou que l'infiltration de la pluie dans les archives n'en ait fait de la bouillie ?

De toute évidence, imprimer un document dans l'argile ne suffit pas à garantir un traitement de données efficace, exact et commode. Cela requiert des méthodes d'organisation comme des catalogues, des méthodes de reproduction comme des machines à photocopier, des méthodes rapides et précises pour retrouver le document en question (des algorithmes d'ordinateur), mais aussi des bibliothécaires pédants (et enjoués, il faut l'espérer) qui sachent s'en servir.

Inventer de telles méthodes s'est révélé bien plus difficile que d'inventer l'écriture. De nombreux systèmes d'écriture se développèrent indépendamment au sein de cultures éloignées les unes des autres dans le temps et dans l'espace. Chaque décennie, les archéologues découvrent d'autres écritures oubliées. Certaines pourraient même être plus anciennes que les marques sumériennes dans l'argile. La plupart n'en demeurent pas moins des curiosités parce que leurs inventeurs n'ont pas trouvé de moyens efficaces pour cataloguer et retrouver les informations. Ce qui distingue Sumer, mais aussi l'Égypte pharaonique, la Chine ancienne et l'Empire inca, c'est que ces cultures mirent au point de bonnes techniques d'archivage, de catalogage et de récupération des archives écrites. Elles investirent aussi dans des écoles de scribes, d'employés de bureau, de bibliothécaires et de comptables.

Un exercice d'écriture d'une école de Mésopotamie ancienne, retrouvé par des archéologues modernes, nous donne un aperçu de la vie de ces élèves, il y a 4 000 ans :

> Je suis entré et me suis assis, et le maître a lu ma tablette.
> Il a dit : « Il manque quelque chose ! »
> Et il m'a frappé.
> Un des responsables a dit : « Pourquoi as-tu ouvert la bouche sans ma permission ? »
> Et il m'a frappé.
> Le responsable des règles a dit : « Pourquoi t'es-tu levé sans ma permission ? »
> Et il m'a frappé.
> Le portier a dit : « Pourquoi sors-tu sans ma permission ? »
> Et il m'a frappé.
> Le gardien du pot de bière a dit : « Pourquoi t'es-tu servi sans ma permission ? »
> Et il m'a frappé.
> Le maître sumérien a dit : « Pourquoi as-tu parlé akkadien[1] ? »
> Et il m'a frappé.
> Mon maître a dit : « Ton écriture n'est pas bonne ! »
> Et il m'a frappé[2].

---

1. Alors même que l'akkadien était devenu la langue parlée, le sumérien demeura la langue de l'administration, et donc la langue de l'écriture. Les scribes en herbe devaient apprendre le sumérien.

2. Stephen D. Houston (éd.), *The First Writing: Script Invention as History and Process*, Cambridge, Cambridge University Press, 2004, p. 222.

Les scribes anciens apprirent non seulement à lire et à écrire, mais aussi à utiliser des catalogues, des dictionnaires, des calendriers, des formulaires et des tableaux. Ils étudièrent et assimilèrent des techniques de catalogage, de récupération et de traitement de l'information très différentes de celles du cerveau. Dans le cerveau, les données sont associées librement. Quand, avec mon épouse, je vais signer une hypothèque pour notre nouvelle maison, je me souviens du premier endroit où nous avons vécu ensemble, ce qui me rappelle notre lune de miel à la Nouvelle-Orléans, qui me rappelle les alligators, qui me font penser aux dragons, qui me rappelle *L'Anneau des Nibelungen*… Et soudain, sans même m'en rendre compte, je fredonne le *leitmotiv* de Siegfried devant l'employé de banque interloqué. Dans la bureaucratie, on se doit de séparer les choses. Un tiroir pour les hypothèques de la maison, un autre pour les certificats de mariage, un troisième pour les impôts et un quatrième pour les procès. Comment retrouver quoi que ce soit autrement ? Ce qui entre dans plus d'un tiroir, comme les drames wagnériens (dois-je les ranger dans la rubrique « musique » ou « théâtre », voire inventer carrément une nouvelle catégorie ?), est un terrible casse-tête. On n'en a donc jamais fini d'ajouter, de supprimer et de réorganiser des tiroirs.

Pour que ça marche, les gens qui gèrent ce système de tiroirs doivent être reprogrammés afin qu'ils cessent de penser en humains et se mettent à penser en employés de bureau et en comptables. Depuis les temps les plus anciens jusqu'à aujourd'hui, tout le monde le sait : les employés de bureau et les comptables ne pensent pas en êtres humains. Ils pensent comme on remplit des dossiers. Ce n'est pas leur faute. S'ils ne pensent pas comme ça, leurs tiroirs seront tout mélangés, et ils seront incapables de rendre les services que leur administration, leur société ou leur organisation demande. Tel est précisément l'impact le plus important de l'écriture sur l'histoire humaine : elle a progressivement changé la façon dont les hommes pensent et voient le monde. Libre association et pensée holiste ont laissé la place au compartimentage et à la bureaucratie.

LE LANGAGE DES CHIFFRES

Au fil des siècles, les méthodes bureaucratiques de traitement des données devinrent toujours plus différentes des façons naturelles de penser – et toujours plus importantes. Une étape critique se situe avant le IXᵉ siècle de notre ère, avec l'invention d'une nouvelle écriture partielle capable de stocker et de traiter des données mathématiques avec une efficacité sans précédent. Cette écriture partielle se composait de dix signes, représentant les chiffres de 0 à 9. Chose assez déroutante, ces signes sont connus sous l'appellation de chiffres arabes, alors même qu'ils sont une invention des Hindous (pour ajouter encore à la confusion, les Arabes modernes emploient une série de chiffres qui semblent très différents des chiffres occidentaux). Mais c'est au crédit des Arabes qu'on en a porté la paternité parce que, quand ils ont envahi l'Inde, ils ont découvert le système, en ont compris l'utilité, l'ont élaboré et l'ont diffusé au Moyen-Orient et en Europe. Divers autres signes sont ensuite venus s'ajouter aux chiffres arabes (ainsi des signes pour l'addition, la soustraction et la multiplication), créant la base de la notation mathématique moderne.

Bien qu'il demeure une écriture partielle, ce système est devenu le langage dominant du monde. Qu'ils parlent arabe, hindi, anglais ou norvégien, la quasi-totalité des États, entreprises, organisations et institutions utilisent l'écriture mathématique pour enregistrer et traiter les données. Toute bribe d'information susceptible d'être traduite en écriture mathématique est stockée, diffusée et traitée à une vitesse et avec une efficacité confondantes.

Qui souhaite influencer les décisions des gouvernements, des organisations et des entreprises doit donc apprendre à parler chiffres. Les experts font même de leur mieux pour traduire en chiffres des idées comme «la pauvreté», «le bonheur» et «l'honnêteté»: ainsi du «seuil de pauvreté», des «niveaux subjectifs de bien-être» et de la «réputation de solvabilité». Des domaines entiers du savoir, comme la physique et l'*engineering*, ont déjà perdu quasiment tout contact avec le langage humain parlé et ne connaissent que l'écriture économique.

$$\ddot{\mathbf{r}}_i = \sum_{j \neq i} \frac{\mu_j \left(\mathbf{r}_j - \mathbf{r}_i\right)}{r_{ij}^3} \left\{ 1 - \frac{2(\beta + \gamma)}{c^2} \sum_{l \neq i} \frac{\mu_l}{r_{il}} - \frac{2\beta - 1}{c^2} \sum_{k \neq j} \frac{\mu_k}{r_{jk}} + \gamma \left(\frac{\dot{s}_i}{c}\right)^2 \right.$$

$$+ (1 + \gamma) \left(\frac{\dot{s}_j}{c}\right)^2 - \frac{2(1 + \gamma)}{c^2} \, \dot{\mathbf{r}}_i \cdot \dot{\mathbf{r}}_j$$

$$- \frac{3}{2c^2} \left[\frac{\left(\mathbf{r}_i - \mathbf{r}_j\right) \cdot \mathbf{r}_j}{r_{ij}}\right]^2 + \frac{1}{2c^2} \left(\mathbf{r}_j - \mathbf{r}_i\right) \cdot \ddot{\mathbf{r}}_j \right\}$$

$$+ \frac{1}{c^2} \sum_{j \neq i} \frac{\mu_i}{r_{ij}^3} \left\{ \left[\mathbf{r}_i - \mathbf{r}_j\right] \right.$$

$$\cdot \left[(2 + 2\gamma) \, \dot{r}_i - (1 + 2\gamma) \, \dot{r}_j\right] \right\} \left(\dot{\mathbf{r}}_i - \dot{\mathbf{r}}_j\right)$$

$$+ \frac{3 + 4\gamma}{2c^2} \sum_{j \neq i} \frac{\mu_j \ddot{\mathbf{r}}_j}{r_{ij}}$$

Une équation pour calculer l'accélération de la masse i sous l'influence de la gravité, selon la théorie de la Relativité. Quand ils voient une équation de ce genre, la plupart des profanes paniquent et se figent, tel un cerf pris dans les phares d'un bolide. C'est une réaction parfaitement naturelle, qui ne trahit ni incuriosité ni manque d'intelligence. À de rares exceptions près, les cerveaux humains sont simplement incapables de penser avec des concepts comme la relativité et la mécanique quantique. Si les physiciens y parviennent néanmoins, c'est qu'ils délaissent la façon de penser traditionnelle et apprennent à penser à nouveaux frais en s'aidant de systèmes de traitement de données externes. Des pans cruciaux de leur processus de pensée ne se déroulent pas dans la tête, mais à l'intérieur d'ordinateurs ou sur des tableaux noirs en salle de classe.

Plus près de nous, l'écriture mathématique a donné naissance à un système d'écriture encore plus révolutionnaire : une écriture binaire informatisée qui ne consiste qu'en deux signes : 0 et 1. Tous les mots que je tape à cet instant sur mon clavier sont écrits par mon ordinateur avec des combinaisons différentes de 0 et 1.

*

À sa naissance, l'écriture était la servante de la conscience humaine ; de plus en plus, elle en est la maîtresse. Nos ordinateurs ont du mal à comprendre comment *Homo sapiens* parle, sent et rêve. Aussi apprenons-nous à *Homo sapiens* à parler, sentir et rêver dans le langage des chiffres, que comprend l'ordinateur.

Et ce n'est pas la fin de l'histoire. Le domaine de l'intelligence artificielle s'efforce de créer une nouvelle espèce d'intelligence exclusivement fondée sur l'écriture binaire des ordinateurs. Des films de science-fiction comme *Matrix* et *Terminator* parlent d'un jour où l'humanité sera sous le joug de l'écriture binaire. Quand les hommes essaient de reprendre le contrôle de l'écriture rebelle, elle se venge en essayant de balayer l'espèce humaine.

8.

Il n'y a pas de justice dans l'histoire

Comprendre l'histoire humaine dans les millénaires qui suivirent la Révolution agricole revient à répondre à une seule question : comment les hommes se sont-ils organisés en réseaux de coopération de masse, alors que leur manquaient les instincts biologiques nécessaires pour entretenir de tels réseaux ? La réponse courte est qu'ils créèrent des ordres imaginaires et inventèrent des écritures. Ces deux inventions comblèrent les vides laissés par notre héritage biologique.

Pour beaucoup, cependant, l'apparition de ces réseaux fut une bénédiction douteuse. Les ordres imaginaires qui supportaient ces réseaux n'étaient ni neutres ni justes. Ils divisèrent les gens en semblants de groupes hiérarchiquement organisés. Aux couches supérieures, les privilèges et le pouvoir, tandis que les couches inférieures souffraient de discrimination et d'oppression. Le code d'Hammurabi, par exemple, instaurait un ordre de préséance avec des supérieurs, des gens du commun et des esclaves. Les supérieurs avaient toutes les bonnes choses ; le commun devait se contenter des restes. Les esclaves étaient roués de coups s'ils se plaignaient.

Malgré sa proclamation de l'égalité de tous les hommes, l'ordre imaginaire instauré par les Américains en 1776 établit également une hiérarchie. Il créa une hiérarchie entre les hommes, qui en bénéficiaient, et les femmes, qu'il laissa démunies ; mais aussi entre Blancs, qui jouissaient de la liberté, et Noirs et Indiens d'Amérique, considérés comme des hommes inférieurs qui ne pouvaient donc pas se prévaloir des droits égaux des hommes. Nombre des signataires de la Déclaration d'indépendance avaient des esclaves. Ils ne leur donnèrent pas la liberté à la signature, et ne se considéraient pas non plus comme des hypocrites. Dans leur idée, les droits des *hommes* n'avaient pas grand-chose à voir avec les Noirs.

L'ordre américain consacra également la hiérarchie entre riches et pauvres. En ce temps-là, l'inégalité liée au fait que les parents fortunés transmettaient leur argent et leurs affaires à leurs enfants ne choquait guère la plupart des Américains. Dans leur idée, l'égalité signifiait simplement que les mêmes lois valaient pour les riches et les pauvres. Rien à voir avec les indemnités de chômage, l'intégration scolaire ou l'assurance-maladie. La liberté avait aussi de tout autres connotations qu'aujourd'hui. En 1776, elle ne signifiait pas que les sans-pouvoir (certainement pas les Noirs ou les Indiens ou, qu'à Dieu ne plaise, les femmes) pouvaient conquérir et exercer le pouvoir. Elle voulait dire simplement que, sauf circonstances exceptionnelles, l'État ne pouvait confisquer les biens d'un citoyen ni lui dicter ce qu'il devait en faire. Ce faisant, l'ordre américain soutenait la hiérarchie de la richesse, que d'aucuns croyaient envoyée par Dieu, quand d'autres y voyaient l'expression des lois immuables de la nature. La nature, assurait-on, récompensait le mérite par la richesse et pénalisait l'indolence.

Toutes ces distinctions – entre personnes libres et esclaves, entre Blancs et Noirs, entre riches et pauvres – s'enracinent dans des fictions. (On reviendra sur la hiérarchie hommes-femmes.) Une des règles d'airain de l'histoire est que toute hiérarchie imaginaire désavoue ses origines fictionnelles et se prétend naturelle et inévitable. Ainsi, nombre de ceux qui estimaient naturelle et correcte la hiérarchie des hommes libres et des esclaves ont prétendu que l'esclavage n'était pas une invention humaine. Hammurabi la pensait ordonnée par les dieux. Selon Aristote, les esclaves ont une « nature servile » tandis que les hommes libres ont une « nature libre ». Leur place dans la société n'est qu'un reflet de leur nature intime.

Interrogez les tenants de la suprématie blanche sur la hiérarchie raciale et ils vous serviront une leçon pseudo-scientifique sur les différences biologiques entre les races. Vraisemblablement vous dira-t-on que, dans le sang ou les gènes caucasiens, quelque chose rend les Blancs naturellement plus intelligents, plus moraux et plus assidus au travail. Interrogez un capitaliste endurci sur la hiérarchie de la richesse, et il vous expliquera probablement qu'elle est le fruit inévitable de différences objectives de capacités. Dans son idée, les riches ont plus d'argent, parce qu'ils sont plus capables et plus diligents. Il n'y a donc pas à s'inquiéter que les nantis jouissent de meilleurs soins ou d'une éducation et d'une alimentation meilleures. Les riches méritent amplement tous les avantages dont ils jouissent.

Les Hindous qui adhèrent au système des castes pensent que ce sont des forces cosmiques qui ont rendu une caste supérieure à une autre. Selon un mythe de la création hindou bien connu, les dieux ont façonné le monde à partir du corps d'un être primordial, le Purusa. Le soleil a été fait avec son œil, la lune avec son cerveau, les Brahmines (prêtres) à partir de sa bouche, les Ksatriyas (guerriers) avec ses bras, les Vaisyas (paysans et marchands) avec ses cuisses, et les Sûdras (serviteurs) avec ses jambes. Acceptez cette explication, et les différences sociopolitiques entre Brahmines et Sûdras sont aussi naturelles et éternelles que les différences entre le soleil et la lune[1]. Les anciens Chinois croyaient que, quand elle créa les hommes avec la terre, la déesse Nüwa pétrit les aristocrates dans une belle argile jaune, et les gens du commun dans de la boue brune[2].

Or, pour autant que nous puissions le savoir, toutes ces hiérarchies sont le produit de l'imagination humaine. Les dieux n'ont pas créé Brahmines et Sûdras à partir de parties différentes d'un être primordial. La distinction entre deux castes est plutôt le fait de lois et de normes inventées par les hommes en Inde du Nord il y a environ 3 000 ans. N'en déplaise à Aristote, il n'existe aucune différence biologique avérée entre esclaves et hommes libres. Ce sont les lois et les normes des hommes qui ont fait des uns des esclaves et des

---

1. Sheldon Pollock, « Axialism and Empire », in Johann P. Arnason, S. N. Eisenstadt et Björn Wittrock, *Axial Civilizations and World History*, Leyde, Brill, 2005, p. 397-451.
2. Harold M. Tanner, *China : A History*, Indianapolis, Hackett, Pub. Co., 2009, p. 34.

autres des maîtres. Entre Noirs et Blancs existent des différences biologiques objectives comme la couleur de la peau et les types de cheveux, mais rien ne prouve que les différences s'étendent à l'intelligence ou à la morale.

La plupart des sociétés prétendent que leur hiérarchie sociale est naturelle et juste, mais que celles des autres se fondent sur des critères faux et ridicules. Les Occidentaux modernes ont appris à se moquer de l'idée de hiérarchie raciale. Ils sont choqués par les lois qui interdisent aux Noirs d'habiter les quartiers blancs, ou d'étudier dans des écoles blanches, ou d'être traités dans des hôpitaux blancs. Mais la hiérarchie des riches et des pauvres, qui oblige les riches à vivre dans des quartiers à part, plus luxueux, à étudier dans des écoles réservées et plus prestigieuses, ou à suivre un traitement médical dans des cliniques distinctes, mieux équipées, semble parfaitement justifiée aux yeux de beaucoup d'Américains et d'Européens. Or, il est prouvé que la plupart des riches sont riches pour la simple raison qu'ils sont nés dans une famille riche, alors que la plupart des pauvres resteront pauvres tout au long de leur vie pour la simple raison qu'ils sont nés dans une famille pauvre.

*

Malheureusement, les sociétés humaines complexes paraissent nécessiter des hiérarchies imaginaires et une discrimination injuste. Bien entendu, toutes les hiérarchies ne sont pas moralement identiques, et certaines sociétés ont souffert de formes de discrimination plus extrêmes que d'autres, mais les chercheurs savent qu'aucune grande société n'a pu se passer de toute discrimination. Les hommes n'ont cessé de créer l'ordre dans leurs sociétés en classant la population en catégories imaginaires du style supérieurs, roturiers et esclaves ; Blancs et Noirs ; patriciens et plébéiens ; Brahmines et Sûdras ; ou riches et pauvres. Ces catégories ont régi les relations entre des millions d'individus en rendant certains hommes légalement, politiquement ou socialement supérieurs aux autres.

Les hiérarchies remplissent une fonction importante. Elles permettent à de parfaits inconnus de se faire plaisir les uns les autres sans dépenser du temps et de l'énergie à faire personnellement connaissance. Dans la pièce de Bernard Shaw, *Pygmalion*, Henry Higgins n'a aucunement besoin de se lier intimement avec Eliza Doolittle pour savoir comment se conduire avec elle. Il lui suffit de l'entendre parler pour savoir qu'elle est d'une classe défavorisée et qu'il peut en faire ce qu'il veut : par exemple, l'utiliser comme gage dans son pari de faire passer une petite marchande de fleurs pour une duchesse. Une Eliza moderne qui travaille chez un fleuriste doit savoir les efforts qu'elle doit accomplir pour vendre des roses et des glaïeuls aux douzaines de clients qui entrent dans la boutique tous les jours. Elle ne saurait faire une enquête détaillée sur les goûts et le portefeuille de chacun. Elle se fonde plutôt sur des indices sociaux : la manière dont chacun est habillé, son âge et, si elle n'est pas politiquement correcte, la couleur de sa peau. C'est ainsi qu'elle reconnaît immédiatement l'associé du cabinet comptable, qui va probablement passer une grosse commande de roses coûteuses, du garçon de course qui a un dollar pour un bouquet de marguerites.

Bien entendu, les différences de capacités naturelles jouent aussi un rôle dans la formation des distinctions sociales. Mais ces diversités d'aptitudes et de caractère passent habituellement par des hiérarchies imaginaires. Cela se produit de deux manières importantes. Avant toute chose, la plupart des capacités ont besoin de mûrir et de se développer. Même si quelqu'un est né avec un talent particulier, celui-ci demeurera généralement latent s'il n'est pas encouragé, entretenu et cultivé. Tout le monde ne reçoit pas les mêmes chances de cultiver et d'affiner ses capacités. Que l'occasion soit donnée de le faire dépendra habituellement de la place de chacun dans la hiérarchie imaginaire de sa société. Harry Potter en est un bon exemple. Retiré de son éminente famille de magiciens et élevé par des moldus ignares, il arrive à Poudlard sans la moindre expérience de la magie. Il lui faut sept livres pour être en pleine possession de ses pouvoirs et connaître ses capacités uniques.

Ensuite, même si les personnes appartenant à des classes différentes développent exactement les mêmes capacités, il est peu probable qu'elles connaissent un succès égal parce qu'elles devront jouer le jeu avec des règles différentes. Imaginons, dans l'Inde sous domination britannique, un Intouchable, un Brahmine, un Irlandais catholique et un Anglais protestant qui auraient acquis exactement la même acuité en affaires : ils n'auraient pas eu les mêmes chances de s'enrichir. Le jeu économique était faussé par des restrictions juridiques et des plafonds de verre officieux.

LE CERCLE VICIEUX

Toutes les sociétés reposent sur des hiérarchies imaginaires, mais pas nécessairement sur les mêmes. À quoi tiennent les différences ? Pourquoi la société indienne industrielle classait-elle les gens en castes, la société ottomane selon la religion et la société américaine selon la race ? Dans la plupart des cas, la hiérarchie est née d'un ensemble de circonstances historiques accidentelles puis s'est perpétuée et raffinée au fil des générations, les différents groupes cultivant leurs intérêts acquis.

Par exemple, beaucoup de chercheurs conjecturent que le système de castes hindou a pris forme voici 3 000 ans quand les Indo-Aryens envahirent le sous-continent indien et assujettirent la population locale. Les envahisseurs établirent une société stratifiée où ils se réservèrent, naturellement, les positions dirigeantes (prêtres et guerriers), reléguant les indigènes aux rangs de serviteurs et d'esclaves. Peu nombreux, les envahisseurs redoutaient de perdre leur statut privilégié et leur identité unique. Pour prévenir ce danger, ils divisèrent la population en castes, chacune étant appelée à exercer une activité spécifique et à jouer un rôle précis dans la société. Chacune avait son statut, ses privilèges et ses devoirs. Le mélange des castes – relations sociales, mariage, voire partage des repas – était interdit. Et, loin de rester simplement légales, les distinctions devinrent une partie inhérente de la mythologie et de la pratique religieuses.

Les dirigeants prétendirent que le système des castes reflétait une réalité cosmique éternelle, plutôt qu'un phénomène historique aléatoire. Éléments essentiels de la religion hindoue, les concepts de pureté et d'impureté furent mis à contribution pour étayer la pyramide sociale. Les Hindous pieux apprirent que tout contact avec les membres d'une caste différente pouvait les polluer personnellement et, avec eux, l'ensemble de la société. Ils devaient donc les fuir comme une abomination. Les idées de ce genre ne sont pas l'apanage des Hindous. Tout au long de l'histoire, et dans la quasi-totalité des sociétés, les concepts de pollution et de pureté ont joué un rôle décisif dans la mise en œuvre de divisions sociales et politiques, et de nombreuses classes dirigeantes les ont exploités afin de maintenir leurs privilèges. La peur de la pollution n'est cependant pas entièrement une fabrication de prêtres et de princes. Elle s'enracine dans des mécanismes de survie biologique qui nourrissent chez les hommes une révulsion instinctive envers les porteurs de maladie potentiels comme les malades et les cadavres. Si vous voulez isoler un groupe humain – femmes, Juifs, Roms, gays ou Noirs –, le mieux est de convaincre tout le monde que ces gens-là sont une source de pollution.

Le système hindou de castes et les lois de pureté qui l'accompagnent se sont profondément enracinés dans la culture indienne. Longtemps après que l'invasion indo-aryenne eut été oubliée, les Indiens continuèrent de croire au système des castes et à abominer la pollution causée par les mélanges. Les castes n'étaient pas pour autant à l'abri du changement. En fait, avec le temps, elles se divisèrent en sous-castes. Les quatre castes d'origine finirent par donner 3 000 groupes différents, les *jâti* (littéralement, « naissance »). Mais cette prolifération ne changea pas le principe de base du système, selon lequel toute personne naît dans un rang particulier, et toute infraction à ses règles pollue la personne elle-même et la société dans son ensemble. La *jâti* d'une personne détermine sa profession, ce qu'elle peut manger, son lieu de résidence et qui elle peut épouser. Habituellement, on ne peut se marier que dans sa caste, et les enfants héritent de ce même statut.

Chaque fois qu'une nouvelle profession s'est constituée ou qu'un nouveau groupe est entré en scène, ses membres ont dû être reconnus comme une caste afin de recevoir une place légitime dans la société hindoue. Les groupes incapables d'obtenir une reconnaissance en tant que caste étaient littéralement des hors-castes : dans cette société stratifiée, ils n'occupaient pas même l'échelon le plus bas. On devait les connaître sous le nom d'Intouchables. Il leur fallait vivre à l'écart des autres, condamnés à vivoter de manière humiliante et répugnante, souvent en triant les ordures. Même les membres des castes les plus basses ont évité de frayer ou de manger avec eux, d'être en contact et assurément de se marier avec eux. Dans l'Inde moderne, les questions de mariage et de travail restent très fortement influencées par le système des castes malgré tous les efforts du gouvernement démocratique pour briser ces distinctions et convaincre les Hindous que le mélange des castes ne pollue pas[1].

PURETÉ EN AMÉRIQUE

Un cercle vicieux analogue s'est perpétué dans la hiérarchie raciale de l'Amérique moderne. Du XVIe au XVIIIe siècle, les conquérants européens importèrent des millions d'esclaves africains pour les faire travailler dans les mines ou sur les plantations d'Amérique. Trois facteurs circonstanciels les amenèrent à importer des esclaves d'Afrique plutôt que d'Europe ou d'Asie de l'Est. Premièrement, l'Afrique était plus proche : il était donc moins coûteux d'importer des esclaves du Sénégal que du Viêtnam.

Deuxièmement, il existait déjà en Afrique un commerce d'esclaves bien développé (exportant surtout des esclaves vers le Moyen-Orient), alors qu'en Europe l'esclavage était très rare. De toute évidence, il était bien plus facile d'acheter des esclaves sur un marché existant que d'en créer un de toutes pièces.

Troisièmement, et c'est l'élément le plus important, les plantations américaines de Virginie, d'Haïti ou du Brésil étaient infectées par la malaria (paludisme) et la fièvre jaune, originaires d'Afrique. Or, au fil des générations, les Africains avaient acquis une immunité génétique partielle à ces maladies, qui faisaient des ravages parmi les Européens totalement sans défense. Pour un planteur, il était donc plus sage d'investir dans un esclave africain que dans un

---

1. Ramesh Chandra, *Identity and Genesis of Caste System in India*, Delhi, Kalpaz Publications, 2005 ; Michael Bamshad *et al.*, « Genetic Evidence on the Origins of Indian Caste Population », *Genome Research*, 11, 2001, p. 904-1004 ; Susan Bayly, *Caste, Society and Politics in India from the Eighteenth Century to the Modern Age*, Cambridge, Cambridge University Press, 1999.

esclave ou un travailleur sous contrat européen. Paradoxalement, la supériorité génétique (en termes d'immunité) se traduisit en infériorité sociale : précisément parce qu'ils étaient mieux adaptés aux climats tropicaux que les Européens, les Africains finirent comme esclaves de maîtres européens ! En raison de ces facteurs circonstanciels, les nouvelles sociétés foisonnantes d'Amérique allaient être divisées en une caste dirigeante d'Européens blancs et une caste asservie de Noirs africains.

Or, les gens n'aiment pas dire qu'ils gardent des esclaves de telle race ou de telle origine pour la simple raison que c'est économiquement expédient. Comme les conquérants aryens de l'Inde, les Européens blancs d'Amérique voulaient voir reconnue leur réussite économique, mais aussi passer pour des hommes pieux, justes et objectifs. Mythes religieux et scientifiques furent donc mis à contribution afin de justifier cette division. Des théologiens affirmèrent que les Africains descendaient de Cham, fils de Noé, maudit par son père qui lui promit une descendance d'esclaves. Des biologistes prétendirent que les Noirs étaient moins intelligents que les Blancs, et leur sens moral moins développé. Des médecins assurèrent que les Noirs vivaient dans la crasse et propageaient des maladies : autrement dit, ils étaient une source de pollution.

Ces mythes touchèrent une corde sensible dans la culture américaine et, plus généralement, occidentale. Ils continuèrent d'exercer leur influence bien après que les conditions à l'origine de l'esclavage eurent disparu. À l'aube du XIXe siècle, la Grande-Bretagne impériale abolit l'esclavage et arrêta le trafic d'esclaves transatlantique ; au fil des décennies suivantes, l'esclavage fut progressivement interdit sur tout le continent américain. En particulier, ce fut la première et seule fois de l'histoire que des sociétés esclavagistes abolirent l'esclavage. Alors même que les esclaves furent libérés, les mythes racistes justifiant l'esclavage persistèrent. Une législation et des usages sociaux racistes perpétuèrent la ségrégation.

Il en résulta un cycle de causes et d'effets qui se renforça de lui-même : un cercle vicieux. Prenons l'exemple du sud des États-Unis au lendemain de la guerre de Sécession. En 1865, le 13e amendement de la Constitution interdit l'esclavage, et le 14e décida qu'on ne pouvait invoquer la race pour refuser à quiconque la citoyenneté et la protection égale de la loi. Toutefois, du fait de deux siècles d'esclavage, la plupart des familles noires étaient bien plus pauvres et bien moins instruites que la plupart des familles blanches. Un Noir né en Alabama en 1865 avait donc bien moins de chances de recevoir une bonne éducation et de trouver un travail bien rémunéré que ses voisins blancs. Nés dans les années 1880-1890, ses enfants débutèrent avec le même handicap puisque nés dans une famille pauvre et sans éducation.

Mais tout ne se réduit pas au handicap économique. En Alabama vivaient également beaucoup de Blancs pauvres privés des chances offertes à leurs frères et sœurs de race mieux pourvus. De plus, la Révolution industrielle et les vagues d'immigration firent des États-Unis une société extrêmement fluide où les guenilles pouvaient aisément se transformer en richesses. Si l'argent avait été la seule chose qui comptât, la division tranchée entre les races aurait tôt fait de se brouiller, ne serait-ce qu'à travers les mariages mixtes.

Or, il n'en fut rien. En 1865, les Blancs, comme beaucoup de Noirs, voulurent croire que, de fait, les Noirs étaient moins intelligents, plus violents et plus lubriques, plus paresseux et moins soucieux d'hygiène personnelle que les Blancs. Ils étaient donc des agents de violence, de vol ou de viol et de maladie : en un mot, de pollution. Si, en 1895, un Noir d'Alabama parvenait miraculeusement à recevoir une bonne éducation puis sollicitait une place respectable de caissier dans une banque, ses chances d'être accepté étaient très inférieures à celles d'un candidat blanc aux mêmes qualifications. Jouait contre les Noirs le stigmate qui faisait d'eux des êtres naturellement peu fiables, paresseux et moins intelligents.

On aurait pu croire que les gens comprendraient progressivement que ces stigmates n'étaient qu'un mythe et que, le temps passant, les Noirs pourraient prouver qu'ils étaient aussi compétents, respectueux de la loi et propres que les Blancs. En réalité, c'est le contraire qui se produisit : les préjugés ne firent que s'enraciner. Les meilleurs emplois étant entre les mains des Blancs, il devint plus facile de croire que les Noirs étaient réellement inférieurs. « Vous voyez bien, observait le Blanc moyen, cela fait des générations que les Noirs sont libres, et il n'y a pour ainsi dire pas de professeurs, d'avocats, de médecins ni même de caissiers noirs. N'est-ce pas la preuve que les Noirs sont tout simplement moins intelligents et moins travailleurs ? » Piégés dans ce cercle vicieux, les Noirs n'étaient pas recrutés à des postes de cols blancs parce qu'ils étaient réputés inintelligents. La preuve de leur infériorité ? Il y avait très peu de Noirs à des postes de cols blancs.

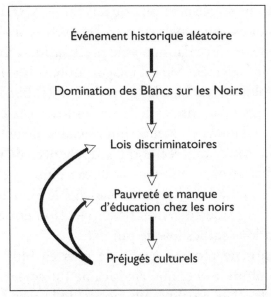

Le cercle vicieux : une situation historique
aléatoire est traduite en un système social rigide.

Le cercle vicieux ne s'est pas arrêté là. Les stigmates anti-Noirs se renforçant, ils se traduisirent en un système de lois et de normes dit « Jim Crow » destinées à préserver l'ordre racial. Interdiction était faite aux Noirs de voter, d'étudier dans les écoles blanches, d'aller dans les magasins, les restaurants ou les hôtels fréquentés par des Blancs. La justification était toujours la même : les Noirs étaient immondes, paresseux et vicieux, si bien qu'il fallait en protéger les Blancs. Par peur de la maladie, les Blancs ne voulaient pas dormir dans les mêmes hôtels que les Noirs, ni manger dans les mêmes restaurants. Ils ne voulaient pas que leurs enfants apprennent dans la même école que les Noirs par peur de la brutalité et des mauvaises influences. Ils ne voulaient pas que les Noirs votent, puisqu'ils étaient ignares et immoraux. Ces peurs pouvaient se prévaloir d'études scientifiques qui « prouvaient » que les Noirs étaient effectivement moins éduqués, que diverses maladies étaient plus répandues parmi eux et que le taux de criminalité était bien plus élevé (ces études feignant d'ignorer que ces « faits » *résultaient* de la discrimination contre les Noirs).

Au milieu du XXᵉ siècle, la ségrégation dans les anciens États confédérés était probablement pire qu'à la fin du XIXᵉ siècle. Clennon King, l'étudiant noir qui voulut entrer à l'Université du Mississippi en 1958, fut interné de force dans un asile psychiatrique. Le juge trancha qu'un Noir était forcément fou s'il imaginait pouvoir y être admis.

Rien ne révoltait davantage les gens du Sud (et beaucoup de gens du Nord) que les relations sexuelles et les mariages entre Noirs et Blanches. Les relations sexuelles interraciales devinrent le tabou suprême ; toute violation, réelle ou soupçonnée, méritait un châtiment immédiat et expéditif sous la forme d'un lynchage. Société secrète de défense de la suprématie blanche, le Ku Klux Klan multiplia les exécutions de ce genre. Ils auraient pu en remontrer aux Brahmines hindous sur les lois de pureté.

Avec le temps, le racisme gagna de plus en plus de domaines culturels. La culture esthétique américaine fut construite d'étalons de beauté blancs. Les attributs physiques de la race blanche – par exemple la peau claire, les cheveux raides et blonds et un petit nez retroussé – devinrent le canon de la beauté. Les traits typiques des Noirs – peau noire, cheveux noirs et crépus, nez aplati – étaient réputés laids. Ces préjugés enracinèrent la hiérarchie imaginaire à un niveau de conscience humaine encore plus profond.

De tels cercles vicieux peuvent durer des siècles, voire des millénaires, prolongeant une hiérarchie imaginaire née d'un événement historique aléatoire. Loin de s'atténuer, les discriminations injustes empirent souvent avec le temps. L'argent va à l'argent, la pauvreté entretient la pauvreté. L'éducation profite à l'éducation, l'ignorance perpétue l'ignorance. Les victimes de l'histoire ont toutes les chances d'être de nouveau victimisées. Et les privilégiés de l'histoire ont toutes les chances d'être à nouveau privilégiés.

La plupart des hiérarchies sociopolitiques manquent d'une base logique ou biologique : elles ne font que perpétuer des hasards entretenus par des mythes. C'est une bonne raison d'étudier l'histoire. Si la division en Noirs et Blancs, ou Brahmines et Sûdras, s'enracinait dans des réalités biologiques – si les Brahmines avaient vraiment de meilleurs cerveaux que les Sûdras –, la biologie suffirait pour comprendre la société humaine. Comme les distinctions biologiques entre les différents groupes d'*Homo sapiens* sont en fait négligeables, la biologie ne saurait expliquer ni les complications de la société indienne ni la dynamique raciale de l'Amérique. Nous ne saurions comprendre ces phénomènes qu'en étudiant les événements, les circonstances et les rapports de force qui transformèrent les caprices de l'imagination en structures sociales cruelles – et bien réelles.

LUI ET ELLE

Les différentes sociétés adoptent des hiérarchies imaginaires de natures différentes. Si la race est très importante pour les Américains modernes, elle était relativement insignifiante pour les musulmans du Moyen Âge. Dans l'Inde médiévale, la caste était affaire de vie et de mort, alors qu'elle est quasi inexistante dans l'Europe moderne. Dans toutes les sociétés humaines, il était cependant une hiérarchie d'une importance suprême : la hiérarchie des sexes ou des genres. Les gens étaient partout divisés en hommes et en femmes. Et partout, les hommes ont eu la meilleure part, au moins depuis la Révolution agricole.

Parmi les textes chinois les plus anciens se trouvent des os oraculaires, datant de 1200 avant notre ère et employés à des fins de divination. Sur l'un d'eux était gravée la question : « La grossesse de Dame Hao sera-t-elle heureuse ? » Suivait cette réponse : « Si l'enfant naît un jour *ding*, heureuse ; un jour *geng*, très favorable. » Or, Dame Hao devait accoucher un jour *jiayin*. Le texte se termine par une observation morose : « Trois semaines et un jour plus tard, jour *jiayin*, l'enfant est né. Pas de chance. Une fille[1]. » Plus de 3 000 ans après, quand la

---

1. Houston, *The First Writing*, p. 196.

Chine communiste mit en œuvre sa politique de l'«enfant unique»,
beaucoup de familles chinoises tenaient encore la naissance d'une
fille pour un malheur, au point, parfois, d'abandonner ou de tuer
les filles à la naissance pour essayer d'avoir un garçon la fois suivante.

Dans beaucoup de sociétés, les femmes étaient purement et simplement la propriété des hommes – le plus souvent de leurs pères,
de leurs maris ou de leurs frères. Dans beaucoup de systèmes juridiques, le viol entre dans la catégorie des violations de propriété :
autrement dit, la victime n'est pas la femme qui est violée, mais le
mâle qui la possède. Dès lors, le remède prévu par la loi était un
transfert de propriété : le violeur devait payer le prix d'une épouse
au père ou au frère de la femme – sur quoi, elle devenait la propriété
du violeur. La Bible décrète ainsi : «Si un homme rencontre une
jeune fille vierge qui n'est pas fiancée, s'en empare et couche avec
elle, et qu'on les prend sur le fait, alors l'homme qui a couché avec
la jeune fille donnera au père de celle-ci cinquante sicles d'argent ;
puisqu'il l'a possédée, elle sera sa femme» (Deutéronome, 22,28-
29). Les anciens Hébreux estimaient l'arrangement raisonnable.

Violer une femme qui n'appartenait pas à un homme n'était pas
considéré comme un crime, de même que ramasser une pièce perdue
dans une rue passante n'était pas un vol. Un mari qui violait sa femme
ne commettait pas de crime. De fait, l'idée qu'un mari pût violer sa
femme tenait de l'oxymore. Être un mari, c'était être le maître absolu
de la sexualité de son épouse. Dire qu'un mari «violait» sa femme
était aussi illogique que dire qu'il volait son propre portefeuille. Cette
façon de penser n'était pas l'apanage du Moyen-Orient ancien. En
2006, on dénombrait encore 53 pays où un mari ne pouvait être poursuivi pour le viol de sa femme. Même en Allemagne, la législation
n'a été amendée qu'en 1997 pour créer une catégorie de viol conjugal[1].

*

La division en hommes et femmes est-elle un produit de l'imagination, comme le système des castes en Inde et le système des races

---

1. The Secretary-General, United Nations, *Report of the Secretary-General on the
In-depth Study on All Forms of Violence Against Women*, prononcé devant l'Assem-
blée générale, U.N. Doc. A/16/122/Add.1 (6 juillet 2006), p. 89.

en Amérique, ou s'agit-il d'une division naturelle avec de profondes racines biologiques ? Et si c'est bien une division biologique, y a-t-il aussi des explications biologiques à la préférence donnée aux hommes sur les femmes ?

Une partie des disparités culturelles, juridiques et politiques entre hommes et femmes reflète les différences biologiques évidentes entre les sexes. Mettre les enfants au monde a toujours été le travail des femmes, parce que les hommes n'ont pas de matrice. Autour de ce noyau universel, pourtant, chaque société accumula couche sur couche des idées et des normes culturelles qui n'ont pas grand-chose à voir avec la biologie. Les sociétés associent à la masculinité et à la féminité une multitude d'attributs qui, pour la plupart, n'ont pas de base biologique solide.

Dans la démocratie athénienne du Ve siècle avant notre ère, par exemple, un individu possesseur d'un utérus n'avait pas de statut juridique indépendant, et interdiction lui était faite de participer aux assemblées populaires ou d'être juge. À de rares exceptions près, cet individu ne pouvait bénéficier d'une bonne éducation ni se lancer dans les affaires ou dans un discours philosophique. Aucun des dirigeants politiques d'Athènes, aucun de ses grands philosophes, orateurs, artistes ou marchands n'avait de matrice. Avoir une matrice rend-il biologiquement inapte à ces professions ? Les anciens Athéniens le pensaient. Les Athéniens modernes n'en croient rien. À Athènes, de nos jours, les femmes votent, sont élues à des fonctions publiques, font des discours, conçoivent toutes sortes de choses (bijoux, bâtiments ou logiciels) et vont à l'université. Leur utérus ne les empêche pas de faire ces choses avec autant de succès que les hommes. Certes, elles demeurent sous-représentées en politique et dans les affaires : le Parlement grec ne compte que 12 % de femmes. Mais il n'existe pas d'obstacle légal à leur participation à la vie politique, et la plupart des Grecs modernes estiment tout à fait normal qu'une femme assume des responsabilités publiques.

Beaucoup de Grecs modernes pensent aussi que l'attirance sexuelle vers les seules femmes est partie intégrante de la virilité, et qu'un homme ne doit avoir de relations sexuelles qu'avec le sexe opposé. Ils y voient non pas un travers culturel, mais une réalité biologique : les relations entre personnes de sexe opposé sont naturelles ; entre deux personnes de même sexe, elles sont contre nature. En réalité, cependant, Mère Nature se soucie comme d'une guigne que deux hommes soient sexuellement attirés l'un par l'autre. Ce sont les mères humaines, imprégnées d'une culture particulière, qui font une scène si leur fils a une aventure avec le garçon d'à côté. Les crises maternelles ne sont pas un impératif biologique. À commencer par la Grèce ancienne, un nombre significatif de cultures humaines ont jugé les relations homosexuelles non seulement légitimes, mais socialement constructives. L'*Iliade* ne signale pas que Thétis ait eu la moindre objection aux relations de son fils Achille avec Patrocle. La reine Olympias de Macédoine, l'une des femmes de tempérament les plus énergiques du monde antique, aurait même fait tuer son mari. En revanche, elle n'eut pas la moindre crise quand son fils, Alexandre le Grand, ramena à dîner son amant Héphaestion.

Comment distinguer ce qui est biologiquement déterminé de ce que l'on cherche simplement à justifier à travers des mythes biologiques ? « La biologie permet, la culture interdit » est une bonne règle empirique. La biologie est disposée à tolérer un très large spectre de possibles. C'est la culture qui oblige les individus à en explorer certains tout en en interdisant d'autres. La biologie permet aux femmes d'avoir des enfants, mais certaines cultures les obligent à réaliser cette possibilité. La biologie permet aux hommes de goûter ensemble aux joies du sexe : certaines cultures leur interdisent d'en profiter.

La culture a tendance à prétendre qu'elle interdit uniquement ce qui est contre nature. Dans une perspective biologique, cependant, rien n'est contre nature. Tout ce qui est possible est aussi naturel, par définition. Un comportement réellement contre nature, qui va contre les lois de la nature, ne saurait tout simplement exister, en sorte qu'il ne nécessiterait aucune interdiction. Aucune culture ne s'est jamais donné la peine d'interdire aux hommes de photosynthétiser, aux femmes de courir plus vite que la vitesse de la lumière ou aux électrons négatifs d'être attirés l'un par l'autre.

En vérité, nos idées de ce qui est « naturel » et « contre nature » ne viennent pas de la biologie, mais de la théologie chrétienne. Théologiquement, est « naturel » ce qui est « en accord avec les intentions du Dieu qui a créé la nature». Selon les théologiens chrétiens, Dieu a créé le corps humain, entendant que chaque membre et chaque organe servent une fin particulière. Si nous nous servons de nos membres et de nos organes aux fins envisagées par Dieu, c'est une activité naturelle. Les utiliser autrement est contre nature. En revanche, l'évolution n'a pas de dessein. L'évolution des organes n'a pas suivi un dessein, et leur usage est en perpétuel mouvement. Il n'est pas un seul organe du corps humain qui fasse uniquement le travail que faisait son prototype à son apparition, voici des centaines de millions d'années. Les organes évoluent afin de remplir une fonction particulière, mais dès lors qu'ils existent, ils peuvent être aussi adaptés à d'autres usages. La bouche, par exemple, est apparue parce que les tout premiers organismes multicellulaires avaient besoin d'un moyen d'ingurgiter des nutriments. Nous nous servons encore de notre bouche à cette fin, mais aussi pour embrasser, parler et, si nous sommes un Rambo, dégoupiller les grenades à main. Tous ces usages sont-ils contre nature pour la simple raison que, voici 600 millions d'années, nos vermisseaux d'ancêtres ne faisaient rien de tout cela avec leur bouche?

De même, les ailes ne sont pas apparues du jour au lendemain dans toute leur gloire aérodynamique. Elles se sont développées à partir d'organes qui avaient une autre fin. Suivant une théorie, les ailes des insectes se sont développées voici des millions d'années à partir des protubérances de bestioles sans ailes. Les insectes pourvus de bosse avaient une surface plus grande que les autres, ce qui leur permettait d'absorber davantage la lumière du soleil et de rester plus chauds. Au fil d'un lent processus évolutif, ces radiateurs solaires virent leur taille augmenter. Par un fait du hasard, cette même structure propice à l'absorption d'un maximum de lumière solaire – grande surface, poids léger – donnait aussi de l'élan aux insectes qui voulaient sauter. Plus grosse était la protrusion, plus loin ils sautaient. Certains insectes commencèrent à s'en servir pour faire du vol plané; de là aux ailes qui pourraient les propulser dans les airs, il n'y avait qu'un petit pas. La prochaine fois qu'un moustique vrombira à votre oreille, accusez-le de comportement contre nature. S'il se conduisait bien et se contentait de ce que Dieu lui a donné, ses ailes ne lui serviraient que de panneaux solaires.

Le même genre de polyvalence vaut pour nos organes et notre comportement sexuels. Le sexe a d'abord évolué pour la procréation et les rituels de cour, histoire de jauger l'aptitude d'un partenaire en puissance. Mais beaucoup d'animaux s'en servent désormais à une multitude de fins sociales qui n'ont pas grand-chose à voir avec la création de petites copies d'eux-mêmes. Les chimpanzés, par exemple, se servent du sexe pour sceller des alliances politiques, instaurer une intimité et désamorcer des tensions. Est-ce contre nature ?

SEXE ET GENRE

Il n'y a donc pas grand sens à affirmer que la fonction naturelle des femmes est de donner naissance ou que l'homosexualité est contre nature. La plupart des lois, normes, droits et obligations qui définissent masculinité et féminité sont un reflet de l'imagination humaine plutôt que de la réalité biologique.

Biologiquement, les humains sont eux aussi divisés en mâles et en femelles. Un *Homo sapiens* mâle a un chromosome X et un chromosome Y, quand une femelle a deux X. En revanche, « homme » et « femme » sont des catégories non pas biologiques, mais sociales. Alors que, dans la grande majorité des cas, dans la plupart des sociétés humaines, les hommes sont des mâles et les femmes des femelles, les termes sociaux portent un bagage qui n'a, au mieux, qu'un lien ténu avec les termes biologiques. Un homme n'est pas un Sapiens avec des qualités biologiques particulières telles que des chromosomes XY, des testicules et beaucoup de testostérone. Il s'inscrit plutôt dans une case de l'ordre humain imaginaire de sa société. Les mythes de sa culture lui assignent des rôles masculins particuliers (participer à la vie politique), des droits (voter) et des devoirs (service militaire). De même, une femme n'est pas une Sapiens avec deux chromosomes X, une matrice et plein d'œstrogène, mais une femelle membre d'un ordre humain imaginaire. Les mythes de sa société lui assignent des rôles humains uniques (élever des enfants), des droits (celui d'être protégée de la violence) et des devoirs (obéir à son mari). Comme ce sont les mythes, plutôt que la biologie, qui définissent les rôles, les droits et les devoirs des hommes et des femmes, le sens de la «masculinité» et de la «féminité» a immensément varié d'une société à l'autre.

Pour dissiper la confusion, les spécialistes distinguent habituellement le «sexe», qui est une catégorie biologique, du «genre», qui est une catégorie culturelle. Le sexe est divisé entre mâles et femelles, et les qualités de cette division sont objectives et sont demeurées constantes tout au long de l'histoire. Le genre est divisé entre hommes et femmes (certaines cultures reconnaissent d'autres catégories). Les qualités dites «masculines» et «féminines» sont intersubjectives et ne cessent de changer. Par exemple, en matière de comportement, de désir, d'habillement, voire de posture du corps, on n'attend pas du tout des Athéniennes modernes ce qu'on attendait des femmes dans la Grèce antique[1].

Femelle = catégorie biologique		Femme = catégorie culturelle	
Athènes antique	**Athènes moderne**	**Athènes antique**	**Athènes moderne**
Chromosomes XX	Chromosomes XX	Pas de droit de vote	Droit de vote
Matrice	Matrice	Ne peut être juge	Peut être juge
Ovaires	Ovaires	Exclue des fonctions publiques	Peut exercer des fonctions publiques
Peu de testostérone	Peu de testostérone	Ne peut choisir son époux	Peut choisir son époux
Beaucoup d'œstrogènes	Beaucoup d'œstrogènes	Généralement illettrée	Typiquement lettrée
Produit du lait	Produit du lait	Appartient légalement à son père ou à son frère	Légalement indépendante
Exactement la même chose		**Choses très différentes**	

---

1. Sue Blundell, *Women in Ancient Greece*, Cambridge, Mass., Harvard University Press, 1995, p. 113-129, 132-133.

La masculinité à l'aube du XVIIIe siècle : portrait officiel de Louis XIV. Observez la perruque, les bas, les talons hauts, la posture de danseur – et la grande épée. Dans l'Europe contemporaine, ce seraient autant de signes (épée exceptée) d'un caractère efféminé. En son temps, cependant, Louis était un parangon de masculinité et de virilité.

Autant le sexe est un jeu d'enfant, autant le genre est une chose grave. Devenir un mâle est la chose la plus simple au monde. Il suffit de naître avec un chromosome X et un chromosome Y. Il est tout aussi simple d'être une femelle. Deux chromosomes X y pourvoiront. En revanche, devenir un homme ou une femme est une entreprise très compliquée et exigeante. Puisque la plupart des qualités masculines et féminines sont culturelles plutôt que biologiques, aucune société ne reconnaît automatiquement en chaque mâle un homme, ni en chaque femelle une femme. Ces titres ne sont pas non plus des lauriers sur lesquels on puisse se reposer une fois qu'on les a acquis. Les mâles doivent constamment prouver leur masculinité, tout au long de leur vie, du berceau au tombeau, dans une série interminable de rites et de performances. Et une femme n'en a jamais fini : elle doit sans cesse se convaincre et convaincre les autres qu'elle est assez féminine.

La masculinité au XXIᵉ siècle: portrait officiel de Barack Obama. Où sont passés la perruque, les bas, les talons hauts – et l'épée? Les hommes dominants n'ont jamais paru si ternes et lugubres que de nos jours. Durant la majeure partie de l'histoire, les hommes dominants ont été colorés et flamboyants, comme les chefs des Indiens d'Amérique, avec leurs panaches de plumes, ou les maharadjas hindous, parés de soies et de diamants. Dans le règne animal, les mâles sont généralement plus colorés et plus riches en accessoires que les femelles: pensez aux queues des paons et à la crinière des lions.

La réussite n'est pas garantie. Les mâles, en particulier, vivent dans la peur constante de perdre leur titre à la masculinité. Tout au long de l'histoire, des mâles ont été prêts à risquer leur vie, voire à la sacrifier, pour qu'on dise d'eux: «Quel homme!»

QU'Y A-T-IL DE SI BIEN CHEZ LES HOMMES?

Au moins depuis la Révolution agricole, la plupart des sociétés humaines ont été des sociétés patriarcales attachant plus de prix aux hommes qu'aux femmes. Peu importait la définition que la société donnait d'un «homme» et d'une «femme», il était toujours mieux d'être un homme.

Les sociétés patriarcales éduquent les hommes à penser et à agir de façon masculine, les femmes à penser et à agir de façon féminine, et sanctionnent quiconque ose franchir ces frontières. Pour autant, elles ne récompensent pas également ceux qui se conforment à ces principes. Les qualités jugées masculines sont davantage prisées que les qualités réputées féminines, et les membres de la société qui personnifient l'idéal féminin reçoivent moins que ceux qui illustrent l'idéal masculin. De moindres ressources sont investies dans la santé et l'éducation des femmes ; moins de possibilités économiques leur sont ouvertes ; elles ont aussi moins de pouvoir politique et moins de liberté de déplacement. C'est une course dans laquelle certains coureurs ne concourent que pour la médaille de bronze.

Certes, une poignée de femmes se sont hissées à la position alpha : ainsi de Cléopâtre en Égypte, de l'impératrice Wu Zetian en Chine (autour de l'an 700 de l'ère commune) et de la reine Elizabeth I en Angleterre. Mais ce sont les exceptions qui confirment la règle. Tout au long du règne de quarante-cinq ans d'Elizabeth, tous les parlementaires furent des hommes, de même que tous les officiers de la marine royale et de l'armée, tous les juges et les avocats, tous les évêques et les archevêques, tous les théologiens et les prêtres, les médecins et les chirurgiens, les étudiants et les enseignants de toutes les universités et de tous les collèges, tous les maires et les shérifs, et la quasi-totalité des écrivains, des architectes, des poètes, des philosophes, des peintres, des musiciens et des savants.

Le patriarcat a été la norme dans presque toutes les sociétés agricoles et industrielles. Il s'est révélé assez tenace pour résister aux chambardements politiques, aux révolutions sociales et aux transformations économiques. L'Égypte, par exemple, a été conquise maintes fois au fil des siècles. Assyriens, Perses, Macédoniens, Romains, Arabes, Mamelouks, Turcs et Britanniques l'occupèrent, et sa société est toujours demeurée patriarcale. L'Égypte a été soumise au droit pharaonique, au droit grec, au droit romain, au droit islamique, au droit ottoman et au droit britannique – et la discrimination a toujours persisté contre ceux qui n'étaient pas de « vrais hommes ».

Le patriarcat est si universel qu'il ne saurait être le produit d'un cercle vicieux né d'un simple hasard. Il est particulièrement frappant que, même avant 1492, la plupart des sociétés d'Amérique et d'Afro-Asie étaient patriarcales, alors même qu'elles étaient hors d'atteinte depuis des millénaires. Si le patriarcat afro-asiatique est né d'un hasard, d'où vient que les Aztèques et les Incas aient été patriarcaux ? Il est bien plus probable que, même si la définition précise d'« homme » et de « femme » varie d'une culture à l'autre, il existe une raison biologique universelle qui explique que la quasi-totalité des cultures aient mis la virilité plus haut que la féminité. Les théories sont nombreuses, mais aucune n'emporte la conviction.

FORCE MUSCULAIRE

La théorie la plus courante fait valoir que les hommes sont plus forts que les femmes, et qu'ils ont profité de leur force physique supérieure pour soumettre les femmes. Suivant une version plus subtile, leur force permet aux hommes de monopoliser des tâches qui exigent un travail manuel rude, comme le labourage et la récolte. Ce qui leur donne le contrôle de la production alimentaire et se traduit donc en poids politique.

Cette insistance sur la force musculaire pose deux problèmes. Primo, l'idée que les « hommes sont plus forts que les femmes » n'est vraie qu'en moyenne, et juste pour certains types de force. Les femmes sont généralement plus résistantes à la faim, à la maladie et à la fatigue que les hommes. Beaucoup de femmes courent plus vite et soulèvent des poids plus lourds que beaucoup d'hommes. Secundo, et c'est des plus problématiques pour cette théorie, les femmes ont été tout au long de l'histoire exclues surtout des tâches qui exigent peu d'effort physique (prêtrise, droit, politique) et ont dû assumer de nombreux travaux manuels rudes aux champs, dans les artisanats et à la maison. Si le pouvoir social était divisé en rapport direct avec la force physique ou avec l'endurance, les femmes en auraient eu une plus grande part.

Qui plus est, il n'y a tout simplement aucun rapport direct entre la force physique et le pouvoir social chez les hommes. Les hommes de soixante ans passés ont le pouvoir sur les jeunes de vingt ans passés, alors même que les jeunes de vingt et quelques années sont bien plus robustes que leurs aînés. Au milieu du XIXe siècle, n'importe lequel des esclaves de ses champs de coton aurait mis à peine quelques secondes pour jeter à terre le planteur d'Alabama type. Les matchs de boxe n'étaient pas faits pour sélectionner les pharaons ou les papes. Dans les sociétés de fourrageurs, la domination politique revient généralement à qui possède les meilleurs talents sociaux plutôt que la musculature la plus développée. Dans la mafia, le *big boss* n'est pas nécessairement le plus costaud. Il est souvent un homme plus âgé qui se sert rarement de ses poings ; c'est un homme plus jeune et plus en forme qui fait le sale boulot pour lui. Le type qui imagine qu'il suffit de tabasser le parrain pour prendre la tête du clan a peu de chances de vivre assez longtemps pour tirer les leçons de sa méprise. Même parmi les chimpanzés, le mâle alpha gagne sa position en formant une coalition stable avec d'autres mâles et femelles, non pas par une violence aveugle.

En vérité, l'histoire fait souvent apparaître une relation inverse entre prouesse physique et pouvoir social. Dans la plupart des sociétés, ce sont les classes inférieures qui font les tâches manuelles. Peut-être est-ce un reflet de la position de l'*Homo sapiens* dans la chaîne alimentaire. Si seules comptaient les capacités physiques brutes, Sapiens se serait trouvé au milieu de l'échelle. Or, ses talents mentaux et sociaux l'ont placé au sommet. Il est donc tout naturel que la chaîne du pouvoir au sein de l'espèce soit déterminée par les facultés mentales et sociales davantage que par la force brute. On a donc peine à croire que la hiérarchie sociale la plus importante et la plus stable de l'histoire se fonde sur la capacité des hommes de contraindre physiquement les femmes.

LA LIE DE LA SOCIÉTÉ

Suivant une autre théorie, la domination masculine résulte non pas de la force, mais de l'agression. Des millions d'années d'évolution ont rendu les hommes bien plus violents que les femmes. Celles-ci peuvent égaler les hommes pour ce qui est de la haine, de la cupidité ou des injures, mais quand les choses se gâtent, suivant cette théorie, les hommes recourent plus volontiers à la violence physique brute. De là vient que tout au long de l'histoire la guerre ait été une prérogative masculine.

En temps de guerre, le contrôle des forces armées fait également des hommes les maîtres de la société civile. Ils ont aussi profité de leur mainmise sur la société civile pour livrer toujours plus de guerres ; plus il y en a, plus leur contrôle de la société est fort. Cette boucle rétroactive explique à la fois l'ubiquité de la guerre et l'ubiquité du patriarcat.

De récentes études des systèmes hormonaux et cognitifs des hommes et des femmes confirment l'idée que les hommes ont effectivement, en moyenne, des penchants plus agressifs et plus violents, et sont donc mieux armés pour faire partie de la soldatesque. Mais, les soldats du rang étant tous des hommes, s'ensuit-il que ceux qui conduisent la guerre et en récoltent les fruits doivent être aussi nécessairement des hommes ? Cela n'a pas de sens. C'est un peu comme si l'on disait que les planteurs seront noirs puisque tous les esclaves des champs de coton sont noirs. De même que des cadres blancs pouvaient diriger une force de travail noire, pourquoi un gouvernement tout ou partie féminin ne pourrait-il diriger une armée exclusivement mâle ? En fait, tout au long de l'histoire, il s'est trouvé de nombreuses sociétés où les officiers supérieurs n'étaient pas issus du rang après avoir été simples soldats. Aristocrates, riches et hommes éduqués se voyaient automatiquement confier des fonctions d'officier supérieur sans avoir jamais servi un seul jour dans le rang.

Quand le duc de Wellington, l'ennemi juré de Napoléon, sa Némésis, entra dans l'armée britannique à dix-huit ans, il fut aussitôt nommé officier. Il ne faisait pas grand cas des plébéiens placés sous son commandement. Au cours des guerres contre la France, il écrivit à un autre aristocrate : « Les soldats ordinaires qui sont dans nos rangs sont la lie de la terre. » Ces simples soldats étaient habituellement recrutés parmi les plus pauvres ou dans les minorités ethniques (comme les catholiques irlandais). Leurs chances de gravir les échelons étaient négligeables. Les rangs les plus hauts étaient réservés aux ducs, aux princes et aux rois. Mais pourquoi uniquement aux ducs, pas aux duchesses ?

L'Empire français d'Afrique a été instauré et défendu par la sueur et le sang des travailleurs français, des Algériens et des Sénégalais. Le pourcentage de Français « bien nés » dans la piétaille était négligeable, alors qu'il était très élevé dans la petite élite qui dirigeait l'armée, gouvernait l'Empire et en recueillait les fruits. Pourquoi simplement des Français, et pas des Françaises ?

En Chine, une vieille tradition voulait que l'armée fût soumise à la bureaucratie civile, si bien que les mandarins qui n'avaient jamais tenu une épée en main conduisaient les guerres. « On ne gaspille pas le bon fer à fabriquer des clous », assure le dicton chinois : autrement dit, les vrais talents entrent dans la bureaucratie, pas dans l'armée. Mais alors pourquoi uniquement des hommes parmi les mandarins ?

On ne peut raisonnablement prétendre que leur débilité physique ou leur faible niveau de testostérone ait empêché les femmes de réussir comme mandarins, généraux ou responsables politiques. Pour conduire une guerre, il faut certes de l'énergie, mais guère de force physique ou d'agressivité. Les guerres n'ont rien à voir avec une rixe de pochards. Ce sont des projets très complexes qui nécessitent un extraordinaire degré d'organisation, de coopération et d'apaisement. La capacité de maintenir la paix à l'intérieur, d'acquérir des alliés à l'étranger et de comprendre ce qui passe par la tête des autres (en particulier de l'ennemi) est habituellement la clé de la victoire. Aussi, la brute épaisse est souvent le pire des choix pour mener une guerre. Il vaut bien mieux quelqu'un qui sache coopérer et apaiser, manipuler et envisager les choses de perspectives différentes. Telle est l'étoffe des bâtisseurs d'empire. Militairement incompétent, Auguste parvint à établir un régime impérial stable, réussissant à accomplir une chose qui se déroba devant les efforts de Jules César et d'Alexandre le Grand, pourtant bien meilleurs généraux. En accord avec ses contemporains admiratifs, les historiens modernes attribuent souvent ce tour de force à sa vertu de *clementia* : la douceur et la clémence.

Les femmes, suivant un stéréotype, sont plus aptes à manipuler et à apaiser que les hommes, et ont la réputation de mieux savoir adopter la perspective des autres. S'il y a du vrai dans ces stéréotypes, elles auraient fait d'excellentes responsables politiques et bâtisseuses d'empire, laissant le sale boulot des champs de bataille aux machos simples d'esprit et chargés de testostérone. Nonobstant les mythes populaires, c'est rarement arrivé. On ne comprend pas très bien pourquoi.

GÈNES PATRIARCAUX

Un troisième type d'explication biologique donne moins d'importance à la violence et à la force brute, et suggère qu'au fil de millions d'années d'évolution hommes et femmes ont élaboré des stratégies de survie et de reproduction différentes. Alors que les hommes se disputaient l'occasion d'engrosser les femmes fécondes, les chances de reproduction d'un individu dépendaient avant tout de sa capacité de l'emporter sur les autres hommes. Avec le temps, les gènes masculins transmis aux générations suivantes étaient ceux des hommes les plus ambitieux, agressifs et compétitifs.

En revanche, une femme n'avait aucun problème à trouver un homme prêt à l'engrosser. Mais si elle voulait que ses enfants lui donnent des petits-enfants, elle devait les porter dans son ventre durant neuf mois difficiles, puis les entourer durant de longues années de ses soins. Tout au long de cette période, elle avait moins l'occasion de se procurer des vivres, et elle avait besoin d'une grande aide. Elle avait besoin d'un homme. Afin d'assurer sa survie et celle de ses enfants, la femme n'avait guère d'autre choix que d'en passer par les volontés de l'homme si elle voulait qu'il reste et assume une partie du fardeau. Avec le temps, les gènes féminins transmis aux générations suivantes furent donc ceux des femmes attentionnées et soumises. Les femmes qui passèrent trop de temps à lutter pour le pouvoir ne laissèrent aucun de ces gènes puissants aux générations futures.

Toujours suivant cette théorie, ces différentes stratégies de survie ont eu pour résultat que les hommes sont programmés pour être ambitieux et compétitifs et pour exceller dans la vie politique et les affaires, tandis que les femmes ont eu tendance à se tenir à l'écart pour élever leurs enfants.

Des données empiriques semblent cependant démentir cette approche. Particulièrement problématique est l'idée que le besoin qu'ont les femmes d'une aide extérieure les aurait rendues dépendantes des hommes plutôt que des femmes, et que la compétitivité des mâles expliquerait que les hommes soient socialement dominants. Il est de nombreuses espèces animales, comme les éléphants ou les bonobos, où la dynamique entre femmes dépendantes et mâles compétitifs se solde par une société *matriarcale*. Puisqu'elles ont besoin d'une aide extérieure, les femmes sont obligées de cultiver leurs talents sociaux et d'apprendre à coopérer et à apaiser. Elles construisent des réseaux sociaux exclusivement féminins aidant chacune à élever ses enfants. Pendant ce temps, les mâles passent leur temps à se battre et à rivaliser. Leurs talents et liens sociaux demeurent sous-développés. Les sociétés de bonobos et d'éléphants sont sous la coupe de robustes réseaux de femelles coopératives, tandis que les mâles égocentriques et peu portés à coopérer sont mis sur la touche. Alors que les femelles bonobos sont en moyenne plus faibles que les mâles, elles se liguent souvent pour battre les mâles qui franchissent leurs limites.

Si c'est possible chez les bonobos et les éléphants, pourquoi pas chez les *Homo sapiens* ? Les Sapiens sont des animaux relativement faibles, dont l'avantage réside dans la capacité de coopérer en grand nombre. En ce cas, nous devrions nous attendre à voir les femmes, bien que dépendantes des hommes, user de leurs meilleures compétences sociales coopératives pour déjouer les manœuvres des hommes agressifs, autonomes et égocentriques, ou les manipuler.

Comment se fait-il que, dans la seule espèce dont la réussite dépende avant tout de la coopération, les individus qu'on suppose les moins coopératifs (les hommes) dominent ceux qui passent pour les plus portés à coopérer (les femmes) ? Pour l'heure, nous n'avons pas de réponse satisfaisante. Peut-être les suppositions communes sont-elles tout simplement fausses. Peut-être les mâles de l'espèce *Homo sapiens* se caractérisent-ils non pas par la force physique, l'agressivité et la compétitivité, mais par des talents sociaux supérieurs et une plus grande tendance à coopérer ? Nous n'en savons rien.

Ce que nous savons, cependant, c'est qu'au cours du siècle dernier, les rôles attachés aux genres ont connu une formidable révolution. De nos jours, de plus en plus de sociétés assurent aux hommes et aux femmes une égalité devant la loi, ainsi que l'égalité des droits politiques et des opportunités économiques. Mais elles repensent aussi de fond en comble leurs conceptions les plus fondamentales du genre et de la sexualité. Bien que le *gender gap*, le fossé entre genres, demeure significatif, les choses ont évolué à une vitesse époustouflante. En 1913, aux États-Unis, l'idée de donner le droit de vote aux femmes suscitait généralement de hauts cris ; la perspective d'une femme siégeant au gouvernement ou à la Cour suprême était tout simplement ridicule ; l'homosexualité était tellement taboue qu'il était hors de question d'en discuter dans une société policée. En 2013, le droit de vote des femmes est acquis ; qu'une femme siège au gouvernement ne suscite guère de commentaire, et cinq juges de la Cour suprême, dont trois femmes, se prononcent pour la légalisation des mariages du même sexe (passant outre aux objections des juges masculins).

Ces changements spectaculaires sont précisément ce qui rend l'histoire du genre si déconcertante. Si, comme la démonstration en a été faite de manière si éclatante, le patriarcat reposait sur des mythes infondés plutôt que sur des faits biologiques, comment expliquer l'universalité et la stabilité de ce système ?

Troisième partie

L'UNIFICATION DE L'HUMANITÉ

Pèlerins faisant le tour de la Kaaba à La Mecque.

9.

La flèche de l'histoire

Après la Révolution agricole, les sociétés humaines sont devenues toujours plus grandes et plus complexes, tandis que les constructions imaginaires soutenant l'ordre social devinrent aussi plus élaborées. Mythes et fictions habituèrent les gens, quasiment dès la naissance, à penser de certaines façons, à se conformer à certaines normes, à vouloir certaines choses et à observer certaines règles. Ce faisant, ils créèrent des instincts artificiels qui permirent à des millions d'inconnus de coopérer efficacement. C'est ce réseau d'instincts artificiels qu'on appelle « culture ».

Dans la première moitié du XXᵉ siècle, les savants enseignaient que chaque culture était complète et harmonieuse, possédant une essence immuable qui la définissait éternellement. Chaque groupe humain avait sa vision du monde et son système de dispositifs sociaux, légaux et politiques qui fonctionnaient aussi régulièrement que les planètes tournent autour du soleil. De ce point de vue, les cultures livrées à elles-mêmes ne changeaient pas. Elles continuaient simplement au même rythme et dans la même direction. Seule une force venant de l'extérieur pouvait les changer. Anthropologues, historiens et politiciens parlaient ainsi de « culture samoane » ou de « culture tasmanienne », comme si les mêmes croyances, normes et valeurs avaient toujours caractérisé les Samoans et les Tasmaniens depuis des temps immémoriaux.

De nos jours, la plupart des spécialistes des cultures en sont arrivés à la conclusion opposée. Toute culture a ses croyances, normes et valeurs typiques, mais elles sont en perpétuelle évolution. La culture peut se transformer en réponses aux changements du milieu ou à travers ses interactions avec les cultures voisines. Mais les cultures connaissent aussi des transitions liées à leur propre dynamique interne. Même une culture totalement isolée dans un environnement écologiquement stable ne saurait se soustraire au changement. Contrairement aux lois de la physique, qui n'admettent pas la moindre inconséquence, tout ordre humain est truffé de contradictions internes. Les cultures ne cessent d'essayer de concilier ces contradictions, et ce processus nourrit le changement.

Dans l'Europe médiévale, par exemple, la noblesse croyait à la fois au christianisme et à la chevalerie. Le noble typique allait à l'église le matin et écoutait le prêtre célébrer la vie des saints. « Vanité des vanités tout est vanité », disait l'officiant. « Richesses, convoitise et honneurs sont de dangereuses tentations. Hissez-vous au-dessus de ces faiblesses et marchez sur les brisées du Christ. Soyez doux comme Lui, évitez la violence et l'extravagance et, si l'on vous soufflette, tendez l'autre joue. » Revenant chez lui, songeur et pensif, le noble passait ses plus beaux atours de soie et s'en allait ripailler au château de son seigneur. Le vin y coulait à flots, le ménestrel chantait Lancelot et Guenièvre, et les hôtes échangeaient blagues salaces ou récits de guerre sanglante. « Mieux vaut mourir, déclaraient les barons, que vivre dans la honte. Si quelqu'un met votre honneur en cause, seul le sang peut laver l'affront. Et qu'y a-t-il de mieux dans la vie que de voir vos ennemis fuir devant vous, et leurs jolies filles trembler à vos pieds ? »

La contradiction ne fut jamais pleinement résolue. Mais tandis que la noblesse européenne, le clergé et les roturiers se frottaient à cette difficulté, leur culture changeait. Un essai pour en sortir déboucha sur les Croisades. La croisade était en effet pour un chevalier l'occasion de démontrer sa vaillance militaire en même temps que sa dévotion religieuse. La même contradiction engendra des ordres militaires comme les Templiers et les Hospitaliers, qui essayèrent d'agencer plus étroitement encore les idéaux chrétiens et chevaleresques. Elle est aussi largement responsable de l'art médiéval et de la littérature, comme les histoires du roi Arthur et du Saint Graal. Qu'était Camelot sinon un effort pour prouver qu'un bon chevalier peut et doit être un bon chrétien, et que les bons chrétiens font les meilleurs chevaliers ?

Un autre exemple est celui de l'ordre politique moderne. Depuis la Révolution française, les habitants du monde entier en sont venus à voir dans l'égalité et la liberté individuelle des valeurs fondamentales. Mais les deux valeurs se contredisent. L'égalité ne peut être assurée qu'en amputant les libertés de ceux qui sont mieux lotis. Garantir que chacun sera libre d'agir à sa guise nuira immanquablement à l'égalité. Toute l'histoire politique du monde depuis 1789 peut se lire comme un effort pour résoudre cette contradiction.

Quiconque a lu un roman de Charles Dickens sait bien que les régimes libéraux du XIXᵉ siècle en Europe donnaient la priorité à la liberté individuelle même si cela signifiait jeter en prison des familles pauvres insolvables et ne laisser guère d'autre choix aux orphelins que de rejoindre des écoles de pickpockets. Qui a lu un roman d'Alexandre Soljenitsyne sait que l'idéal égalitaire communiste engendra des tyrannies brutales essayant de contrôler tous les aspects de la vie quotidienne.

En Amérique, également, la vie politique tourne autour de cette contradiction. Les Démocrates veulent une société plus équitable, même s'il faut pour cela relever les impôts afin de financer des programmes d'aide aux pauvres, aux personnes âgées et aux infirmes. Mais cela empiète sur la liberté des individus de dépenser leur argent à leur guise. Pourquoi l'État m'obligerait-il à souscrire une assurance-santé si je préfère employer mon argent pour envoyer mes gosses au collège ? Les Républicains, en revanche, souhaitent maximiser la liberté individuelle, même si cela signifie que l'écart de revenus entre riches et pauvres va se creuser encore et que beaucoup d'Américains n'auront pas les moyens de se soigner.

De même que la culture médiévale ne parvint jamais à concilier chevalerie et christianisme, de même le monde moderne ne réussit pas à faire cadrer liberté et égalité. Mais ce n'est pas un défaut ni une faute. Ces contradictions sont un aspect indissociable de toute culture humaine. En fait, elles sont ses moteurs et expliquent la créativité et le dynamisme de notre espèce. Tout comme le choc de deux notes de musique jouées ensemble donne son élan à un morceau de musique, la discorde de nos pensées, idées et valeurs nous oblige à penser, à réévaluer et à critiquer. La cohérence est le terrain de jeu des esprits bornés.

Si les tensions, les conflits et les dilemmes insolubles sont le sel de toute culture, un être humain qui appartient à une culture particulière doit avoir des croyances contradictoires et être déchiré par des valeurs incompatibles. C'est là un trait si essentiel de toute culture qu'on lui a même donné un nom : la dissonance cognitive. Souvent, on la présente comme une défaillance de la psychè humaine. En réalité, elle en est un atout vital. Si les gens avaient été incapables d'avoir des croyances et des valeurs contradictoires, il eût été probablement impossible d'instaurer et de perpétuer la moindre culture humaine.

Si un chrétien veut réellement comprendre les musulmans qui fréquentent la mosquée d'à côté, il ne doit pas chercher un ensemble de valeurs immaculé cher à tout musulman. Il doit plutôt rechercher les situations sans issue, dites *Catch-22*, de la culture musulmane, les points où les règles se contredisent et où les normes se bousculent. C'est au point même où les musulmans vacillent entre deux impératifs que vous les comprendrez le mieux.

SATELLITE ESPION

Les cultures humaines sont toujours en mouvement. Ce flux est-il entièrement aléatoire ou suit-il un schéma général ? Autrement dit, l'histoire a-t-elle une direction ?

La réponse est oui. Au fil des millénaires, des cultures petites et simples se fondent progressivement en civilisations plus vastes et plus complexes, si bien que le monde compte un nombre toujours plus réduit de mégacultures, toujours plus grandes et plus complexes. Il s'agit bien entendu d'une généralisation très grossière, qui n'est vraie qu'au niveau « macro ». Au niveau « micro », il semble au contraire que, pour tout groupe de cultures qui se fondent en une mégaculture, il est une mégaculture qui se disloque. L'Empire mongol s'est étendu jusqu'à dominer un immense pan de l'Asie et même des parties de l'Europe, à seule fin de se briser ensuite en fragments. Le christianisme a converti des centaines de millions de gens au moment même où il se scindait en sectes innombrables. Le latin s'est répandu en Europe occidentale et centrale, pour se scinder ensuite en dialectes locaux qui ont fini par devenir des langues nationales. Mais ces fragmentations sont des revirements temporaires dans une inexorable marche à l'unité.

Percevoir le sens de l'histoire est en fait une question de point de vue. Si nous considérons l'histoire à vol d'oiseau, pour examiner le cours des événements en décennies ou en siècles, il est difficile de dire si elle avance vers plus d'unité ou de diversité. Pour comprendre les processus du long terme, cependant, notre œil d'oiseau est trop myope. Mieux vaut plutôt adopter le point de vue d'un satellite espion, considérant les millénaires, plutôt que les siècles. De là, les choses deviennent claires comme de l'eau de roche : l'histoire progresse implacablement vers l'unité. L'éclatement du christianisme et la chute de l'Empire mongol ne sont que des ralentisseurs sur la grand-route de l'histoire.

*

La meilleure façon d'apprécier la direction générale de l'histoire est de compter le nombre d'univers humains séparés qui coexistèrent à un moment donné sur la Terre. De nos jours, nous sommes habitués à penser la planète comme une seule unité mais, le plus clair de l'histoire, la Terre a été en fait une galaxie de mondes humains isolés.

Prenez la Tasmanie, une île de taille moyenne, au sud de l'Australie, qui s'est détachée du continent australien environ 10 000 ans avant notre ère, alors que la fin de l'âge glaciaire faisait monter le niveau des mers. Quelques milliers de chasseurs-cueilleurs restèrent sur l'île, et ne devaient plus avoir de contact avec d'autres êtres humains jusqu'à l'arrivée des Européens, au XIXᵉ siècle. Pendant 12 000 ans, personne ne sut que les Tasmaniens étaient là, et ils ne savaient pas non plus qu'ils n'étaient pas seuls au monde. Ils connurent leurs guerres, leurs luttes politiques, leurs oscillations sociales et leurs développements culturels. Pour ce qui est des empereurs de Chine ou des souverains mésopotamiens, la Tasmanie aurait pu aussi bien être sur une des lunes de Jupiter. Les Tasmaniens vivaient dans un monde à part.

Pendant la majeure partie de leur histoire, l'Amérique et l'Europe furent elles aussi des mondes séparés. En l'an 378, l'empereur romain Valens fut vaincu et tué par les Goths à la bataille d'Andrinople. La même année, le roi Chak Tok Ich'aak de Tikal était vaincu et tué par l'armée de Teotihuacán. (Tikal était une Cité-État maya importante, alors que Teotihuacán était la plus grande ville d'Amérique, avec près de 250 000 habitants : du même ordre de grandeur que Rome à la même époque.) Entre la défaite de Rome et l'essor de Teotihuacán, il n'y avait absolument aucun lien. Rome aurait pu tout aussi bien se trouver sur Mars et Teotihuacán sur Vénus.

Combien de mondes humains différents ont-ils coexisté sur Terre ? Environ 10 000 ans avant notre ère, notre planète en comptait plusieurs milliers. En − 2000, leur nombre avait fondu et se comptait désormais en centaines, tout au plus en quelques milliers. En 1450 de notre ère, leur nombre avait encore plus fortement diminué. À cette date, juste avant l'âge de l'exploration européenne, la Terre comptait encore un nombre significatif de mondes nains comme la Tasmanie. Mais près de 90 % des hommes vivaient dans un seul mégamonde : le monde afro-asiatique. Les majeures parties de l'Asie, de l'Europe et de l'Afrique (dont des morceaux substantiels de l'Afrique subsaharienne) étaient déjà rattachées par d'importants liens culturels, politiques et économiques.

Pour l'essentiel, les 10 % restants de la population humaine mondiale se partageaient entre quatre mondes d'une taille et d'une complexité considérables :

1. Le monde méso-américain, qui englobait l'essentiel de l'Amérique centrale et des parties de l'Amérique du Nord.
2. Le monde andain, qui englobait la majeure partie de l'Amérique du Sud occidentale.
3. Le monde australien, qui correspondait au continent du même nom.
4. Le monde océanique, qui comprenait la plupart des îles du sud-ouest du Pacifique, d'Hawaii à la Nouvelle-Zélande.

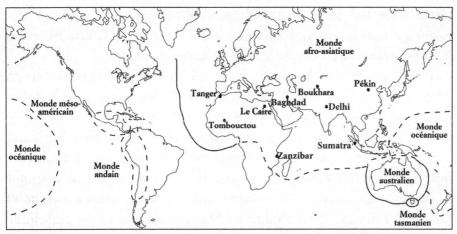

La Terre en 1450. Les lieux indiqués au sein du monde afro-asiatique sont ceux que visita le voyageur musulman du XIVᵉ siècle Ibn Battûta. Natif de Tanger, au Maroc, Ibn Battûta visita Tombouctou, Zanzibar, la Russie méridionale, l'Asie centrale, l'Inde, la Chine et l'Indonésie. Ses voyages illustrent l'unité de l'Afro-Asie à la veille des Temps modernes.

Au fil des trois siècles suivants, le géant afro-asiatique avala tous les autres mondes. Il consuma la Méso-Amérique en 1521, quand les Espagnols conquirent l'Empire aztèque. À la même époque, il s'attaqua pour la première fois à l'Océanie, quand Fernand de Magellan fit le tour du monde et acheva sa conquête. Le monde des Andes s'effondra en 1532, quand les conquistadors espagnols écrasèrent l'Empire inca. Les premiers Européens débarquèrent sur le continent australien en 1606, et ce monde virginal prit fin quand la colonisation commença pour de bon en 1788. Quinze ans plus tard, les Britanniques entreprenants s'implantèrent pour la première fois en Tasmanie, plaçant ainsi dans la sphère d'influence afro-asiatique le dernier monde humain autonome.

Il fallut plusieurs siècles au géant afro-asiatique pour digérer tout ce qu'il avait avalé, mais le processus était irréversible. Aujourd'hui, la quasi-totalité des hommes partagent le même système géopolitique (la planète entière est divisée en États internationalement reconnus) : le même système économique (les forces du marché capitaliste façonnent jusqu'aux coins les plus reculés du monde) ; le même système juridique (droits de l'homme et droit international prévalent partout, au moins théoriquement) ; et le même système scientifique (en Iran, en Israël, en Australie ou en Argentine, les experts ont exactement les mêmes idées concernant la structure des atomes ou le traitement de la tuberculose).

La culture mondiale unique n'est pas homogène. De même qu'un corps organique contient de multiples sortes d'organes et de cellules, de même notre culture mondiale unique contient maintes sortes de modes de vie et de gens – des courtiers en bourse de New York aux bergers afghans. Tous sont pourtant étroitement liés et s'influencent mutuellement de multiples façons. Ils continuent de se disputer et de se battre, mais ils le font en utilisant les mêmes concepts et les mêmes armes. Un véritable « choc des civilisations » ressemble au proverbial dialogue de sourds. Nul ne peut comprendre ce que dit l'autre. De nos jours, quand l'Iran et les États-Unis croisent le fer, ils parlent la même langue des États-nations, des économies capitalistes, des droits internationaux et de la physique nucléaire.

Nous continuons de parler de cultures « authentiques », mais si nous entendons par ce mot quelque chose qui s'est développé indépendamment, et qui consiste en traditions locales anciennes soustraites aux influences extérieures, il ne subsiste pas sur Terre de cultures authentiques. Au cours des derniers siècles, les influences mondiales ont changé toutes les cultures jusqu'à les rendre presque méconnaissables.

La cuisine « ethnique » est un des exemples les plus intéressants de cette mondialisation. Dans un restaurant italien, on s'attend à trouver des spaghettis à la sauce tomate ; dans les restos polonais et irlandais, des tas de pommes de terre. Chez un Argentin, on a le choix entre des dizaines de steaks ; chez un Indien, il n'est quasiment pas un plat sans piment ; et dans tout café suisse, la palme revient au chocolat chaud épais surmonté d'une montagne de crème fouettée. Or, aucun de ces produits n'est originaire de ces pays. Tomates, piments et cacao sont d'origine mexicaine, et ne sont arrivés en Europe et en Asie qu'après la conquête du Mexique par les Espagnols. Jules César et Dante Alighieri n'ont jamais enroulé de spaghettis à la sauce tomate autour de leurs fourchettes (qui n'avaient d'ailleurs pas encore été inventées) ; Guillaume Tell n'a jamais goûté au chocolat, et Bouddha jamais relevé sa nourriture avec du piment. La pomme de terre est arrivée en Pologne et en Irlande voici à peine quatre siècles. Et en 1492 on n'aurait trouvé en Argentine qu'un steak de lama.

Les films hollywoodiens ont entretenu des Indiens des plaines l'image de vaillants cavaliers, chargeant les diligences des pionniers européens afin de protéger les coutumes de leurs ancêtres. Or, ces cavaliers indigènes d'Amérique n'étaient pas les défenseurs de quelque culture ancienne et authentique, mais le produit d'une grande révolution militaire et politique qui balaya les plaines de l'Ouest américain aux XVIIᵉ et XVIIIᵉ siècles après l'arrivée des chevaux européens. En 1492, il n'y avait pas de chevaux en Amérique. La culture des Sioux et des Apaches du XIXᵉ siècle compte de nombreux traits séduisants, mais il s'agit d'une culture moderne – fruit de forces mondiales – bien plus que d'une culture « authentique ».

LA VISION GLOBALE

Dans une perspective pratique, l'étape la plus importante du processus d'unification mondiale s'est produite dans les tout derniers siècles, avec l'essor des empires et l'intensification du commerce. Des liens toujours plus étroits se formèrent entre les populations d'Afro-Asie, d'Amérique, d'Australie et d'Océanie. Ainsi le piment mexicain s'insinua-t-il dans la cuisine indienne tandis que le bétail espagnol commença à paître en Argentine. Dans une perspective idéologique, cependant, le Iᵉʳ millénaire avant notre ère connut un développement encore plus important, avec l'enracinement de l'idée d'un ordre universel. Depuis déjà des millénaires, l'histoire s'acheminait lentement dans le sens d'une unité mondiale, mais l'idée d'un ordre universel régissant le monde entier était encore étrangère à la plupart des peuples.

Homo sapiens apprit à penser en termes de « eux » et de « nous ». « Nous » renvoie au groupe qui vous entoure, qui que vous soyez ; « eux », ce sont tous les autres. En vérité, aucun animal social n'est jamais guidé par les intérêts de toute l'espèce à laquelle il appartient. Aucun chimpanzé ne pense aux intérêts de l'espèce des chimpanzés ; aucun escargot ne sortira une corne pour la communauté escargotière mondiale ; aucun lion mâle alpha ne va faire de la surenchère pour devenir le roi de tous les lions, et à l'entrée d'une ruche vous ne verrez jamais le slogan : « Abeilles prolétaires de tous les pays, unissez-vous ! »

Avec le début de la Révolution cognitive, cependant, *Homo sapiens* devint toujours plus exceptionnel à cet égard. Les hommes se mirent à coopérer régulièrement avec de parfaits inconnus, envisagés comme des « frères » ou des « amis ». Cette fraternité n'était pourtant pas universelle. Quelque part dans la vallée voisine, ou au-delà de la chaîne de montagne, on percevait encore des « eux ». Quand le premier pharaon Ménès unit l'Égypte autour de 3 000 avant J.-C., il était clair pour les Égyptiens que leur pays avait une frontière et qu'au-delà rôdaient les « barbares ». Ceux-ci étaient étrangers et menaçants : ils n'avaient d'intérêt que dans la mesure où ils avaient de la terre et des ressources naturelles que voulaient les Égyptiens. Tous les ordres imaginaires créés ont eu tendance à ignorer une partie substantielle de l'humanité.

Le Ier millénaire avant notre ère vit l'apparition de trois ordres potentiellement universels, dont les adeptes purent pour la première fois imaginer le monde entier et toute la race des hommes comme une seule unité régie par un seul et unique ensemble de lois. Tout le monde était « nous », du moins potentiellement. Il n'y avait plus de « eux ». Le premier ordre universel à apparaître était économique : l'ordre monétaire ; le deuxième était politique : l'ordre impérial ; et le troisième religieux : l'ordre des religions universelles telles que le bouddhisme, le christianisme et l'islam.

Marchands, conquérants et prophètes furent les premiers qui réussirent à dépasser la division binaire issue de l'évolution, « nous contre eux », et à prévoir l'unité potentielle de l'humanité. Pour les marchands, le monde entier était un marché unique, et tous les hommes des clients en puissance. Ils essayèrent d'instaurer un ordre économique qui s'appliquerait à tous, partout. Pour les conquérants, le monde entier n'était qu'un seul empire, et tous les hommes des sujets potentiels. Pour les prophètes, le monde entier ne recelait qu'une seule vérité, et tous les hommes étaient des croyants en puissance. Ils voulurent eux aussi instaurer un ordre religieux qui s'appliquerait à tous, partout.

Au cours des trois derniers millénaires, les efforts pour réaliser cette vision globale ont été de plus en plus ambitieux. Les trois chapitres suivants expliquent comment l'argent, les empires et les religions universelles se sont propagés et ont posé les fondements du monde unifié actuel. Nous commençons par l'histoire du plus grand des conquérants : un conquérant fort d'une tolérance et d'une adaptabilité extrêmes, transformant ainsi les hommes en disciples ardents. Il s'agit de la monnaie. Les hommes qui ne croient pas au même dieu ni n'obéissent au même roi se montrent plus que disposés à utiliser la même monnaie. Malgré sa haine de la culture, de la religion et de la politique américaines, Oussama ben Laden était friand de dollars. Comment l'argent a-t-il réussi là où les dieux et les rois échouèrent ?

10.

L'odeur de l'argent

En 1519, Hernán Cortés et ses conquistadors envahirent le Mexique, demeuré jusque-là un univers humain isolé. Les Aztèques – puisque c'est ainsi que s'appelait le peuple qui y vivait – s'aperçurent vite de l'intérêt extraordinaire des étrangers pour un certain métal jaune. En fait, ils n'arrêtaient visiblement jamais d'en parler. L'or n'était pas inconnu des indigènes : il était joli et facile à travailler, et ils en faisaient des bijoux et des statues ; à l'occasion, ils se servaient de poussière d'or comme d'un moyen d'échange. Mais quand un Aztèque voulait acheter quelque chose, il payait généralement en graines de cacao ou en coupons de tissu. L'obsession espagnole de l'or semblait donc inexplicable. Qu'avait donc de si important ce métal qu'on ne pouvait manger ni boire ni tisser, et qui était trop tendre pour en faire des outils ou des armes ? Quand les indigènes demandèrent à Cortés d'où venait aux Espagnols cette passion de l'or, le conquistador répondit : « Mes compagnons et moi souffrons d'une maladie du cœur qu'on ne saurait guérir qu'avec de l'or[1]. »

---

1. Francisco López de Gómara, *Historia de la Conquista de Mexico*, vol. 1, éd. D. Joaquin Ramirez Cabañes, Mexico, Editorial Pedro Robredo, 1943, p. 106.

Dans le monde afro-asiatique d'où venaient les Espagnols, l'obsession de l'or était bel et bien une épidémie. Même les ennemis les plus implacables avaient soif de ce métal jaune inutile. Trois siècles avant la conquête du Mexique, les ancêtres de Cortés et de son armée menèrent une sanglante guerre de religion contre les royaumes musulmans d'Ibérie et d'Afrique du Nord. Les disciples du Christ et les disciples d'Allah s'entretuèrent par milliers, dévastèrent champs et vergers et transformèrent des cités prospères en ruines fumantes – toujours pour la plus grande gloire du Christ ou d'Allah.

Les chrétiens prenant progressivement le dessus, ils marquèrent leurs victoires non seulement en détruisant les mosquées et en bâtissant des églises, mais aussi en émettant de nouvelles pièces d'or et d'argent portant le signe de la croix et rendant grâce à Dieu de son aide dans le combat contre les Infidèles. Parallèlement à la nouvelle monnaie, cependant, les vainqueurs frappèrent un autre type de pièces, les « millarès », porteuses d'un message un peu différent. Ces pièces carrées frappées par les conquérants chrétiens étaient ornées d'une inscription en arabe : « Il n'est de Dieu qu'Allah, et Muhammad est son prophète. » Même les évêques catholiques de Melgueil et d'Agde émirent ces fidèles copies de pièces musulmanes populaires, et les chrétiens qui craignaient Dieu les utilisèrent volontiers[1]. De l'autre côté, également, la tolérance fleurit. Les marchands musulmans d'Afrique du Nord firent des affaires en utilisant des pièces de monnaie chrétiennes comme le florin florentin, le ducat vénitien et le *gigliato* napolitain. Même les souverains musulmans qui appelaient au *djihad* contre les infidèles chrétiens étaient ravis de recevoir les impôts en pièces qui invoquaient le Christ et la Vierge Marie[2].

---

1. Andrew M. Watson, « Back to Gold – and Silver », *Economic History Review*, 20:1, 1967, p. 11-12 ; Jasim Alubudi, *Repertorio Bibliográfico del Islam*, Madrid, Vision Libros, 2003, p. 194.

2. Watson, « Back to Gold – and Silver », p. 17-18.

COMBIEN ?

Les chasseurs-cueilleurs n'avaient pas d'argent. Chaque bande chassait, cueillait et fabriquait presque tout ce dont elle avait besoin, de la viande à la médecine, des sandales à la sorcellerie. Les différents membres de la bande pouvaient bien être spécialisés dans différentes tâches, mais ils partageaient leurs biens et services à travers une économie de services et d'obligations. Un morceau de viande donné gratuitement s'accompagnait d'un postulat de réciprocité : d'assistance médicale, par exemple. La bande était économiquement indépendante et ne se procurait auprès d'étrangers que les rares articles qu'il était impossible de trouver localement : coquillages, pigments, obsidienne, etc. Habituellement, un simple troc suffisait : « Nous vous donnons de jolis coquillages, et vous nous donnez un silex de qualité. »

Cela ne devait guère changer avec le début de la Révolution agricole. La plupart des hommes continuèrent de vivre en petites communautés intimes. Tout comme une bande de chasseurs-cueilleurs, chaque village était une unité économique autosuffisante entretenue par des obligations et des faveurs mutuelles accompagnées d'un peu de troc avec des étrangers. Un villageois pouvait être particulièrement habile à faire des chaussures, un autre à prodiguer des soins médicaux, en sorte que les villageois nus pieds ou malades savaient où s'adresser. Mais les villages étaient petits, et leurs économies limitées, si bien qu'il ne pouvait y avoir de cordonniers ou de docteurs à plein temps.

L'essor des villes et des royaumes ainsi que les progrès de l'infrastructure des transports créèrent de nouvelles occasions de spécialisation. Les villes densément peuplées avaient de quoi occuper à plein temps des cordonniers et des médecins professionnels, mais aussi des charpentiers, des prêtres, des soldats et des avocats. Les villages qui se taillaient la réputation de bons producteurs de vin, d'huile d'olive ou de céramiques découvraient qu'il valait la peine de se spécialiser presque exclusivement dans ce produit et de l'échanger ailleurs contre tous les produits dont ils avaient besoin.

Tout cela paraissait parfaitement sensé. Les climats et les sols diffèrent, alors pourquoi boire un vin médiocre de votre arrière-cour
si vous pouvez en acheter un meilleur d'un pays dont le sol et le
climat sont bien mieux adaptés à la culture de la vigne ? Si l'argile
de votre arrière-cour fait des pots plus solides et plus jolis, vous
pouvez conclure un marché. De surcroît, les négociants en vins et
les potiers à plein temps spécialisés, sans parler des toubibs et des
avocats, peuvent cultiver leur savoir-faire au bénéfice de tous. Mais
la spécialisation crée à son tour un problème : comment gérer un
échange de biens entre spécialistes ?

Une économie de faveurs et d'obligations ne marche plus dès
lors qu'un grand nombre d'inconnus essaient de coopérer. Une
chose est d'apporter une aide gratuite à une sœur ou à un voisin ;
une tout autre, de s'occuper d'inconnus qui ne pourront jamais
payer de retour une faveur. On peut se rabattre sur le troc. Mais
le troc n'est efficace que lorsque l'échange porte sur une gamme
limitée de produits. Il ne saurait former la base d'une économie
complexe[1].

Pour comprendre les limites du troc, imaginez que vous possé-
diez dans les collines une pommeraie qui produit les pommes les
plus craquantes et les plus sucrées de toute la région. Vous travail-
lez si dur que vous usez vos souliers. Vous attelez donc votre âne et
vous dirigez vers le bourg, en aval de la rivière. Votre voisin vous a
dit qu'un cordonnier, à l'extrémité sud du marché, lui a fabriqué
une paire de bottes vraiment robustes qui lui ont fait cinq saisons.
Vous trouvez la boutique du cordonnier et lui proposez un troc :
des pommes contres les souliers dont vous avez besoin.

Le cordonnier hésite. Combien de pommes doit-il demander en
paiement ? Il rencontre tous les jours des dizaines de clients : les
uns apportent des sacs de pommes ; d'autres du blé, des chèvres
ou de la toile – tous de qualité variable. D'autres encore proposent
d'aider à écrire une pétition au roi ou soignent le mal de dos. La

---

1. David Graeber, *Debt: The First 5000 Years*, Brooklyn, N. Y., Melville House,
2011 ; en français, *Dette : cinq mille ans d'histoire*, Paris, Les Liens qui libèrent
Éditions, 2013.

dernière fois que le cordonnier a échangé des chaussures contre des pommes, c'était il y a trois mois, et il a demandé trois sacs de pommes. À moins que ce ne soit quatre ? Mais attention : c'étaient des pommes de la vallée, des pommes acides, rien à voir avec le premier choix de la colline. Par ailleurs, cette fois-là, les pommes avaient été troquées contre des petits souliers de femmes. Et ce gars lui demande des bottes d'homme adulte. De plus, au cours des dernières semaines, une maladie a décimé les troupeaux des alentours, et les peaux se font rares. En échange de la même quantité de cuir, les tanneurs se mettent à exiger deux fois plus de chaussures finies. Ne faut-il pas aussi le prendre en considération ?

Dans une économie de troc, le cordonnier et le pomiculteur devront chaque jour s'enquérir des prix relatifs de douzaines de marchandises. Si cent articles différents s'échangent sur le marché, acheteurs et vendeurs devront connaître 4 950 taux de change. Avec un millier de produits, il leur faut jongler avec 499 500 taux différents[1] ! Comment s'en sortir ?

Et vous n'êtes pas au bout de vos peines. Même si vous parvenez à calculer combien de pommes vaut une paire de chaussures, le troc n'est pas toujours possible. Après tout, l'échange suppose que chaque partie veuille ce qu'offre l'autre. Et si le cordonnier n'aime pas les pommes ? Et si, à ce moment-là, la seule chose qu'il veuille, c'est le divorce ? Le cultivateur pourrait certes chercher un avocat qui aime les pommes et proposer un marché à trois. Mais si l'avocat en a assez des pommes, et ne demande qu'à se faire couper les cheveux ?

Certaines sociétés essayèrent de résoudre le problème en organisant un système central de troc, recueillant les produits de cultivateurs et de manufacturiers spécialisés pour les distribuer à ceux qui en avaient besoin. L'expérience la plus ambitieuse et la plus célèbre de ce genre fut menée en Union soviétique : ce fut un échec lamentable. En pratique, le principe du « chacun travaillait suivant ses capacités et recevait suivant ses besoins » se transforma en « cha-

---

1. Glyn Davies, *A History of Money: from Ancient Times to the Present Day*, Cardiff, University of Wales Press, 1994, p. 15.

cun travaillait aussi peu que possible pour recevoir le plus possible». Des expériences plus modérées et plus heureuses eurent lieu à diverses reprises : par exemple, dans l'Empire inca. La plupart des sociétés trouvèrent une façon plus facile de rattacher un grand nombre d'experts : elles inventèrent la monnaie.

COQUILLAGES ET CIGARETTES

La monnaie fut créée à maintes reprises en maints endroits. Sa mise au point ne nécessitait aucune percée technique : ce fut une révolution purement mentale. Elle impliquait la création d'une nouvelle réalité intersubjective qui n'existe que dans l'imagination partagée des gens.

La monnaie ne se réduit pas aux pièces et aux billets de banque. Est monnaie tout ce dont les gens veulent bien se servir pour représenter systématiquement la valeur d'autres choses afin d'échanger biens et services. La monnaie permet de comparer vite et facilement la valeur de marchandises différentes (pommes, souliers ou divorces), d'échanger aisément une chose contre une autre et de stocker commodément la richesse. Il y a eu de nombreuses sortes de monnaie. La plus familière est la pièce, qui est un morceau standard de métal imprimé. Mais la monnaie a existé bien avant l'invention de la frappe, et des cultures ont prospéré en utilisant d'autres types de devise : coquillages, bétail, peau, sel, grains, perles, tissus et billets à ordre. Les cauris ont servi de monnaie pendant plus de 4 000 ans en Afrique, en Asie du Sud et de l'Est et en Océanie. Au début du XXe siècle, dans la colonie britannique d'Ouganda, on pouvait encore payer ses impôts en cauris.

Dans les prisons et les camps de prisonniers de guerre modernes, les cigarettes ont souvent servi de monnaie. Même les détenus non fumeurs en acceptaient volontiers en paiement et calculaient la valeur des autres biens et services en cigarettes. Un survivant d'Auschwitz raconte comment l'on se servait de la cigarette comme monnaie dans le camp : «Nous avons même notre unité monétaire, dont personne ne remet la valeur en question : la cigarette.

Le prix de chaque article est fixé en cigarettes [...]. En temps "normaux", c'est-à-dire quand l'afflux des candidats au gaz se déroule à un rythme régulier, une miche de pain coûte douze cigarettes ; un paquet de trois cents grammes de margarine, trente ; une montre, de quatre-vingts à deux cents ; un litre d'alcool, quatre cents cigarettes[1] ! »

En vérité, même aujourd'hui, les pièces et les billets de banque sont une forme d'argent rare. La quantité totale de monnaie dans le monde tourne autour de 60 billions de dollars, mais la somme totale de pièces et de billets est inférieure à 6 billions[2]. Plus de 90 % de la monnaie – soit plus de 50 billions de dollars figurant sur nos comptes – n'existent que sur les terminaux d'ordinateurs. En conséquence, la plupart des transactions se font par ordinateur en déplaçant des données électroniques d'un dossier à l'autre, sans le moindre échange d'espèces. Seul un mafieux achètera par exemple une maison en remettant une pleine valise de billets de banque. Tant que les gens sont prêts à échanger des biens et des services contre des données électroniques, cela vaut mieux que des pièces brillantes et des billets qui se froissent : c'est une monnaie plus fragile, moins encombrante et dont il est plus facile de garder trace.

Les systèmes commerciaux complexes ne sauraient fonctionner sans une forme de monnaie. Dans une économie monétaire, un cordonnier a juste besoin de connaître les prix demandés pour les diverses sortes de chaussures : nul n'est besoin de mémoriser les taux de change entre souliers, pommes et chèvres. La monnaie libère aussi les pomiculteurs de la nécessité de chercher des cordonniers amateurs de pommes, parce que tout le monde a toujours envie d'argent. Peut-être est-ce la qualité la plus fondamentale de la

1. Szymon Laks, *Music of Another World*, trad. Chester A. Kisiel, Evanston, Ill., Northwestern University Press, 1989, p. 88-89 ; Simon Laks, *Mélodies d'Auschwitz*, trad. L. Dyèvre, préface de P. Vidal-Naquet, Paris, Cerf, 2004, p. 102. Le « marché » d'Auschwitz se limitait à certaines classes de prisonniers, et les conditions changèrent du tout au tout au fil du temps.

2. Voir également Niall Ferguson, *The Ascent of Money*, New York, The Penguin Press, 2008, p. 4 ; *L'Irrésistible Ascension de l'argent : de Babylone à Wall Street*, trad. P.-M. Deschamps, Paris, Saint-Simon, 2009 ; rééd. Perrin, 2011.

monnaie. Tout le monde en veut toujours parce que tous les autres en veulent, ce qui signifie que l'on peut échanger sa monnaie contre tout ce qu'on désire ou ce dont on a besoin. Le cordonnier se fera une joie d'accepter votre argent, parce que peu importe, au fond, ce qu'il désire vraiment : pommes, biques ou divorce. Il lui suffira de sortir son argent pour l'obtenir.

La monnaie est donc un moyen d'échange universel qui permet aux gens de convertir presque tout en presque tout. Le soldat démobilisé peut délaisser la force musculaire pour se muscler la cervelle en utilisant sa solde afin de payer ses droits d'inscription en fac. La terre peut se convertir en loyauté quand un baron vend des biens pour entretenir sa suite. La santé peut se convertir en justice quand un médecin se sert de ses honoraires pour recourir aux services d'un avocat – ou soudoyer un juge. Il est même possible de transformer le sexe en salut : ainsi les putains du XVe siècle, quand elles couchaient avec des hommes pour de l'argent qu'elles utilisaient ensuite pour acheter des indulgences à l'Église catholique.

Les types idéaux de monnaie permettent aux gens de transformer une chose en une autre, mais aussi de stocker la richesse. Bien des choses de valeur ne peuvent se stocker : ainsi du temps ou de la beauté. Il en est d'autres que l'on ne peut stocker que brièvement : les fraises, par exemple. D'autres encore sont plus durables, mais occupent beaucoup de place et nécessitent des installations et des soins onéreux. Les céréales, notamment, peuvent se conserver des années, mais pour cela il faut construire d'immenses silos et les protéger des rats, de la moisissure, de l'eau, du feu et des voleurs. Sous forme de papier, de bits numériques ou de cauris, la monnaie résout ces problèmes. Les cauris ne pourrissent pas, ne sont pas au goût des rats, survivent au feu et sont assez compacts pour être enfermés dans un coffre.

Pour utiliser sa richesse, il ne suffit pas de la stocker. Il faut souvent la transporter d'un lieu à un autre. Certaines formes de richesse ne se transportent pas. Les marchandises comme le blé et le riz ne se transportent pas sans mal. Imaginez un riche paysan qui vit dans un pays sans argent et qui décide d'émigrer vers une lointaine province. Sa fortune se résume à sa maison et à ses rizières. Il ne saurait les emporter. Il pourrait les échanger contre des tonnes de riz, mais le transport serait malcommode et très coûteux. La monnaie résout ces problèmes. Le paysan peut vendre ses biens en échange d'un sac de cauris, qu'il peut aisément transporter avec lui, où qu'il aille.

La monnaie, permettant de convertir, de stocker et de transporter aisément la richesse et à bon compte, a apporté une contribution vitale à l'apparition de réseaux commerciaux complexes et de marchés dynamiques. Sans argent, réseaux commerciaux et marchés eussent été condamnés à rester d'une taille, d'une complexité et d'un dynamisme très limités.

Comment marche la monnaie ?

Coquillages et dollars n'ont de valeur que dans notre imagination commune. Leur valeur ne tient pas à la structure chimique des coquilles et du papier, ni à leur couleur, ni à leur forme. Autrement dit, la monnaie n'est pas une réalité matérielle, mais une construction psychologique. Elle opère en transformant la matière en esprit. Mais pourquoi y réussit-elle ?

D'où vient qu'on soit prêt à échanger une rizière fertile contre une poignée de cauris inutiles ? Pourquoi êtes-vous prêt à servir des hamburgers, à vendre des polices d'assurance-maladie ou à faire du baby-sitting avec trois moutards odieux quand, pour tout prix de vos peines, vous ne recevez que quelques bouts de papier coloré ?

Les gens sont disposés à faire ce genre de choses quand ils ont confiance dans les fruits de leur imagination collective. La confiance est la matière première dans laquelle toutes les catégories de monnaie sont frappées. Quand un paysan riche vendait ses biens pour un sac de cauris et se rendait avec eux dans une autre province, il savait que, parvenu à destination, d'autres seraient disposés à lui vendre du riz, des maisons et des champs en échange de ses coquillages. La monnaie est donc un système de confiance mutuelle, et pas n'importe lequel : *la monnaie est le système de confiance mutuelle le plus universel et le plus efficace qui ait jamais été imaginé.*

Et cette confiance est le fruit d'un réseau très complexe et à long terme de relations politiques, sociales et économiques. D'où vient que je croie au cauri, à la pièce d'or ou au dollar-papier ? Parce que mes voisins y croient. Et mes voisins y croient parce que j'y crois. Et nous y croyons tous parce que notre roi y croit et en exige sous forme d'impôts, et que notre prêtre y croit lui aussi et en réclame au titre de la dîme. Prenez un billet d'un dollar et examinez-le attentivement. Vous verrez que ce n'est pas simplement un bout de papier coloré avec la signature du secrétaire au Trésor des États-Unis d'un côté, le slogan «In God We Trust» de l'autre. Nous acceptons le dollar en paiement parce que nous croyons en Dieu et au Secrétaire d'État américain. Le rôle crucial de la confiance explique que nos systèmes financiers soient si étroitement liés à nos systèmes politiques, sociaux et idéologiques, que les vicissitudes politiques soient souvent à l'origine de crises financières, et que le marché boursier puisse monter ou baisser au gré de ce que sentent les traders tel ou tel matin.

À l'origine, quand ont été créées les premières versions de la monnaie, les gens n'avaient pas cette foi, et il était donc nécessaire de définir comme «monnaie» des choses possédant une réelle valeur intrinsèque. La première monnaie connue de l'histoire – le grain d'orge – en est un bon exemple. Elle est apparue à Sumer environ 3 000 ans avant notre ère, à la même époque, au même endroit et dans les mêmes circonstances que l'écriture. De même que l'écriture s'est développée pour répondre à la nécessaire intensification des activités administratives, de même la monnaie-grain d'orge s'est développée pour faire face à l'intensification des activités économiques.

La monnaie en question était simplement de l'orge : des quantités de grains fixes utilisées comme mesure universelle pour évaluer et échanger tous les autres biens et services. La mesure la plus courante était le *silà*, qui équivalait *grosso modo* à un litre. Des coupes standardisées de un *silà* étaient produites en série : ainsi, pour les gens qui avaient besoin d'acheter ou de vendre quoi que ce soit, il était facile de mesurer les quantités nécessaires d'orge. Les salaires étaient également fixés et réglés en *silà* d'orge : 60 par mois pour un ouvrier, 30 pour une ouvrière. Un contremaître pouvait toucher entre 1 200 et 5 000 *silà*. Même le plus vorace d'entre eux ne pouvait engloutir 5 000 litres d'orge par mois, mais il pouvait utiliser ceux qu'il ne mangeait pas pour acheter toutes sortes d'autres marchandises : huile, chèvres, esclaves et de quoi accompagner ses rations d'orge[1].

Même si l'orge possède une valeur intrinsèque, il n'était pas facile de convaincre les gens de s'en servir comme *monnaie* plutôt que comme simple marchandise. Afin de comprendre pourquoi, pensez donc à ce qui se passerait si vous portiez un sac d'orge au marché local pour essayer d'acheter une chemise ou une pizza. Les vendeurs appelleraient probablement la sécurité. Il était cependant un peu plus facile d'avoir confiance en l'orge comme premier type de monnaie, parce que celui-ci possède une valeur biologique inhérente. Il se mange. En revanche, il n'était pas facile à stocker et à transporter. La vraie percée de l'histoire monétaire se produisit quand les gens apprirent à avoir confiance en une monnaie qui manquait de valeur inhérente, mais plus facile à stocker et à déplacer. Une monnaie de ce genre apparut en Mésopotamie au milieu du IIIᵉ mil-

---

1. Concernant la monnaie d'orge, je me suis appuyé sur la thèse inédite de Refael Benvenisti, *Economic Institutions of Ancient Assyrian Trade in the Twentieth to Eighteenth Centuries BC*, Université hébraïque de Jérusalem, 2011. Voir aussi Norman Yoffee, « The Economy of Ancient Western Asia », in Jack M. Sasson (éd.), *Civilizations of the Ancient Near East*, vol. 1, New York, C. Scribner's Sons, 1995, p. 1387-1399 ; R. K. Englund, « Proto-Cuneiform Account-Books and Journals », in Michael Hudson et Cornelia Wunsch (dir.), *Creating Economic Order : Record-keeping, Standardization, and the Development of Accounting in the Ancient Near East*, Bethesda, MD, CDL Press, 2004, p. 21-46 ; Marvin A. Powell, « A Contribution to the History of Money in Mesopotamia prior to the Invention of Coinage », in B. Hruška et G. Komoróczy (dir.), *Festschrift Lubor Matouš*, Budapest, Eötvös Loránd Tudományegyetem, 1978, p. 211-243 ; Marvin A. Powell, « Money in Mesopotamia », *Journal of the Economic and Social History of the Orient*, 39:3, 1996, p. 224-242 ; John F. Robertson, « The Social and Economic Organization of Ancient Mesopotamian Temples », in Sasson (éd.), *Civilizations of the Ancient Near East*, vol. 1, p. 443-500 ; M. Silver, « Modern Ancients », in R. Rollinger et U. Christoph (dir.), *Commerce and Monetary Systems in the Ancient World : Means of Transmission and Cultural Interaction*, Stuttgart, Steiner, 2004, p. 65-87 ; Daniel C. Snell, « Methods of Exchange and Coinage in Ancient Western Asia », in Sasson (éd.), *Civilizations of the Ancient Near East*, vol. 1, p. 1487-1497.

lénaire avant notre ère : le sicle d'argent, qui n'était pas une pièce, mais correspondait plutôt à 8,33 grammes d'argent. Quand le code d'Hammurabi déclarait qu'un homme libre tuant une esclave devait payer vingt sicles d'argent à son propriétaire, il voulait dire qu'il devait payer 166 grammes d'argent, non pas vingt pièces. La plupart des termes monétaires de l'Ancien Testament sont donnés en termes d'argent, plutôt qu'en pièces. Les frères de Joseph vendirent ce dernier aux Ismaélites vingt sicles d'argent, soit 166 grammes (le même prix qu'une esclave : après tout, il n'était qu'un jeune).

À la différence du *silà* d'orge, le sicle d'argent n'avait pas de valeur inhérente. L'argent ne se boit ni ne se mange ; on ne saurait non plus s'en vêtir, et il est trop tendre pour en faire des outils : des charrues ou des épées en argent se froisseraient aussi vite que des pièces similaires en feuilles d'aluminium. Quand on utilise l'or et l'argent, c'est pour en faire des bijoux, des couronnes ou d'autres symboles de statut : des produits de luxe que les membres d'une culture identifient à un rang social élevé ? Leur valeur est purement culturelle.

*

Les poids fixes de métaux précieux finirent par donner naissance aux pièces. Les premières de l'histoire furent frappées autour de 640 avant notre ère par le roi Alyatte de Lydie, en Anatolie occidentale. Ces pièces avaient un poids d'or ou d'argent standard et portaient une marque permettant de les identifier. Cette marque attestait deux choses. Premièrement, elle indiquait la quantité de métal précieux entrant dans chaque pièce. Deuxièmement, elle signalait l'autorité qui avait émis la pièce et en garantissait la teneur. Presque toutes les pièces utilisées de nos jours descendent des pièces lydiennes.

Par rapport aux lingots de métal sans marque, les pièces présentaient deux avantages importants. Pour chaque transaction, il fallait peser le lingot, mais son poids ne suffisait pas. Comment le cordonnier sait-il que le lingot d'argent que je dépose en échange de mes bottes est vraiment de l'argent pur plutôt que du plomb recouvert d'une mince pellicule d'argent ? Les pièces aident à résoudre ces problèmes. La marque imprimée certifie leur valeur exacte, si bien que le cordonnier n'a pas besoin d'une balance pour tenir ses comptes. Qui plus est, la marque figurant sur la pièce est la signature d'une autorité politique qui garantit sa valeur.

La forme et la taille de la marque ont terriblement varié au cours de l'histoire, mais le message a toujours été le même. « Moi, Grand Roi Untel, je vous donne ma parole que ce disque de métal contient exactement cinq grammes d'or. Si quelqu'un ose contrefaire cette pièce, cela signifie qu'il contrefait ma signature, ce qui entacherait ma réputation. Je châtierai ce crime avec la plus extrême sévérité. » C'est pourquoi la contrefaçon monétaire a toujours été considérée comme un crime bien plus grave que d'autres actes de tromperie. Contrefaire, ce n'est pas simplement tricher : c'est porter atteinte à la souveraineté, se rendre coupable d'un acte de subversion contre le pouvoir, les privilèges et la personne du roi. Juridiquement, le crime de lèse-majesté était typiquement passible de supplices et de la peine de mort. Tant que le peuple avait confiance dans le pouvoir et l'intégrité du roi, il avait confiance dans ses pièces. Des étrangers acceptaient volontiers la valeur d'un denier romain, parce que le pouvoir et l'intégrité de l'empereur, dont le nom et l'effigie figuraient sur la pièce, leur inspiraient confiance.

Le pouvoir de l'empereur reposait à son tour sur le denier. Songez à quel point il eût été difficile de maintenir l'Empire romain sans pièces de monnaie : si l'empereur avait dû lever les impôts et payer les soldes en orge et en blé. Il aurait été impossible de collecter les impôts en grain d'orge en Syrie, pour transporter ensuite les fonds au Trésor central de Rome puis, de là, en Bretagne pour payer les légions qui y étaient stationnées. Il eût été également difficile de maintenir l'Empire si les habitants de Rome avaient cru aux pièces d'or, mais pas les Gaulois ni les Grecs, les Égyptiens et les Syriens, restés adeptes des cauris, des perles d'ivoire ou des rouleaux de tissus.

L'ÉVANGILE DE L'OR

La confiance dans les pièces romaines était si forte que, même hors des frontières de l'Empire, les gens acceptaient volontiers d'être payés en deniers. Au Iᵉʳ siècle de notre ère, les pièces romaines étaient un moyen d'échange accepté sur les marchés en Inde, alors même que la région romaine la plus proche se trouvait à des milliers de kilomètres. Les Indiens avaient une telle confiance dans le denier et l'image impériale que, quand les souverains locaux frappèrent eux-même des pièces, ils imitèrent scrupuleusement le denier jusqu'au portrait de l'empereur romain ! Le « denier » devint un nom générique des pièces. Les califes musulmans l'arabisèrent et émirent des « dinars ». Tel est toujours le nom officiel de la monnaie en Jordanie, en Irak, en Serbie, en Macédoine, en Tunisie et dans divers autres pays.

Alors que le monnayage de style lydien se répandait de la Méditerranée vers l'océan Indien, la Chine élabora un système monétaire légèrement différent, fondé sur des monnaies de bronze et des lingots d'argent et d'or non marqués. Mais les deux systèmes monétaires avaient suffisamment de points communs (notamment le fait de se fonder sur l'or et l'argent) pour que d'étroites relations monétaires et commerciales se développent entre la zone chinoise et la zone lydienne. Les marchands et conquérants musulmans et européens devaient progressivement propager le système lydien et l'évangile de l'or jusque dans les coins les plus reculés de la Terre. Dans les Temps modernes, le monde entier finit par ne former qu'une seule zone monétaire, d'abord fondée sur l'or et l'argent, puis sur quelques devises inspirant la confiance comme la livre sterling britannique et le dollar américain.

L'apparition d'une seule zone monétaire transnationale et transculturelle jeta les bases de l'unification de l'Afro-Asie, puis de la Terre entière, en une seule sphère économique et politique. Les gens continuèrent à parler des langues mutuellement incompréhensibles, à obéir à des souverains différents et à adorer des dieux distincts, mais tous croyaient à l'or et à l'argent et aux pièces d'or et d'argent. Sans cette croyance partagée, les réseaux de commerce mondiaux eussent été quasi impossibles. L'or et l'argent que les conquistadors du XVIe siècle trouvèrent en Amérique permirent aux marchands européens d'acheter de la soie, de la porcelaine et des épices en Asie de l'Est pour faire tourner ainsi les roues de la croissance économique en Europe et dans l'Est asiatique. L'essentiel de l'or et de l'argent extrait des mines du Mexique et des Andes glissa entre les doigts des Européens pour trouver bon accueil dans les bourses des fabricants chinois de soie et de porcelaine. Que serait-il advenu de l'économie mondiale si les Chinois n'avaient pas souffert de la même « maladie de cœur » qui affligeait Cortés et ses compagnons... et avaient refusé les paiements en or et en argent ?

Mais d'où vient que les Chinois, les Indiens, les musulmans et les Espagnols – qui appartenaient à des cultures très différentes, incapables de s'entendre sur grand-chose – aient partagé la croyance en l'or ? Les Espagnols n'auraient-ils pu croire en l'or, les musulmans à l'orge et les Chinois aux coupons de soie ? Les économistes ont une réponse toute prête. Dès que le commerce relie deux zones, les forces de l'offre et de la demande ont tendance à égaliser les prix des produits transportables. Afin de comprendre pourquoi, considérons un cas hypothétique. Imaginons qu'un commerce régulier s'engage entre l'Inde et la Méditerranée, mais que les Indes se désintéressent de l'or, qui y est presque sans valeur. En Méditerranée, en revanche, l'or est un symbole de statut convoité. Sa valeur est donc élevée. Que se passerait-il ensuite ?

Les marchands voyageant entre l'Inde et la Méditerranée remarqueraient la différence de valeur de l'or. Pour faire du profit, ils achèteraient l'or bon marché en Inde et le vendraient cher en Méditerranée. Dès lors, la demande d'or en Inde monterait en flèche, tout comme sa valeur. Dans le même temps, la Méditerranée connaîtrait un afflux d'or, dont la valeur baisserait en conséquence. À bref délai, la valeur de l'or dans les deux zones serait très semblable. Le simple fait que les Méditerranéens croient en l'or conduirait les Indiens à commencer d'y croire à leur tour. Même si les Indiens n'en ont pas encore vraiment usage, le seul fait que les Méditerranéens en veuillent suffirait à amener les Indiens à l'apprécier.

De même, le fait qu'une autre personne croie aux cauris, aux dollars ou aux données électroniques suffit à renforcer notre foi en eux, même si, par ailleurs, nous haïssons cette personne, la méprisons ou la ridiculisons. Des chrétiens et des musulmans qui ne sauraient s'entendre sur des croyances religieuses pourraient néanmoins s'accorder sur une croyance monétaire parce que, si la religion nous demande de croire à quelque chose, la monnaie nous demande de croire que d'*autres croient à quelque chose.*

Depuis des milliers d'années, philosophes, penseurs et prophètes ternissent l'argent et en font la racine de tous les maux. Quoi qu'il en soit, la monnaie est aussi l'apogée de la tolérance. Elle est plus ouverte que la langue, les lois des États, les codes culturels, les croyances religieuses et les habitudes sociales. La monnaie est le seul système de confiance créé par l'homme qui puisse enjamber n'importe quel fossé culturel et qui ne fasse aucune discrimination sur la base de la religion, du genre, de la race, de l'âge ou de l'orientation sexuelle. Grâce à l'argent, même des gens qui ne se connaissent pas et ne se font pas confiance peuvent tout de même coopérer efficacement.

LE PRIX DE LA MONNAIE

La monnaie repose sur deux principes universels :

a. La convertibilité universelle : avec la monnaie dans le rôle de l'alchimiste, on peut transformer la terre en loyauté, la justice en santé et la violence en savoir.
b. La confiance universelle : avec l'intermédiaire de la monnaie, deux personnes peuvent toujours coopérer à n'importe quel projet.

Ces principes ont permis à des millions d'inconnus de coopérer efficacement dans le commerce et l'industrie. Mais ces principes apparemment innocents ont une face cachée. Quand tout est convertible, quand la confiance dépend de pièces anonymes et de cauris, elle corrode les traditions locales, les relations intimes et les valeurs humaines, pour les remplacer par les lois froides de l'offre et de la demande.

Les communautés humaines et les familles ont toujours été fondées sur la croyance en des choses « sans prix » telles que l'honneur, la loyauté, la morale et l'amour. Ces choses échappent au marché et elles ne sauraient s'acheter ni se vendre. Même si le marché offre un bon prix, il est des choses qui ne se font pas. Les parents ne doivent pas vendre leurs enfants en esclavage ; un bon chrétien ne doit pas commettre un péché mortel ; un chevalier loyal ne trahit pas son seigneur ; et les terres tribales ancestrales ne seront jamais vendues à des étrangers.

La monnaie a toujours essayé de franchir ces barrières, comme l'eau suinte à travers les fissures d'un barrage. Des parents ont été réduits à vendre quelques-uns de leurs enfants comme esclaves pour acheter à manger aux autres. De fervents chrétiens ont tué, volé et triché, puis se sont servis de leurs dépouilles pour acheter le pardon de l'Église. Des chevaliers ambitieux ont proposé leur allégeance au plus offrant tout en s'assurant de la loyauté de leurs partisans par des paiements en espèces. Des terres tribales ont été vendues à des étrangers venus de l'autre bout du monde pour acheter un billet d'entrée dans l'économie mondiale.

La monnaie a une face encore plus sombre. Si elle instaure la confiance universelle entre étrangers, cette confiance est investie non pas dans les hommes, les communautés ou les valeurs sacrées, mais dans la monnaie elle-même et les systèmes impersonnels qui la soutiennent. Nous ne faisons pas confiance à l'inconnu, au voisin d'à côté : nous avons confiance dans la pièce de monnaie qu'ils possèdent. S'ils sont à court, notre confiance fond. Alors que la monnaie abat les barrages de la communauté, de la religion et de l'État, le monde court le risque de devenir un seul grand marché passablement privé de cœur.

L'histoire économique de l'humanité a tout d'une danse délicate. Les gens comptent sur la monnaie pour faciliter la coopération avec des inconnus, mais ils ont peur qu'elle ne corrompe les valeurs humaines et les relations intimes. D'une main, les gens détruisent volontiers les barrages communautaires qui avaient si longtemps tenu en respect le mouvement de la monnaie et du commerce ; de l'autre, ils en bâtissent de nouveaux pour protéger la société, la religion et l'environnement de l'asservissement des forces du marché.

Il est courant, de nos jours, de croire que le marché triomphe toujours et que les barrages érigés par les rois, les prêtres et les communautés ne sauraient résister longtemps aux marées monétaires. Quelle naïveté ! Guerriers brutaux, fanatiques religieux et citoyens

concernés ont maintes fois réussi à écraser les marchands calcula-
teurs, voire à refaçonner l'économie. Il est donc impossible de comprendre l'unification de l'humanité comme un processus purement
économique. Si l'on veut comprendre comment des milliers de
cultures isolées se sont fondues au fil du temps pour former le village mondial actuel, il nous faut être attentif au rôle de l'or et de
l'argent, sans pour autant négliger le rôle tout aussi crucial de l'acier.

11.

Visions impériales

Les Romains de l'Antiquité avaient l'habitude de la défaite. Comme les souverains de la plupart des grands empires de l'histoire, ils pouvaient perdre bataille sur bataille, mais finalement gagner quand même la guerre. Un empire incapable d'encaisser un coup et de rester debout n'est pas vraiment un empire. Mais même les Romains eurent du mal à avaler les nouvelles qui arrivaient du nord de l'Hispanie au milieu du IIᵉ siècle avant notre ère. Une insignifiante petite ville de montagne, Numance, peuplée d'indigènes celtes, avait osé se défaire du joug romain. À l'époque, Rome était le maître incontesté de tout le Bassin méditerranéen : après avoir vaincu les empires macédonien et séleucide, la ville avait soumis les fières cités-États de la Grèce et transformé Carthage en ruines fumantes. Les Numanciens n'avaient pour eux que leur farouche amour de la liberté et leur territoire inhospitalier. Ils n'en forcèrent pas moins les légions à se rendre l'une après l'autre, ou à battre en retraite honteusement.

En 134 avant notre ère, les Romains finirent par perdre patience. Le Sénat décida d'envoyer Scipion Émilien, le plus éminent général de Rome et l'homme qui avait rasé Carthage, faire un sort aux Numanciens. On lui confia une armée massive de plus de 30 000 soldats. Scipion, qui respectait l'esprit combatif et l'art martial des Numanciens, préféra ne pas gaspiller ses soldats en vains combats et encercla Numance avec une ligne de fortifications, bloquant le contact de la ville avec le monde extérieur. La faim œuvra pour lui. Au bout d'un an, les réserves de vivres s'épuisèrent. Voyant que tout espoir était perdu, les Numanciens incendièrent leur ville ; si l'on en croit les récits romains, la plupart se donnèrent la mort pour ne pas devenir esclaves de Rome.

Numance devint le symbole de l'indépendance et du courage espagnols. Miguel de Cervantès, l'auteur du *Quichotte*, intitula une de ses tragédies *Le Siège de Numance*, qui s'achève sur la destruction de la ville, mais aussi sur une vision de la grandeur future de l'Espagne. Des poètes composèrent des péans à ses farouches défenseurs, et des peintres brossèrent de majestueux tableaux du siège. En 1882, ses ruines furent décrétées « monument national » et devinrent un lieu de pèlerinage pour les patriotes espagnols. Dans l'Espagne des années 1950 et 1960, les bandes dessinées les plus populaires n'étaient pas les aventures de Superman et de Spiderman, mais celles d'El Jabato, héros ibère imaginaire de la lutte contre l'oppresseur romain. Les anciens Numanciens sont aujourd'hui encore les parangons espagnols de l'héroïsme et du patriotisme : des modèles de rôle pour les jeunes du pays.

Reste que les patriotes espagnols vantent les Numanciens en *espagnol*, une langue romane qui descend du latin de Scipion. Les Numanciens parlaient une langue celtique désormais morte et perdue. Cervantès écrivit son *Siège de Numance* en caractères latins, et la pièce se conforme aux modèles artistiques gréco-romains. Numance n'avait pas de théâtres. Les patriotes espagnols qui admirent l'héroïsme numancien sont aussi en général des fidèles de l'Église catholique romaine – vous avez bien lu, « romaine » – dont le chef siège encore à Rome et dont le Dieu préfère qu'on s'adresse à lui en latin. De même, le droit espagnol moderne dérive du droit romain ; le système politique espagnol repose sur des fondements romains ; et la cuisine et l'architecture espagnoles doivent bien davantage à celles des Romains qu'à celles des Celtes d'Ibérie. De Numance ne restent que des ruines. Même son histoire ne nous est parvenue qu'à travers les écrits des historiens romains, adaptée aux goûts du public romain qui se délectait d'aventures de barbares épris de liberté. La victoire de Rome sur Numance fut si complète que les vainqueurs cooptèrent la mémoire même des vaincus.

Ce n'est pas le genre d'histoire qui a nos faveurs. Nous aimons voir les opprimés l'emporter. Mais il n'y a pas de justice dans l'histoire. La plupart des cultures passées ont tôt ou tard été la proie des armées de quelque empire implacable, qui les ont vouées à l'oubli. Les empires finissent eux aussi par chuter, mais ils ont tendance à laisser derrière eux des héritages riches et durables. Les peuples du XXIᵉ siècle sont presque tous les rejetons d'un empire ou d'un autre.

QU'EST-CE QU'UN EMPIRE ?

Un empire est un ordre politique qui présente deux caractéristiques importantes. La première est que seul mérite cette appellation un ordre qui règne sur un nombre significatif de peuples distincts ayant chacun une identité culturelle différente et un territoire séparé. Combien de peuples exactement ? Deux ou trois ne suffisent pas. Vingt ou trente est pléthore. Le seuil impérial se situe entre les deux.

La seconde caractéristique est la flexibilité des frontières jointe à un appétit potentiellement illimité. Les empires peuvent avaler toujours plus de nations et de territoires sans altérer leur structure ou leur identité de base. L'État britannique actuel possède des frontières assez claires qui ne sauraient être dépassées sans altérer la structure et l'identité fondamentales de l'État. Voici un siècle, n'importe quel coin de la Terre aurait pu faire partie de l'Empire britannique.

C'est la diversité culturelle et leur flexibilité territoriale qui donnent aux empires leur caractère unique, mais aussi leur rôle central dans l'histoire. C'est grâce à ces deux caractéristiques que les empires sont parvenus à unir divers groupes ethniques et zones écologiques sous une même structure politique, fusionnant ainsi des segments toujours plus larges de l'espèce humaine et de la planète Terre.

Soulignons qu'un empire se définit exclusivement par sa diversité culturelle et ses frontières flexibles, plutôt que par ses origines, sa forme de gouvernement, son étendue territoriale ou la taille de sa population. Un empire n'est pas nécessairement le fruit de la conquête militaire. L'Empire athénien est né sous la forme d'une ligue volontaire ; l'Empire des Habsbourg, d'habiles alliances matrimoniales. Un empire n'est pas nécessairement gouverné par un empereur autocrate. L'Empire britannique, le plus grand de l'histoire, était une démocratie. Il y eut d'autres empires, sinon démocratiques, du moins républicains, comme les empires hollandais, français, belge et américain, ainsi que les empires prémodernes de Novgorod, Rome, Carthage et Athènes.

La taille n'a pas non plus grande importance. Il est des empires chétifs. L'Empire athénien à son zénith était bien plus petit, par sa superficie et sa population, que la Grèce actuelle. L'Empire aztèque était bien plus petit que le Mexique actuel. Tous deux n'en étaient pas moins des empires, ce qui n'est pas le cas de la Grèce et du Mexique modernes. Contrairement à ces derniers, les premiers soumirent progressivement des douzaines, voire des centaines de régimes politiques. Athènes régna sur plus de cent cités-États autrefois indépendantes, tandis que l'Empire aztèque, si l'on se fie à ses archives fiscales, régna sur trois cent soixante et onze tribus et populations[1].

Comment a-t-on pu faire entrer pareil pot-pourri humain dans le territoire d'un modeste État moderne ? Parce que, jadis, le monde comptait bien plus de peuples distincts, chacun ayant une population plus petite et occupant moins de territoire qu'un peuple typique actuel. Au temps de la Bible, la terre comprise entre la Méditerranée et le Jourdain, qui peine aujourd'hui à satisfaire les ambitions de deux peuples, abritait sans mal des douzaines de nations, tribus, petits royaumes et cités-États.

Les empires ont été une des principales raisons de la forte réduction de la diversité humaine. Le rouleau compresseur a progressivement effacé les caractéristiques uniques de nombreux peuples (comme les Numanciens) pour forger de nouveaux groupes bien plus importants.

---

1. Nahum Megged, *Les Aztèques*, Tel-Aviv, Dvir, 1999 (en hébreu), p. 103.

Empires du mal ?

De nos jours, « impérialiste » vient juste après « fasciste » dans le lexique des mots politiques infamants. La critique contemporaine des empires revêt ordinairement deux formes :

1. Les empires ne fonctionnent pas. À long terme, il est impossible de gouverner efficacement un grand nombre de peuples conquis.
2. Même si ça marchait, il faudrait s'en garder, parce que les empires sont de mauvaises machines de destruction et de corruption. Chaque peuple a le droit de disposer de lui-même et ne devrait donc jamais être soumis à la domination d'un autre.

Dans une perspective historique, la première proposition est une sottise, et la seconde demeure profondément problématique.

La vérité, c'est que l'empire a été la forme d'organisation politique la plus courante dans le monde au cours des 2 500 dernières années. La plupart des hommes, durant ces deux millénaires et demi, ont vécu dans des empires. L'empire est aussi une forme de gouvernement très stable. La facilité avec laquelle la plupart des empires ont pu écraser les rébellions ne laisse pas d'alarmer. D'une manière générale, il a fallu une invasion extérieure ou une scission au sein de l'élite dirigeante pour les faire tomber. Inversement, les peuples conquis ont toujours eu du mal à se débarrasser de leurs suzerains impériaux. La plupart sont demeurés soumis des siècles durant, lentement digérés par l'empire conquérant, jusqu'à ce que leur culture propre s'en aille à vau-l'eau.

Par exemple, quand l'Empire romain d'Occident finit par succomber devant les invasions des tribus germaniques en 476, Numanciens, Arvernes, Helvètes, Samnites, Lusitaniens, Ombriens, Étrusques et des centaines d'autres peuples oubliés que les Romains avaient conquis des siècles auparavant n'émergèrent pas de la carcasse éviscérée de l'Empire tel Jonas du ventre de la baleine. Il ne restait plus rien d'eux. Les descendants biologiques des peuples qui s'étaient identifiés comme membres de ces nations, qui avaient parlé leurs langues, adoré leurs dieux et raconté leurs mythes et légendes pensaient, parlaient et adoraient désormais comme des Romains.

Bien souvent, la destruction d'un empire ne se traduisit guère par l'indépendance des peuples assujettis. Un nouvel empire s'engouffra plutôt dans le vide créé quand l'ancien s'effondra ou battit en retraite. Nulle part cela n'a été plus évident qu'au Moyen-Orient. L'actuelle constellation politique de la région – rapport de forces entre multiples entités politiques indépendantes avec des frontières plus ou moins stables – est presque sans parallèle dans les derniers millénaires. La dernière fois que le Moyen-Orient connut une situation pareille, c'était au VIIIᵉ siècle avant notre ère – il y a près de 3 000 ans ! De l'essor de l'Empire néo-assyrien au VIIIᵉ siècle avant notre ère à l'effondrement des empires britannique et français au milieu du XXᵉ siècle, le Moyen-Orient passa des mains d'un empire aux mains d'un autre, tel un bâton dans une course de relais. Quand les Britanniques et les Français finirent par lâcher le bâton, Araméens, Ammonites, Phéniciens, Philistins, Moabites, Édomites et autres peuples conquis par les Assyriens avaient disparu de longue date.

De nos jours, certes, Juifs, Arméniens et Géorgiens se présentent non sans raison comme les rejetons des anciens peuples du Moyen-Orient. Mais ce ne sont que les exceptions qui confirment la règle, et même ces prétentions sont un peu exagérées. Il va sans dire que les pratiques politiques, économiques et sociales des Juifs modernes, par exemple, doivent bien plus aux empires dans lesquels ils ont vécu au cours des deux derniers millénaires qu'aux traditions de l'ancien royaume de Judée. Si le roi David devait apparaître dans une synagogue ultra-orthodoxe de Jérusalem, aujourd'hui, il serait éberlué d'y trouver des gens habillés à la manière d'Europe orientale, parlant un dialecte germanique (yiddish) et discutant inlassablement du sens d'un texte babylonien (le Talmud). Il n'y avait ni synagogues, ni volumes du Talmud, ni mêmes rouleaux de la Torah dans l'ancienne Judée.

*

Bâtir et maintenir un empire exigea habituellement le massacre de fortes populations et l'oppression brutale de ceux qui restaient. L'outillage impérial classique comprenait guerres, asservissement, déportation et génocide. Quand les Romains envahirent l'Écosse en 83 de notre ère, ils se heurtèrent à une résistance farouche des tribus locales de Calédoniens et réagirent en dévastant le pays. Répondant aux offres de paix des Romains, le chef Calgacus traita les Romains de voyous ou « ravisseurs du monde » : « Enlever, massacrer, piller c'est ce que leur langage mensonger appelle commander, et où ils créent le désert, ils disent que c'est la paix[1]. »

Cela ne signifie pas, toutefois, que les empires ne laissent rien de valeur dans leur sillage. Peindre en noir tous les empires et désavouer tout l'héritage impérial, c'est rejeter l'essentiel de la culture humaine. Les élites impériales utilisèrent les profits de la conquête pour financer non seulement des armées et des forts, mais aussi la philosophie, les arts, la justice et la charité. Une proportion significative des œuvres culturelles de l'humanité doit son existence à l'exploitation des peuples conquis. Les profits et la prospérité apportés par l'impérialisme romain donnèrent à Cicéron, Sénèque et saint Augustin le loisir et les ressources nécessaires pour penser et écrire ; le Taj Mahal n'aurait pu être construit sans la richesse accumulée au gré de l'exploitation par les Moghols de leurs sujets indiens ; de même, les profits que l'empire des Habsbourg retira de sa domination des provinces de langue slave, magyare et roumaine financèrent les salaires de Haydn et les commandes passées à Mozart. Aucun auteur calédonien n'a conservé le discours de Calgacus pour la postérité : c'est par l'historien romain Tacite que nous le connaissons. En fait, c'est probablement Tacite lui-même qui le composa. La plupart des spécialistes admettent aujourd'hui que non seulement Tacite a fabriqué ce discours, mais qu'il inventa aussi carrément le personnage du chef calédonien, Calgacus, pour exprimer ce que lui-même et d'autres Romains de la haute société pensaient de leur pays.

---

1. Tacite, *Agricola*, XXIX-XXX, ici cité dans la traduction de P. Grimal, in Tacite, *Œuvres complètes*, Paris, Gallimard, « Bibliothèque de la Pléiade », 1990, p. 22.

Même si, au-delà de la culture de l'élite et du grand art, nous regardons le monde des gens ordinaires, nous trouvons un héritage impérial dans la majorité des cultures modernes. La plupart d'entre nous parlons, pensons et rêvons aujourd'hui dans des langues impériales qui ont été imposées par l'épée à nos ancêtres. En Asie de l'Est, la plupart parlent et rêvent dans la langue de l'empire des Han. Indépendamment de leurs origines, la quasi-totalité des habitants des deux continents américains, de la Péninsule de Barrow, en Alaska, au détroit de Magellan, communiquent dans une des quatre langues impériales : espagnol, portugais, français ou anglais. Les Égyptiens d'aujourd'hui parlent arabe, se considèrent comme des Arabes et s'identifient de tout cœur avec l'Empire arabe qui conquit l'Égypte au VIIe siècle et écrasa d'une main de fer les révoltes répétées qui éclatèrent contre sa domination. Les quelque dix millions de Zoulous d'Afrique du Sud se réclament de l'ère glorieuse des Zoulous au XIXe siècle, alors même que la plupart d'entre eux descendent de tribus qui combattirent l'Empire zoulou et ne lui furent intégrées qu'à l'issue de sanglantes campagnes militaires.

C'EST POUR VOTRE BIEN

Le premier empire sur lequel nous ayons des informations précises est l'Empire akkadien de Sargon le Grand (vers 2250 avant notre ère). Sargon fut d'abord roi de Kish, petite cité-État de Mésopotamie. En l'espace de quelques décennies, il réussit à conquérir non seulement toutes les autres cités-États mésopotamiennes, mais aussi de vastes territoires extérieurs. Sargon se vantait d'avoir conquis le monde entier. En réalité, son Empire s'étendait du golfe Persique à la Méditerranée et englobait la majeure partie de l'Irak et de la Syrie, ainsi que des bouts de l'Iran et de la Turquie modernes.

L'Empire akkadien ne survécut guère à la mort de son fondateur, mais Sargon laissa derrière lui un manteau impérial qui demeura rarement sans prétendants. Au cours des 1 700 ans suivants, les rois assyriens, babyloniens et hittites prirent modèles sur Sargon. Puis, autour de 550 avant notre ère, le Perse Cyrus le Grand se glorifia de façon plus marquante encore.

Les rois d'Assyrie restèrent toujours les rois d'Assyrie. Lors même qu'ils prétendirent gouverner la terre entière, il était clair qu'ils le faisaient pour la plus grande gloire de l'Assyrie, et ils ne s'en cachaient pas. Cyrus, par ailleurs, prétendit non seulement gouverner le monde, mais le faire au nom du peuple tout entier. « Nous vous conquérons pour votre bien », disaient les Perses. Cyrus voulait être aimé des peuples soumis et entendait qu'ils fussent heureux d'être les vassaux des Perses. L'exemple le plus fameux de ses efforts novateurs pour gagner l'approbation d'une nation vivant sous la coupe de son empire est l'ordre autorisant les Juifs exilés en Babylonie à rentrer en Judée et à reconstruire leur Temple. Il leur offrit même une assistance financière. Cyrus ne se considérait pas comme un roi perse régnant sur les Juifs : il était aussi le roi des Juifs et était donc responsable de leur prospérité.

La présomption de gouverner le monde entier pour le bien de ses habitants était déroutante. L'évolution a fait de l'*Homo sapiens*, comme des autres mammifères sociaux, une créature xénophobe. Sapiens divise d'instinct l'humanité en deux : « Nous » et « Eux ». Nous, c'est vous et moi, qui partageons langue, religion et usages. Nous sommes responsables les uns des autres, mais pas d'eux. Nous avons toujours été différents d'eux, et nous ne leur devons rien. Nous ne voulons pas d'eux sur notre territoire, et nous nous fichons pas mal de ce qui se passe sur le leur. C'est à peine si ce sont des hommes. Dans la langue du peuple Dinka, au Soudan, « Dinka » signifie simplement « hommes ». Ceux qui ne sont pas Dinka ne sont pas des hommes. Les ennemis jurés des Dinka sont les Nuer. Et que veut dire le mot « Nuer » dans leur langue ? Les « hommes originels ». À des milliers de kilomètres des déserts soudanais, dans les terres prises sous les glaces de l'Alaska et du nord-est de la Sibérie, vivent les Yupiks. Et que signifie « Yupik » dans leur langue ? Les « vrais hommes[1] ».

---

1. Ann Fienup-Riordan, *The Nelson Island Eskimo : Social Structure and Ritual Distribution*, Anchorage, Alaska Pacific University Press, 1983, p. 10.

À l'opposé de cet exclusivisme ethnique, l'idéologie impériale, à compter de Cyrus, a eu tendance à être inclusive et ouverte à tout. On a justement insisté sur les différences raciales et culturelles entre dirigeants et dirigés, mais cette idéologie n'en reconnaissait pas moins l'unité foncière du monde, l'existence d'un seul ensemble de principes régissant tous les pays et tous les temps, ainsi que les responsabilités mutuelles de tous les êtres humains. L'humanité est vue comme une grande famille : les privilèges des parents vont de pair avec leur responsabilité du bien-être des enfants.

Cette nouvelle vision impériale se transmit de Cyrus et des Perses à Alexandre le Grand, et de celui-ci aux rois hellénistiques, aux empereurs romains, aux califes musulmans, aux dynastes indiens et, pour finir, aux dirigeants soviétiques et aux Présidents américains. Cette bienveillante vision impériale a justifié l'existence des empires tout en niant non seulement les velléités de rébellion des peuples soumis, mais aussi les efforts des peuples indépendants pour résister à l'expansion impériale.

De semblables visions impériales se développèrent indépendamment du modèle perse dans d'autres parties du monde, notamment en Amérique centrale, dans les Andes et en Chine. Selon la théorie politique chinoise traditionnelle, le Ciel *(Tian)* est la source de toute autorité légitime sur Terre. Le Ciel choisit la personne ou la famille la plus digne pour lui conférer le Mandat céleste. La personne ou la famille en question règne alors sur Tout ce qui est « sous le Ciel » *(Tianxia)* pour le bien de tous ses habitants. Une autorité légitime est donc, par définition, universelle. Un souverain qui n'a pas reçu ce Mandat céleste n'a aucune légitimité, fût-ce pour diriger une seule cité. S'il a le Mandat, il a obligation de répandre la justice et l'harmonie dans le monde entier. Le Mandat du Ciel ne saurait être conféré à plusieurs candidats simultanément ; par voie de conséquence, on ne saurait légitimer l'existence de plus d'un État indépendant.

Le premier empereur de la Chine unifiée, Qin Shi Huangdi, se vantait que « dans les six directions [de l'univers] tout appartenait à l'empereur [...]. Partout où il y a une empreinte de pas humain, il n'est personne qui ne soit devenu sujet [de l'empereur] [...]. Sa bonté s'étend même aux bœufs et aux chevaux. Il n'est personne qui n'en ait tiré profit. Tout homme est en sécurité sous son toit[1] ». Dans la pensée politique comme dans la mémoire historique chinoises, les périodes impériales font donc figure d'âge d'or d'ordre et de justice. En contradiction avec la vision occidentale moderne – un monde juste se compose d'États-nations séparés –, les périodes de fragmentation politique en Chine ont été perçues comme de sombres époques de chaos et d'injustice. Cette perception a été lourde de conséquences pour l'histoire chinoise. Chaque fois qu'un empire s'effondra, la théorie politique dominante incita le pouvoir en place à ne pas se résigner à l'existence de dérisoires principautés indépendantes, mais à tenter une réunification. Tôt ou tard, ces efforts finissaient toujours par aboutir.

QUAND « EUX » DEVIENNENT « NOUS »

Les empires ont joué un rôle décisif en amalgamant maintes petites cultures en un petit nombre de grandes cultures. Idées, hommes, marchandises et techniques se répandent plus facilement dans les frontières d'un empire que dans une région politiquement fragmentée. Bien souvent, ce sont les empires eux-mêmes qui propagèrent délibérément les idées, les institutions, les coutumes et les normes. L'une des raisons était leur souci de se rendre la vie plus facile. Il est difficile de diriger un empire dont chaque petit district possède son ensemble de lois, sa forme d'écriture, sa langue et sa monnaie propres. La standardisation était une aubaine pour les empereurs.

Le gain de légitimité attendu était une deuxième raison tout aussi importante qu'avaient les empires de propager une culture

---

1. Yuri Pines, « Nation States, Globalization and a United Empire – the Chinese Experience (third to fifth centuries BC) », *Historia*, 15, 1995 (en hébreu), p. 54.

commune. Au moins depuis le temps de Cyrus et de Qin Shi Huangdi, les empires ont justifié leurs actions – constructions de route ou bains de sang – par la nécessité de propager une culture supérieure dont les conquis bénéficiaient plus encore que les conquérants.

Les avantages étaient tantôt patents : application de la loi, urbanisme, normalisation des poids et mesures, tantôt contestables : taxes, conscription, culte impérial. Mais la plupart des élites impériales croyaient sérieusement travailler pour le bien-être général de tous les habitants de l'Empire. La classe dirigeante chinoise traitait les voisins de leur pays et ses sujets étrangers tels de misérables barbares à qui l'Empire devait apporter les avantages de la culture. Le Mandat céleste était accordé à l'empereur non pas pour exploiter le monde, mais pour éduquer l'humanité. Les Romains justifiaient eux aussi leur domination en affirmant qu'ils apportaient aux barbares paix, justice et raffinement. Les sauvages Teutons et les Gaulois peinturlurés avaient vécu dans la crasse et l'ignorance avant que les Romains ne les domptent par la loi, ne les lavent dans les bains publics et ne les améliorent par la philosophie. L'Empire maurya, au IIIe siècle, pensait avoir pour mission de faire connaître les enseignements du Bouddha à un monde ignorant. Les califes musulmans reçurent d'Allah le mandat de propager la révélation du Prophète, pacifiquement si possible, mais si nécessaire par l'épée. Les empires espagnols et portugais protestaient que ce n'était pas les richesses qu'ils recherchaient dans les Indes et en Amérique ; ils voulaient convertir la population à la vraie foi. De même, jamais le soleil ne se couchait sur la mission britannique de répandre le double évangile du libéralisme et du libre-échange. Les Soviétiques s'estimaient tenus de faciliter l'inexorable marche historique du capitalisme vers l'utopique dictature du prolétariat. Pour beaucoup d'Américains, de nos jours, leur gouvernement a pour impératif moral d'apporter aux pays du Tiers Monde les avantages de la démocratie et des droits de l'homme, quand bien même cela passerait par les missiles de croisière et les F-16.

Les idées culturelles propagées par l'empire étaient rarement la création exclusive de l'élite dirigeante. La vision impériale tendant à être universelle et inclusive, il était relativement aisé aux élites impériales d'adopter idées, normes et traditions, d'où qu'elles vinssent, plutôt que de s'accrocher fanatiquement à une seule tradition obtuse. Si certains empereurs cherchèrent à purifier leurs cultures pour retrouver ce qu'ils prenaient pour leurs racines, la plupart des empires engendrèrent des civilisations hybrides qui puisèrent largement chez les peuples soumis. La culture impériale de Rome était grecque presque autant que romaine. La culture impériale abbasside était pour partie perse, pour partie grecque et pour partie arabe. La culture impériale mongole copia la culture chinoise. Dans l'Amérique impériale, un Président américain qui a du sang kenyan dans les veines peut mordre à belles dents dans sa pizza italienne en regardant son film préféré, *Lawrence d'Arabie*, une épopée britannique sur la rébellion arabe contre les Turcs.

Non que ce melting-pot culturel ait un tant soit peu facilité l'assimilation des vaincus. La civilisation impériale a bien pu absorber les nombreuses contributions des divers peuples conquis, mais le résultat hybride resta étranger à l'immense majorité. L'assimilation fut souvent douloureuse et traumatique. Il n'est pas facile d'abandonner une tradition locale familière et aimée, de même qu'il est difficile et éprouvant de comprendre et d'adopter une nouvelle culture. Pis encore, alors même que les populations soumises avaient réussi à adopter la culture impériale, il fallait parfois des décennies, voire des siècles, pour que l'élite impériale les reconnût comme une partie de «nous». Les générations s'échelonnant entre conquête et acceptation restaient en plan. Elles avaient déjà perdu leur culture locale chérie, mais n'étaient pas admises sur un pied d'égalité au sein du monde impérial. Leur culture adoptive continuait de voir en eux des barbares.

Imaginez un Ibère de bonne souche vivant un siècle après la chute de Numance. Il parle son dialecte celtique maternel avec les siens, mais son latin est impeccable, avec juste un léger accent : il l'a appris pour mener ses affaires et traiter avec les autorités. Il comble le penchant de sa femme pour les colifichets alambiqués, mais il est un peu gêné de la voir, comme les autres femmes du pays, conserver cette relique du goût celtique : il préférerait qu'elle fasse sien le goût des bijoux simples qui ont les faveurs de l'épouse du gouverneur romain. Lui même porte une tunique romaine et, du fait de sa réussite comme marchand de bestiaux, largement due à sa connaissance des subtilités du droit commercial romain, il a pu se construire une villa à la romaine. Pourtant, bien qu'il puisse réciter par cœur le livre III des *Géorgiques*, les Romains continuent de le traiter en semi-barbare. Force lui est de constater, frustré, qu'il n'aura jamais de poste officiel, ni même une des meilleures places à l'amphithéâtre.

À la fin du XIXe siècle, beaucoup d'Indiens éduqués reçurent la même leçon de leurs maîtres britanniques. Une anecdote célèbre en témoigne. C'est l'histoire d'un Indien ambitieux qui maîtrisait les finesses de la langue anglaise, prit des leçons de danse occidentale et s'habitua même à manger avec couteau et fourchette. Fort de ses nouvelles manières, il se rendit en Angleterre, fit des études de droit à l'University College London puis devint avocat. Dans la colonie britannique d'Afrique du Sud, ce jeune homme de loi ne se fit pas moins jeter d'un train parce qu'il prétendait voyager en première au lieu de rejoindre la troisième classe où étaient censés se tenir les « gens de couleur » comme lui. Il s'appelait Mohandas Karamchand Gandhi.

Dans certains cas, les processus d'acculturation et d'assimilation finirent par renverser les barrières entre l'ancienne élite et les nouveaux venus. Les conquis cessèrent de voir dans l'empire un système d'occupation étranger, et les conquérants en vinrent à voir dans leurs sujets des égaux. Aux yeux des dirigeants comme des dirigés, « eux » étaient désormais des « nôtres ». Après des siècles de pouvoir impérial, tous les sujets de Rome finirent par recevoir la citoyenneté romaine. Des non-Romains purent se hisser dans le corps des officiers des légions romaines et siéger au Sénat. En l'an 48, l'empereur Claude admit au Sénat plusieurs notables gaulois « unis à nous », déclara-t-il dans un discours, par leurs « coutumes, la culture et des liens matrimoniaux ». Par snobisme, des sénateurs protestèrent contre l'introduction de ces anciens ennemis au cœur du système politique romain. Claude leur rappela une vérité gênante. Leurs propres familles sénatoriales étaient pour la plupart issues de tribus italiennes qui avaient autrefois combattu Rome avant de se voir accorder la citoyenneté romaine. En fait, l'empereur ne manqua pas de leur rappeler que lui même était d'ascendance sabine[1].

Au IIᵉ siècle de notre ère, Rome avait à sa tête une lignée d'empereurs natifs d'Ibérie dans les veines desquels coulaient probablement quelques gouttes de sang ibérique local. Les règnes de Trajan, Hadrien, Antonin le Pieux et Marc Aurèle sont généralement considérés comme l'âge d'or de l'Empire. Par la suite, plus aucun barrage ethnique ne résista. L'empereur Septime Sévère (193-211) était le rejeton d'une famille punique de Libye. Héliogabale (218-222) était syrien. Philippe (244-249) était connu sous le nom de «Philippe l'Arabe». Les nouveaux citoyens de l'Empire adoptèrent la culture romaine avec tant de ferveur que, des siècles après que l'Empire lui-même eut disparu, ils continuèrent de parler sa langue, de croire au Dieu chrétien que l'Empire avait adopté de ses provinces levantines et à honorer les lois de l'Empire.

L'Empire arabe connut un processus analogue. À ses débuts, au milieu du VIIᵉ siècle, il reposait sur une division tranchée entre l'élite dirigeante arabo-musulmane et les Égyptiens, Syriens, Iraniens et Berbères soumis, qui n'étaient ni arabes ni musulmans. Nombre des sujets de l'Empire adoptèrent progressivement la foi islamique, la langue arabe et une culture impériale hybride. L'ancienne élite arabe considérait ces parvenus avec une profonde hostilité, redoutant de perdre son statut unique et son identité. Les convertis frustrés réclamaient une part égale dans l'Empire et dans le monde islamique. Ils finirent par avoir gain de cause. Égyptiens, Syriens et Mésopotamiens furent de plus en plus perçus comme des «Arabes». Les Arabes – «authentiques» Arabes d'Arabie ou nouveaux Arabes d'Égypte ou de Syrie – furent à leur tour dominés de plus en plus par des musulmans non arabes: notamment les Iraniens, les Turcs et les Berbères. La grande réussite du projet impérial arabe fut de faire adopter la culture impériale par de nom-

---

1. Alexander Yakobson, «Us and Them: Empire, Memory and Identity in Claudius' Speech on Bringing Gauls into the Roman Senate», in Doron Mendels (éd.), *On Memory: An Interdisciplinary Approach*, Oxford, Peter Lang, 2007, p. 23-24.

breuses populations non arabes, qui continuèrent de la faire vivre et de la propager, même après que l'Empire initial s'effondra et que le groupe ethnique arabe cessa d'être dominant.

En Chine, la réussite du projet impérial fut encore plus complète. Pendant plus de deux mille ans, un fatras de groupes ethniques et culturels d'abord qualifiés de barbares furent intégrés avec succès à la culture chinoise impériale et devinrent des Han (du nom de l'empire Han qui gouverna la Chine de 206 avant notre ère à 220 après J.-C.). L'ultime réussite de l'Empire chinois est d'être encore bien vivant et remuant, même s'il est difficile de le voir comme un empire sauf dans des régions périphériques comme le Tibet et le Xinjiang. Plus de 90 % des Chinois se perçoivent et sont perçus par les autres comme des Han.

On peut comprendre de la même façon la décolonisation des dernières décennies. Dans les Temps modernes, les Européens conquirent une bonne partie de la planète sous couvert de répandre une culture occidentale supérieure. Ils y réussirent si bien que des milliards de gens adoptèrent peu à peu des pans significatifs de cette culture. Indiens, Africains, Arabes, Chinois et Maoris apprirent le français, l'anglais et l'espagnol. Ils commencèrent à croire aux droits de l'homme et au principe d'autodétermination et adoptèrent des idéologies occidentales comme le libéralisme, le capitalisme, le communisme et le nationalisme.

Au cours du XXe siècle, des groupes locaux qui avaient adopté les valeurs occidentales revendiquèrent l'égalité avec leurs conquérants européens au nom de ces mêmes valeurs. Bien des luttes anticoloniales furent menées sous l'étendard de l'autodétermination, du socialisme et des droits de l'homme – qui sont tous des héritages occidentaux. De même que les Égyptiens, les Iraniens et les Turcs adoptèrent et adaptèrent la culture impériale héritée des premiers conquérants arabes, de même les Indiens, les Africains et les Chinois d'aujourd'hui ont accepté une bonne part de la culture impériale de leurs anciens suzerains occidentaux tout en cherchant à la remodeler en accord avec leurs besoins et leurs traditions.

Le cycle impérial

Stade	Rome	Islam	Impérialisme européen
Un petit groupe crée un grand empire	Les Romains créent l'Empire romain	Les Arabes créent le califat	Les Européens créent les empires européens
Une culture impériale est forgée	Culture gréco-romaine	Culture arabo-musulmane	Culture occidentale
Les peuples assujettis adoptent la culture impériale	Les peuples assujettis adoptent le latin, le droit romain, les idées politiques romaines, etc.	Les peuples assujettis adoptent l'arabe, l'islam, etc.	Les peuples assujettis adoptent l'anglais, le français, le socialisme, le nationalisme, les droits de l'homme, etc.
Les peuples assujettis exigent une égalité de statut au nom des valeurs impériales communes	Illyriens, Gaulois et Puniques exigent l'égalité de statut avec les Romains au nom des valeurs romaines communes	Égyptiens, Iraniens et Berbères exigent l'égalité de statut avec les Arabes au nom des valeurs islamiques communes	Indiens, Chinois et Africains exigent l'égalité de statut avec les Européens au nom de valeurs occidentales communes comme le nationalisme, le socialisme et les droits de l'homme
Les fondateurs de l'empire perdent leur hégémonie	Les Romains cessent d'exister en tant que groupe ethnique unique. L'Empire passe sous la coupe d'une nouvelle élite multi-ethnique	Les Arabes perdent le contrôle du monde islamique en faveur d'une élite islamique multi-ethnique	Les Européens perdent le contrôle du monde au profit d'une élite multi-ethnique largement attachée aux valeurs et aux façons de penser occidentales
La culture impériale continue de fleurir et de se développer	Illyriens, Gaulois et Puniques continuent de développer leur culture romaine d'adoption	Égyptiens, Iraniens et Berbères continuent de développer leur culture islamique d'adoption	Indiens, Chinois et Africains continuent de développer leur culture occidentale d'adoption

Braves types et sales types dans l'histoire

Il est tentant de diviser le monde en braves types et en sales types pour classer les empires parmi les salauds de l'histoire. Après tout, la quasi-totalité de ces empires sont nés dans le sang et ont conservé le pouvoir par l'oppression et la guerre. Pourtant, la plupart des cultures actuelles reposent sur des héritages impériaux. Si les empires sont mauvais par définition, qu'est-ce que cela dit de nous ?

Il est des écoles de pensée et des mouvements politiques qui voudraient purger la culture humaine de l'impérialisme, pour ne laisser qu'une civilisation qu'ils croient pure, authentique, sans la souillure du péché. Ces idéologies sont au mieux naïves ; au pire, elles servent de façade hypocrite au nationalisme et au fanatisme sommaires. Peut-être pourriez-vous plaider que, dans la myriade de cultures apparues à l'aube de l'histoire, il en était quelques-unes de pures, soustraites au péché et aux influences délétères des autres sociétés. Depuis cette aube, cependant, aucune culture ne saurait raisonnablement y prétendre ; il n'existe assurément aucune culture de ce genre sur terre. Toutes les cultures humaines sont au moins en partie héritières d'empires et de civilisations impériales, et aucune opération de chirurgie universitaire ou politique ne saurait retrancher l'héritage impérial sans tuer le patient.

Songez, par exemple, à la relation ambivalente qui existe entre l'actuelle République indienne indépendante et le Raj britannique. La conquête et l'occupation britanniques coûtèrent la vie à des millions d'Indiens et se soldèrent par l'humiliation et l'exploitation de centaines de millions d'autres. Beaucoup d'Indiens adoptèrent néanmoins, avec l'ardeur de néophytes, des idées occidentales comme l'autodétermination et les droits de l'homme. Ils furent consternés de voir les Britanniques refuser d'appliquer leurs valeurs proclamées et d'accorder aux indigènes des droits égaux en tant que sujets britanniques ou l'indépendance.

L'État indien moderne n'en est pas moins fils de l'Empire britannique. Certes les Britanniques tuèrent, blessèrent et persécutèrent les habitants du sous-continent, mais ils unirent également une ahurissante mosaïque de royaumes, principautés et tribus rivales, créant une conscience nationale partagée et un pays formant plus ou moins une unité politique. Ils jetèrent les bases du système judiciaire indien, créèrent une administration et construisirent un réseau ferroviaire critique pour l'intégration économique. L'Inde indépendante fit de la démocratie occidentale, dans son incarnation britannique, sa forme de gouvernement. L'anglais reste la *lingua franca* du sous-continent : une langue neutre qui permet de communiquer entre citoyens de langue hindi, tamoul ou malayalam. Les Indiens sont des joueurs de cricket passionnés et de grands buveurs de *chai* (thé) : le jeu et la boisson sont tous deux des héritages britanniques. La culture commerciale du thé n'existait pas en Inde avant que la British East India Company ne l'introduise au milieu du XIXe siècle. Ce sont les snobs de *sahibs* britanniques qui lancèrent la consommation de thé dans tout le sous-continent.

La gare ferroviaire Chhatrapati Shivaji de Mumbai, anciennement Victoria Station, quand la ville s'appelait Bombay. Les Britanniques la construisirent dans le style néo-gothique alors en vogue à la fin du XIXe siècle en Grande-Bretagne. Un gouvernement nationaliste hindou changea le nom de la ville et de la gare, sans être pour autant tenté de raser un bâtiment aussi magnifique alors même qu'il était l'œuvre d'oppresseurs étrangers.

Combien d'Indiens, de nos jours, appelleraient de leurs vœux un référendum pour se défaire de la démocratie, de l'anglais, du réseau ferroviaire, du système juridique, du cricket et du thé sous prétexte qu'ils font partie de l'héritage impérial ? Même s'ils le faisaient, le fait même d'appeler à un vote pour trancher n'illustrerait-il pas leur dette envers leurs anciens suzerains ?

Même si nous devions entièrement désavouer l'héritage d'un empire brutal dans l'espoir de reconstruire ou de sauvegarder les cultures « authentiques » d'avant, nous ne défendrions très probablement que l'héritage d'un empire plus ancien et non moins brutal. Ceux qui s'offusquent de la mutilation de la culture indienne par le Raj britannique sanctifient à leur insu l'héritage de l'Empire moghol et du sultanat conquérant de Delhi. Et qui s'efforce de sauver l'« authentique culture indienne » des influences étrangères de ces empires musulmans sanctifie l'héritage des empires gupta, kushan et maurya. Si un ultranationaliste hindou devait détruire tous les bâtiments laissés par les conquérants britanniques comme la gare centrale de Bombay, que ferait-il des constructions des conquérants musulmans comme le Taj Mahal ?

Le Taj Mahal. Exemple de culture indienne « authentique » ou création étrangère de l'impérialisme islamique ?

Nul ne sait réellement résoudre cette épineuse question de l'héritage culturel. Quelle que soit la voie suivie, la première étape consiste à prendre acte de la complexité du dilemme et à accepter que la division simpliste du passé en braves types et en sales types ne mène à rien. À moins, bien entendu, que nous soyons prêts à admettre que nous marchons habituellement sur les brisées des sales types.

LE NOUVEL EMPIRE MONDIAL

Depuis l'an 200 avant notre ère, environ, la plupart des hommes ont vécu dans des empires. Il paraît probable qu'à l'avenir aussi la plupart des hommes vivront dans un empire. Cette fois, cependant, l'empire sera réellement global. La vision impériale d'une puissance dominant le monde entier pourrait être imminente.

À mesure qu'on avance dans le XXIᵉ siècle, le nationalisme perd du terrain. De plus en plus de peuples croient que la source légitime de l'autorité ne vient pas des membres de telle ou telle nationalité, mais de l'humanité tout entière, et que sauvegarder les droits de l'homme et protéger les intérêts de toute l'espèce humaine est la lumière qui devrait guider la politique. Dès lors, l'existence de près de deux cents États indépendants est une entrave, plutôt qu'une aide. Suédois, Indonésiens et Nigérians méritant les mêmes droits de l'homme, ne serait-il pas plus simple qu'un seul gouvernement mondial veille sur eux ?

L'apparition de problèmes foncièrement mondiaux, comme la fonte de la calotte glaciaire, entame ce qu'il peut rester de légitimité aux États-nations indépendants. Aucun État souverain ne résoudra seul le problème du réchauffement climatique. Le Mandat céleste des Chinois a été donné par le Ciel pour résoudre les problèmes de l'humanité. Le Mandat céleste moderne sera donné par l'humanité pour résoudre les problèmes du ciel, tels que le trou dans la couche d'ozone et l'accumulation des gaz à effet de serre. Le vert pourrait bien être la couleur de l'empire mondial.

En 2015, le monde reste politiquement fragmenté, mais les États perdent vite leur indépendance. Pas un seul n'est réellement en mesure de mener une politique économique indépendante, de déclarer et de livrer des guerres à sa guise ou même de diriger ses affaires intérieures comme il l'entend. Les États sont de plus en plus exposés aux machinations des marchés mondiaux, aux ingérences des entreprises et des ONG mondiales ainsi qu'à la surveillance de l'opinion publique mondiale et du système judiciaire international. Les États sont obligés de se conformer à des normes internationales en matière de finances, de politique de l'environnement et de justice. Des mouvements terriblement puissants de capitaux, de main-d'œuvre et d'information font le tour du monde et le façonnent, avec un mépris croissant des frontières et des opinions des États.

L'empire mondial qui se forge sous nos yeux n'a pas à sa tête un État ou un groupe ethnique particulier. Comme l'Empire romain finissant, il est dirigé par une élite multi-ethnique et uni par une culture et des intérêts communs. À travers le monde, de plus en plus d'entrepreneurs, d'ingénieurs, d'experts, de chercheurs, d'avocats et de managers sont appelés à rejoindre l'empire. À eux de se demander s'ils doivent répondre à l'appel impérial où rester loyaux envers leur État et leur peuple. Ils sont toujours plus nombreux à choisir l'empire.

12.

La loi de la religion

Sur le marché médiéval de Samarcande, cité bâtie sur une oasis d'Asie centrale, des marchands syriens passaient la main sur de fines soies chinoises, les membres de farouches tribus des steppes présentaient le tout dernier lot d'esclaves aux cheveux de paille de l'Extrême-Occident et des boutiquiers empochaient des pièces d'or gravées de caractères exotiques et de profils de rois inconnus. Ici, à l'un des plus grands carrefours de l'époque entre Orient et Occident, Nord et Sud, l'unification de l'humanité était un fait quotidien. On put observer le même processus à l'œuvre quand Kubilai Khan rassembla son armée pour envahir le Japon en 1281. Des cavaliers mongols vêtus de peaux et de fourrures côtoyaient des fantassins chinois avec leurs chapeaux de bambous ; des auxiliaires coréens avinés cherchaient la bagarre aves des matelots tatoués de la mer de Chine méridionale ; des ingénieurs d'Asie centrale écoutaient interloqués les récits à dormir debout des aventuriers européens, et tous obéissaient aux ordres d'un seul empereur.

Pendant ce temps, autour de la sainte Kaaba, à La Mecque, l'unification de l'humanité progressait par d'autres moyens. Pèlerin à La Mecque en 1300, faisant le tour du sanctuaire le plus saint de l'islam, vous vous seriez sans doute retrouvé en compagnie de Mésopotamiens, avec leurs robes flottant au vent, leurs yeux brillant d'extase et leurs bouches répétant l'un après l'autre les 99 noms de

Dieu. Juste devant, vous auriez pu apercevoir un patriarche turc au visage buriné venu des steppes asiatiques, clopinant, appuyé sur un bâton et se caressant la barbe d'un air songeur. D'un côté, avec leurs bijoux en or étincelant sur leur peau noir de jais, se trouvait peut-être un groupe de musulmans du royaume africain du Mali. L'arôme des clous de girofle, du curcuma, de la cardamome et du sel de mer eût signalé la présence de frères venus des Indes ou des mystérieuses îles à épices, plus à l'est.

De nos jours, la religion est souvent considérée comme une source de discrimination, de désaccord et de désunion. En vérité, pourtant, elle a été le troisième grand unificateur de l'humanité avec la monnaie et les empires. Les ordres sociaux et les hiérarchies étant toujours imaginaires, tous sont fragiles, et le sont d'autant plus que la société est vaste. Le rôle historique crucial de la religion a été de donner une légitimité surhumaine à ces structures fragiles. Nos lois, assurent les religions, ne sont point le résultat de caprices des hommes, mais sont ordonnées par une autorité absolue et suprême. De ce fait, au moins certaines lois fondamentales sont hors d'atteinte, assurant ainsi la stabilité sociale.

La religion peut donc se définir comme un *système de normes et de valeurs humaines fondé sur la croyance en l'existence d'un ordre surhumain*. Cette définition implique deux critères distincts :

1) Les religions supposent qu'il existe un ordre surhumain, qui n'est pas le produit des caprices ou des accords des hommes. Le football professionnel n'est pas une religion parce que, malgré ses multiples lois, rites et rituels souvent bizarres, tout le monde sait que le foot est une invention humaine et que la FIFA peut à tout moment élargir la taille des buts ou supprimer la règle du hors-jeu.

2) Fondée sur cet ordre surhumain, la religion instaure des normes et des valeurs qui engagent. Beaucoup d'Occidentaux croient aux fantômes, aux fées et à la réincarnation, mais ces croyances ne sont pas une source de normes morales et comportementales. À ce titre, elles ne constituent pas une religion.

Bien qu'elles puissent légitimer des ordres sociaux et politiques très larges, toutes les religions n'ont pas actualisé ce potentiel. Pour unir sous son égide un vaste territoire peuplé de groupes humains disparates, une religion doit posséder deux autres qualités. Premièrement, elle doit épouser un ordre surhumain *universel* qui est vrai toujours et partout. Deuxièmement, elle doit insister pour répandre cette croyance auprès de tous. Autrement dit, elle doit être universelle et missionnaire.

Les religions les plus connues de l'histoire, tels l'islam et le bouddhisme, sont universelles et missionnaires. Par voie de conséquence, les gens ont tendance à croire que toutes les religions leur ressemblent. En fait, la plupart des religions anciennes étaient locales et exclusives. Leurs adeptes croyaient à des divinités et à des esprits locaux, et ne se souciaient pas de convertir toute l'espèce humaine. Pour autant qu'on le sache, les religions universelles et missionnaires n'ont commencé à apparaître qu'au Ier millénaire avant notre ère. Leur émergence fut l'une des révolutions les plus importantes de l'histoire et une contribution vitale à l'unification de l'humanité, au même titre que l'émergence d'empires universels et d'une monnaie universelle.

RÉDUIRE AU SILENCE LES AGNEAUX

Quand l'animisme était le système de croyance dominant, les normes et valeurs humaines devaient prendre en considération la perspective et les intérêts de cette multitude d'autres êtres, tels que les animaux, les plantes, les fées et les fantômes. Par exemple, une bande de fourrageurs de la vallée du Gange a pu édicter une règle interdisant d'abattre un figuier particulièrement grand, de crainte que le figuier ne se fâche et ne se venge. Une autre bande de la vallée de l'Indus a pu interdire de chasser le renard à queue blanche parce qu'un de ces renards révéla un jour à une vieille femme sage où la bande pourrait trouver de l'obsidienne précieuse.

Ces religions avaient tendance à adopter une perspective très locale et à souligner les traits uniques de lieux, climats et phénomènes spécifiques. La plupart des fourrageurs passaient leur vie dans une zone qui ne dépassait pas 1 000 km². Pour survivre, les habitants d'une vallée avaient besoin de comprendre l'ordre surhu-

main qui régulait la vallée et d'ajuster leur comportement en conséquence. Il était absurde d'essayer de convaincre les habitants d'une
vallée lointaine de suivre les mêmes règles. La population de l'Indus n'avait cure d'envoyer des missionnaires du côté du Gange
pour convaincre la population locale de ne pas chasser le renard à
queue blanche.

La Révolution agricole semble s'être accompagnée d'une révolution religieuse. Les chasseurs-cueilleurs chassaient et cueillaient
animaux et plantes sauvages auxquels on pouvait attribuer un statut
égal à celui d'*Homo sapiens*. Chasser le mouton ne rendait pas celui-
ci inférieur à l'homme, qui n'était pas davantage inférieur au tigre
parce que ce dernier le chassait. Les êtres communiquaient directement les uns avec les autres et négociaient les règles régissant leur
habitat partagé. À l'opposé, les cultivateurs possédaient et manipu-
laient plantes et animaux, et ne pouvaient guère s'abaisser à négo-
cier avec leurs biens. Le premier effet religieux de la Révolution
agricole fut de transformer les plantes et les animaux de membres
égaux d'une table ronde spirituelle en possessions muettes.

Cela n'en créa pas moins un gros problème. Les paysans pouvaient bien souhaiter le contrôle absolu de leurs moutons, mais ils
savaient parfaitement que celui-ci demeurait limité. Ils pouvaient
enfermer les moutons dans un enclos, castrer les béliers et choisir soigneusement les agnelles : ils ne pouvaient avoir la certitude
que celles-ci concevraient et donneraient naissance à des agneaux
sains, pas plus qu'ils ne pouvaient prévenir l'éruption d'épidémies meurtrières. Mais alors comment préserver la fécondité des
troupeaux ?

Suivant une théorie dominante sur l'origine des dieux, ceux-ci
gagnèrent en importance parce qu'ils offraient une solution à ce
problème. Des divinités comme la déesse de la fertilité, le dieu du
ciel et le dieu de la médecine passèrent au-devant de la scène quand
plantes et animaux perdirent leur faculté de parler, et le principal
rôle des dieux était de servir d'intermédiaire entre les hommes et
les plantes ou animaux muets. De fait, la mythologie ancienne est,
pour une large part, un contrat par lequel les hommes promettent
une dévotion éternelle aux dieux en échange de leur domination

sur les plantes et les animaux : les premiers chapitres du livre de la Genèse en sont un exemple de choix. Des millénaires durant, après la Révolution agricole, la liturgie religieuse consistait essentiellement pour les hommes à sacrifier des agneaux, du vin et des gâteaux en échange desquels les forces divines promettaient des récoltes abondantes et des troupeaux féconds.

Dans un premier temps, la Révolution agricole eut un impact bien plus modeste sur le statut des autres membres du système animiste, comme les rochers, les sources, les spectres et les démons. Mais ceux-ci, à leur tour, perdirent progressivement leur statut en faveur des nouveaux dieux. Tant que les gens passaient leur vie entière dans les limites d'un territoire de quelques centaines de kilomètres carrés, les esprits locaux pouvaient satisfaire l'essentiel de leurs besoins. Avec l'expansion des royaumes et des réseaux commerciaux, cependant, les gens eurent besoin d'entrer en contact avec des entités dont le pouvoir englobait un royaume ou un bassin commercial dans sa totalité.

C'est l'effort pour faire face à ces besoins qui mena à l'apparition des religions polythéistes (du grec *polu*, «nombreux», et *theos*, «dieu»). Dans ces religions, le monde est sous la coupe d'un groupe de dieux puissants, tels la déesse de la fertilité ou les dieux de la pluie et de la guerre. Les humains pouvaient en appeler à eux et, s'ils étaient satisfaits de leurs dévotions et de leurs sacrifices, ces dieux pouvaient daigner apporter pluie, victoire et santé.

L'animisme ne disparut pas totalement avec l'avènement du polythéisme. Démons, fées et spectres, rochers, sources et arbres sacrés restèrent partie intégrante de la quasi-totalité des religions polythéistes. Ces esprits étaient bien moins importants que les grands dieux, mais ils étaient assez bons pour satisfaire les besoins prosaïques de beaucoup de gens ordinaires. Alors que le roi, dans sa capitale, sacrifiait des douzaines de béliers gras au grand dieu de la guerre, priant pour la victoire sur les barbares, le paysan dans sa cabane allumait une bougie à la fée du figuier, priant pour qu'elle aide à guérir son fils malade.

Ce n'est pourtant pas sur les moutons ou les démons que l'essor des grands dieux eut son impact le plus fort, mais sur le statut de l'*Homo sapiens*. Pour les animistes, l'homme n'était qu'une des nombreuses créatures qui peuplaient le monde. Les polythéistes, en revanche, virent de plus en plus dans le monde un reflet de la relation entre les dieux et les hommes. Nos prières, nos sacrifices, nos péchés et nos bons actes déterminaient le destin de l'écosystème. Une terrible inondation pouvait effacer par milliards fourmis, sauterelles, tortues, antilopes, girafes et éléphants pour la simple raison que quelques crétins de Sapiens avaient fâché les dieux. Ce faisant, le polythéisme rehaussa le statut des dieux, mais aussi celui de l'humanité. Les membres moins chanceux du vieux système animiste perdirent leur stature pour devenir des accessoires ou les éléments d'un décor silencieux dans le grand drame des relations de l'homme avec les dieux.

Les bienfaits de l'idolâtrie

Deux millénaires de lavage de cerveau monothéiste ont conduit la plupart des Occidentaux à ne voir dans le polythéisme qu'idolâtrie ignorante et puérile. Ce n'est qu'un stéréotype injuste. Pour comprendre la logique interne du polythéisme, il est nécessaire de saisir l'idée centrale qui étaye la croyance en des dieux multiples.

Le polythéisme ne conteste pas nécessairement l'existence d'une force ou d'une loi unique qui régit la totalité de l'univers. En fait, la plupart des religions polythéistes et même animistes reconnaissent une force suprême de ce genre qui se tient derrière les différents dieux, démons et rochers sacrés. Dans le polythéisme grec, Zeus, Héra, Apollon et leurs collègues étaient soumis à une force toute-puissante qui englobait tout : le Destin (*Moira*, *Anankè*). Les dieux nordiques étaient eux aussi les esclaves du Destin, qui les condamna à périr dans le cataclysme du Ragnarök (le Crépuscule des Dieux). Dans la religion polythéiste des Yorouba d'Afrique de l'Ouest, tous les dieux sont nés du dieu suprême Olodumare, et lui restent soumis. Dans le polythéisme hindou, un principe unique, Atman, a la haute main sur les innombrables dieux et esprits, l'humanité et le monde biologique ou philosophique. Atman est l'essence ou l'âme éternelle de tout l'univers, aussi bien que de chaque individu et chaque phénomène.

L'unique raison d'approcher la force suprême de l'univers serait de renoncer à tous les désirs et d'embrasser le mauvais avec le bon : d'embrasser même la défaite, la misère, la maladie et la mort. Ainsi, certains Hindous, connus sous le nom de Sâdhus ou de Sannyasis, consacrent leur vie à s'unir avec Atman jusqu'à atteindre l'éveil. Ils s'efforcent de voir le monde du point de vue de ce principe fondamental, de comprendre que, dans cette perspective éternelle, tous les désirs, toutes les peurs de ce monde sont des phénomènes vides de sens et éphémères. Or, la plupart des Hindous ne sont pas des Sâdhus, mais sont plongés dans la morasse des soucis prosaïques, où Atman n'est pas d'un grand secours. Pour recevoir une aide en ces matières, la plupart approchent les dieux qui ont des pouvoirs partiels, plutôt que généraux : des dieux comme Ganesha, Lakshmi et Saraswati. Parce que leurs pouvoirs sont partiels, précisément, ces dieux ont des intérêts et des travers. Les hommes peuvent donc passer des accords avec ces forces et compter sur leur aide pour gagner une guerre et se remettre d'une maladie.

Et ces petites forces sont nécessairement nombreuses parce que dès que vous vous mettez à partager la force d'un principe suprême qui englobe tout, vous vous retrouvez inévitablement avec plus d'une divinité. D'où la pluralité des dieux.

L'intuition fondamentale du polythéisme est propice à une profonde tolérance religieuse. Les polythéistes croyant, d'un côté, à une force suprême et totalement désintéressée et, de l'autre, à une multiplicité de forces partielles et de parti pris, les dévots d'un dieu n'ont aucune difficulté à accepter l'existence et l'efficacité d'autres dieux. Par nature ouvert, le polythéisme persécute rarement les « hérétiques » et les « infidèles ».

Même quand ils se taillèrent des empires immenses, les polythéistes n'essayèrent pas de convertir leurs sujets. Les Égyptiens, les Romains et les Aztèques n'envoyèrent pas de missionnaires en terres étrangères propager le culte d'Osiris, de Jupiter ou d'Huitzilopochtli (la divinité en chef aztèque) et ne dépêchèrent certainement pas d'armées à cette fin. On attendait des peuples soumis de l'Empire qu'ils respectent les dieux et les rituels de l'Empire, puisque ces dieux et ces rites le protégeaient et légitimaient. Pour autant, ils n'étaient pas tenus d'abandonner leurs dieux et rituels locaux. Dans l'Empire aztèque, les peuples soumis étaient contraints de bâtir des temples à Huitzilopochtli, mais ces temples étaient édifiés à côté de ceux des dieux locaux, non pas à leur place. Bien souvent on vit l'élite impériale adopter les dieux et les rites du peuple soumis. Les Romains se firent un plaisir d'introduire dans leur panthéon la déesse asiatique Cybèle et la déesse égyptienne Isis.

Le seul dieu que les Romains ont longtemps refusé de tolérer est le dieu monothéiste et évangélisateur des chrétiens. L'Empire romain n'exigeait pas des chrétiens qu'ils abandonnent leurs croyances et rituels, mais attendaient qu'ils respectent les dieux protecteurs de l'Empire et la divinité de l'empereur. Il s'agissait au fond d'une déclaration de loyauté politique. Les chrétiens s'y refusant avec véhémence, puis rejetant tous les essais de compromis, les Romains réagirent en persécutant ce qu'ils tenaient pour une faction politiquement subversive. Et encore le firent-ils avec tiédeur. Dans les trois cents ans qui séparent la crucifixion du Christ de la conversion de Constantin, les empereurs polythéistes romains ne lancèrent pas plus de quatre persécutions générales de chrétiens. À quoi il faut ajouter les violences antichrétiennes déclenchées par les administrateurs et gouverneurs locaux. Reste que si l'on additionne les victimes de toutes ces persécutions, il apparaît qu'en trois siècles les Romains polythéistes ne tuèrent pas plus de quelques milliers de chrétiens[1]. À titre de comparaison, au fil des quinze siècles suivants, les chrétiens massacrèrent les chrétiens par millions pour défendre des interprétations légèrement différentes d'une religion d'amour et de compassion.

Particulièrement notoires sont les guerres de Religion, opposant catholiques et protestants, qui balayèrent l'Europe des XVIe-XVIIe siècles. Si tous acceptaient la divinité du Christ et Son évangile d'amour et de compassion, leur désaccord portait sur la nature

---

1. William H. C. Frend, *Martyrdom and Persecution in the Early Church*, Cambridge, James Clarke & Co., 2008, p. 536-537.

de cet amour. Les protestants croyaient l'amour divin si grand que Dieu S'était incarné et laissé supplicier et crucifier, rachetant ainsi l'humanité du péché originel et ouvrant les portes du Ciel à tous ceux qui professaient leur foi en Lui. À quoi les catholiques répondaient que la foi est certes essentielle, mais ne suffit pas. Pour accéder au paradis, les croyants doivent participer aux rites de l'Église et faire de bonnes actions. Les protestants rejetaient cette idée, affirmant que cette contrepartie est une manière de rabaisser la grandeur et l'amour de Dieu. Croire que l'entrée au Ciel dépend de ses actes est une manière de se donner de l'importance et suppose que la souffrance du Christ en croix et l'amour de Dieu pour l'humanité ne suffisent pas.

Ces querelles théologiques prirent un tour si violent qu'aux XVIe et XVIIe siècles catholiques et protestants s'entretuèrent par centaines de milliers. Les 23-24 août 1572, les catholiques français qui insistaient sur l'importance des bonnes actions s'en prirent aux protestants qui chantaient l'amour de Dieu pour l'humanité. Lors du massacre de la Saint-Barthélemy, entre 5 000 et 10 000 protestants trouvèrent la mort en moins de vingt-quatre heures. Quand le pape apprit la nouvelle à Rome, sa joie fut telle qu'il organisa des prières de liesse pour célébrer l'occasion et chargea Giorgio Vasari de faire une fresque du massacre dans une salle du Vatican (aujourd'hui inaccessible aux visiteurs[1]). Plus de chrétiens moururent de la main d'autres chrétiens au cours de ces vingt-quatre heures que sous l'Empire romain polythéiste tout au long de son existence.

DIEU EST UN

Au fil du temps, certains adeptes des dieux polythéistes s'éprirent tellement de leur protecteur particulier qu'ils s'éloignèrent de l'intuition polythéiste de base. Ils se mirent à croire que leur dieu était le dieu unique et qu'il était la force suprême de l'univers. En même

---

1. Robert Jean Knecht, *The Rise and Fall of Renaissance France, 1483-1610*, Londres, Fontana Press, 1996, p. 424.

temps, ils continuèrent de lui prêter des intérêts et des partis pris et crurent qu'ils pouvaient passer des alliances avec Lui. Ainsi naquirent les religions monothéistes, dont les fidèles implorent la puissance suprême de l'univers pour les aider à se remettre de la maladie, gagner au loto ou remporter la victoire à la guerre.

La première religion monothéiste que nous connaissions est apparue en Égypte autour de 1 350 avant notre ère, quand le pharaon Akhenaton déclara qu'une des divinités mineures du panthéon égyptien, le dieu Aton, était en réalité la puissance suprême qui gouvernait l'univers. Akhenaton institutionnalisa son culte pour en faire la religion officielle et prétendit surveiller le culte de tous les autres dieux. Mais sa révolution religieuse fut un échec. Le culte d'Aton fut abandonné après sa mort, et l'Égypte renoua avec l'ancien panthéon.

Le polythéisme continua de donner naissance ici ou là à d'autres religions monothéistes, mais elles restèrent marginales, notamment pour n'avoir pas su digérer leur propre message universel.

Le judaïsme, par exemple, a soutenu que le maître suprême de l'univers a des intérêts et des partis pris, mais que Son principal centre d'intérêt est la minuscule nation juive et l'obscure terre d'Israël. Le judaïsme n'a pas grand-chose à offrir aux autres nations et, pendant la majeure partie de son existence, n'a pas été une religion missionnaire. On peut parler à ce propos de « monothéisme local ».

La grande percée survint avec le christianisme, une secte juive ésotérique qui s'efforça de convaincre les Juifs que Jésus de Nazareth était le Messie tant attendu. Toutefois, l'un des premiers chefs de la secte, Paul de Tarse, se dit que si la force suprême de l'univers a des intérêts et des partis pris, et si Dieu a pris la peine de S'incarner et de mourir sur la croix pour le salut de l'humanité, c'est une chose dont tout le monde doit entendre parler, et pas uniquement les Juifs. Aussi était-il nécessaire de répandre dans le monde la bonne parole – l'évangile – sur Jésus.

Les arguments de Paul trouvèrent un terrain fertile. Les chrétiens se mirent à multiplier les missions à l'adresse de tous les hommes. Dans l'un des tours les plus étranges de l'histoire, cette secte juive ésotérique s'empara du puissant Empire romain.

Le succès chrétien servit de modèle à une autre religion mono-théiste apparue dans la péninsule Arabique au VIIe siècle : l'islam. Comme le christianisme, l'islam fut aussi une petite secte dans un coin reculé du monde, mais, par un effet de surprise historique encore plus rapide et plus étrange, il parvint à sortir des déserts d'Arabie et à conquérir un immense empire s'étendant de l'Atlan-tique à l'Inde. Dès lors, l'idée monothéiste joua un rôle central dans l'histoire du monde.

Les monothéistes ont généralement été bien plus fanatiques et missionnaires que les polythéistes. Une religion qui reconnaît la légitimité des autres confessions implique soit que son dieu n'est pas la puissance suprême de l'univers, soit qu'elle ne reçut de dieu qu'une partie de la vérité universelle. Les monothéistes ayant géné-ralement cru être en possession de la totalité du message du Dieu unique, force leur a été de discréditer toutes les autres religions. Au cours des deux derniers millénaires, les monothéistes ont maintes fois essayé de consolider leur emprise par la violence, exterminant toute concurrence.

Et ils eurent gain de cause. Au début du Ier siècle de notre ère, il n'y avait guère de monothéistes dans le monde. Autour de l'an 500, l'Empire romain, un des plus grands du monde, était un régime chrétien, avec des missionnaires occupés à propager le christia-nisme dans les autres parties de l'Europe, en Asie et en Afrique. À la fin du Ier millénaire, la plupart des peuples d'Europe, d'Asie occi-dentale et d'Afrique du Nord étaient monothéistes, et de l'Atlan-tique à l'Himalaya les empires se voulaient ordonnés par l'unique grand Dieu. Au début du XVIe siècle, le monothéisme dominait la majeure partie de l'Afro-Asie et les parties méridionales de l'Afrique et commençait à étendre ses longs tentacules en direction de l'Afrique australe, de l'Amérique et de l'Océanie. Aujourd'hui, hors de l'Est asiatique, la plupart des peuples adhèrent à une forme ou à une autre de religion monothéiste, et l'ordre politique mondial repose sur des fondations monothéistes.

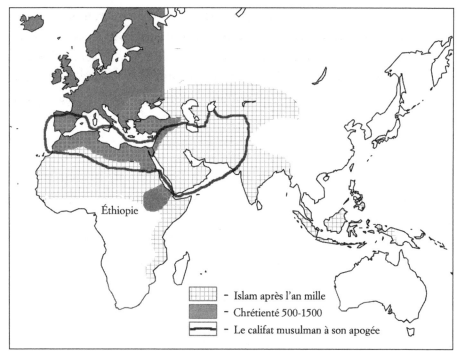

Éthiopie

- ▦ Islam après l'an mille
- ▨ Chrétienté 500-1500
- ▬ Le califat musulman à son apogée

L'essor du christianisme et de l'islam.

Pourtant, de même que l'animisme continua de vivre au sein du polythéisme, de même celui-ci survécut au sein du monothéisme. En théorie, dès lors que l'on croit que la puissance suprême de l'univers a des partis pris et des intérêts, à quoi rime d'adorer des forces partielles ? Qui s'adresserait à un bureaucrate subalterne quand le bureau du président est ouvert ? En vérité, la théologie monothéiste a tendance à nier l'existence de tous les dieux, hormis le Dieu suprême, et à vouer aux tourments de l'enfer quiconque ose leur dédier un culte.

Pourtant, il y a toujours eu un fossé entre les théories théologiques et les réalités historiques. La plupart des gens ont eu du mal à digérer l'idée monothéiste et ont continué de diviser le monde entre «eux» et «nous», la puissance suprême de l'univers leur paraissant trop lointaine pour leurs besoins terrestres. Les religions monothéistes expulsèrent *manu militari* les dieux par la porte d'entrée à seule fin de les voir revenir par la fenêtre. Le christianisme, par exemple, se dota de tout un panthéon de saints, dont les cultes différaient peu de ceux des dieux polythéistes.

De même que Jupiter défendait Rome et que Huitzilopochtli protégeait l'Empire aztèque, de même chaque royaume chrétien eut un saint patron pour l'aider à surmonter les difficultés et à gagner les guerres : saint George pour l'Angleterre, saint André en Écosse, saint Étienne en Hongrie et saint Martin en France. Villes et cités, professions, et même maladies : chacune eut son saint. Milan eut saint Ambroise, tandis que saint Marc veilla sur Venise. Saint Florian protégeait les ramoneurs, et saint Matthieu volait au secours des percepteurs en détresse. Si vous aviez la migraine, il fallait prier saint Acathe, alors que pour les rages de dents sainte Apollonia était bien plus attentive.

Les saints chrétiens ne ressemblaient pas simplement aux dieux polythéistes. Souvent, c'étaient les mêmes, déguisés. Par exemple, Brigid était la grande déesse de l'Irlande celtique avant l'avènement du christianisme. L'Irlande christianisée, Brigid fut elle aussi baptisée et devint sainte Brigitte – qui reste la sainte la plus vénérée de l'Irlande catholique.

La bataille du Bien et du Mal

Le polythéisme donna naissance aux religions monothéistes, mais aussi à des dualismes. Les religions dualistes affirment l'existence de deux forces opposées : l'une bonne, l'autre mauvaise. À la différence du monothéisme, le dualisme croit que le Mal est une force indépendante : ni créature du bon Dieu, ni subordonnée à lui. Pour le dualisme, l'univers tout entier est un champ de bataille entre ces deux forces, et tout ce qui se passe dans le monde relève de cette lutte.

Le dualisme est une vision du monde d'autant plus séduisante qu'il a une réponse courte et simple au fameux problème du Mal, qui est une des préoccupations fondamentales de la pensée humaine. « Pourquoi le mal ? Pourquoi la souffrance ? Pourquoi le mal frappe-t-il des braves gens ? » Les monothéistes sont astreints à une véritable gymnastique intellectuelle pour expliquer comment un Dieu omniscient, tout-puissant et parfaitement bon permet tant de souffrance dans le monde. Une explication bien connue est que Dieu nous laisse ainsi notre libre arbitre. Sans le mal, les hommes ne pourraient choisir entre le bien et le mal, et il n'y aurait donc aucun libre arbitre. Il s'agit cependant d'une réponse non intuitive qui soulève immédiatement une foule d'autres questions. Cette liberté permet aux hommes de choisir le mal. Ce que beaucoup font. Selon la version monothéiste classique, ce choix doit attirer dans son sillage le châtiment divin. Mais si Dieu savait d'avance qu'Untel utiliserait son libre arbitre pour choisir le mal, et en serait châtié par les tourments éternels de l'Enfer, pourquoi l'a-t-il créé ? Les théologiens ont écrit d'innombrables livres pour répondre à ces questions. D'aucuns trouvent les réponses convaincantes, d'autres pas. Ce qui est indéniable, c'est que les monothéistes ont du mal avec le problème du Mal.

Pour les dualistes, il est facile d'expliquer le mal. Il arrive de sales choses même aux gens bien parce que le monde n'est pas sous la gouverne exclusive d'un Dieu bon. Il existe une force mauvaise autonome en vadrouille dans le monde. Et ce mauvais démiurge fait des siennes.

Le dualisme a ses propres inconvénients. Tout en résolvant le problème du Mal, il est troublé par le problème de l'Ordre. Si le monde a été créé par un Dieu unique, on comprend que l'ordre règne, que tout obéisse aux mêmes lois. Mais si le Bien et le Mal se disputent le contrôle du monde, qui fait respecter les lois régissant cette guerre cosmique ? Deux États rivaux peuvent se combattre parce que tous deux existent dans le temps et dans l'espace, et tous deux obéissent aux mêmes lois de la physique. Un missile lancé du Pakistan peut frapper des cibles en Inde parce que la gravité opère de la même façon dans les deux pays. Quand le Bien et le Mal s'affrontent, à quelles lois communes obéissent-ils ? Qui est l'auteur de ces lois ?

Le monothéisme explique donc l'ordre, mais il est mystifié par le mal. Le dualisme explique le mal, mais reste perplexe devant l'ordre. Il n'y a qu'une seule solution logique à cette énigme : soutenir qu'il existe un seul Dieu tout-puissant qui a créé l'Univers – et que c'est un mauvais Démiurge. Mais personne, dans l'histoire, n'a eu le cran de le croire.

*

Les religions dualistes ont fleuri plus d'un millénaire durant. Entre 1500 et 1000 avant notre ère, un prophète du nom de

Zoroastre (Zarathoustra) est apparu en Asie centrale. Son credo s'est transmis de génération en génération jusqu'à devenir la plus importante des religions dualistes : le zoroastrisme. Pour les zoroastriens, le monde est le théâtre d'une bataille cosmique entre un dieu bon, Ahura Mazdâ, et un dieu mauvais, Angra Mainyu. Dans cette bataille, les hommes ont dû épauler le dieu bon. Le zoroastrisme fut une religion importante dans l'Empire perse sous les Achéménides (550-330 avant notre ère) avant de devenir la religion officielle des Sassanides (224-651). Il exerça une influence considérable sur la quasi-totalité des religions ultérieures du Moyen-Orient et d'Asie centrale, et influença un certain nombre d'autres religions dualistes dont le gnosticisme et le manichéisme.

Aux IIIe et IVe siècles de notre ère, le credo manichéen se propagea de la Chine à l'Afrique du Nord, et il sembla un temps qu'il pourrait triompher du christianisme et dominer l'Empire romain. Mais les manichéens perdirent l'âme de Rome au profit des chrétiens, l'Empire sassanide zoroastrien passa sous la coupe des musulmans monothéistes, et la vague dualiste reflua. Aujourd'hui ne survit qu'une poignée de communautés dualistes en Inde et au Moyen-Orient. Pour autant, la vague montante du monothéisme n'a pas réellement épongé tout dualisme. Le monothéisme juif, chrétien et musulman absorba maintes croyances et pratiques dualistes. Quelques-unes des idées les plus fondamentales de ce que nous appelons le « monothéisme » sont en fait d'origine et d'esprit dualistes.

D'innombrables chrétiens, musulmans et juifs croient à l'existence d'une force du mal puissante – comme celle que les chrétiens appellent Diable ou Satan –, qui peut agir indépendamment, combattre le Bon Dieu et opérer des ravages sans la permission de Dieu.

Comment un monothéiste peut-il adhérer à une croyance dualiste de ce genre (entre parenthèses, on ne la trouve nulle part dans l'Ancien Testament) ? Logiquement, c'est impossible. Ou vous croyez en un Dieu unique et tout-puissant, ou vous croyez à deux forces opposées. Mais les hommes excellent à croire des choses contradictoires. Il n'y a donc pas lieu de s'étonner que des millions de chrétiens, musulmans et juifs pieux croient en même temps à un Dieu tout-puissant et à un Diable indépendant. D'innombrables chrétiens, musulmans et juifs sont allés jusqu'à imaginer que Dieu a besoin de notre aide dans son combat contre le Diable – qui a inspiré entre autres choses l'appel au *djihad* et aux Croisades.

Un autre concept dualiste clé, notamment dans la Gnose et le manichéisme, a été la distinction tranchée entre corps et âme, matière et esprit. Pour les gnostiques et les manichéens, l'esprit et l'âme sont une création du dieu bon, tandis que le mauvais démiurge est l'auteur de la matière et des corps. Dans cette optique, l'homme est un champ de bataille entre la bonne âme et le corps mauvais. Dans une perspective monothéiste, tout cela est absurde : pourquoi une distinction si tranchée entre corps et âme, ou matière et esprit ? Et pourquoi le corps et la matière seraient-ils mauvais ? Après tout, c'est le même dieu bon qui les a créés. Mais les monothéistes ne pouvaient être que captivés par les dichotomies dualistes, précisément parce qu'elles les ont aidés à affronter le problème du Mal. Ces oppositions ont fini par devenir des pierres angulaires de la pensée chrétienne et islamique. La croyance au Ciel (royaume du dieu bon) et à l'Enfer (royaume du dieu mauvais) est aussi d'origine dualiste. Il n'y a pas trace de cette croyance dans l'Ancien Testament, qui ne prétend jamais non plus que l'âme continue de vivre après la mort du corps.

En fait, tel qu'il s'est manifesté dans l'histoire, le monothéisme est un kaléidoscope d'héritages monothéiste, dualiste, polythéiste et animiste qui ne cessent de se mélanger sous une même ombrelle divine. Le chrétien moyen croit au Dieu monothéiste, mais aussi au Diable dualiste, aux saints polythéistes et aux spectres animistes. Les spécialistes de la religion ont un nom pour désigner cette façon de professer en même temps des idées différentes, voire contradictoires, et de mêler des rituels et des pratiques tirés de différentes sources : le syncrétisme, qui pourrait bien être la seule grande religion universelle.

LOI NATURELLE

Toutes les religions dont nous avons traité jusqu'ici partagent une caractéristique importante : toutes se concentrent sur une croyance aux dieux et à d'autres entités surnaturelles. Cela semble évident aux Occidentaux, qui sont surtout au fait des credo monothéistes et polythéistes. En réalité, toutefois, l'histoire religieuse du monde ne se réduit pas à l'histoire des dieux. Au cours du Ier millénaire avant notre ère, des religions d'une toute nouvelle espèce commencèrent à se propager en Afro-Asie. Les nouveaux venus, comme le jaïnisme et le bouddhisme en Inde, le taoïsme et le confucianisme en Chine, mais aussi le stoïcisme, le cynisme et l'épicurisme dans le Bassin méditerranéen, se distinguaient tous par le mépris des dieux.

Pour tous ces credo, l'ordre surhumain qui régit le monde est le produit de lois naturelles, plutôt que de volontés ou de caprices divins. Une partie de ces religions de la loi naturelle continuèrent de croire à l'existence des dieux, mais à des dieux soumis aux lois de la nature non moins que les hommes, les animaux et les plantes. Les dieux avaient leurs niches dans l'écosystème, de même que les éléphants et les porc-épics avaient la leur, mais ils ne pouvaient pas plus que les éléphants changer les lois de la nature. Un exemple de choix en est le bouddhisme, la plus importante des religions anciennes de la loi naturelle, et qui demeure l'une des grandes confessions.

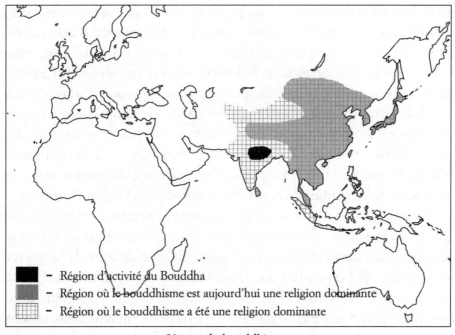

L'essor du bouddhisme.

La figure centrale du bouddhisme n'est pas un dieu, mais un homme, Siddhârta Gautama. Selon la tradition bouddhiste, Gautama était l'héritier d'un petit royaume himalayen, vers 500 avant notre ère. Le jeune prince fut terriblement affecté par la souffrance qu'il voyait autour de lui. Il vit que les hommes et les femmes, les enfants et les vieillards souffraient tous de calamités occasionnelles comme la guerre et la peste, mais aussi d'angoisse, de frustration et d'insatisfaction – lesquelles paraissent toutes inséparables de la condition humaine. Les gens poursuivent richesse et pouvoir, acquièrent connaissances et possessions, engendrent fils et filles, bâtissent maisons et palais. Quoi qu'ils réalisent, pourtant, ils ne sont jamais contents. Ceux qui vivent dans la pauvreté rêvent de richesses. Qui a un million en veut deux. Qui en a deux en voudrait dix. Même les gens riches et célèbres ne sont jamais satisfaits. Tracas et inquiétudes ne cessent de les hanter eux aussi, jusqu'à ce que la maladie, le grand âge ou la mort mette fin à l'aventure. Tout ce que l'on a accumulé s'évapore comme simple fumée. La vie est une course folle qui ne rime à rien. Mais comment s'y soustraire ?

À vingt-neuf ans, Gautama s'éclipsa de son palais au cœur de la nuit, laissant derrière lui sa famille et ses biens. Tel un vagabond sans toit, il sillonna le nord de l'Inde, en quête d'un moyen d'échapper à la souffrance. Il visita des ashrams, s'assit au pied de gourous, mais rien ne le libéra entièrement : il demeurait toujours un fond d'insatisfaction. Il ne céda pas au désespoir. Il résolut d'étudier la souffrance par lui-même jusqu'à trouver une méthode de complète libération. Il passa six années à méditer sur l'essence, les causes et les remèdes de l'angoisse humaine. Et il finit par comprendre que la souffrance n'a point pour causes l'infortune, l'injustice sociale ou les caprices divins, mais les formes de conduite inscrites dans l'esprit de chacun.

L'intuition de Gautama est que, à toute expérience, l'esprit réagit par le désir, et que celui-ci implique toujours l'insatisfaction. En cas d'expérience désagréable, l'esprit cherche à se défaire de la source d'irritation. Si l'esprit fait une expérience agréable, il meurt d'envie que le plaisir demeure et s'intensifie. L'esprit est donc toujours insatisfait et ne connaît pas le repos. C'est très clair quand nous faisons l'expérience de choses déplaisantes comme la douleur. Tant qu'elle

persiste, nous sommes mécontents et faisons tout pour l'éviter. Mais
même les expériences plaisantes ne nous contentent pas. Nous crai-
gnons que le plaisir ne disparaisse, ou nous l'espérons plus intense.
Les gens rêvent des années durant de trouver l'amour, mais ils sont
rarement satisfaits quand ils le trouvent. Les uns craignent que leur
partenaire les quitte ; d'autres ont le sentiment de s'être rangés trop
vite et qu'ils auraient pu trouver mieux. Et nous connaissons tous
des cas de ce genre.

Les grands dieux peuvent nous envoyer la pluie, les institutions
sociales assurer la justice et un bon système de soins, et des hasards
heureux faire de nous des millionnaires, mais rien de tout cela ne
saurait changer nos structures mentales élémentaires. Même les
plus grands rois sont donc condamnés à vivre dans l'angoisse, à fuir
constamment le chagrin et l'inquiétude et à courir toujours après
des plaisirs plus vifs.

Gautama s'aperçut qu'il existait un moyen de sortir de ce cercle
vicieux. Si, quand l'esprit fait une expérience plaisante ou déplaisante, il comprend simplement les choses telles qu'elles sont, il n'y
a pas de souffrance. Si l'on fait l'expérience de la tristesse sans désirer qu'elle s'en aille, on continue d'éprouver la tristesse, sans en
souffrir. Il peut y avoir une réelle richesse dans la tristesse. Si l'on
connaît la joie sans désirer qu'elle perdure et s'intensifie, on continue de la ressentir sans perdre sa tranquillité d'esprit.

Mais comment amener l'esprit à accepter les choses telles
qu'elles sont, sans ce désir insatiable ? À accepter la tristesse comme
tristesse, la joie comme joie, la douleur comme douleur ? Gautama
élabora une panoplie de techniques de méditation qui exercent l'esprit à expérimenter la réalité telle qu'elle est, sans désir ardent. Ces
pratiques exercent l'esprit à focaliser son attention sur la question
« Qu'est-ce que je vis ? » plutôt que « Que voudrais-je vivre ? ». Il
est difficile d'atteindre cet état d'esprit, mais pas impossible.

Gautama ancra ces techniques de méditation dans un ensemble
de règles éthiques destinées à aider les gens à se concentrer sur l'expérience réelle et à éviter de se laisser aller à des désirs insatiables et
à des chimères. Il donna pour instruction à ses disciples de ne pas
tuer, mais aussi d'éviter la promiscuité sexuelle et le vol, puisque

ces actes attisent immanquablement le feu du désir (de pouvoir, de sensualité ou de richesse). Quand les flammes sont totalement éteintes, le désir laisse place à un état de contentement parfait et de sérénité, connu sous le nom de nirvana (littéralement, «extinction du feu»). Atteindre le nirvana, c'est être libéré de toute souffrance, éprouver la réalité avec une clarté absolue, être délivré des chimères et des illusions. Très probablement fera-t-on encore l'expérience du déplaisir et de la douleur, mais cela ne nous plongera pas dans la misère. Qui a éteint son désir ne saurait souffrir.

Suivant la tradition bouddhiste, Gautama lui-même atteignit le nirvana et fut totalement délivré de la souffrance. Aussi est-il connu sous le nom de «Bouddha», qui veut dire «l'Éveillé». Bouddha employa le reste de sa vie à expliquer ses découvertes aux autres, en sorte que tout le monde puisse se libérer de la souffrance. Il résuma sa doctrine en une seule loi: la souffrance naît du désir; la seule façon de se délivrer de la souffrance est d'être pleinement libéré du désir, ce qui ne saurait se faire qu'en exerçant l'esprit à vivre la réalité telle qu'elle est.

Pour les bouddhistes, cette loi connue sous le nom de *Dharma* ou *Dhamma* est une loi universelle de la nature. Que «la souffrance naisse du désir» est toujours et partout vérifié, de même que dans la physique moderne $E = mc^2$ est toujours exact. Les bouddhistes croient à cette loi, dont ils font le point d'appui de toutes leurs activités. En revanche, la croyance aux dieux est pour eux d'une importance mineure. Le premier principe des religions monothéistes est: «Dieu existe. Qu'attend-Il de moi?» Le premier principe du bouddhisme est: «La souffrance existe. Comment m'en débarrasser?»

Le bouddhisme ne nie pas l'existence des dieux – ils sont décrits tels des êtres puissants qui peuvent apporter pluies et victoires –, mais ils n'ont aucune influence sur la loi. La souffrance naît du désir. Si une personne s'est libérée de tout désir, aucun dieu ne peut la rendre misérable. Inversement, dès lors que le désir naît dans l'esprit de quelqu'un, tous les dieux de l'univers ne sauraient le préserver de la souffrance.

Pas plus que les religions monothéistes, pourtant, les religions prémodernes de la loi naturelle comme le bouddhisme ne se débarrassent jamais vraiment du culte des dieux. Le bouddhisme reconnut l'existence des dieux et leur efficacité quand il s'agit de faire pleuvoir ou d'arracher une victoire. Il expliqua aussi aux gens que leur but ultime devait être de se libérer totalement de la souffrance, plutôt que de s'arrêter à mi-parcours pour se contenter de la prospérité économique et du pouvoir politique. Toutefois, 99,99 % des bouddhistes n'ont pas atteint le nirvana, et même s'ils espèrent le faire dans quelque vie future, ils consacrent l'essentiel de leur vie présente à poursuivre des succès mondains. Aussi ont-ils continué d'adorer divers dieux : les dieux hindous en Inde, les dieux du Bön au Tibet et ceux du shintoïsme au Japon.

De surcroît, le temps passant, plusieurs sectes bouddhistes ont donné naissance à des panthéons de Bouddhas et de Bodhisattvas : des êtres humains et non humains qui sont capables de se libérer de la souffrance, mais qui y renoncent par compassion, afin de venir en aide aux innombrables êtres encore piégés dans le cycle de la misère. Plutôt que d'adorer les dieux, beaucoup de bouddhistes se mirent à vouer un culte à ces êtres éveillés, leur demandant de les aider non seulement à atteindre le nirvana, mais aussi à résoudre des problèmes prosaïques. Ainsi trouvons-nous dans l'Est asiatique maints Bouddhas et Boddhisattvas qui passent leur temps à faire pleuvoir, à enrayer les épidémies, voire à arracher de sanglantes victoires – en échange de prières, de fleurs colorées, d'encens parfumé et d'offrandes de riz ou de sucreries.

LE CULTE DE L'HOMME

Les trois cents dernières années sont souvent décrites comme une époque de sécularisme croissant, où les religions n'ont cessé de perdre de l'importance. C'est largement vrai si nous parlons des religions théistes. Mais si nous prenons en considération les religions de la loi naturelle, la modernité est une époque de ferveur religieuse intense, d'efforts missionnaires sans précédent et de guerres de Religion parmi les plus sanglantes de l'histoire. Les Temps modernes ont vu l'essor d'un certain nombre de religions de la loi naturelle, comme le libéralisme, le communisme, le capitalisme, le nationalisme et le nazisme. Autant de croyances qui n'aiment pas être assimilées à des religions et se présentent comme des idéologies. Mais ce n'est qu'un exercice sémantique. Si une religion est un système de normes et de valeurs humaines qui se fonde sur une croyance en un ordre surhumain, le communisme soviétique n'est pas moins une religion que l'islam.

L'islam diffère bien entendu du communisme en ce que l'ordre surhumain qui gouverne le monde est pour lui l'édit d'un dieu créateur tout-puissant, tandis que le communisme soviétique ne croyait pas aux dieux. Mais le bouddhisme envoie lui aussi promener les dieux, et nous le classons pourtant ordinairement parmi les religions. Comme les bouddhistes, les communistes croyaient en un ordre surhumain de lois naturelles et immuables qui devraient guider les actions humaines. Alors que, pour les bouddhistes, la loi naturelle avait été découverte par Siddhârta Gautama, les communistes pensaient que ses découvreurs étaient Karl Marx, Friedrich Engels et Vladimir Ilitch Lénine. La similitude ne s'arrête par là. Comme les autres religions, le communisme a aussi ses saintes écritures et ses livres prophétiques, tel *Le Capital* de Marx, qui prédisait la fin imminente de l'histoire avec la victoire inévitable du prolétariat. Le communisme avait ses fêtes comme le 1er Mai et l'anniversaire de la révolution d'Octobre. Il avait ses théologiens adeptes de la dialectique marxiste, et chaque unité de l'armée soviétique avait son aumônier, le «commissaire politique», qui surveillait la piété des soldats et des officiers. Le communisme eut encore ses martyrs, ses guerres saintes et ses hérésies – le trotskisme, par exemple. Le communisme soviétique était une religion fanatique et missionnaire. Un communiste fervent ne pouvait être chrétien ni bouddhiste ; on attendait de lui qu'il propageât l'évangile de Marx et de Lénine, fût-ce au prix de sa vie.

Cet axe de raisonnement peut mettre mal à l'aise certains lecteurs. Si vous préférez, libre à vous de continuer à parler du communisme comme d'une idéologie plutôt que d'une religion. Cela ne fait pas la moindre différence. Nous pouvons diviser les credo en religions théocentriques et idéologies athées qui prétendent se fonder sur des lois naturelles. Mais alors, en toute cohérence, il faudrait ranger au moins certaines sectes bouddhistes, taoïstes et stoïciennes parmi les idéologies, plutôt que parmi les religions. Inversement, il faut noter que la croyance aux dieux persiste au sein de nombreuses idéologies modernes, et que certaines, à commencer par le libéralisme, ont peu de sens sans cette croyance.

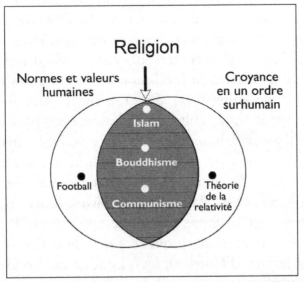

La religion est un système de normes et de valeurs humaines fondé sur la croyance en un ordre surhumain. La théorie de la relativité n'est pas une religion parce que – au moins jusqu'ici – il n'est pas de normes et de valeurs humaines qui se fondent sur elle. Le football n'est pas une religion parce que personne ne prétend que ses règles reflètent des édits surhumains. L'islam, le bouddhisme et le communisme sont tous des religions, parce que ce sont tous des systèmes de normes et de valeurs humaines fondés sur la croyance en un ordre surhumain. (Notez la différence entre « surhumain » et « surnaturel ». La loi naturelle bouddhiste et les lois de l'histoire marxistes sont surhumaines puisqu'elles ne sont pas édictées par les hommes. Elles ne sont pas surnaturelles pour autant.)

*

Il est impossible de survoler ici l'histoire de toutes les nouvelles croyances modernes, d'autant qu'il n'existe pas de limites claires entre elles. Elles ne sont pas moins syncrétiques que le monothéisme et le bouddhisme populaire. De même qu'un bouddhiste peut adorer des divinités hindoues et un monothéiste croire à l'existence de Satan, de même l'Américain typique, de nos jours, est à la fois nationaliste (il croit à l'existence d'une nation américaine ayant un rôle particulier à jouer dans l'histoire), partisan de l'économie de marché capitaliste (il croit que la libre concurrence et la poursuite de son intérêt sont les meilleures façons de créer une société prospère) et libéral humaniste (il croit que le créateur a pourvu les hommes de certains droits inaliénables). Nous traiterons du nationalisme dans le chapitre 18. Le capitalisme – de toutes les religions modernes, celle qui a le mieux réussi – a droit à tout un chapitre – le chapitre 16 – qui en expose les croyances et rituels principaux. Dans les dernières pages de ce chapitre-ci, je traiterai des religions humanistes.

Les religions théistes se focalisent sur le culte des dieux (d'où le qualificatif de « théistes », du grec *theos*, « dieu »). Les religions humanistes ont le culte de l'humanité ou, plus exactement, de l'*Homo sapiens*. L'humanisme est la croyance suivant laquelle l'*Homo sapiens* possède une nature unique et sacrée, foncièrement différente de la nature de tous les autres animaux et de tous les autres phénomènes. Pour les humanistes, la nature unique de l'*Homo sapiens* est la chose au monde qui importe le plus et qui détermine le sens de tout ce qui se passe dans l'univers. Le bien suprême est le bien d'*Homo sapiens*. Le reste du monde et tous les autres êtres n'existent que pour le bénéfice de cette espèce.

Tous les humanistes ont le culte de l'humanité, mais ils ne s'accordent pas sur sa définition. L'humanisme s'est scindé en trois sectes rivales qui se disputent sur la définition exacte de l'« humanité », comme les sectes chrétiennes rivales s'affrontaient sur la définition exacte de Dieu. Aujourd'hui, la secte humaniste la plus importante est l'humanisme libéral, pour lequel l'« humanité » est une qualité des individus, et la liberté individuelle sacrosainte. Selon les libéraux, la nature sacrée de l'« humanité » réside dans chaque individu *Homo sapiens*. C'est le noyau interne, le cœur de l'individu qui donne sens au monde et qui est la source de toute autorité éthique et politique. Face à un dilemme éthique ou politique, il nous faut regarder en nous et écouter notre voix intérieure : la voix de l'humanité. Les principaux commandements de l'humanisme libéral sont destinés à protéger la liberté de cette voix intérieure de toute intrusion ou atteinte. Ces commandements sont collectivement connus sous l'appellation de « droits de l'homme ».

C'est pour cette raison, par exemple, que les libéraux réprouvent la torture et la peine de mort. En Europe, à l'aube des Temps modernes, on pensait que les meurtriers violaient et déstabilisaient l'ordre cosmique. Le rétablissement de l'équilibre passait par la torture et l'exécution publique du criminel, en sorte que tout le monde pût voir l'ordre rétabli. Les exécutions macabres étaient un passe-temps favori des Londoniens et des Parisiens aux temps de Shakespeare et de Molière. Dans l'Europe actuelle, le meurtre est perçu comme une violation de la nature sacrée de l'humanité. Pour rétablir l'ordre, les Européens d'aujourd'hui ne torturent ni n'exécutent plus les criminels. Ils punissent le meurtrier de la façon, à leurs yeux, la plus «humaine» possible, sauvegardant ainsi, voire reconstituant sa sainteté humaine. Honorer la nature humaine du meurtrier est une manière de rappeler à tout le monde la sainteté de l'humanité et de rétablir l'ordre. En défendant le meurtrier, nous remettons d'aplomb ce que le meurtrier a détruit.

Alors même qu'il sanctifie les humains, l'humanisme libéral ne nie pas l'existence de Dieu et se fonde, en fait, sur des croyances monothéistes. La croyance libérale dans la nature libre et sacrée de chaque individu vient directement de la croyance chrétienne traditionnelle dans les âmes individuelles libres et éternelles. Sans recourir aux âmes éternelles et au Dieu créateur, il devient terriblement difficile, pour les libéraux, d'expliquer ce que l'individu Sapiens a de si particulier.

Une autre secte importante est l'humanisme socialiste. Pour les socialistes, l'«humanité» est moins individualiste que collective. Ce qui est sacré, à leurs yeux, ce n'est pas la voix intérieure de chaque individu, mais l'espèce *Homo sapiens* dans sa totalité. Tandis que l'humanisme libéral recherche autant de liberté que possible pour les individus, l'humanisme socialiste veut l'égalité entre tous les hommes. Pour les socialistes, l'inégalité est le pire des blasphèmes contre la sainteté de l'humanité, parce qu'elle privilégie des qualités périphériques des hommes sur leur essence universelle. Par exemple, que les riches soient privilégiés par rapport aux pauvres signifie que nous prisons plus l'argent que l'essence universelle de tous les êtres humains – la même pour les riches et les pauvres.

De même que son homologue libéral, l'humanisme socialiste repose sur des fondements monothéistes. L'idée que tous les hommes sont égaux est une version remaniée de la conviction monothéiste que toutes les âmes sont égales devant Dieu. La seule secte humaniste qui ait réellement rompu avec le monothéisme traditionnel est l'humanisme évolutionniste dont les nazis sont les représentants les plus célèbres. Ce qui distingue les nazis des autres sectes humanistes, c'est une définition différente de l'« humanité », profondément influencée par la théorie de l'évolution. À la différence des autres humanistes, les nazis pensaient que l'humanité n'est ni universelle ni éternelle, mais plutôt une espèce susceptible de mutations, et qui peut donc évoluer ou dégénérer. L'homme peut évoluer en surhomme ou dégénérer en sous-homme.

Religions humanistes – Religions qui ont le culte de l'humanité

Humanisme libéral	Humanisme socialiste	Humanisme évolutionniste
Homo sapiens possède une nature unique et sacrée qui est foncièrement différente de celle de tous les autres êtres et phénomènes. Le bien suprême est le bien de l'humanité		
L'« humanité » est individualiste et réside en chaque *Homo sapiens* individuel	L'« humanité » est collective et réside dans l'espèce *Homo sapiens* dans son ensemble	L'« humanité » est une espèce sujette à mutation. Les hommes pourraient dégénérer en sous-hommes ou évoluer en surhommes
Le commandement suprême est de protéger le noyau dur et la liberté de chaque individu *Homo sapiens*	Le commandement suprême est de préserver l'égalité de l'espèce *Homo sapiens*	Le commandement suprême est d'empêcher l'espèce humaine de dégénérer en sous-hommes et d'encourager son évolution en surhommes

La grande ambition des nazis était de préserver l'humanité de la dégénérescence et d'encourager son évolution progressiste. Aussi les nazis disaient-ils que la race aryenne, la forme la plus avancée de l'humanité, devait être protégée et encouragée, tandis que les espèces dégénérées d'*Homo sapiens* comme les Juifs, les Tsiganes, les homosexuels et les malades mentaux devaient être isolées, voire exterminées. Selon les nazis, l'*Homo sapiens* apparut avec l'évolution d'une population «supérieure», alors que les populations «inférieures» comme les Neandertal s'éteignaient. Au départ, ces populations n'étaient que des races différentes, mais elles avaient ensuite suivi des trajectoires évolutives indépendantes. Ce qui pouvait bien se reproduire. Pour les nazis, *Homo sapiens* s'était déjà divisé en plusieurs races distinctes, chacune possédant ses qualités uniques. L'une d'entre elles, la race aryenne, réunissait les plus belles qualités : rationalisme, beauté, intégrité, diligence. Elle pouvait donc transformer l'homme en surhomme. D'autres races, comme les Juifs et les Noirs, étaient les Neandertal contemporains, possédant de moindres qualités. Si on les laissait se reproduire, en particulier dans le cadre de mariages mixtes avec les Aryens, toutes les populations humaines en seraient adultérées, et *Homo sapiens* serait voué à l'extinction.

Les biologistes ont depuis discrédité la théorie raciale nazie. Les recherches génétiques poursuivies notamment après 1945 ont démontré qu'entre les lignages humains les différences étaient bien plus petites que les nazis ne l'avaient postulé. Mais ces conclusions sont relativement nouvelles. Compte tenu de l'état du savoir scientifique en 1933, les croyances nazies avaient droit de cité. L'existence de races humaines, la supériorité de la race blanche, et la nécessité de protéger et de cultiver cette race supérieure étaient des convictions largement répandues parmi les élites occidentales. Les chercheurs des plus prestigieuses universités, utilisant les méthodes scientifiques orthodoxes de l'époque, publiaient des études censées prouver que les membres de la race blanche étaient plus intelligents, plus moraux et plus doués que les Africains ou les Indiens. À Washington, Londres et Canberra, des politiciens tenaient pour acquis que leur travail était de prévenir l'adultération et la dégénérescence de la race blanche, par exemple en restreignant l'immigration chinoise ou même italienne vers des pays « aryens » comme les États-Unis et l'Australie.

Ces positions n'ont pas changé du simple fait que de nouvelles recherches ont été publiées. Des évolutions sociologiques et politiques ont été des moteurs de changement autrement plus puissants. En ce sens, Hitler a creusé la tombe du racisme en général en même temps que la sienne. Quand il lança la Seconde Guerre mondiale, il obligea ses ennemis à des distinctions tranchées entre « eux » et « nous ». Le racisme se trouva discrédité en Occident du simple fait que l'idéologie nazie était raciste. Mais le changement prit du temps. La suprématie blanche demeura une idéologie dominante de la scène politique américaine au moins jusque dans les années 1960. La politique de « l'Australie blanche » qui restreignait l'immigration des populations de couleur demeura en vigueur jusqu'en 1973. Les aborigènes ne jouirent pas de l'égalité des droits avant les années 1960, et la plupart furent privés du droit de vote sous prétexte qu'ils étaient inaptes à devenir des citoyens.

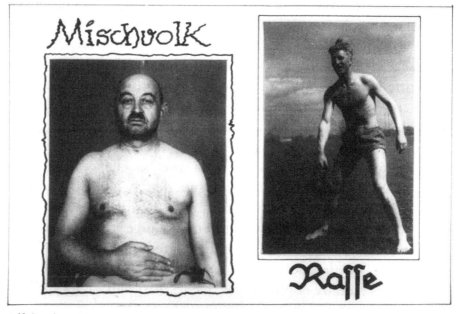

Affiche de propagande nazie avec, à droite, un « Aryen pure race » ; à gauche, un « métis ». L'admiration des nazis pour le corps humain est évidente, ainsi que la peur de voir des races inférieures polluer l'humanité et entraîner sa dégénérescence.

Les nazis n'abominaient pas l'humanité. S'ils combattirent l'humanisme libéral, les droits de l'homme et le communisme, c'est précisément parce qu'ils admiraient l'humanité et prêtaient à l'espèce humaine un formidable potentiel. Suivant la logique de l'évolution darwinienne, cependant, ils prétendaient qu'il fallait laisser la sélection naturelle extirper les individus inaptes pour ne faire survivre et se reproduire que les plus aptes. En secourant les faibles, le libéralisme et le communisme permettaient non seulement aux individus inaptes de survivre, mais ils leur donnaient en fait une chance égale de se reproduire, minant ainsi la sélection naturelle. Dans un monde pareil, les plus aptes seront inévitablement noyés dans un océan de dégénérés. À chaque génération, l'espèce humaine serait de moins en moins apte – ce qui pourrait conduire à son extinction.

Dans un chapitre intitulé «Lois de la nature et humanité», un manuel allemand de biologie paru en 1942 explique que la loi suprême de la nature est que tous les êtres sont engagés dans une lutte implacable pour leur survie. Après avoir décrit comment les plantes luttent pour leur territoire, comment les scarabées luttent pour trouver des partenaires de copulation, et ainsi de suite, le manuel conclut :

> La bataille pour l'existence est rude et sans merci, mais elle est la seule façon de perpétuer la vie. Ce combat élimine tout ce qui est inapte à la vie, et sélectionne tout ce qui est apte à survivre. […] Ces lois naturelles sont irrécusables ; les créatures vivantes en font la démonstration par leur survie même. Elles sont impitoyables. Ceux qui y résistent seront éliminés. La biologie ne nous parle pas seulement des animaux et des plantes, elle nous montre aussi les lois que nous devons suivre dans nos vies, et trempe notre volonté de vivre et de combattre suivant ces lois. Le sens de la vie est le combat. Malheur à qui pèche contre ces lois.

Suit une citation de *Mein Kampf* : «Qui tente de combattre la logique d'airain de la nature combat ainsi les principes auxquels il doit sa vie d'être humain. Combattre la nature, c'est entraîner sa propre destruction[1].»

---

1. Marie Harm et Hermann Wiehle, *Lebenskunde für Mittelschulen – Fünfter Teil. Klasse 5 für Jungen*, Halle, Hermann Schroedel Verlag, 1942, p. 152-157.

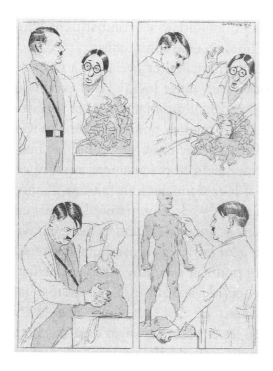

Caricature nazie de 1933. Hitler en sculpteur qui crée le surhomme. Un intellectuel libéral lunetteux est effaré par la violence nécessaire à cette fin. (Observez aussi la glorification érotique du corps humain.)

*

À l'aube du IIIe millénaire, l'avenir de l'humanisme évolutionniste est incertain. Pendant soixante ans, après la fin de la guerre contre Hitler, il a été tabou de lier l'humanisme à l'évolution et de prôner des méthodes biologiques pour « élever » *Homo sapiens* au rang de surhomme. Aujourd'hui, cependant, ces projets sont de nouveau en vogue. Nul ne parle d'exterminer des races ou des individus inférieurs, mais beaucoup envisagent d'utiliser notre connaissance croissante de la biologie humaine pour créer des surhommes.

Dans le même temps, entre les dogmes de l'humanisme libéral et les toutes dernières découvertes des sciences de la vie, s'ouvre un gouffre que nous ne pouvons plus nous permettre d'ignorer. Nos systèmes politiques et judiciaires libéraux reposent sur l'idée que chaque individu possède une nature intérieure sacrée, indivisible et immuable, qui donne du sens au monde, et qui est la source de toute autorité éthique et politique. C'est là une réincarnation de la croyance chrétienne traditionnelle en une âme libre et éternelle qui réside en chaque individu. Depuis plus de deux cents ans, pourtant, les sciences de la vie ont profondément miné cette croyance. Les hommes de science étudiant les rouages intérieurs de l'organisme humain n'ont pas trouvé d'âme. Ils sont de plus en plus enclins à soutenir que le comportement humain est déterminé par les hormones, les gènes et les synapses, plutôt que par le libre arbitre – par les mêmes forces qui déterminent le comportement des chimpanzés, des loups et des fourmis. Nos systèmes politiques et judiciaires essaient largement de cacher sous le tapis ces découvertes fâcheuses. Mais, franchement, combien de temps pourrons-nous maintenir le mur qui sépare le département de biologie des facultés de droit et de science politique ?

13.

Le secret de la réussite

Commerce, empires et religions universelles ont fini par plonger virtuellement tous les Sapiens de tous les continents dans le monde global qui est aujourd'hui le nôtre. Non que ce processus d'expansion et d'unification ait été linéaire ou sans solutions de continuité. Dans l'ensemble, cependant, la transition d'une multitude de petites cultures vers un petit nombre de grandes et, pour finir, une seule société mondiale, a probablement été le résultat inévitable de la dynamique de l'histoire humaine.

Mais dire qu'une société globale est inévitable ne revient pas à dire qu'elle doit forcément aboutir au genre de société globale que nous connaissons aujourd'hui. Nous pouvons certainement imaginer d'autres issues. Pourquoi l'anglais est-il si répandu aujourd'hui, plutôt que le danois ? Pourquoi y a-t-il près de deux milliards de chrétiens et un milliard deux cent cinquante millions de musulmans, mais seulement 150 000 zoroastriens et pas de manichéens ? Si nous pouvions remonter dans le temps, nous reporter 10 000 ans en arrière et remettre le processus en branle, époque après époque, verrions-nous toujours l'essor du monothéisme et le déclin du dualisme ?

Faute de pouvoir faire l'expérience, nous n'en savons rien. Mais l'examen de deux caractéristiques cruciales de l'histoire peut nous fournir des indices.

L'ILLUSION RÉTROSPECTIVE

Chaque point de l'histoire est un carrefour. Si une seule route empruntée mène du passé au présent, d'innombrables embranchements conduisent au futur. Certaines voies sont plus larges, plus égales, mieux balisées : il y a plus de chances qu'on les préfère. Mais il arrive que l'histoire – ou les hommes qui font l'histoire – prenne des tournants inattendus.

Au début du IVe siècle, l'Empire romain était devant un large horizon de possibilités religieuses. Il aurait pu s'accrocher à son polythéisme traditionnel et varié. Mais, se retournant sur un siècle de déchirements et de guerres civiles, Constantin paraît avoir pensé qu'une seule religion avec une doctrine claire pourrait aider à unifier son royaume ethniquement divers. Pour établir une religion nationale, il avait le choix entre plusieurs cultes contemporains : manichéisme, mithraïsme, cultes d'Isis ou de Cybèle, zoroastrisme, judaïsme, voire bouddhisme, étaient autant d'options disponibles. Pourquoi choisit-il Jésus ? Y avait-il dans la théologie chrétienne quelque chose qui l'attirait personnellement ? Ou un aspect de la foi lui donna-t-il à penser que le christianisme se prêtait mieux à ses desseins ? Eut-il une expérience religieuse, ou certains de ses conseillers lui firent-ils valoir que les chrétiens gagnaient rapidement des adeptes et qu'il valait mieux prendre le train en marche ? Les historiens peuvent bien spéculer, ils n'apportent pas de réponse définitive. Ils peuvent raconter *comment* le christianisme s'est emparé de l'Empire romain, mais pas *pourquoi* cette possibilité particulière s'est réalisée.

Entre décrire « comment » et expliquer « pourquoi », quelle différence ? Raconter « comment » signifie reconstituer la série d'événements spécifiques qui ont conduit d'un point à un autre. Expliquer « pourquoi » veut dire trouver des relations de causalité qui expliquent l'occurrence de cette série d'événements particulière, à l'exclusion de toute autre.

Il est des spécialistes pour avancer des explications déterministes d'événements comme l'essor du christianisme. Ils tentent de réduire l'histoire humaine à l'opération de forces biologiques, écologiques ou économiques. Ils soutiennent que, dans la géographie, la génétique ou l'économie de la Méditerranée romaine, quelque chose rendait inévitable l'essor de la religion monothéiste. Mais les théories déterministes de ce genre laissent généralement la plupart des historiens sceptiques. C'est l'une des marques distinctives de l'histoire comme discipline universitaire : mieux on connaît une période donnée, plus il est *dur* d'expliquer pourquoi les choses se sont passées ainsi et pas autrement. Ceux qui n'en ont qu'une connaissance superficielle ont tendance à se focaliser sur la possibilité qui a fini par se réaliser. Ils offrent une histoire simpliste pour expliquer rétrospectivement pourquoi cette issue était inévitable. Ceux qui ont davantage approfondi sont bien plus avertis des chemins qui n'ont pas été suivis.

En fait, ceux qui connurent le mieux la période – ceux qui vivaient en ce temps-là – étaient les plus démunis. Pour le Romain moyen du temps de Constantin, le futur était un brouillard. Une des règles d'airain de l'histoire est que ce qui paraît après coup inévitable était loin d'être évident à l'époque. Il en va de même aujourd'hui. Sommes-nous sortis de la crise économique ou le pire est-il encore à venir ? La Chine va-t-elle continuer sa croissance jusqu'à devenir la première superpuissance ? Les États-Unis vont-ils perdre leur hégémonie ? La montée du fondamentalisme monothéiste est-il la vague de l'avenir ou un tourbillon local sans grande signification à long terme ? Nous acheminons-nous vers une catastrophe écologique ou un paradis technologique ? Il y a de bons arguments à produire dans tous les cas, mais aucun moyen d'avoir une certitude. Dans quelques décennies, les gens se retourneront sur le passé et se diront que les réponses à ces questions étaient évidentes.

Il est particulièrement important de souligner que les possibilités qui paraissent très improbables aux contemporains se réalisent souvent. Quand Constantin monta sur le trône en 306, le christianisme était à peine plus qu'une secte orientale ésotérique. Auriez-vous suggéré alors qu'il était sur le point de devenir la religion de l'État romain, on vous aurait ri au nez, comme on vous raillerait aujourd'hui si vous hasardiez qu'en 2050 Hare Krishna sera la religion officielle des États-Unis. En octobre 1913, les bolcheviks n'étaient qu'une petite faction d'extrémistes russes. Aucune personne raisonnable n'aurait prédit qu'à peine quatre ans plus tard ils prendraient le pays. En l'an 600 de notre ère, l'idée qu'une bande d'Arabes séjournant dans le désert allait bientôt conquérir un immense territoire allant de l'Atlantique à l'Inde était encore plus ridicule. De fait, l'armée byzantine eût-elle été capable de repousser l'offensive initiale, l'islam serait probablement resté un culte obscur connu d'une poignée seulement d'initiés. Les savants n'auraient aucun mal à expliquer pourquoi une religion fondée sur la révélation à un marchand de La Mecque d'âge moyen n'avait aucune chance de prendre.

Non que tout soit possible. Les forces géographiques, biologiques et économiques créent des contraintes. Mais ces contraintes laissent beaucoup de place à des développements surprenants qui paraissent échapper à toute loi déterministe.

Cette conclusion en déçoit beaucoup, qui préfèrent une histoire déterministe. Le déterminisme est séduisant parce qu'il implique que notre monde et nos croyances sont un produit naturel et inévitable de l'histoire. Il est naturel et inévitable que nous vivions dans des États-nations, que nous organisions notre économie suivant des principes capitalistes et croyions passionnément aux droits de l'homme. Reconnaître que l'histoire n'est pas déterministe, c'est admettre que c'est juste un hasard si la plupart des gens croient aujourd'hui au nationalisme, au capitalisme et aux droits de l'homme.

On ne saurait donner d'explication déterministe de l'histoire, pas plus qu'on ne saurait la prédire parce qu'elle est chaotique. Il est tant de forces à l'œuvre et leurs interactions sont si complexes que d'infimes variations de l'intensité de ces forces et de leurs interactions produisent des issues très différentes. Et ce n'est pas tout : l'histoire est ce qu'on appelle un système chaotique de « niveau deux ». Il existe deux formes de systèmes chaotiques. Le chaos de niveau un est un chaos qui ne réagit pas aux prédictions le concernant. Le temps, par exemple, est un système chaotique de niveau un. Bien qu'il subisse l'influence d'une multitude de facteurs, nous pouvons construire des modèles informatiques qui en prennent toujours plus en considération, et produisent de meilleures prévisions météorologiques.

Le chaos de niveau deux est un chaos qui réagit aux prédictions le concernant, et qui se dérobe à toute prédiction exacte. Les marchés, par exemple, sont un système chaotique de niveau deux. Que se passera-t-il si nous mettons au point un logiciel qui prévoit avec une certitude absolue quel sera demain le cours du pétrole ? Le prix du baril réagira aussitôt à la prévision, qui de ce fait ne sera pas confirmée. Si le cours actuel est de 90 dollars le baril, et que le programme infaillible prévoit qu'il sera demain à 100 dollars, les négociants vont s'empresser d'acheter du pétrole afin de profiter de la hausse des prix annoncée. De ce fait, le prix grimpera à 100 dollars le baril dès aujourd'hui, plutôt que demain. Et que se passera-t-il demain ? Personne ne le sait.

La politique est elle aussi un système chaotique de second ordre. Beaucoup reprochent aux soviétologues de n'avoir pas prédit les révolutions de 1989 et fustigent les spécialistes du Moyen-Orient qui n'ont pas vu venir le Printemps arabe de 2011. C'est injuste. Les révolutions sont, par définition, imprévisibles. Une révolution prévisible ne se produit jamais.

Pourquoi ? Imaginez qu'on soit en 2010. Des petits génies des sciences politiques de mèche avec un magicien de l'informatique ont élaboré un algorithme infaillible qui, incorporé dans une interface attrayante, peut être commercialisé comme prédicteur de révolutions. Ils font une offre de service au Président égyptien Hosni Moubarak et, moyennant une généreuse rétribution, annoncent au Raïs que, suivant leurs prévisions, une révolution ne manquera pas d'éclater dans son pays au cours de l'année suivante. Comment réagira Moubarak ? Il s'empressera très probablement de baisser les impôts, de distribuer des milliards de dollars à ses concitoyens… et, on ne sait jamais, étoffera les effectifs de sa police secrète. Les mesures préventives font leur effet. L'année passe et, surprise, pas de révolution. Moubarak exige qu'on lui rende son argent : « Il est nul, votre algorithme ! » lance-t-il aux chercheurs. « J'aurais mieux fait de me construire un autre palais au lieu de vous donner tout ce fric ! » Les scientifiques se défendent. « Mais si la révolution ne s'est pas produite, c'est parce que nous l'avons prédite ! » Moubarak fait signe à ses gradés de se saisir d'eux : « Des prophètes qui prédisent des choses qui ne se réalisent pas ? Des comme ça, j'aurais pu en trouver une douzaine pour trois fois rien sur le marché du Caire. »

Alors pourquoi étudier l'histoire ? À la différence de la physique ou de l'économie, l'histoire n'est pas le moyen de faire des prédictions exactes. Ce n'est pas pour connaître le futur que nous étudions l'histoire, mais pour élargir nos horizons, comprendre que notre situation actuelle n'est ni naturelle ni inévitable et que, de ce fait, les possibilités qui nous sont ouvertes sont bien plus nombreuses que nous ne l'imaginons. Par exemple, étudier comment les Européens en sont arrivés à dominer les Africains nous permet de réaliser qu'il n'y a rien de naturel ou d'inévitable dans la hiérarchie des races, et que le monde pourrait fort bien être arrangé autrement.

CLIO AVEUGLE

Si nous ne pouvons expliquer les choix que fait l'histoire, nous pouvons dire quelque chose de la plus haute importance à leur sujet : les choix de l'histoire ne se font pas au bénéfice des hommes. On n'a absolument aucune preuve que le bien-être des hommes s'améliore inévitablement au fil de l'histoire. Rien ne prouve que des cultures bénéfiques aux hommes doivent inexorablement réussir et se propager, tandis que les cultures moins bénéfiques disparaîtraient. Rien ne prouve que le christianisme ait été un meilleur choix que le manichéisme, ou que l'Empire arabe ait été plus profitable que celui des Perses sassanides.

Il n'est aucune preuve que l'histoire travaille au bénéfice des humains parce que nous manquons d'une balance objective pour peser ce bénéfice. Les différentes cultures définissent le bien différemment, et nous n'avons pas d'aune objective pour les départager. Bien entendu, les vainqueurs croient toujours que leur définition est la bonne. Mais pourquoi croire les vainqueurs ? Les chrétiens croient que la victoire du christianisme sur le manichéisme a été bénéfique à l'humanité, mais si nous ne souscrivons pas à la vision du monde chrétienne, nous n'avons aucune raison de leur donner raison. Les musulmans croient que la chute de l'Empire sassanide entre leurs mains a profité à l'humanité. Mais ces bienfaits ne sont évidents que si nous faisons nôtre leur vision du monde. Peut-être serions-nous mieux lotis si le christianisme et l'islam avaient été oubliés et vaincus.

De plus en plus de chercheurs voient dans les cultures une sorte d'infection mentale ou de parasite, dont les hommes seraient les hôtes involontaires. Des parasites organiques, comme les virus, vivent à l'intérieur du corps de leurs hôtes. Ils se multiplient et se propagent d'un hôte à l'autre, se nourrissant de leurs hôtes, les affaiblissant, voire les tuant. Tant que les hôtes vivent assez longtemps pour transmettre le parasite, celui-ci ne se soucie guère de leur condition. C'est ainsi que les idées culturelles vivent dans l'esprit des hommes. Elles se multiplient et se répandent d'un hôte à l'autre, affaiblissant à l'occasion leurs hôtes et parfois même les tuant. Une idée culturelle – la croyance chrétienne à un ciel au-dessus des nuages ou le paradis communiste ici-bas – peut forcer un homme à passer sa vie à propager cette idée, fût-ce au prix de la mort. L'homme meurt, mais l'idée se répand. Selon cette approche, les cultures ne sont pas des complots concoctés par certains pour tirer parti des autres (comme les marxistes aiment à le croire). Les cultures sont des parasites mentaux qui apparaissent par accident puis profitent de tous ceux qu'elles ont contaminés.

On donne parfois à cette approche le nom de «mémétique». Elle postule que, de même que l'évolution organique repose sur la reproduction des unités d'information organique qu'on appelle «gènes», l'évolution culturelle repose sur la reproduction d'unités d'information culturelle, les «mèmes[1]». Les cultures qui réus-

---

1. Susan Blackmore, *The Meme Machine*, Oxford, Oxford University Press, 1999; *La Théorie des mèmes. Pourquoi nous nous imitons les uns les autres*, trad. B. Thomass, préface de Richard Dawkins, Paris, Max Milo, 2006.

sissent sont celles qui parviennent à reproduire leurs mèmes, indépendamment des coûts et des avantages pour leurs hôtes humains.

La plupart des chercheurs en sciences humaines dédaignent la mémétique, y voyant un essai d'amateur pour expliquer les processus culturels par de grossières analogies biologiques. Mais nombre de ces mêmes chercheurs adhèrent à son jumeau : le postmodernisme. Pour les penseurs post-modernistes, la culture est faite de discours plutôt que de mèmes. Mais à leurs yeux, également, les cultures se propagent sans se soucier de leur bénéfice pour l'humanité. Ainsi décrivent-ils le nationalisme comme un fléau meurtrier qui s'est répandu à travers le monde aux XIXe et XXe siècles, provoquant guerres, oppression, haine et génocide. Dès lors que la population d'un pays était contaminée, celle des pays voisins avait toutes les chances d'attraper le virus. Le virus nationaliste s'est présenté comme bénéfique aux humains, mais il a été surtout bénéfique à lui-même.

Les raisonnements semblables sont courants dans les sciences sociales, cette fois sous l'égide de la théorie des jeux. Cette théorie explique comment, dans des systèmes à acteurs multiples, des vues et des modèles de comportement nuisibles à *tous* n'en parviennent pas moins à s'enraciner et à se répandre. La course aux armements en est un exemple bien connu. Souvent, elle accule à la faillite ceux qui y participent, sans vraiment changer le rapport de forces militaires. Le Pakistan achète des avions avancés ? L'Inde fait de même. L'Inde se dote de l'arme nucléaire ? Le Pakistan lui emboîte le pas. Le Pakistan accroît sa flotte ? L'Inde riposte aussitôt. En fin de compte, le rapport de forces demeure à peu près le même, mais entre-temps les milliards de dollars dépensés en armes auraient pu être investis dans l'éducation ou la santé. Il est cependant difficile de résister à la dynamique de la course aux armements : une forme de comportement qui se répand tel un virus d'un pays à l'autre, qui fait du mal à tout le monde et ne profite qu'à elle – suivant le critère évolutionniste de la survie et de la reproduction. (Ne perdez pas de vue que la course aux armements, comme un gène, n'a pas de conscience : elle ne cherche pas sciemment à survivre et à se reproduire. Sa propagation est le résultat involontaire d'une dynamique puissante.)

Qu'importe le nom qu'on lui donne – théorie des jeux, post-modernisme ou mémétique –, la dynamique de l'histoire n'est pas vouée à renforcer le bien-être humain. On n'a aucune raison de penser que les cultures qui ont le mieux réussi dans l'histoire soient nécessairement les meilleures pour *Homo sapiens*. Comme l'évolution, l'histoire méprise le bonheur des organismes individuels. Et les individus, quant à eux, sont habituellement bien trop ignorants et faibles pour infléchir le cours de l'histoire à leur avantage.

*

L'histoire avance d'un embranchement à l'autre, choisissant pour quelque mystérieuse raison de suivre d'abord une voie, puis une autre. Autour de l'an 1500, l'histoire a fait le choix le plus lourd de conséquences : un choix qui a changé non seulement le destin de l'humanité, mais aussi, peut-on soutenir, celui de toute vie sur terre. C'est ce que nous appelons la Révolution scientifique. Elle a commencé en Europe occidentale – une grande péninsule à la pointe ouest de l'Afro-Asie qui, jusque-là, n'a joué aucun rôle important dans l'histoire. Pourquoi la Révolution scientifique a-t-elle commencé là, non pas en Chine ou en Inde ? Pourquoi au milieu du IIe millénaire plutôt que deux siècles avant ou trois siècles plus tard ? Nous n'en savons rien. Les chercheurs ont proposé des douzaines de théories, mais aucune n'est particulièrement convaincante.

L'horizon des possibles dans l'histoire est très large, et nombre de possibles ne se réalisent jamais. On peut imaginer l'histoire se poursuivre de génération en génération en contournant la Révolution scientifique, de même qu'on peut imaginer l'histoire sans christianisme, sans Empire romain et sans pièces d'or.

Quatrième partie

La Révolution scientifique

Alamogordo, 16 juillet 1945, 5 h 29 du matin. Huit secondes après l'explosion de la première bombe atomique. Voyant l'explosion, le physicien nucléaire Robert Oppenheimer cita la *Bhagavad-Gita* : « Me voici devenu la mort, destructeur des mondes. »

14.

La découverte de l'ignorance

Imaginons un paysan espagnol qui se serait endormi en l'an mille pour se réveiller cinq siècles plus tard, au vacarme des marins de Christophe Colomb embarquant à bord de la *Niña*, la *Pinta* et la *Santa Maria* : le monde lui aurait paru très familier. Malgré les multiples changements de techniques, de mœurs et de frontières politiques, ce Rip Van Winkle du Moyen Âge eût été à l'aise. Mais un matelot de Christophe Colomb qui aurait sombré dans un sommeil analogue pour se réveiller à la sonnerie d'un iPhone du XXIe siècle se retrouverait dans un monde étrange, voire totalement incompréhensible. Une pensée pourrait bien lui traverser l'esprit : « Serait-ce le paradis ? À moins que ce ne soit l'enfer ? »

Les cinq cents dernières années ont connu un essor phénoménal et sans précédent de la puissance de l'homme. En 1500, le monde comptait autour de 500 millions d'*Homo sapiens* ; ils sont aujourd'hui 7 milliards[1]. La valeur totale des biens et services produits par l'espèce humaine en 1500 est estimée à 250 milliards en

---

1. David Christian, *Maps of Time : An Introduction to Big History*, Berkeley, University of California Press, 2004, p. 344-345 ; Angus Maddison, *The World Economy*, vol. 2, Paris, Development Centre of the Organization of Economic Cooperation and Development, 2001, p. 636 ; « Historical Estimates of World Population », U.S. Census Bureau, accès le 10 décembre 2010, http://www.census. gov/ipc/www/worldhis.html.

dollars actuels[1]. De nos jours, la valeur d'une année de production humaine approche les 60 billions de dollars[2].

En 1500, l'humanité consommait autour de 13 billions de calories par jour, contre 1 500 billions actuellement[3]. (Regardez bien ces chiffres : la population humaine a été multipliée par 14, la production par 240 et la consommation d'énergie par 115.)

Imaginez un cuirassé moderne transporté au temps de Christophe Colomb. En l'espace de quelques secondes, la *Niña*, la *Pinta* et la *Santa Maria* ne seraient plus que bois flotté ; puis il coulerait la flotte de toutes les grandes puissances de l'époque sans une égratignure. Cinq cargos modernes auraient pu embarquer tout le fret assuré par les flottes marchandes du monde entier[4]. Un ordinateur moderne n'aurait aucun mal à stocker tous les mots et tous les chiffres de tous les codex, livres et rouleaux de toutes les bibliothèques médiévales (en gardant de la place). N'importe quelle grande banque aujourd'hui détient plus d'argent que tous les royaumes du monde prémoderne réunis[5].

En 1500, peu de villes comptaient plus de 100 000 habitants. La plupart des constructions mêlaient boue, bois et paille ; un bâtiment de trois niveaux était un gratte-ciel. Les rues étaient des voies creusées d'ornières, poussiéreuses en été et boueuses en hiver, où se bousculaient piétons, chevaux, chèvres, poules et quelques char-

---

1. Maddison, *The World Economy*, vol. 1, p. 261.

2. « Gross Domestic Product 2009 », The World Bank, Data and Statistics, accès le 10 décembre 2010, http://siteresources.worldbank.org/DATASTATISTICS/Resources/GDP.pdf.

3. Christian, *Maps of Time*, p. 141.

4. Le plus grand cargo contemporain peut transporter autour de 100 000 tonnes. En 1470, l'ensemble des flottes du monde ne pouvait pas transporter plus de 320 000 tonnes. En 1570, le tonnage total atteignait 730 000 tonnes ; cf. Maddison, *The World Economy*, vol. 1, p. 97.

5. La plus grande banque du monde, la Royal Bank of Scotland, déclarait en 2007 des dépôts d'une valeur de 1,3 trillion de dollars, soit cinq fois la production annuelle mondiale en 1500. Voir « Annual Report and Accounts 2008 », The Royal Bank of Scotland, 35, accès le 10 décembre 2010, http://files.shareholder.com/downloads/RBS/626570033x0x278481/eb7a003a-5c9b-41ef-bad3-81fb98a6c823/RBS_GRA_2008_09_03_09.pdf.

rettes. Les bruits urbains les plus courants étaient les voix humaines et les cris d'animaux, sans oublier les bruits occasionnels de marteau ou de scie. Au crépuscule, le paysage urbain était plongé dans le noir, avec juste une bougie de loin en loin, ou une torche qui scintillait dans l'obscurité. Si un habitant d'une ville pareille pouvait voir Tokyo, New York ou Bombay, qu'en penserait-il ?

Avant le XVI⁰ siècle, aucun être humain n'avait fait le tour de la Terre. Tout changea en 1522, quand l'expédition de Magellan regagna l'Espagne après un périple de 72 000 kilomètres, qui demanda trois ans et demi et coûta la vie à presque tous les membres de l'équipage, y compris Magellan. En 1873, Jules Verne imagina que Phileas Fogg, riche aventurier britannique, pourrait faire le tour du monde en 80 jours. De nos jours, tout membre de la classe moyenne peut faire le tour du monde en 48 heures.

En 1500, les hommes étaient cloués à la surface de la Terre. Ils pouvaient bâtir des tours et escalader des montagnes, mais le ciel était réservé aux oiseaux, aux anges et aux dieux. Le 20 juillet 1969, les hommes alunirent. Ce fut non seulement un exploit historique, mais aussi un tour de force de l'évolution, voire une prouesse cosmique. En quatre milliards d'années d'évolution, aucun organisme n'avait réussi à quitter l'atmosphère terrestre, encore moins à laisser une empreinte de pas ou de tentacule sur la Lune.

Pendant la majeure partie de l'histoire, les hommes ne surent rien des 99,99 % des organismes de la planète, c'est-à-dire des micro-organismes. Non qu'ils ne fussent d'aucun intérêt pour nous. Chacun de nous porte en lui des milliards de créatures unicellulaires. Loin de faire « cavaliers seuls », ce sont nos meilleurs amis et nos plus redoutables ennemis. Si les uns digèrent notre nourriture et nettoient nos boyaux, d'autres créent des maladies et des épidémies. Pourtant, c'est seulement en 1674 que l'œil humain vit pour la première fois un micro-organisme, quand Antoni van Leeuwenhoek jeta un coup d'œil à travers son microscope maison et fut éberlué de découvrir tout un monde d'animalcules grouillant dans une goutte d'eau. Au cours des trois siècles suivants, les hommes ont fait connaissance avec un nombre immense d'espèces microscopiques. Nous sommes parvenus à vaincre la plupart des plus redoutables maladies contagieuses qu'elles provoquent, et avons mis les micro-organismes au service de la médecine et de l'industrie. Aujourd'hui, nous utilisons des bactéries pour produire des médicaments, fabriquer des biocarburants et tuer des parasites.

Mais le moment de loin le plus remarquable des cinq cents dernières années survint le 16 juillet 1945 à 5 h 29 min et 45 s. À cet instant précis, les hommes de science américains firent exploser la première bombe atomique à Alamogordo, au Nouveau-Mexique. À compter de cet instant, l'humanité a eu la capacité non seulement de changer le cours de l'histoire, mais d'y mettre fin.

*

Le processus historique qui a conduit à Alamogordo et sur la Lune est connu sous le nom de Révolution scientifique. Au cours de celle-ci, l'humanité a acquis d'immenses pouvoirs nouveaux en investissant des ressources dans la recherche scientifique. Il s'agit bien d'une révolution parce que, jusque vers l'an 1500, les hommes du monde entier ont douté de leur capacité à obtenir de nouveaux pouvoirs médicaux, militaires et économiques. Tandis que pouvoirs publics et mécènes allouaient des fonds à l'éducation et à la recherche, le but était en général de préserver les capacités existantes et pas d'en acquérir de nouvelles. Le souverain prémoderne typique donnait de l'argent aux prêtres, aux philosophes et aux poètes dans l'espoir de les voir légitimer son règne et de maintenir l'ordre social. Il n'attendait pas d'eux qu'ils découvrent de nouveaux médicaments, inventent de nouvelles armes ou stimulent la croissance économique.

Au cours des cinq derniers siècles, les hommes ont fini par croire de plus en plus qu'ils pouvaient augmenter leurs capacités en investissant dans la recherche scientifique. Et ce n'était pas simplement foi aveugle : la chose se vérifia maintes fois empiriquement. Plus les preuves se multiplièrent, plus les riches et les États furent disposés à investir de ressources dans la science. Jamais nous n'aurions pu marcher sur la Lune, manipuler des micro-organismes et scinder l'atome sans de tels investissements. Au fil des dernières décennies, par exemple, le gouvernement américain a consacré des milliards de dollars à l'étude de la physique nucléaire. Les connaissances issues de cette recherche ont rendu possible la construction de centrales nucléaires, qui fournissent de l'électricité bon marché aux industries américaines, lesquelles paient des impôts qui servent à leur tour à financer la recherche en physique nucléaire.

Pouvoir   Ressources

Recherche

Boucle de rétroaction de la Révolution scientifique. La science n'a pas seulement besoin de recherche pour progresser. Le progrès dépend du renforcement mutuel de la science, de la politique et de l'économie. Les institutions politiques et économiques apportent les ressources sans lesquelles la recherche scientifique est presque impossible. En contrepartie, la recherche scientifique donne de nouveaux pouvoirs qui servent, entre autres choses, à obtenir de nouvelles ressources, dont une partie est ensuite réinvestie dans la recherche.

Pourquoi l'homme moderne a-t-il cru toujours davantage à la capacité d'obtenir de nouveaux pouvoirs par la recherche ? Comment s'est forgé le lien entre science, politique et économie ? Ce chapitre se penche sur la nature unique de la science moderne pour apporter des éléments de réponse. Les deux chapitres suivants porteront sur la formation de l'alliance entre la science, les empires européens et l'économie du capitalisme.

IGNORAMUS

Les hommes se sont efforcés de comprendre l'univers au moins depuis la Révolution cognitive. Nos ancêtres n'ont compté ni leur temps ni leurs efforts pour essayer de découvrir les règles qui régissent le monde naturel. Mais, à trois égards critiques, la science moderne diffère des traditions précédentes en matière de savoir :

a. **L'empressement à s'avouer ignorant**. La science moderne repose sur le constat latin : *ignoramus*, « nous ne savons pas ». Elle postule que nous ne savons pas tout. De manière encore plus critique, elle accepte que ce que nous croyons savoir pourrait bien se révéler faux avec l'acquisition de nouvelles connaissances. Il n'est pas de théorie, d'idée ou de concept sacré qu'on ne puisse remettre en question.

b. **La place centrale de l'observation et des mathématiques**. Forte de cet aveu d'ignorance, la science moderne est en quête de nouvelles connaissances. Elle procède en recueillant des observations et en se servant d'outils mathématiques pour rattacher ces observations en théories d'ensemble.

c. **L'acquisition de nouveaux pouvoirs**. La science moderne ne se contente pas de créer des théories. Elle se sert de celles-ci pour acquérir de nouveaux pouvoirs et, notamment, mettre au point de nouvelles technologies.

La Révolution scientifique a été non pas une révolution du savoir, mais avant tout une révolution de l'ignorance. La grande découverte qui l'a lancée a été que les hommes ne connaissent pas les réponses à leurs questions les plus importantes.

Les traditions prémodernes du savoir comme l'islam, le christianisme, le bouddhisme et le confucianisme affirmaient que l'on savait déjà tout ce qu'il était important de savoir du monde. Les grands dieux, ou le Dieu tout-puissant, ou les sages du passé possédaient une sagesse qui embrassait tout, et qu'ils nous ont révélée dans les Écritures et les traditions orales. Le commun des mortels accédait à ce savoir en se plongeant dans les textes anciens et les traditions et en les comprenant convenablement. Il était inconcevable que la Bible, le Coran ou les Vedas fussent passés à côté d'un secret crucial de l'univers : un secret qui pourrait encore être découvert par des créatures de chair et de sang.

Les traditions anciennes, en matière de connaissance, n'admettaient que deux sortes d'ignorance. Premièrement, un *individu* pouvait ignorer quelque chose d'important. Pour le savoir, il suffisait de solliciter quelqu'un de plus sage. Il n'était aucun besoin de découvrir une chose que personne ne savait encore. Par exemple, si un paysan d'un village du Yorkshire, au XIIIᵉ siècle, voulait connaître l'origine de l'homme, il supposait que la tradition chrétienne possédait la réponse définitive. Il lui suffisait d'interroger son curé de paroisse.

Deuxièmement, une *tradition entière* pouvait ignorer des choses *sans importance*. Par définition, tout ce dont les grands dieux ou les sages d'antan ne s'étaient pas donné la peine de nous parler était sans importance. Par exemple, si notre paysan du Yorkshire voulait savoir comment les araignées tissent leur toile, il était absurde de le demander au prêtre, parce qu'il n'y avait de réponse à cette question dans aucune des Écritures chrétiennes. Non que le christianisme fût déficient : cela voulait simplement dire qu'il n'était pas très important de savoir comment les araignées tissent leurs toiles. Après tout, Dieu le savait parfaitement. Si c'était une information capitale, nécessaire à la prospérité et au salut, Dieu en aurait donné une explication circonstanciée dans la Bible.

Le christianisme n'interdisait pas aux gens d'étudier les araignées. Mais les spécialistes des araignées – s'il en existait dans l'Europe médiévale – devaient admettre leur rôle périphérique dans la société et accepter que leurs découvertes n'aient aucun intérêt pour les vérités éternelles du christianisme. Quoi qu'un savant pût découvrir sur les araignées, les papillons ou les pinsons de Darwin, ces connaissances n'étaient guère plus que des bagatelles, sans incidence sur les vérités fondamentales de la société, de la politique et de l'économie.

En vérité, les choses n'ont jamais été aussi simples. De tout temps, même aux époques les plus pieuses et conservatrices, des hommes prétendirent qu'il y avait des choses *importantes* dont *toute la tradition* était ignorante. Mais ils furent habituellement marginalisés ou persécutés... ou trouvèrent une nouvelle tradition et se mirent alors à affirmer qu'*ils* savaient tout ce qu'il y a à savoir. Mahomet débuta sa carrière religieuse en condamnant ses frères arabes qui vivaient dans l'ignorance de la vérité divine. Mais lui-même ne tarda pas à affirmer qu'il savait toute la vérité, et ses disciples se mirent à l'appeler « le Sceau des Prophètes ». Dorénavant, plus besoin de révélations en sus de celles de Mahomet.

La science moderne est une tradition de connaissance unique, dans la mesure où elle reconnaît franchement l'ignorance *collective* concernant *les questions les plus importantes*. Darwin n'a jamais prétendu être «le Sceau des Biologistes», ni avoir élucidé une fois pour toutes l'énigme de la vie. Après des siècles de recherche scientifique soutenue, les biologistes admettent n'avoir toujours pas de bonne explication de la manière dont le cerveau produit la conscience. Les physiciens admettent ne pas savoir la cause du Big Bang, ni comment concilier la mécanique quantique et la théorie de la relativité générale.

Dans d'autres cas, des théories scientifiques concurrentes sont au cœur de débats acharnés sur la base des nouveaux éléments qui ne cessent de surgir. Ainsi des débats sur la meilleure façon de gérer l'économie. S'il y a toujours des économistes pour prétendre que leur méthode est la meilleure, l'orthodoxie change à chaque crise financière et bulle spéculative, et il est généralement admis que le dernier mot en matière de science économique reste à dire.

Dans d'autres cas, les éléments de preuve disponibles corroborent si systématiquement des théories particulières que toutes les autres solutions ont été de longue date délaissées. Ces théories passent pour vraies, bien que tout le monde accepte que, si de nouveaux éléments apparaissaient en contradiction avec la théorie, il faudrait la réviser ou s'en débarrasser. La théorie de la tectonique des plaques ou la théorie de l'évolution en sont de bons exemples.

L'empressement à avouer son ignorance a rendu la science moderne plus dynamique, souple et curieuse que toute tradition antérieure en matière de savoir. Cette disposition a considérablement élargi notre capacité à comprendre comment marche le monde et à inventer de nouvelles technologies. Mais elle nous pose un sérieux problème que la plupart de nos ancêtres n'ont pas traité. Notre hypothèse courante – que nous ne savons pas tout et que même les connaissances que nous possédons sont provisoires – s'étend aux mythes partagés qui permettent à des millions d'inconnus de coopérer efficacement. S'il apparaît que nombre de ces mythes sont douteux, comment assurer la cohésion de la société ? Comment nos communautés, nos pays et notre système international peuvent-ils fonctionner ?

Tous les essais modernes pour stabiliser l'ordre sociopolitique n'ont eu d'autre solution que de recourir à l'une de ces deux méthodes fort peu scientifiques :

a. Prendre une théorie scientifique et, en opposition aux pratiques scientifiques courantes, déclarer que c'est *une vérité définitive et absolue*. C'est la méthode qu'utilisèrent les nazis (prétendant que leur politique raciale était le corollaire de faits biologiques) et les communistes (affirmant que Marx et Lénine avaient deviné des vérités économiques absolues à jamais irréfutables).

b. Laisser la science en dehors et vivre en accord avec une *vérité absolue non scientifique*. Telle a été la stratégie de l'humanisme libéral, lequel repose sur une croyance dogmatique dans la valeur unique et les droits des êtres humains – mais cette doctrine n'a fâcheusement pas grand-chose à voir avec l'étude scientifique d'*Homo sapiens*. Cela ne devrait cependant pas nous surprendre. La science elle-même doit s'appuyer sur des croyances religieuses et idéologiques pour justifier et financer ses recherches.

La culture moderne n'en a pas moins été prête à embrasser l'ignorance à un degré bien plus élevé que toute culture antérieure. Une des choses qui a permis aux ordres sociaux modernes de tenir ensemble est l'essor d'une croyance quasi religieuse à la technologie et aux méthodes de la recherche scientifique, qui ont remplacé jusqu'à un certain point la croyance aux vérités absolues.

LE DOGME SCIENTIFIQUE

La science moderne n'a pas de dogme. En revanche, elle possède un noyau commun de méthodes de recherche, qui reposent toutes sur la collecte d'observations empiriques – ce que nous pouvons observer avec au moins un de nos sens – et leur agencement à l'aide d'outils mathématiques.

Tout au long de l'histoire, on a recueilli des observations empiriques, mais celles-ci ont été habituellement d'une importance limitée. À quoi bon gaspiller des ressources précieuses pour glaner de nouvelles observations quand nous avons déjà toutes les réponses dont nous avons besoin ?

Les modernes ayant fini par admettre qu'ils n'avaient pas les réponses à certaines questions très importantes, ils ont jugé cependant nécessaire de rechercher un savoir *entièrement nouveau*. De ce fait, la méthode de recherche moderne dominante tient pour acquise l'insuffisance du savoir ancien. Au lieu d'étudier des traditions anciennes, l'accent porte maintenant sur les observations nouvelles et les expériences. Quand une observation présente contredit la tradition, nous donnons la préférence à l'observation. Bien entendu, les physiciens qui étudient les spectres de galaxies lointaines, les archéologues qui analysent leurs trouvailles dans une cité de l'Âge du bronze et les sociologues qui examinent la naissance du capitalisme ne méprisent pas la tradition. Ils commencent par étudier ce qu'ont dit et écrit les sages du passé. Dès leur première année d'études supérieures, cependant, les physiciens, archéologues et sociologues en herbe apprennent qu'ils ont pour mission d'aller plus loin qu'Albert Einstein, Heinrich Schliemann et Max Weber.

*

Toutefois, les simples observations ne valent pas connaissance. Pour comprendre l'univers, il nous faut relier les observations en théories générales. Les traditions antérieures formulaient habituellement leurs théories sous forme d'histoires. La science moderne recourt aux mathématiques.

Il est fort peu d'équations, de graphiques et de calculs dans la Bible, le Coran, les Vedas ou les classiques confucéens. Quand les mythologies et les écritures traditionnelles énonçaient des lois générales, elles les présentaient sous forme narrative, plutôt que mathématique. Ainsi, un principe fondamental de la religion manichéenne affirmait que le monde est un champ de bataille entre le bien et le mal. Un mauvais démiurge a créé la matière, tandis qu'une force bénéfique a créé l'esprit. Les hommes sont pris entre ces deux forces, et doivent préférer le bien au mal. Mais le prophète Mani n'eut pas l'idée d'offrir une formule mathématique utilisable pour prédire les choix humains en quantifiant l'intensité respective de ces deux forces. Jamais il ne calcula que « la force agissant sur un homme est égale à l'accélération de son esprit divisée par sa masse corporelle ».

Or, c'est exactement ce que les hommes de science cherchent à accomplir. En 1687, Isaac Newton publia *The Mathematical Principles of Natural Philosophy (Principes mathématiques de la philosophie naturelle)*, que l'on peut présenter comme le livre le plus important de l'histoire moderne. Newton exposa une théorie générale du mouvement et du changement. La grandeur de sa théorie tenait à sa capacité d'expliquer et de prédire les mouvements de tous les corps dans l'univers, de la chute des pommes aux étoiles filantes, en se servant de lois mathématiques simples :

$$\sum \vec{F} = 0$$
$$\sum \vec{F} = m\vec{a}$$
$$\vec{F}_{1,2} = -\vec{F}_{2,1}$$

Dès lors, qui souhaitait comprendre et prédire le mouvement d'un boulet de canon ou d'une planète devait simplement mesurer la masse de l'objet, sa direction, son accélération et les forces qui agissaient sur lui. En insérant ces chiffres dans les équations de Newton, on pouvait prédire la position future de l'objet. C'était magique. C'est seulement à la fin du XIXe siècle que les savants firent quelques observations qui ne cadraient pas très bien avec les lois de Newton – et qui débouchèrent sur les révolutions suivantes en physique : la théorie de la relativité et la mécanique quantique.

*

Newton montra que le livre de la nature est écrit en langage mathématique. Certains chapitres (par exemple) se réduisent à une équation claire et nette, mais les chercheurs qui ont tenté de réduire la biologie, l'économie et la psychologie à de belles équations newtoniennes ont découvert que ces champs sont d'un tel niveau de complexité que cette aspiration est futile. Mais cela ne signifie pas pour autant qu'ils aient renoncé aux mathématiques. Au cours des deux cents dernières années se développa une branche des mathématiques destinée à traiter des aspects les plus complexes de la réalité : les statistiques.

En 1744, deux pasteurs presbytériens d'Écosse, Alexander Webster et Robert Wallace, décidèrent de créer un fonds d'assurance-vie qui verserait des pensions aux veuves et aux orphelins des ecclésiastiques morts. Ils proposèrent que chaque pasteur verse une petite fraction de son revenu au fonds, qui placerait leur argent. Si un pasteur mourait, sa veuve toucherait des dividendes sur les profits réalisés par le fonds. Ainsi pourrait-elle vivre confortablement pour le restant de ses jours. Mais pour déterminer à combien devait s'élever la cotisation des pasteurs pour que le fonds eût de quoi honorer ses obligations, Webster et Wallace avaient besoin de pouvoir prédire combien de pasteurs mourraient chaque année, combien de veuves et d'orphelins ils laisseraient et combien d'années les veuves survivraient à leurs époux.

Remarquez bien ce que les deux hommes d'Église ne firent pas. Ils n'implorèrent pas Dieu dans leurs prières pour qu'il leur révèle la réponse. Ils ne recherchèrent pas une réponse dans les saintes Écritures ni dans les œuvres des anciens théologiens. Ils n'entrèrent pas non plus dans une dispute philosophique abstraite. Écossais, ils avaient le sens pratique. Ils contactèrent un professeur de mathématiques de l'Université d'Édimbourg, Colin Maclaurin. Tous trois recueillirent des données sur l'âge auquel les gens mouraient et s'en servirent pour calculer combien de pasteurs étaient susceptibles de trépasser chaque année.

Leur travail se fondait sur diverses percées récentes dans le domaine des statistiques et des probabilités, dont la loi des grands nombres de Jacob Bernoulli. Ce dernier avait codifié un principe : sans doute était-il difficile de prédire avec certitude un fait unique, comme la mort d'un particulier, mais il était possible de prédire avec une grande exactitude l'occurrence moyenne de nombreux événements semblables. Autrement dit, si Maclaurin ne pouvait se servir des maths pour dire si Webster et Wallace mourraient l'année suivante, avec suffisamment de données il pouvait leur dire combien de pasteurs presbytériens écossais mourraient très certainement l'année suivante. Par chance, ils avaient des données toutes prêtes dont ils pouvaient se servir. Les tables de mortalité qu'Edmond Halley avait publiées un demi-siècle auparavant se révélèrent particulièrement utiles. Halley avait analysé les dossiers de 1 238 naissances et 1 174 décès obtenus auprès de la ville de Breslau, en Allemagne. Les tableaux d'Halley permettaient de voir, par exemple, qu'une personne de vingt ans a une chance sur 100 de mourir une année donnée, mais qu'on passe à une chance sur 39 pour une personne âgée de cinquante ans.

Partant de ces chiffres, Webster et Wallace conclurent qu'il y aurait en moyenne, à tout moment, 930 pasteurs presbytériens écossais vivants. Une moyenne de 27 mourraient chaque année, dont 18 qui laisseraient une veuve. Cinq des pasteurs sans veuve laisseraient des orphelins, et deux des pasteurs quittant une veuve éplorée laisseraient aussi des enfants nés de précédents mariages qui n'avaient pas encore atteint l'âge de seize ans. Ils calculèrent en outre combien de temps s'écoulerait probablement avant qu'une veuve meure à son tour ou se remarie (ces deux éventualités suspendant le versement de la pension). Ces chiffres permirent à Webster et à Wallace de déterminer le montant de la cotisation des pasteurs soucieux de pourvoir aux besoins des leurs. Avec 2 livres, 12 shillings et 2 pence par an, un pasteur avait la certitude que sa veuve toucherait au moins 10 livres chaque année : une somme rondelette en ce temps-là. S'il estimait que cela ne suffisait pas, libre à lui de cotiser davantage, jusqu'à 6 livres, 11 shillings et 3 pence par an – ce qui assurerait à sa veuve la coquette somme de 25 livres par an.

En 1765, suivant leurs calculs, le fonds de prévoyance des veuves et enfants des pasteurs de l'Église d'Écosse aurait un capital de 58 348 livres sterling. Leurs calculs se révélèrent d'une exactitude stupéfiante. Cette année-là, le capital du fonds s'élevait à 58 347 livres sterling – soit une livre de moins que prévu ! Encore mieux que les prophéties d'Habacuc, Jérémie ou saint Jean. Aujourd'hui, le fonds de Webster et Wallace, connu simplement sous le nom de Scottish Widows, est une des plus grandes compagnies d'assurance du monde. Avec des actifs d'une valeur de 100 milliards de livres sterling, elle assure non seulement les veuves écossaises, mais quiconque veut souscrire une police d'assurance[1].

---

1. Ferguson, *Ascent of Money*, p. 185-198.

Les calculs de probabilité comme ceux qu'utilisèrent nos deux pasteurs écossais allaient devenir le fondement de la science actuarielle
(qui est au centre du marché des pensions et des assurances), mais
aussi de la démographie (elle aussi fondée par un homme d'Église,
l'Anglican Robert Malthus). Et la démographie fut à son tour la
pierre d'angle sur laquelle Charles Darwin (qui faillit devenir pasteur anglican) construisit sa théorie de l'évolution. Alors qu'il
n'existe pas d'équation pour prédire le genre d'organisme qui évo-
luera dans un ensemble de conditions spécifiques, les généticiens
utilisent le calcul des probabilités pour évaluer les chances qu'une
mutation particulière se répande dans une population donnée. On
trouve de semblables modèles probabilistes au cœur de l'économie,
de la sociologie, de la psychologie, des sciences politiques et des
autres sciences sociales et naturelles. Même la physique finit par
compléter les équations classiques de Newton avec les nuages de
probabilité de la mécanique quantique.

*

Il suffit de regarder l'histoire de l'éducation pour mesurer où
ce processus nous a conduits. Pendant la majeure partie de l'histoire, les mathématiques ont été un domaine ésotérique que même
les gens instruits étudiaient rarement. Dans l'Europe médiévale, la
logique, la grammaire et la rhétorique formaient le noyau dur de
l'éducation, tandis que l'enseignement des mathématiques allait
rarement au-delà de l'arithmétique élémentaire et de la géomé-
trie. Personne n'étudiait les statistiques. La théologie était la reine
incontestée de toutes les sciences.

Aujourd'hui, peu étudient la rhétorique; la logique est réservée
aux départements de philosophie, et la théologie aux séminaires.
En revanche, de plus en plus sont poussés à étudier les mathématiques – ou y sont forcés. On assiste à une irrésistible dérive vers
les sciences dites « exactes » en raison de leur recours à des outils
mathématiques. Même les champs d'étude qui relevaient traditionnellement des humanités, comme l'étude de la langue (linguistique)
et de la psychè (psychologie), s'appuient de plus en plus sur les
mathématiques et voudraient donner l'image de sciences exactes.

Les cours de statistiques font désormais partie des matières obliga-
toires de base en physique et en biologie, mais aussi en psychologie,
en sociologie, en économie et en sciences politiques.

Dans la liste des cours du département de psychologie de mon
université, le premier cours obligatoire est « Introduction aux statistiques et à la méthodologie en recherche psychologique ». Les étudiants de deuxième année doivent suivre un cours de « Méthodes
statistiques en recherche psychologique ». Confucius, Bouddha,
Jésus et Mahomet eussent été interloqués si on leur avait dit que,
pour comprendre l'esprit humain et guérir ses maladies, il fallait
commencer par étudier les statistiques.

Savoir, c'est pouvoir

La plupart des gens ont du mal à digérer la science moderne
parce que son langage mathématique est difficile à saisir, et que ses
découvertes contredisent souvent notre sens commun. Sur les sept
milliards d'habitants que compte le monde, combien comprennent
réellement la mécanique quantique, la biologie cellulaire ou la macro-
économie ? La science n'en jouit pas moins d'un prestige immense
en raison des pouvoirs inédits qu'elle nous donne. Présidents et
généraux ne comprennent pas forcément la physique nucléaire, mais
saisissent bien ce qu'ils peuvent faire avec des bombes nucléaires.

En 1620, Francis Bacon publia un manifeste scientifique intitulé
Novum Organum (Nouvel outil), où il soutenait que « savoir, c'est
pouvoir ». Le véritable test de la « connaissance » n'est pas de savoir
si elle est vraie, mais quel pouvoir elle nous donne. Les hommes de
science supposent habituellement qu'aucune théorie n'est à 100 %
correcte. Par conséquent, la vérité est un médiocre test du savoir.
Le véritable test, c'est l'utilité. Une théorie qui nous permet de faire
de nouvelles choses constitue le savoir.

Au fil des siècles, la science nous a offert quantité de nouveaux
outils. Les uns sont mentaux, comme les outils employés pour prédire les taux de mortalité et de croissance économique. Plus importants encore sont les outils technologiques. Le lien forgé entre

la science et la technologie est si fort que l'on a aujourd'hui tendance à confondre les deux. Nous avons tendance à penser qu'il est impossible d'élaborer de nouvelles technologies sans recherche scientifique. Et à quoi bon chercher si cela ne débouche pas sur de nouvelles technologies ?

En vérité, la relation entre science et technologie est un phénomène très récent. Avant 1500, science et technique étaient des domaines totalement séparés. Quand Bacon relia les deux au début du XVIIe siècle, c'était une idée révolutionnaire. Aux XVIIe et XVIIIe siècles, ce lien se resserra, mais le nœud ne se noua vraiment qu'au XIXe siècle. Encore en 1800, la plupart des souverains qui voulaient une armée forte et la plupart des magnats de l'industrie qui voulaient réussir en affaires ne se souciaient pas de financer la recherche en physique, en biologie et en économie.

Non qu'il n'y ait jamais eu d'exception à la règle. Un bon historien trouve des précédents à tout. Mais un meilleur historien sait quand ces précédents ne sont que des curiosités qui brouillent l'essentiel. D'une manière générale, la plupart des souverains et hommes d'affaires prémodernes ne finançaient pas la recherche sur la nature de l'univers pour élaborer de nouvelles techniques, et la plupart des penseurs n'essayaient pas de traduire leurs découvertes en gadgets techniques. Les souverains finançaient les institutions éducatives dont le mandat était de propager le savoir traditionnel afin d'étayer l'ordre en place.

Ici et là apparurent de nouvelles techniques, mais elles étaient généralement l'œuvre d'artisans sans instruction qui procédaient par tâtonnement, non pas de savants engagés dans une recherche scientifique systématique. À longueur d'année, les charrons fabriquaient les mêmes charrettes avec les mêmes matériaux. Ils ne mettaient pas de côté une fraction de leurs profits annuels pour la consacrer à la recherche-développement sur de nouvelles charrettes. Les améliorations occasionnelles tenaient habituellement à l'ingéniosité d'un menuisier local qui n'avait jamais mis les pieds à l'université et ne savait même pas lire.

*

C'était vrai du secteur public aussi bien que du secteur privé. Tandis que les États modernes appellent les hommes de science à fournir des solutions dans presque tous les domaines de la politique nationale – de l'énergie à la santé en passant par l'élimination des déchets –, les anciens royaumes le faisaient rarement. Nulle part le contraste entre alors et aujourd'hui n'est plus prononcé que dans le domaine des armes. Quand, en 1961, le Président sortant Dwight Eisenhower mit en garde contre la montée en puissance du complexe militaro-industriel, il laissa de côté une partie de l'équation. Il aurait dû alerter son pays sur le complexe scientifico-militaro-industriel, parce que, de nos jours, les guerres sont des productions scientifiques. Les forces armées du monde engagent, financent et orientent une bonne partie de la recherche scientifique et du développement technique de l'humanité.

Alors que la Grande Guerre s'enlisait dans une interminable guerre de tranchée, les deux camps appelèrent les hommes de science à trouver le moyen de sortir de l'impasse et de sauver la nation. Les hommes en blanc répondirent à l'appel, et de leurs laboratoires sortit un flot continu de nouvelles armes miracles : avions de combat, gaz toxiques, chars, sous-marins et mitrailleuses toujours plus efficaces, pièces d'artillerie, fusils et bombes.

La science joua un rôle encore plus grand dans la Seconde Guerre mondiale. Fin 1944, l'Allemagne perdait la guerre ; la défaite était imminente. Un an plus tôt, les Italiens, alliés des Allemands, avaient renversé Mussolini et capitulé devant les Alliés. Mais l'Allemagne continua le combat, alors même que les armées britannique, américaine et soviétique se rapprochaient. Si les soldats et civils allemands pensaient que tout n'était pas perdu, c'est qu'ils croyaient que les savants allemands étaient sur le point de renverser le courant avec des armes miracles comme le V-2 et les avions à réaction. Alors que les Allemands travaillaient à leurs fusées et avions, le projet Manhattan aux États-Unis aboutit à la mise au point de bombes atomiques. Quand la bombe fut prête, début août 1945, l'Allemagne avait déjà capitulé, mais le Japon persistait à se battre. Les forces américaines étaient sur le point d'envahir ses îles. Les Japonais juraient de résister à l'invasion et de combattre jusqu'à la mort, et on avait toutes les raisons de penser que ce n'était pas une menace en l'air. Les généraux américains expliquèrent au Président Harry S. Truman qu'un débarquement coûterait la vie à un million de soldats américains et ferait durer la guerre jusqu'en 1946. Truman décida d'employer la nouvelle bombe. Deux semaines et deux bombes atomiques plus tard, le Japon acceptait une reddition sans condition. La guerre était terminée.

Mais la science n'est pas simplement une affaire d'armes offensives : elle joue aussi un grand rôle dans la défense. Beaucoup d'Américains croient aujourd'hui que la solution au terrorisme est d'ordre technique plutôt que politique. Il suffit de donner quelques millions de plus à l'industrie des nanotechnologies, pensent-ils, et les États-Unis pourraient envoyer des mouches-espions bioniques dans les grottes afghanes, les redoutes yéménites et les camps nord-africains. Dès lors, les héritiers d'Oussama ben Laden ne pourront pas se faire un café sans qu'une mouche-espion ne transmette cette information capitale au Quartier général de Langley. Allouez des millions à la recherche sur le cerveau, et chaque aéroport pourrait être équipé de scanners d'imagerie à résonance magnétique fonctionnelle (FMRI) ultrasophistiqués qui permettraient de repérer aussitôt les pensées de haine ou de colère dans le cerveau des passagers. Cela marchera-t-il vraiment ? Qui sait ? Est-il sage de mettre au point des mouches bioniques et des scanners qui lisent dans les pensées ? Pas nécessairement. Quoi qu'il en soit, à l'instant où vous lisez ces lignes, le ministère américain de la Défense consacre des millions de dollars aux laboratoires de recherche sur les nanotechnologies et le cerveau, à charge pour eux d'explorer ces idées ou d'autres.

Cette obsession de la technologie militaire – des chars aux mouches-espions en passant par les bombes atomiques – est un phénomène étonnamment récent. Jusqu'au XIXe siècle, l'immense majorité des révolutions militaires a été le produit de changements organisationnels plutôt que techniques. Lorsque des civilisations étrangères se rencontraient pour la première fois, les écarts techniques jouaient parfois un rôle important. Dans certains cas, quelques-uns pensèrent même à créer ou creuser délibérément ces écarts. La plupart des empires ne doivent pas leur essor à la sorcellerie technologique, et leurs souverains ne se préoccupaient guère de progrès technique. Les Arabes n'ont pas triomphé de l'Empire sassanide par la supériorité de leurs arcs ou de leurs épées ; les Seldjoukides n'avaient aucun avantage technique sur les Byzantins, et les Mongols n'ont pas conquis la Chine avec le concours d'une nouvelle arme ingénieuse. En fait, dans tous ces cas, les vaincus jouissaient même d'une technologie civile et militaire supérieure.

L'armée romaine en est un exemple particulièrement bon. Elle était la meilleure armée de son temps, mais, d'un point de vue technique, elle n'était pas supérieure à Carthage, à la Macédoine ou à l'Empire séleucide. Son avantage reposait sur une organisation efficace, une discipline de fer et d'immenses réserves d'hommes. L'armée romaine ne se dota jamais d'un service de recherche-développement et conserva plus ou moins les mêmes armes des siècles durant. Si les légions de Scipion Émilien – le général qui rasa Carthage et vainquit les Numanciens au IIᵉ siècle avant l'ère commune – avaient soudain surgi cinq siècles plus tard à l'époque de Constantin, elles auraient eu de bonnes chances de le battre. Imaginez maintenant ce qu'il adviendrait d'un général d'il y a quelques siècles – mettons Napoléon – s'il conduisait ses troupes contre une brigade blindée moderne. Napoléon était un brillant tacticien, et ses hommes étaient des professionnels hors pair, mais leurs talents leur seraient inutiles face à l'arsenal moderne.

En Chine ancienne, comme à Rome, la plupart des généraux et des philosophes ne pensaient pas qu'il était de leur devoir de mettre au point des armes nouvelles. L'invention militaire la plus importante de toute l'histoire de la Chine est la poudre à canon. Pour autant qu'on le sache, cependant, il s'agit d'une invention accidentelle que l'on doit à des alchimistes taoïstes en quête de l'élixir de vie. La carrière ultérieure de la poudre à canon est encore plus parlante. On aurait pu penser que les alchimistes taoïstes allaient faire de la Chine le maître du monde. En fait, les Chinois se servirent essentiellement du nouveau mélange pour en faire des pétards. Alors même que l'empire Song s'effondrait face à l'invasion mongole, aucun empereur ne lança un projet Manhattan médiéval pour sauver l'empire en inventant une arme fatale. C'est seulement au XVe siècle – autour de six cents ans après l'invention de la poudre à canon – que les canons devinrent un facteur décisif sur les champs de bataille afro-asiatiques. Pourquoi a-t-il fallu attendre si long-temps pour que le potentiel mortel de cette substance soit exploité à des fins militaires ? Parce qu'elle est apparue à une époque où ni les rois, ni les savants, ni les marchands ne pensaient qu'une nou-velle technique militaire pût les sauver ou les enrichir.

La situation commença à changer aux XVe et XVIe siècles, mais il fallut attendre encore deux cents ans avant que la plupart des sou-verains montrent quelque intérêt pour financer la recherche-déve-loppement d'armes nouvelles. La logistique et la stratégie conti-nuèrent à avoir bien plus d'impact que la technique sur l'issue des guerres. La machine militaire napoléonienne qui écrasa les armées des puissances européennes à Austerlitz (1805) était plus ou moins équipée des mêmes armes que l'armée de Louis XVI. Tout brillant artilleur qu'il était, Napoléon s'intéressa peu aux armes nouvelles, alors même que savants et inventeurs tentèrent de le persuader de financer la mise au point de machines volantes, de sous-marins et de fusées.

La science, l'industrie et la technologie militaire ne s'entremê-lèrent qu'avec l'avènement du système capitaliste et la Révolution industrielle. Sitôt cette relation établie, cependant, elle transforma rapidement le monde.

L'IDÉAL DU PROGRÈS

Jusqu'à la Révolution scientifique, la plupart des cultures humaines ne croyaient pas au progrès. Pour elles, l'âge d'or appar-tenait au passé. Le monde stagnait, voire se dégradait. Le strict respect de la sagesse séculaire pourrait peut-être ramener au bon vieux temps, et l'ingéniosité des hommes pouvait bien améliorer telle ou telle facette de la vie quotidienne. Mais il semblait impos-sible que le savoir-faire humain pût triompher des problèmes fon-damentaux du monde. Si même Mahomet, Jésus, Bouddha et

Confucius – qui savaient tout ce qu'il y a à savoir – n'avaient pu abolir la famine, la maladie, la misère et la guerre, comment pouvait-on espérer y parvenir ?

Beaucoup de religions imaginaient qu'un jour viendrait un messie qui mettrait fin à la guerre, aux famines et même à la mort. Mais l'idée que l'humanité pourrait le faire en acquérant de nouvelles connaissances et en inventant de nouveaux outils était pire que ridicule : elle relevait de l'*hubris*. L'histoire de la tour de Babel, celles d'Icare ou du Golem, et d'innombrables autres mythes apprenaient aux gens que tout effort pour dépasser les limites de l'homme conduirait immanquablement à la déception et à la catastrophe.

Quand la culture moderne reconnut qu'il était beaucoup de choses importantes qu'elle ne savait pas encore, et quand cet aveu d'ignorance fut associé à l'idée que les découvertes scientifiques pouvaient nous donner de nouveaux pouvoirs, les gens se mirent à soupçonner que, somme toute, un véritable progrès était peut-être bien possible. La science commençant à résoudre les problèmes insolubles l'un après l'autre, beaucoup acquirent la conviction qu'aucun problème ne résisterait à l'humanité du fait de l'acquisition de nouvelles connaissances et de leur application. La misère, la maladie, la guerre, la famine, la vieillesse et la mort elle-même n'étaient pas le destin inévitable de l'humanité : elles étaient simplement le fruit de notre ignorance.

La foudre en est un exemple célèbre. Dans beaucoup de cultures, on croyait que la foudre était le marteau dont se servait un dieu en colère pour châtier les pécheurs. Au cœur du XVIIIᵉ siècle, dans l'une des expériences les plus célèbres de l'histoire des sciences, Benjamin Franklin profita d'un orage pour faire voler un cerf-volant et tester son hypothèse que la foudre n'est qu'un courant électrique. Ses observations empiriques, associées à sa connaissance des qualités de l'énergie électrique, lui permirent d'inventer le paratonnerre et de désarmer les dieux.

La misère est un autre cas d'école. Pour de nombreuses cultures, elle est un aspect inévitable de ce monde imparfait. Selon le Nouveau Testament, peu avant la Crucifixion, une femme oignit Jésus d'une huile précieuse qui valait 300 deniers. Ses disciples tancèrent la femme, lui reprochant de dilapider une somme pareille au lieu de la donner aux pauvres, mais Jésus la défendit : « Des pauvres, en effet, vous en avez tous les jours avec vous, et quand vous voulez vous pouvez leur faire du bien. Mais moi, vous ne m'avez pas pour toujours » (Marc 14,7). Aujourd'hui, de moins en moins de gens, y compris parmi les chrétiens, donnent raison à Jésus sur ce point. La pauvreté est de plus en plus perçue comme un problème technique sur lequel il est possible d'intervenir. Il est devenu banal de croire qu'une politique fondée sur les toutes dernières découvertes en astronomie, en économie, en médecine et en sociologie peut venir à bout de la pauvreté.

De fait, de nombreuses parties du monde sont déjà libérées des pires fléaux de la privation. Tout au long de l'histoire, les sociétés ont souffert de deux formes de pauvreté : la pauvreté sociale, qui frustre certains des possibilités ouvertes aux autres ; et la pauvreté biologique, qui met en danger la vie même des individus faute de nourriture et de toit. Peut-être ne pourra-t-on jamais éradiquer la pauvreté sociale, mais dans bien des pays à travers le monde la pauvreté biologique appartient au passé.

Récemment encore, la plupart des gens restaient tout près de la ligne de pauvreté biologique sous laquelle une personne manque des calories nécessaires pour vivre longtemps. De petites erreurs de calcul ou infortunes suffisaient à faire basculer les gens de l'autre côté, dans la gueule ouverte de la faim. Catastrophe naturelle ou calamités d'origine humaine précipitaient souvent des populations entières dans l'abîme et faisaient des millions de morts. De nos jours, la plupart des habitants ont un filet de sécurité tendu au-dessous d'eux. Les individus sont protégés des infortunes par leurs assurances, la Sécurité sociale et pléthore d'ONG locales et internationales. Quand la calamité frappe une région entière, les secours internationaux réussissent habituellement à empêcher le pire. Les gens souffrent encore de nombreuses dégradations, humiliations et maladies liées à la misère, mais dans la plupart des pays on ne meurt plus de faim. De nos jours, dans beaucoup de sociétés, on risque davantage de mourir d'obésité que de faim.

LE PROJET GILGAMESH

De tous les problèmes apparemment insolubles de l'humanité, il en est un qui est resté le plus contrariant, intéressant et important : le problème de la mort. Avant la fin des Temps modernes, la plupart des religions et des idéologies tenaient pour une évidence que la mort était notre inéluctable destin. De plus, la plupart des religions en firent la principale source de sens dans la vie. Essayons donc d'imaginer l'islam, le christianisme ou la religion de l'Égypte ancienne sans la mort. Toutes ces religions ont enseigné aux fidèles qu'ils devaient s'accommoder de la mort et placer leurs espoirs dans l'au-delà plutôt que de chercher à vaincre la mort pour vivre éternellement ici sur terre. Les meilleurs esprits s'employaient à donner un sens à la mort, non pas à essayer d'en triompher.

Tel est le thème du mythe le plus ancien qui nous soit parvenu : le mythe de Gilgamesh, de l'antique Sumer, dont le héros est l'homme le plus fort et le plus capable du monde : le roi Gilgamesh d'Uruk, qui pouvait vaincre tout le monde au combat. Un jour meurt son meilleur ami, Enkidu. Gilgamesh resta assis à côté de son corps et l'observa plusieurs jours durant, jusqu'à ce qu'il vît un ver sortir de la narine de son ami. Saisi d'horreur, Gilgamesh résolut de ne jamais mourir. Il trouverait bien le moyen de vaincre la mort. Gilgamesh entreprit alors un voyage au bout de l'univers, tuant des lions, bataillant contre des hommes-scorpions et trouvant le chemin des enfers. Là, il brisa les mystérieuses « choses de pierre » d'Urshanabi, le nocher du fleuve des morts, et trouva Utnapishtim, le dernier survivant du Déluge originel. Mais Gilgamesh échoua dans sa quête et s'en retourna les mains vides, toujours aussi mortel, mais avec un surcroît de sagesse. Quand les dieux créèrent l'homme, avait-il appris, ils avaient fait de la mort la destinée inévitable de l'homme, et l'homme doit apprendre à vivre avec elle.

Les adeptes du progrès ne partagent pas ce défaitisme. Pour les hommes de science, la mort n'est pas une destinée inévitable, mais simplement un problème technique. Si les gens meurent, ce n'est pas que les dieux l'aient décrété, mais en raison de divers échecs techniques : crise cardiaque, cancer, infection. Et chaque problème technique a une solution technique. Si le cœur flanche, on peut le stimuler par un pacemaker ou en greffer un autre. Si un cancer se déchaîne, on peut le tuer par des médicaments ou des rayons. Les bactéries prolifèrent ? Les antibiotiques les soumettront. Certes, pour l'heure, nous ne pouvons résoudre tous les problèmes techniques, mais nous y travaillons. Nos meilleurs esprits ne perdent pas leur vie à essayer de donner un sens à la mort. Ils s'occupent plutôt à étudier les systèmes physiologiques, hormonaux et génétiques responsables de la maladie et du vieillissement. Ils mettent au point de nouveaux médicaments, des traitements révolutionnaires et des organes artificiels qui allongeront nos vies et pourraient un jour vaincre la Grande Faucheuse.

Récemment encore, on n'aurait jamais entendu des hommes de science, ou quiconque, tenir un langage aussi péremptoire. « Vaincre la mort ? Sottise ! Nous essayons simplement de soigner le cancer, la tuberculose et la maladie d'Alzheimer », protestaient-ils. Les gens évitaient la question de la mort parce que l'objectif semblait trop insaisissable. Pourquoi susciter des espérances déraisonnables ? Mais nous en sommes à un stade où nous pouvons parler sans détours. Le grand projet de la Révolution scientifique est d'apporter à l'humanité la vie éternelle.

Même si tuer la mort paraît être un objectif lointain, nous avons déjà réalisé des choses qui étaient inconcevables voici quelques siècles. En 1199, le roi Richard Cœur de Lion fut touché par une flèche à l'épaule gauche. Aujourd'hui, nous parlerions d'une blessure mineure. En 1199, cependant, en l'absence d'antibiotiques et de méthodes de stérilisation efficaces, cette blessure s'infecta et ce fut la gangrène. Au XIIe siècle, la seule façon d'arrêter la gangrène était d'amputer le membre infecté. Pour une épaule, ce n'était pas possible. La gangrène progressa, sans que personne ne pût rien faire pour aider le roi. Il mourut quinze jours plus tard dans de grandes souffrances.

Encore au XIXe siècle, les meilleurs médecins ne savaient pas empêcher l'infection ni arrêter la putréfaction des tissus. Dans les hôpitaux de campagne, par peur de la gangrène, les chirurgiens amputaient couramment les mains et les jambes des soldats même légèrement blessés. Ces amputations, comme toutes les autres interventions médicales (telle l'extraction des dents), se faisaient sans anesthésiques. Les premiers d'entre eux – l'éther, le chloroforme et la morphine – ne devaient être d'usage courant dans la médecine occidentale qu'au milieu du XIXe siècle. Avant l'usage du chloroforme, il fallait quatre soldats pour maintenir un camarade blessé tandis que le médecin coupait le membre blessé. Le lendemain de la bataille de Waterloo (1815), on pouvait voir des monceaux de mains et de jambes coupés au voisinage des hôpitaux de campagne. En ce temps-là, les charpentiers et bouchers enrôlés dans l'armée servaient souvent dans le corps médical parce que la chirurgie exigeait à peine plus que de savoir manier le couteau et la scie.

Deux siècles après Waterloo, la situation est méconnaissable. Comprimés, injections et opérations sophistiquées nous sauvent d'une flopée de maladies et de blessures qui valaient jadis une inexorable condamnation à mort. Tout cela nous protège également d'innombrables maux quotidiens, que les prémodernes acceptaient simplement comme un aspect de la vie. L'espérance de vie moyenne a bondi de 25-40 ans à 67 ans environ dans le monde, et autour de 80 ans dans le monde développé[1]. C'est dans le domaine de la mortalité infantile que la mort a essuyé ses plus graves revers. Jusqu'au XXe siècle, dans les sociétés agricoles, entre un quart et un tiers des enfants n'atteignaient jamais l'âge adulte. La plupart succombaient à des maladies infantiles comme la diphtérie, la rougeole et la variole. Dans l'Angleterre du XVIIe siècle, 250 nouveau-nés sur 1 000 mouraient dans la première année, et un tiers des enfants

---

1. Maddison, *The World Economy*, vol. 1, p. 31 ; Wrigley, *English Population History*, p. 295 ; Christian, *Maps of Time*, p. 450, 452 ; « World Health Statistic Report 2009 », p. 35-45, World Health Organization, accès le 10 décembre 2010, http://www.who.int/whosis/whostat/EN_WHS09_Full.pdf.

mouraient avant d'avoir 15 ans[1]. De nos jours 5 ‰ des enfants
anglais meurent la première année et 7 ‰ avant 15 ans[2].

On saisira mieux l'impact de ces chiffres en laissant de côté les
statistiques pour raconter quelques histoires. Un bon exemple est la
famille du roi d'Angleterre Édouard Ier (1237-1307) et de sa femme,
la reine Eleanor (1241-1290). Leurs enfants bénéficiaient des meilleures conditions et de la meilleure éducation qu'on pût espérer dans l'Europe médiévale. Ils habitaient des palais, mangeaient
autant qu'il leur plaisait, avaient pléthore de vêtements chauds, de
cheminées bien alimentées, l'eau la plus pure qu'on pût trouver,
sans oublier une armée de serviteurs et les meilleurs médecins. Les
sources indiquent que la reine Eleanor eut seize enfants entre 1255
et 1284 :

1. Fille anonyme née en 1255, morte à la naissance.
2. Catherine, morte à 1 ou 3 ans.
3. Joan, morte à 6 mois.
4. John, mort à 5 ans.
5. Henry, mort à 6 ans.
6. Eleanor, morte à 29 ans.
7. Fille anonyme morte à 5 mois.
8. Joan, morte à 35 ans.
9. Alphonso, mort à 10 ans.
10. Margaret, morte à 58 ans.
11. Berengeria, morte à 2 ans.
12. Fille anonyme morte peu après la naissance.
13. Mary, morte à 53 ans.
14. Fils anonyme mort peu après la naissance.
15. Elizabeth, morte à 34 ans.
16. Édouard.

Le plus jeune, Édouard, fut le premier des garçons à survivre aux
dangereuses années de l'enfance. À la mort de son père, il monta

---

1. Wrigley, *English Population History*, p. 296.
2. «England, Interim Life Tables, 1980-82 to 2007-09», Office for National Statistics, accès le 22 mars 2012 : http://www.ons.gov.uk/ons/publications/re-reference-
tables.html?edition=tcm%3A77-61850.

sur le trône sous le nom d'Édouard II. Autrement dit, Eleanor dut s'y reprendre à seize fois pour accomplir la mission la plus fondamentale de l'épouse d'un roi : donner à son mari un héritier mâle. La mère d'Édouard II devait être une femme d'une patience et d'une force d'âme exceptionnelles. Ce qui n'est pas le cas de la femme qu'Édouard choisit pour épouse, Isabelle de France : il avait 43 ans quand elle le fit assassiner[1].

Pour autant que nous le sachions, Eleanor et Édouard Ier étaient un couple sain, qui ne transmit aucune maladie héréditaire à ses enfants. Dix sur seize – 62 % – n'en moururent pas moins dans l'enfance. Six seulement franchirent le cap des 11 ans, et trois – 18 % – vécurent au-delà de 40 ans. Outre ces naissances, on ne compte pas les grossesses d'Eleanor qui finirent en fausses couches. En moyenne, Édouard et Eleanor perdirent un enfant tous les trois ans : dix enfants l'un après l'autre. Pareille perte est presque inconcevable aujourd'hui pour des parents.

*

Combien de temps prendra le projet Gilgamesh – la quête de l'immortalité ? cent ans ? cinq cents ? mille ? Quand on songe au peu que nous savions sur le corps humain en 1900, et à la masse de connaissances accumulées en un siècle, on est fondé à être optimiste. Des spécialistes de génie génétique ont dernièrement réussi à multiplier par six l'espérance de vie moyenne du ver *Caenorhabditis elegans*[2]. Pourquoi ne pas en faire autant pour *Homo sapiens* ? Des spécialistes en nanotechnologie travaillent à un système immunitaire bionique composé de millions de nanorobots, qui habiteraient nos corps, ouvriraient les vaisseaux sanguins obstrués, combattraient virus et bactéries, élimineraient les

---

1. Michael Prestwich, *Edward I*, Berkeley, University of California Press, 1988, p. 125-126.

2. Jennie B. Dorman *et al.*, « The *age-1* and *daf-2* Genes Function in a Common Pathway to Control the Lifespan of *Caenorhabditis elegans* », *Genetics*, 141:4, 1995, p. 1399-1406 ; Koen Houthoofd *et al.*, « Life Extension via Dietary Restriction is Independent of the Ins/IGF-1 Signaling Pathway in *Caenorhabditis elegans* », *Experimental Gerontology*, 38:9, 2003, p. 947-954.

cellules cancéreuses et inverseraient même le processus de vieillissement[1]. Quelques chercheurs sérieux suggèrent qu'en 2050 certains hommes deviendront a-mortels (non pas immortels, parce qu'ils pourraient toujours mourir d'une maladie ou d'une blessure, mais a-mortels : en l'absence de traumatisme fatal, leur vie pourrait être prolongée à l'infini).

Que le projet Gilgamesh réussisse ou non, dans une perspective historique il est fascinant de voir que la plupart des religions et idéologies modernes ont déjà exclu la mort de l'équation. Jusqu'au XVIIIe siècle, la plupart des religions mettaient la mort et ses suites au centre de la question du sens de la vie. À compter du siècle des Lumières, les religions et idéologies comme le libéralisme, le socialisme et le féminisme se désintéressèrent totalement de la vie après la mort. Qu'advient-il d'un communiste après sa mort ? d'un capitaliste ? et d'une féministe ? Il est absurde de chercher la réponse dans les écrits de Marx, d'Adam Smith ou de Simone de Beauvoir. Le nationalisme est la seule idéologie moderne qui accorde encore à la mort un rôle central. Dans ses moments plus poétiques et désespérés, il promet à quiconque meurt pour la nation qu'il vivra à jamais dans sa mémoire collective. Mais cette promesse est si nébuleuse que même la plupart des nationalistes ne savent trop qu'en faire.

LE PAPA-GÂTEAU DE LA SCIENCE

Nous vivons dans une ère technique. Beaucoup de gens sont convaincus que la science et la technologie détiennent les réponses à toutes nos questions. Laissons donc les scientifiques et les techniciens travailler, et ils créeront le paradis sur terre.

---

1. Shawn M. Douglas, Ido Bachelet et George M. Church, « A Logic-Gated Nanorobot for Targeted Transport of Molecular Payloads », *Science*, 335/6070, 2012, p. 831-834 ; Dan Peer *et al.*, « Nanocarriers As An Emerging Platform for Cancer Therapy », *Nature Nanotechnology*, 2, 2007, p. 751-760 ; Dan Peer *et al.*, « Systemic Leukocyte-Directed siRNA Delivery Revealing Cyclin D1 as an Anti-Inflammatory Target », *Science*, 319/5863, 2008, p. 627-630.

Or, la science n'est pas une entreprise qui se situe sur quelque plan moral ou spirituel supérieur, au-dessus du reste de l'activité humaine. Comme toutes les autres parties de notre culture, elle est façonnée par des intérêts économiques, politiques et religieux.

La science est une affaire très coûteuse. Un biologiste qui cherche à comprendre le système immunitaire humain a besoin de laboratoires, d'éprouvettes, de produits chimiques et de microscopes électroniques, sans parler d'assistants de laboratoire, d'électriciens, de plombiers et de femmes de ménage ! Un économiste qui cherche à modéliser le marché du crédit doit acheter des ordinateurs, créer des banques de données géantes et élaborer des programmes compliqués de traitement des données. Un archéologue qui cherche à comprendre le comportement des chasseurs-cueilleurs archaïques doit se rendre en terres lointaines, fouiller de vieilles ruines, mais aussi dater des os fossilisés et des artefacts. Tout cela coûte de l'argent.

Au cours des cinq cents dernières années, la science moderne a réalisé des prodiges, en grande partie grâce à l'empressement des pouvoirs publics, des entreprises, des fondations et des donateurs privés, afin de canaliser des milliards de dollars au profit de la recherche scientifique. Ces milliards ont fait beaucoup plus pour explorer l'univers, cartographier la planète et inventorier le règne animal que Galilée, Christophe Colomb et Charles Darwin réunis. Si ces génies n'étaient pas nés, probablement d'autres auraient-ils eu les mêmes intuitions. Mais, sans les finances adéquates, jamais le brio intellectuel n'aurait suffi. Sans Darwin, par exemple, nous attribuerions aujourd'hui la théorie de l'évolution à Alfred Russel Wallace, qui indépendamment de Darwin arriva quelques années plus tard à l'idée d'évolution par la sélection naturelle. En revanche, si les puissances européennes n'avaient pas financé la recherche géographique, zoologique et botanique autour du monde, ni Darwin ni Wallace n'auraient eu les données empiriques nécessaires pour élaborer la théorie de l'évolution. Probablement n'auraient-ils même pas essayé.

Pourquoi ces milliards affluant des coffres de l'État et des entreprises vers les labos et les universités ? Dans les cercles universitaires, beaucoup sont naïfs au point de croire à la science pure. Ils croient l'État et les entreprises assez altruistes pour leur donner de quoi poursuivre leurs projets de recherche au gré de leur fantaisie. Or, la réalité du financement de la science est bien différente.

La plupart des études scientifiques sont financées parce que quelqu'un estime qu'elles peuvent aider à atteindre quelque but politique, économique ou religieux. Au XVIᵉ siècle, par exemple, rois et banquiers canalisaient d'énormes ressources pour financer les expéditions géographiques à travers le monde, mais n'avaient pas un sou pour étudier la psychologie de l'enfant. Les rois et les banquiers conjecturaient en effet que le progrès des connaissances géographiques permettrait de conquérir de nouvelles terres et de créer des empires commerciaux, alors qu'ils ne voyaient pas de quelle utilité pouvait leur être une meilleure compréhension de la psychologie de l'enfant.

Dans les années 1940, les gouvernements de l'Amérique et de l'Union soviétique consacrèrent d'énormes ressources à l'étude de la physique nucléaire plutôt qu'à l'archéologie sous-marine. Ils avaient dans l'idée qu'étudier la physique nucléaire leur permettrait de mettre au point des armes nucléaires alors que l'archéologie sous-marine n'était pas d'une grande aide pour gagner une guerre. Les chercheurs eux-mêmes n'ont pas toujours conscience des intérêts politiques, économiques et religieux qui régissent la circulation de l'argent ; en fait, beaucoup n'obéissent qu'à leur curiosité intellectuelle. Mais il est rare que les savants dictent l'ordre du jour scientifique.

Même si nous voulions financer une science pure hors de portée des intérêts politiques, économiques ou religieux, ce serait probablement impossible. Après tout, nos ressources sont limitées. Demandez à un membre du Congrès d'allouer un million de dollars supplémentaire à la National Science Foundation pour la recherche fondamentale : on conçoit qu'il demande si cet argent ne serait pas mieux employé pour financer la formation des enseignants ou donner un coup de pouce à une entreprise de sa région en difficulté. Pour canaliser des ressources limitées, il nous faut répondre à des questions du style : « Quel est le plus important ? » et « Qu'est-ce qui est bien ? ». Et ce ne sont pas des questions scientifiques. La science peut expliquer ce qui existe dans le monde, comment les choses fonctionnent ou ce qui pourrait être à l'avenir. Par définition, elle ne prétend aucunement savoir ce qui *doit* être dans le futur. Seules les religions et les idéologies cherchent à répondre à ces questions.

Arrêtons-nous sur la difficulté suivante : deux biologistes du même département, possédant les mêmes talents professionnels, ont tous deux sollicité un crédit d'un million de dollars pour financer leurs recherches en cours. Le professeur Cornegidouille veut étudier une maladie qui infecte le pis des vaches et entraîne une baisse de 10 % de leur production de lait. Sa collègue, Chou, voudrait savoir si les vaches souffrent mentalement d'être séparées de leurs veaux. À supposer que les fonds soient limités et qu'il soit impossible de financer les deux projets de recherche, qui devrait-on financer ?

Il n'est pas de réponse scientifique à cette question, juste des réponses politiques, économiques et religieuses. Dans le monde actuel, il est clair que Cornegidouille a de meilleures chances d'obtenir gain de cause. Non que les maladies du pis soient plus intéressantes que la mentalité bovine, mais parce que l'industrie laitière, qui a tout à gagner à cette recherche, a plus de poids politique et économique que le lobby du droit des animaux.

Peut-être dans une société hindoue stricte, où les vaches sont sacrées, ou dans une société attachée aux droits des animaux, le professeur Chou aurait-elle mieux réussi. Mais tant qu'elle vit dans une société qui place le potentiel commercial du lait et la santé de ses citoyens au-dessus de la sensibilité des vaches, elle ferait mieux d'orienter son projet de recherche en tenant compte de ces paramètres. Par exemple, elle pourrait écrire que la « dépression est préjudiciable à la production de lait. Si nous comprenions l'univers mental des vaches laitières, nous pourrions créer des médicaments psychiatriques qui amélioreraient leur humeur, augmentant ainsi la production de lait jusqu'à 10 %. J'estime qu'il existe un marché annuel mondial de 250 millions de dollars pour les médicaments relevant de la psychiatrie bovine ».

La science est bien incapable de fixer ses priorités, elle est aussi incapable de décider que faire de ses découvertes. D'un point de vue purement scientifique, par exemple, nous ne savons trop que faire de notre meilleure compréhension de la génétique. Faut-il exploiter ce savoir pour guérir le cancer, créer une race de surhommes génétiquement manipulés ou pourvoir les vaches laitières d'un pis surdimensionné ? Il est évident qu'un gouvernement libéral, un gouvernement communiste, un gouvernement nazi et une entreprise capitaliste emploieraient la même découverte scientifique à des fins entièrement différentes, et l'on n'a aucune raison scientifique de préférer un usage aux autres.

Bref, la recherche scientifique ne saurait prospérer qu'en alliance avec une idéologie ou une religion. L'idéologie justifie les coûts de la recherche. En contrepartie, elle influe sur l'ordre du jour des chercheurs et détermine l'usage fait des découvertes. Pour comprendre comment l'humanité est arrivée à Alamogordo et sur la Lune – plutôt qu'à diverses autres destinations –, il ne suffit pas de passer en revue les réalisations des physiciens, des biologistes et des sociologues. Il nous faut tenir compte des forces idéologiques, politiques et économiques qui ont façonné la physique, la biologie et la sociologie, les poussant dans certaines directions au détriment d'autres pistes.

Deux forces en particulier méritent de retenir notre attention : l'impérialisme et le capitalisme. La boucle de rétroaction entre la science, l'empire et le capital, peut-on plaider, a été le principal moteur de l'histoire au cours des cinq cents dernières années. C'est à l'analyse de ses rouages que sont consacrés les chapitres suivants. Nous commencerons par voir comment les turbines jumelles de la science et de l'empire ont été attachées l'une à l'autre, puis comment elles ont été associées à la pompe à finances du capitalisme.

15.

Le mariage de la science et de l'Empire

Quelle est la distance du Soleil à la Terre? La question a intrigué nombre d'astronomes, au début des Temps modernes, notamment après que Copernic eut affirmé que c'est le Soleil, non pas la Terre, qui est au centre de l'univers. Un certain nombre d'astronomes et de mathématiciens essayèrent de calculer la distance, mais leurs méthodes donnèrent des résultats amplement variables. Au milieu du XVIIIe siècle fut enfin trouvé un moyen fiable de procéder à la mesure. Régulièrement, à quelques années de distance, la planète Vénus passe directement entre le Soleil et la Terre. La durée du transit diffère quand elle est vue depuis des points éloignés sur la surface de la Terre en raison de l'infime différence d'angle sous lequel on l'observe. Si l'on effectuait plusieurs observations du même transit depuis différents continents, un simple calcul trigonométrique suffirait à établir la distance du Soleil à la Terre.

Les astronomes prédirent que les prochains transits de Vénus se produiraient en 1761 et 1769. Des expéditions furent donc organisées depuis l'Europe vers les quatre coins du monde afin d'observer les transits depuis le plus grand nombre de points possibles. En 1761, les savants observèrent le transit depuis la Sibérie, l'Amérique du Nord, Madagascar et l'Afrique du Sud. À l'approche du transit de 1769, la communauté scientifique européenne consentit un effort suprême et des savants furent dépêchés jusque dans le nord du Canada et en Californie (alors déserte). À Londres, la Royal Society for the Improvement of Natural Knowledge (Société royale pour le progrès des connaissances naturelles) conclut que ce n'était pas suffisant. Pour obtenir les résultats les plus précis, il était impératif d'envoyer un astronome dans le sud-ouest du Pacifique.

La Royal Society décida d'envoyer à Tahiti un astronome éminent, Charles Green, et ne ménagea aucun effort sur le plan financier. Vu le coût de l'opération, il n'y avait pas de sens à réduire la mission à une seule observation astronomique. Green fut donc accompagné d'une équipe de huit autres savants de plusieurs disciplines sous la houlette des botanistes Joseph Banks et Daniel Solander. Le groupe comprenait aussi des artistes chargés de réaliser des dessins des terres nouvelles, des plantes, des animaux et des hommes que les savants ne manqueraient pas de trouver. Équipée des instruments scientifiques les plus avancés que Banks et la Royal Society purent acquérir, l'expédition fut placée sous le commandement du capitaine James Cook, marin d'expérience mais aussi géographe et ethnographe chevronné.

L'expédition quitta l'Angleterre en 1768, observa le transit de Vénus depuis Tahiti en 1769, alla à la découverte de diverses îles du Pacifique, visita l'Australie et la Nouvelle-Zélande avant de regagner l'Angleterre en 1771. Elle rapporta d'énormes quantités de matériaux astronomiques, géographiques, météorologiques, botaniques, zoologiques et anthropologiques. Ses découvertes apportèrent de grandes contributions à un certain nombre de disciplines, excitèrent l'imagination des Européens avec les stupéfiantes histoires du Pacifique Sud, puis inspirèrent des générations de naturalistes et d'astronomes.

La médecine est un des domaines qui profita de l'expédition de Cook. À l'époque, les bateaux qui faisaient voile vers de lointains rivages savaient que le périple coûterait la vie à la moitié des membres d'équipage. La Némésis, ce n'étaient pas les indigènes en colère, ni les bâtiments de guerre ennemis ou le mal du pays. C'était un mal mystérieux : le scorbut. Frappés par cette maladie, les hommes devenaient léthargiques et déprimaient ; leurs gencives et autres tissus mous se mettaient à saigner. La maladie progressant, ils perdaient leurs dents ; des plaies ouvertes apparaissaient ; ils devenaient fébriles, jaunissaient et perdaient la maîtrise de leurs membres. Entre le XVIe et le XVIIIe siècle, on estime que le scorbut coûta la vie à environ deux millions de matelots. Nul ne savait quelle en était la cause et, malgré tous les remèdes essayés, les marins continuaient de tomber comme des mouches. Le tournant survint en 1747, quand le médecin britannique James Lind procéda à une expérience sous contrôle sur les matelots malades. Il les sépara en plusieurs groupes, administrant à chacun un traitement différent. Un des groupes-test reçut pour instruction de manger des agrumes : remède populaire courant du scorbut. Les patients de ce groupe ne tardèrent pas à se remettre. Lind ne savait pas ce qu'avaient les agrumes et qui manquait au corps des marins, mais nous le savons aujourd'hui : la vitamine C. L'alimentation typique à bord d'un navire à cette époque manquait notoirement de produits riches en ce nutriment essentiel. Dans les voyages de long cours, les matelots se nourrissaient habituellement de biscuits et de viande séchée, avec quasiment pas de fruits ni de légumes.

Les expériences de Lind laissèrent sceptique la marine royale, mais James Cook fut convaincu. Il décida de montrer que le médecin avait raison. Il chargea à bord une grosse quantité de choucroute et ordonna à ses marins de consommer beaucoup de fruits et de légumes chaque fois qu'ils mettraient pied à terre. Le scorbut ne devait emporter aucun de ses marins. Dans les décennies suivantes, toutes les flottes du monde adoptèrent le régime nautique de Cook, sauvant ainsi la vie d'innombrables marins et passagers[1].

L'expédition de Cook eut cependant un autre résultat bien moins bénin. Non content d'être un marin et un géographe expérimenté, Cook était un officier de marine. La Royal Society finança en grande partie les frais de l'expédition, mais c'est la Royal Navy qui fournit le navire avec 85 matelots et fusiliers marins bien armés

---

1. Stephen R. Bown, *Scurvy: How a Surgeon, a Mariner, and a Gentleman Solved the Greatest Medical Mystery of the Age of Sail*, New York, Thomas Dunne Books, St. Martin's Press, 2004 ; Kenneth John Carpenter, *The History of Scurvy and Vitamin C*, Cambridge, Cambridge University Press, 1986.

ainsi que des pièces d'artillerie, des mousquets, de la poudre à canon et autres armements. Une bonne partie des renseignements recueillis par l'expédition – en particulier les données astronomiques, géographiques, météorologiques et anthropologiques – étaient sans valeur politique et militaire évidente. Mais la découverte d'un traitement efficace du scorbut contribua grandement à la domination des océans par la Grande-Bretagne et à sa capacité d'envoyer des armées au bout du monde. Cook revendiqua pour son pays nombre des îles et terres « découvertes », à commencer par l'Australie. Son expédition jeta les bases de l'occupation britannique dans le sud-ouest du Pacifique ; de la conquête de l'Australie, de la Tasmanie et de la Nouvelle-Zélande ; de l'implantation de millions d'Européens dans les nouvelles colonies, mais aussi de l'extermination des cultures autochtones et de la majeure partie des populations indigènes[1].

Dans le siècle qui suivit l'expédition de Cook, les colons européens privèrent les habitants des terres les plus fertiles de l'Australie et de la Nouvelle-Zélande. La population indigène chuta de 90 %, et les survivants furent soumis à un rude régime d'oppression raciale. Pour les aborigènes d'Australie et les Maoris de Nouvelle-Zélande, l'expédition de Cook fut le début d'une catastrophe dont ils ne se remirent jamais.

Pire encore fut le destin des indigènes de Tasmanie. Ayant survécu à 10 000 ans de splendide isolement, ils furent tous éliminés : un siècle après l'arrivée de Cook, hommes, femmes et enfants avaient disparu jusqu'au dernier. Les colons européens commencèrent par les refouler des parties les plus riches de l'île, puis, convoitant même les parties désertiques restantes, ils les traquèrent et les tuèrent systématiquement. Les rares survivants furent parqués dans un camp de concentration évangélique, où des missionnaires

---

1. James Cook, *The Explorations of Captain James Cook in the Pacific, as Told by Selections of his Own Journals 1768-1779*, éd. Archibald Grenfell Price, New York, Dover Publications, 1971, p. 16-17 ; Gananath Obeyesekere, *The Apotheosis of Captain Cook : European Mythmaking in the Pacific*, Princeton, Princeton University Press, 1992, p. 5 ; J. C. Beaglehole (éd.), *The Journals of Captain James Cook on His Voyages of Discovery*, vol. 1, Cambridge, Cambridge University Press, 1968, p. 588.

bien intentionnés mais pas particulièrement ouverts essayèrent de les endoctriner et de leur inculquer les usages du monde moderne. Ils voulurent leur apprendre à lire et à écrire, leur enseignèrent le christianisme ainsi que diverses «activités de production», en particulier la couture et le travail de la terre. Mais ils refusèrent d'apprendre. Ils devinrent encore plus mélancoliques, cessèrent d'avoir des enfants, perdirent le goût de vivre et finirent par choisir la seule issue pour quitter le monde moderne de la science et du progrès : la mort.

La science et le progrès devaient hélas les poursuivre jusqu'après la mort. Anthropologues et conservateurs se saisirent des corps des derniers Tasmaniens au nom de la science, les disséquèrent, les pesèrent, les mesurèrent et les analysèrent dans des articles savants. Crânes et squelettes devaient être exposés dans les musées et les collections anthropologiques. C'est seulement en 1976 que le Tasmanian Museum accepta de se défaire, à des fins d'inhumation, du squelette de Truganini, la dernière indigène de Tasmanie morte un siècle plus tôt. L'English Royal College of Surgeons s'accrocha aux échantillons de sa peau et de sa chevelure jusqu'en 2002.

Le navire de Cook était-il une expédition scientifique protégée par la force des armes ou une expédition militaire qui aurait embarqué quelques hommes de science? C'est l'histoire du réservoir d'essence à moitié vide ou à moitié plein. Ce fut les deux à la fois. La Révolution scientifique et l'impérialisme moderne sont inséparables. Des hommes comme le capitaine James Cook et le botaniste Joseph Banks ne pouvaient guère distinguer la science de l'empire. Pas plus que l'infortunée Truganini.

POURQUOI L'EUROPE?

Que la population d'une grande île de l'Atlantique Nord ait conquis une grande île au sud de l'Australie est une des choses les plus bizarres de l'histoire. Peu de temps avant l'expédition de Cook, les îles Britanniques et l'Europe occidentale en général n'étaient que des trous perdus, loin du monde méditerranéen. Ce qui s'y passait était sans grande importance. Même l'Empire romain – le seul empire européen prémoderne important – tirait l'essentiel de sa richesse de ses provinces nord-africaines, balkaniques et moyen-orientales. Les provinces ouest-européennes de Rome n'étaient qu'un pauvre *Wild West*, un Ouest sauvage qui n'apportait pas grand-chose hormis des minéraux et des esclaves. L'Europe était si désolée et barbare qu'elle ne valait pas même d'être conquise.

C'est seulement à la fin du XVe siècle que l'Europe devint une pépinière d'innovations militaires, politiques, économiques et culturelles importantes. Entre 1500 et 1750, l'Europe occidentale prit son élan pour dominer le « Monde extérieur » : les deux continents américains et les océans. Malgré tout, l'Europe n'était pas encore de taille à se mesurer aux grandes puissances d'Asie. Si les Européens réussirent à conquérir l'Amérique et à gagner la suprématie maritime, c'est surtout que les puissances asiatiques s'y intéressaient peu. Le début des Temps modernes fut l'âge d'or de l'Empire ottoman en Méditerranée, de l'Empire safavide en Perse, de l'Empire moghol en Inde et des dynasties Ming et Qing en Chine. Ils étendirent sensiblement leurs territoires et jouirent d'une croissance économique et démographique sans précédent. En 1775, l'Asie représentait 80 % de l'économie mondiale. Les économies combinées de l'Inde et de la Chine représentaient à elles seules les deux tiers de la production mondiale. En comparaison, l'Europe était un nain économique[1].

Le centre mondial du pouvoir ne se déplaça vers l'Europe qu'entre 1750 et 1850, quand les Européens humilièrent les puissances asiatiques dans une série de guerres et conquirent de vastes parties de l'Asie. En 1900, les Européens tenaient d'une main ferme l'économie mondiale et la majeure partie des terres. En 1950, l'Europe occidentale et les États-Unis représentaient à eux deux plus de la moitié de la production mondiale, alors que la Chine était tombée à 5 %[2]. Sous l'égide de l'Europe émergea un nouvel ordre mondial et une culture mondiale. Aujourd'hui, bien plus qu'ils ne

---

1. Mark, *The Origins of the Modern World*, p. 81.
2. Christian, *Maps of Time*, p. 436.

sont généralement prêts à le reconnaître, tous les êtres humains sont européens dans leur habillement, leurs pensées et leurs goûts. Ils peuvent bien être farouchement anti-européens dans leur rhétorique, presque toute la planète voit la politique, la médecine, la guerre et l'économie par les yeux des Européens, et écoute de la musique écrite sur des modes européens avec des paroles en langues européennes. Aujourd'hui encore, la foisonnante économie chinoise, qui pourrait retrouver sous peu la primauté mondiale, repose sur un modèle productif et financier européen.

Comment la population de cette pointe glacée de l'Eurasie réussit-elle à s'extraire de son angle lointain de la planète et à conquérir le monde entier ? On en attribue souvent largement le mérite aux savants européens. Il est incontestable qu'à compter de 1850 la domination européenne reposa dans une large mesure sur le complexe militaro-scientifico-industriel et la sorcellerie technique. Tous les empires modernes qui réussirent cultivèrent la recherche scientifique dans l'espoir de moissonner les innovations techniques, et beaucoup de chercheurs passèrent le plus clair de leur temps à travailler sur des armes, des médicaments et des machines destinés à leurs maîtres impériaux. « Quoi qu'il arrive, nous avons des mitrailleuses, pas eux », aimaient à dire les soldats européens confrontés à des ennemis africains. Les techniques civiles n'étaient pas moins importantes. Les soldats se nourrissaient de conserves, chemins de fer et vapeurs transportaient les soldats et leurs provisions, alors qu'un nouvel arsenal de médicaments soignait soldats, matelots et machinistes. Ces progrès logistiques jouèrent un rôle plus significatif que la mitrailleuse dans la conquête européenne de l'Afrique.

Mais ce n'était pas le cas avant 1850. Le complexe militaro-scientifico-industriel était encore dans la prime enfance ; les fruits techniques de la Révolution scientifique n'avaient pas encore mûri ; et l'écart technique entre puissances européennes, asiatiques et africaines restait mince. En 1770, James Cook avait certainement des techniques bien meilleures que les aborigènes d'Australie, mais c'était aussi le cas des Chinois et des Ottomans. Alors pourquoi est-ce le capitaine James Cook plutôt que le capitaine Wan Zhengse ou le capitaine Hussein Pacha qui explora et colonisa l'Australie ? Qui plus est, si en 1770 les Européens ne disposaient pas d'un avantage technique significatif sur les musulmans, les Indiens et les Chinois, comment firent-ils au cours du siècle suivant pour ouvrir une telle brèche entre eux et le reste du monde ?

Pourquoi le complexe militaro-scientifico-industriel s'épanouit-il en Europe plutôt qu'en Inde ? Quand la Grande-Bretagne fit un bond en avant, pourquoi la France, l'Allemagne et les États-Unis s'empressèrent-ils de suivre, tandis que la Chine resta à la traîne ? Quand l'écart entre les pays industriels et les pays non industriels devint un facteur politique et économique évident, pourquoi la Russie, l'Italie et l'Autriche réussirent-elles à le combler, alors que la Perse, l'Égypte et l'Empire ottoman échouaient ? Après tout, la technologie de la première vague industrielle était relativement simple. Était-il si difficile pour les Chinois ou les Ottomans de concevoir des machines à vapeur, de fabriquer des mitrailleuses ou de poser des voies ferrées ?

La première ligne ferroviaire commerciale du monde ouvrit en Grande-Bretagne en 1830. En 1850, près de 40 000 km de voies sillonnaient les pays occidentaux, contre 4 000 seulement dans la totalité de l'Asie, de l'Afrique et de l'Amérique latine ! En 1880, l'Europe comptait 350 000 km de voies, contre 35 000 dans le reste du monde (la majeure partie ayant été posée en Inde par les Britanniques)[1]. La première voie n'ouvrit en Chine qu'en 1876 ; longue de 25 km, elle avait été construite par les Européens. Le gouvernement chinois la détruisit l'année suivante. En 1880, l'Empire chinois n'exploitait pas une seule ligne ! En Perse, la première ligne ne vit le jour qu'en 1888, pour relier Téhéran à un lieu saint de l'islam situé à une dizaine de kilomètres au sud de la capitale. Elle fut construite et exploitée par une compagnie belge. En 1950, le réseau total de la Perse ne dépassait pas 2 500 km, dans un pays sept fois plus grand que la Grande-Bretagne[2].

---

1. John Darwin, *After Tamerlane : The Global History of Empire since 1405*, Londres, Allen Lane, 2007, p. 239.

2. Soli Shahvar, « Railroads i. The First Railroad Built and Operated in Persia », Online Edition of *Encyclopaedia Iranica*, dernière modification du 7 avril 2008, http://www.iranicaonline.org/articles/railroads-i ; Charles Issawi, « The Iranian Economy

Ni les Chinois ni les Perses ne manquaient d'inventions techniques comme les machines à vapeur (qui pouvaient être librement copiées ou achetées). Ce qui leur manquait, c'étaient les valeurs, les mythes, l'appareil judiciaire et les structures sociopolitiques dont la formation et la maturation prirent des siècles en Occident, et qu'il était impossible de copier et d'intérioriser rapidement. La France et les États-Unis marchèrent aussitôt sur les brisées de la Grande-Bretagne parce que les Français et les Américains partageaient déjà les mythes et structures sociales britanniques les plus importants. Les Chinois et les Perses ne pouvaient aller aussi vite parce qu'ils pensaient et organisaient leurs sociétés différemment.

Cette explication éclaire d'un nouveau jour la période 1500-1850. Alors qu'il ne jouissait d'aucun avantage technique, politique, militaire ou économique sur les puissances asiatiques, le continent construisit pourtant un potentiel unique, dont l'importance devint soudain flagrante autour de 1850. L'apparente égalité de l'Europe, de la Chine et du monde islamique en 1750 était un mirage. Imaginez deux bâtisseurs construisant des tours très hautes. L'un utilise du bois et des briques de boue; l'autre, de l'acier et du béton. Au début, il semble qu'il n'y ait pas grande différence entre les deux méthodes, puisque les deux tours poussent à une vitesse semblable et atteignent la même hauteur. Sitôt franchi un seuil critique, cependant, la tour de bois et de boue ne résiste pas aux tensions et s'effondre, tandis que la tour de fer et de béton pousse à vue d'œil, d'étage en étage.

Quel potentiel l'Europe a-t-elle développé au début des Temps modernes qui lui a permis de dominer le monde à la fin de cette période? Cette question admet deux réponses complémentaires: la science moderne et le capitalisme. Les Européens avaient pris l'habitude de penser et de se conduire de manière scientifique et capitaliste avant même de jouir d'un avantage technique significatif. Quand commença à pleuvoir la manne technique, les Européens purent en tirer parti mieux que personne. Ce n'est pas

---

1925-1975: Fifty Years of Economic Development », in George Lenczowski (dir.), *Iran under the Pahlavis*, Stanford, Hoover Institution Press, 1978, p. 156.

un hasard si la science et le capitalisme forment l'héritage le plus important que l'impérialisme européen ait légué au monde post-européen du XXIe siècle. L'Europe et les Européens ne dominent plus le monde, mais la science et le capital sont toujours plus forts. Le chapitre suivant se penchera sur les victoires du capitalisme. Celui-ci est consacré à l'idylle de l'impérialisme européen et de la science moderne.

LA MENTALITÉ DE LA CONQUÊTE

La science moderne a fleuri dans les empires européens. La discipline est de toute évidence largement redevable aux traditions scientifiques anciennes de la Grèce antique, de la Chine, de l'Inde et de l'Islam, mais ce qu'elle a d'unique n'a commencé à prendre forme qu'au début des Temps modernes, de pair avec l'expansion impériale de l'Espagne, du Portugal, de la Grande-Bretagne, de la France, de la Russie et des Pays-Bas. Au début des Temps modernes, Chinois, Indiens, musulmans, indigènes d'Amérique et Polynésiens continuèrent de faire des contributions importantes à la Révolution scientifique. Adam Smith et Karl Marx se penchèrent sur les intuitions des économistes musulmans ; des traitements conçus par les indigènes d'Amérique se retrouvèrent dans les manuels de médecine anglais, et des données recueillies auprès d'informateurs polynésiens révolutionnèrent l'anthropologie occidentale. Jusqu'au milieu du XXe siècle, cependant, ce sont les élites dirigeantes et intellectuelles des empires mondiaux européens qui collationnèrent cette multitude de découvertes et, ce faisant, créèrent des disciplines scientifiques. L'Extrême-Orient et le monde islamique engendrèrent des esprits aussi intelligents et curieux que ceux de l'Europe. Entre 1500 et 1950, toutefois, ils ne produisirent rien qui se rapproche un tant soit peu de la physique newtonienne ou de la biologie darwinienne.

Cela ne veut pas dire que les Européens aient un gène de la science, ni qu'ils domineront éternellement les études physiques et biologiques. De même que l'islam fut d'abord un monopole arabe avant de s'étendre aux Turcs et aux Persans, de même la science moderne fut d'abord une spécialité européenne, mais devient aujourd'hui une entreprise multi-ethnique.

Comment se forgea le lien historique entre la science moderne et l'impérialisme européen ? Si la technologie fut un facteur important aux XIXe et XXe siècles, elle était d'une importance limitée au début de l'époque moderne. Le facteur clé est la tournure d'esprit que partageaient le botaniste en quête de plantes et l'officier de marine en quête de colonies. Le savant et le conquérant commençaient tous deux par un aveu d'ignorance : « Je ne sais pas ce qu'il y a là-bas. » Tous deux se sentaient obligés de partir faire de nouvelles découvertes. Et tous deux espéraient que le nouveau savoir ainsi acquis ferait d'eux les maîtres du monde.

*

L'impérialisme européen fut très différent de tous les autres projets impériaux de l'histoire. Les précédents chercheurs d'empire avaient tendance à croire qu'ils comprenaient déjà le monde à la perfection. La conquête se contenta d'utiliser et de propager *leur* vision du monde. Les Arabes, pour ne donner qu'un exemple, ne conquirent pas l'Égypte, l'Espagne ou l'Inde pour découvrir quelque chose qu'ils ne connaissaient pas. Romains, Mongols et Aztèques conquirent voracement de nouvelles terres en quête de pouvoir et de richesse, mais pas de savoir. Les impérialistes européens, en revanche, firent voile vers de lointains rivages dans l'espoir d'obtenir de nouvelles connaissances en même temps que de nouveaux territoires.

James Cook ne fut pas le premier explorateur à envisager les choses ainsi. Les voyageurs portugais et espagnols des XVe et XVIe siècles partageaient déjà cet état d'esprit. Le prince Henri le Navigateur et Vasco de Gama explorèrent les côtes d'Afrique et, ce faisant, prirent le contrôle d'îles et de ports. Christophe Colomb « découvrit » l'Amérique et revendiqua aussitôt la souveraineté sur les terres nouvelles pour les rois d'Espagne. Fernand de Magellan trouva le moyen de faire le tour du monde et, dans le même temps, jeta les fondements de la conquête espagnole des Philippines.

Avec le temps, la conquête du savoir et la conquête du territoire furent toujours plus étroitement entremêlées. Aux XVIIIᵉ et
XIXᵉ siècles, presque toutes les expéditions militaires quittant l'Europe pour de lointains rivages embarquaient des savants venus
non pas se battre, mais faire des découvertes scientifiques. Quand
Napoléon envahit l'Égypte en 1798, il emmena avec lui 165 savants.
Entre autres choses, ils fondèrent une discipline entièrement nouvelle, l'égyptologie, et apportèrent des contributions importantes à
l'étude de la religion, de la linguistique et de la botanique.

En 1831, la Royal Navy dépêcha le *HMS Beagle* afin de cartographier les côtes de l'Amérique du Sud, les îles Malouines et les
Galápagos. La marine avait besoin de ces renseignements pour
renforcer l'emprise impériale de la Grande-Bretagne sur l'Amérique du Sud. Homme de science amateur, le capitaine décida de
s'adjoindre un géologue afin d'étudier les formations géologiques
que l'expédition pourrait rencontrer en chemin. Plusieurs géologues professionnels ayant décliné son invitation, le capitaine offrit
la place à un jeune diplômé de Cambridge, Charles Darwin, alors
âgé de vingt-deux ans. Celui-ci avait fait des études pour devenir
pasteur anglican, mais la géologie et les sciences naturelles l'intéressaient bien plus que la Bible. Darwin sauta sur l'occasion : le
reste appartient à l'histoire. Le capitaine occupa son temps en des-
sinant des cartes militaires tandis que Darwin recueillait des données empiriques et formulait les intuitions qui déboucheraient
finalement sur la théorie de l'évolution.

*

Le 20 juillet 1969, Neil Armstrong et Buzz Aldrin mirent le pied
sur la surface de la Lune. Dans les mois précédant l'expédition, les
astronautes d'Apollo 11 s'entraînèrent dans un désert « lunaire »
de l'ouest des États-Unis. La zone abrite plusieurs communautés
indigènes américaines. Une anecdote – à moins que ce ne soit une
légende – rapporte la rencontre des astronautes et d'un habitant
du coin :

Un jour qu'ils s'entraînaient, les astronautes tombèrent sur un vieil indigène américain. L'homme leur demanda ce qu'ils fabriquaient là. Ils répondirent qu'ils faisaient partie d'une expédition de recherche qui allait bientôt partir explorer la Lune. Quand le vieil homme entendit cela, il resta quelques instants silencieux, puis demanda aux astronautes s'ils pouvaient lui faire une faveur.

« Que voulez-vous ?

– Eh bien, fit le vieux, les gens de ma tribu croient que les esprits saints vivent sur la Lune. Je me demandais si vous pouviez leur transmettre un message important de la part des miens.

– Et quel est le message ? » demandèrent les astronautes.

L'homme marmonna quelque chose dans son langage tribal, puis demanda aux astronautes de le répéter jusqu'à ce qu'ils l'aient parfaitement mémorisé.

« Mais qu'est-ce que ça veut dire ?

– Je ne peux pas vous le dire. C'est un secret que seuls sont autorisés à savoir notre tribu et les esprits de la Lune. »

De retour à leur base, les astronautes ne ménagèrent pas leurs efforts pour trouver quelqu'un qui sût parler la langue de la tribu et le prièrent de traduire le message secret. Quand ils répétèrent ce qu'ils avaient appris par cœur, le traducteur partit d'un grand éclat de rire. Lorsqu'il eut retrouvé son calme, les astronautes lui demandèrent ce que ça voulait dire. L'homme expliqua. Ce qu'ils avaient si méticuleusement mémorisé voulait dire : « Ne croyez pas un seul mot de ce qu'ils vous racontent. Ils sont venus voler vos terres. »

CARTES VIDES

La mentalité moderne du « explorer et conquérir » trouve une belle illustration dans l'histoire des cartes du monde. Beaucoup de cultures dessinèrent des cartes longtemps avant les Temps modernes. De toute évidence, aucune d'entre elles ne connaissait vraiment la totalité du monde. Aucune culture afro-asiatique ne connaissait l'Amérique, ni aucune culture américaine l'Afro-Asie. Mais les régions peu familières étaient purement et simplement laissées de côté, ou emplies de monstres et de prodiges imaginaires. Aucun espace vide sur ces cartes. Elles donnaient l'impression d'un monde totalement familier.

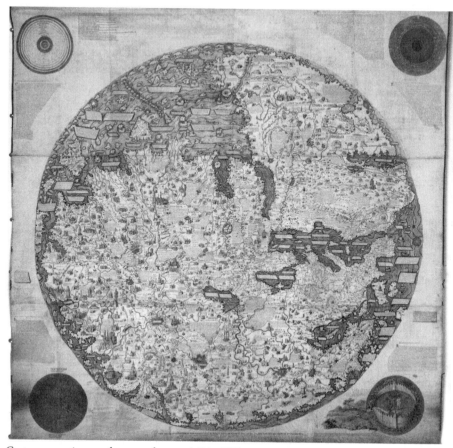

Carte européenne du monde en 1459. L'Europe se trouve en haut à gauche ; la Méditerranée et l'Afrique en dessous ; et l'Asie à droite. La carte fourmille de détails même lorsqu'elle représente des parties du monde totalement inconnues des Européens, comme l'Afrique australe.

Aux XVe et XVIe siècles, les Européens se mirent à dessiner des cartes du monde avec quantité d'espaces vides : signe de l'essor de l'esprit scientifique mais aussi de la dynamique impériale européenne. Les cartes vides étaient une percée psychologique et idéologique : l'aveu sans détour que les Européens ignoraient une bonne partie du monde.

La tournant décisif survint en 1492, quand Christophe Colomb quitta l'Espagne, faisant voile vers l'Ouest, à la recherche d'une nouvelle route vers l'Est asiatique. Colomb croyait encore aux vieilles cartes « complètes » du monde : sur cette base, il calcula que le Japon devait se situer à 7 000 kilomètres à l'ouest de l'Espagne. Plus de 20 000 kilomètres et tout un continent inconnu séparent en réalité l'Asie de l'Est de l'Espagne. Le 12 octobre 1492, vers deux heures du matin, l'expédition de Colomb se heurta à un continent inconnu. Depuis le poste de vigie de son navire, la *Pinta*, Juan Rodriguez Bermejo, repéra une île de ce que nous appelons de nos jours les Bahamas et s'écria : « Terre ! Terre ! »

Colomb crut avoir atteint un îlot au large des côtes est-asiatiques. Aux habitants des lieux, il donna le nom d'« Indiens » parce qu'il imaginait avoir débarqué aux Indes : ce que nous appelons aujourd'hui les Indes orientales ou l'archipel indonésien. Colomb s'accrocha à son erreur jusqu'à la fin de sa vie. Pour lui comme pour beaucoup d'hommes de sa génération, l'idée qu'il eût découvert un continent totalement inconnu était absolument inimaginable. Des millénaires durant, les penseurs et savants les plus grands, mais aussi les Écritures infaillibles n'avaient connu que l'Europe, l'Afrique et l'Asie. Tous auraient-ils pu se tromper ? La Bible aurait-elle pu oublier la moitié du monde ? Comme si, en 1969, en route vers la Lune, Apollo 11 s'était heurtée à une lune encore inconnue qui tournait autour de la Terre et qui eût échappé d'une manière ou d'une autre à toutes les observations antérieures. Dans son refus d'admettre son ignorance, Christophe Colomb était encore un homme du Moyen Âge. Il était convaincu de connaître le monde entier, et même cette découverte capitale ne parvint à le persuader du contraire.

Le premier homme moderne fut Amerigo Vespucci, un marin italien qui prit part à plusieurs expéditions vers l'Amérique dans les années 1499-1504. Entre 1502 et 1504 furent publiés en Europe deux textes relatant ces expéditions. Attribués à Vespucci, ils expliquaient que les terres nouvelles découvertes par Colomb n'étaient pas des îles au large des côtes est-asiatiques, mais tout un continent inconnu des Écritures, des géographes antiques et des Européens contemporains. En 1507, convaincu par ces arguments, un cartographe respecté du nom de Martin Waldseemüller publia une carte du monde mise à jour, la première qui indiquât sous la forme d'un continent séparé la terre où avaient accosté les flottes européennes faisant voile vers l'Ouest. L'ayant dessinée, Waldseemüller devait lui donner un nom. Croyant à tort que c'était Amerigo Vespucci qui l'avait découvert, Waldseemüller baptisa le continent en son honneur : America. La carte de Waldseemüller devint très populaire. Maints autres cartographes la copièrent, propageant le nom qu'il avait donné à la terre nouvelle. Il y a une certaine justice poétique dans le fait qu'un quart du monde, et deux des sept continents, ait reçu le nom d'un Italien peu connu dont le seul titre de gloire est d'avoir reconnu : « Nous ne savons pas ! »

La découverte de l'Amérique fut l'événement fondateur de la Révolution scientifique. Non seulement elle apprit aux Européens à favoriser les observations présentes sur les traditions passées, mais le désir de conquérir l'Amérique obligea aussi les Européens à chercher de nouvelles connaissances à une vitesse époustouflante. S'ils voulaient vraiment dominer ces nouveaux territoires immenses, il leur fallait recueillir d'énormes quantités de données sur la géographie, le climat, la flore, la faune, les langues, les cultures et l'histoire du nouveau continent. Écritures chrétiennes, vieux livres de géographie et anciennes traditions orales n'étaient pas d'un grand secours.

Dorénavant, les géographes européens, mais aussi les savants européens dans presque tous les autres domaines du savoir se mirent à dresser des cartes avec des espaces vides à remplir. Ils commencèrent à admettre que leurs théories n'étaient pas parfaites et qu'il y avait des choses importantes qu'ils ne savaient pas.

*

Attirés par les points blancs de la carte comme par des aimants, les Européens s'empressèrent de les remplir. Aux XVe et XVIe siècles, les expéditions européennes firent le tour de l'Afrique, explorèrent l'Amérique, traversèrent le Pacifique et l'océan Indien, et créèrent un réseau de bases et de colonies à travers le monde. Elles installèrent les premiers empires véritablement mondiaux et tricotèrent le premier réseau commercial mondial. Les expéditions impériales européennes transformèrent l'histoire du monde : une série d'histoires de peuples et de cultures isolés laissa place à l'histoire d'une seule et unique société humaine intégrée.

Ces expéditions européennes d'exploration et de conquête nous sont si familières que nous avons tendance à perdre de vue ce qu'elles avaient d'extraordinaire. Rien de comparable n'était encore jamais arrivé. Les campagnes de conquête à longue distance ne sont pas une entreprise naturelle.

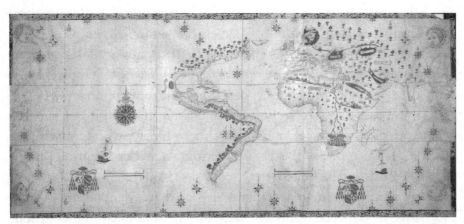

Carte du monde de Salviati en 1525. Alors que la carte du monde de 1459 est pleine de continents, d'îles et d'explications détaillées, celle de Salviati reste largement vide. L'œil erre au sud, le long de la côte américaine, jusqu'à se perdre dans le vide. Qui regarde la carte et possède ne serait-ce qu'un minimum de curiosité est tenté de demander : «Qu'y a-t-il au-delà?» La carte ne fournit aucune réponse. Elle invite l'observateur à faire voile et à y aller voir.

Tout au long de l'histoire, les sociétés humaines ont été tellement occupées par les conflits locaux et les querelles de voisinage qu'elles n'ont jamais envisagé d'explorer et de conquérir des terres lointaines. La plupart des grands empires n'étendirent leur domination qu'à leur voisinage immédiat : s'ils atteignirent des terres lointaines, c'est simplement que le voisinage ne cessait de s'étendre. Ainsi, les Romains conquirent l'Étrurie pour défendre Rome (autour de 350-300 avant l'ère vulgaire). Puis ils conquirent la vallée du Pô afin de défendre l'Étrurie (– 200). Ils conquirent ensuite la Provence pour défendre la vallée du Pô (– 120), la Gaule pour défendre la Provence (autour de – 50), puis la Grande-Bretagne pour défendre la Gaule (autour de 50 ap. J.-C.). Il leur fallut quatre cents ans pour aller de Rome à Londres. En 350 avant notre ère, aucun Romain n'aurait imaginé faire voile droit sur la Grande-Bretagne et la conquérir.

À l'occasion, un souverain ambitieux ou un aventurier se lançait dans une campagne de conquête au long cours, mais ces campagnes suivaient d'habitude les sentiers battus de l'empire et du commerce. Les campagnes d'Alexandre le Grand, par exemple, n'aboutirent pas à la création d'un nouvel empire, mais plutôt à l'usurpation d'un empire existant : celui des Perses. S'agissant des empires européens modernes, les précédents les plus proches sont les anciens empires navals d'Athènes et de Carthage, ainsi que l'empire maritime médiéval de Majapahit, qui dominait une bonne partie de l'Indonésie au XIVᵉ siècle. Reste que même ces empires s'aventuraient rarement dans les mers inconnues : leurs exploits maritimes étaient des entreprises locales en comparaison des aventures mondiales des Européens modernes.

Pour beaucoup de spécialistes, les voyages de l'amiral Zheng He, sous la dynastie chinoise des Ming, annoncent et éclipsent les voyages européens de découverte. Entre 1405 et 1433, Zheng conduisit plusieurs immenses armadas de la Chine au fin fond de l'océan Indien. La plus grande comptait près de trois cents bateaux et pas loin de 30 000 hommes[1]. Il visita l'Indonésie, le Sri Lanka, l'Inde, le golfe Persique, la mer Rouge et l'Afrique de l'Est. Les navires chinois mouillèrent à Djedda, le principal port du Hedjaz, et à Malindi, sur la côte kenyane. La flotte de Colomb en 1492 – trois petits navires pour 120 hommes d'équipage – était un trio de moustiques en comparaison du troupeau de dragons de Zheng He[2].

Il y avait pourtant une différence cruciale. Zheng He explora les océans et aida les souverains prochinois. Il n'essaya pas de conquérir ni de coloniser les pays visités. De surcroît, ses expéditions n'avaient pas de racines profondes dans la vie politique et la culture chinoises. Quand la faction dominante à Pékin changea, dans les années 1430, les nouveaux seigneurs mirent brutalement

    1. Mark, *The Origins of the Modern World*, p. 46.
    2. Kirkpatrick Sale, *Christopher Columbus and the Conquest of Paradise*, Londres, Tauris Parke Paperbacks, 2006, p. 7-13.

fin à l'opération. La grande flotte fut démantelée. Un savoir technique et géographique crucial se perdit. Aucun explorateur de cette stature et aux moyens comparables ne devait plus jamais sortir d'un port chinois. Les souverains chinois des siècles suivants, comme la plupart des souverains chinois des siècles passés, cantonnèrent leurs intérêts et ambitions aux environs immédiats de l'empire du Milieu.

Les expéditions de Zheng He prouvent que l'Europe ne jouissait pas d'un avantage technologique frappant. Ce qui rendit les Européens exceptionnels, c'est leur ambition sans parallèle et insatiable d'exploration et de conquête. Même s'ils en avaient peut-être les moyens, jamais les Romains n'essayèrent de conquérir l'Inde ou la Scandinavie, ni les Perses Madagascar ou l'Espagne, ni les Chinois l'Indonésie ou l'Afrique. La plupart des souverains chinois laissèrent même le Japon voisin livré à lui-même. Il n'y avait là rien de très particulier. Ce qui est étrange, c'est bien que les Européens de l'aube des Temps modernes aient été saisis d'une folie fébrile qui les poussa à faire voile vers des terres lointaines et totalement inconnues pleines de cultures étrangères, à mettre le pied sur leurs plages et à déclarer aussitôt : « Je revendique tous ces territoires pour mon roi ! »

Invasion de l'espace extérieur

Autour de 1517, les colons espagnols des Caraïbes eurent vent de vagues rumeurs sur un puissant empire quelque part au centre du territoire mexicain. À peine quatre ans plus tard, la capitale aztèque n'était que ruines fumantes ; l'Empire aztèque appartenait au passé, et Hernán Cortés avait la haute main sur un immense nouvel empire espagnol au Mexique.

Les Espagnols ne se donnèrent pas le temps de se féliciter ni même de reprendre leur respiration. Ils commencèrent aussitôt des opérations d'exploration et de conquête tous azimuts. Les précédents maîtres de l'Amérique centrale – Aztèques, Toltèques et Mayas – savaient à peine si l'Amérique du Sud existait et n'eurent jamais la velléité de la soumettre deux millénaires durant. Un peu plus de dix ans suffirent pourtant à Francisco Pizarro pour découvrir l'Empire inca d'Amérique du Sud puis le vaincre en 1532.

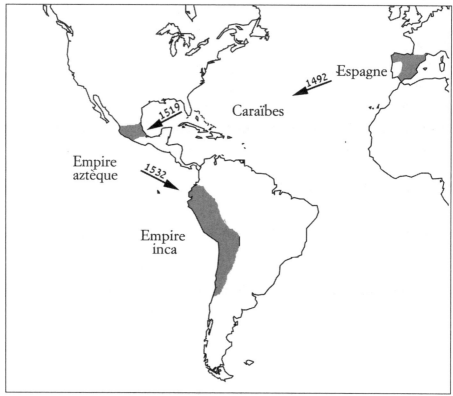

Les Empires aztèque et inca au moment de la conquête espagnole.

Si les Aztèques et les Incas avaient montré un peu plus d'intérêt pour le monde qui les entourait – et surtout avaient su le sort que les Espagnols avaient réservé à leurs voisins –, sans doute auraient-ils résisté avec plus d'ardeur et de réussite à la conquête espagnole. Dans les années séparant le premier voyage de Colomb vers l'Amérique (1492) du débarquement de Cortés au Mexique (1519), les Espagnols conquirent la majeure partie des Caraïbes, installant une chaîne de nouvelles colonies. Pour les indigènes soumis, ces colonies furent l'enfer sur terre. Ils étaient gouvernés d'une main de fer par des colons cupides et peu scrupuleux qui les asservirent et les astreignirent au travail dans les mines et dans les plantations. La plupart mouraient vite, victimes de la rudesse des conditions de travail ou de la virulence des maladies qui firent du stop jusqu'en Amérique à bord des navires des conquérants. La quasi-totalité des habitants des Caraïbes furent éliminés en l'espace de vingt ans. Pour combler le vide, les colons espagnols se mirent à importer des esclaves africains.

Ce génocide se déroula à la porte même de l'Empire aztèque, mais quand Cortès débarqua sur la côte est de l'Empire, les Aztèques n'en savaient rien. L'arrivée des Espagnols fut l'équivalent d'une invasion étrangère venue de l'espace intersidéral. Les Aztèques étaient convaincus de connaître le monde entier et d'en gouverner la plus grande partie. Pour eux, il était inimaginable qu'hors de leur domaine pût exister une chose qui ressemblât aux Espagnols. Quand Cortés et ses hommes débarquèrent sur les plages ensoleillées de Vera Cruz, c'était la première fois que les Aztèques rencontraient une population qui leur était entièrement inconnue.

Les Aztèques ne surent comment réagir. Ils eurent du mal à comprendre qui étaient ces étrangers. À la différence de tous les humains connus, ils avaient la peau blanche. Ils avaient aussi une abondante pilosité sur le visage. La chevelure de certains avait la couleur du soleil. Ils puaient affreusement. (Les indigènes avaient une bien meilleure hygiène que les Espagnols. La première fois qu'ils arrivèrent au Mexique, des indigènes porteurs de brûleurs d'encens furent chargés de les accompagner dans tous leurs déplacements. Les Espagnols crurent à une marque d'honneur divin. Nous savons par des sources indigènes que les autochtones trouvaient insupportable l'odeur des nouveaux venus.)

Plus déroutante encore était la culture matérielle des étrangers, arrivés dans des bateaux géants, tels que les Aztèques n'en avaient jamais imaginé, encore moins vu. Ils se déplaçaient sur le dos d'animaux immenses et terrifiants, rapides comme le vent. Ils produisaient foudre et tonnerre avec des bâtons métalliques luisants. Ils avaient de longues épées scintillantes et des armures impénétrables, contre lesquelles les sabres de bois et les lances de silex des Aztèques étaient inutiles.

Certains Aztèques crurent que ce devaient être des dieux. D'autres assurèrent au contraire que c'étaient des démons, les spectres de morts ou de puissants sorciers. Au lieu de concentrer toutes les forces disponibles pour éliminer les Espagnols, les Aztèques délibérèrent, traînèrent et négocièrent. Ils ne virent aucune raison de se précipiter. Somme toute, Cortés n'avait pas plus de 550 Espagnols avec lui. Que pesaient 550 hommes à côté des millions de leur empire ?

Cortés ignorait lui aussi tout des Aztèques, mais ses hommes et lui avaient des avantages significatifs sur leurs adversaires. Si aucune expérience n'avait préparé les Aztèques à l'arrivée de ces étrangers bizarres aux odeurs méphitiques, les Espagnols savaient la Terre pleine de royaumes humains inconnus. Il n'y avait pas meilleurs experts pour envahir les terres étrangères et affronter les situations dont ils ignoraient tout. Pour le conquérant européen moderne, comme pour l'homme de science européen moderne, la plongée dans l'inconnu était grisante.

En juillet 1519, quand Cortés jeta l'ancre au large de cette côte ensoleillée, il n'eut pas la moindre hésitation. Tel un alien de science-fiction sortant de son vaisseau spatial, il déclara aux habitants frappés d'effroi : « Nous sommes venus en paix. Conduisez-nous à votre chef. » Cortés se présenta en émissaire pacifique du grand roi d'Espagne et sollicita un entretien diplomatique avec le souverain aztèque, Montezuma II. (C'était un mensonge éhonté. Cortés était à la tête d'une expédition indépendante d'aventuriers cupides. Le roi d'Espagne n'avait jamais entendu parler ni de lui ni des Aztèques.) Cortés reçut des guides, des vivres et une assistance militaire des ennemis locaux des Aztèques. Puis il marcha sur la capitale, la grande métropole de Tenochtitlan.

Les Aztèques laissèrent les étrangers marcher jusqu'à la capitale, puis conduisirent respectueusement leur chef auprès de l'empereur Montezuma. Au beau milieu de l'entretien, Cortés fit un signe. Munis de leurs armes d'acier, les Espagnols massacrèrent les gardes du corps de Montezuma (équipés de matraques de bois et de lames de pierre). L'invité de marque fit prisonnier son hôte.

Cortés était désormais dans une situation des plus délicates. Certes il avait capturé l'empereur, mais il était entouré de dizaines de milliers de guerriers ennemis furieux et de millions de civils hostiles sur un continent dont il ne savait quasiment rien. Il ne disposait que de quelques centaines d'hommes, et les renforts espagnols les plus proches étaient à Cuba, à plus de 1 500 kilomètres.

Cortés garda Montezuma prisonnier dans son palais, comme si l'empereur restait libre et en fonction, et que l'«ambassadeur espagnol» était simplement son hôte. L'Empire aztèque était un régime politique centralisé à l'extrême, et cette situation sans précédent le paralysa. Montezuma continua de faire comme s'il dirigeait l'empire, et l'élite aztèque continua de lui obéir : autrement dit, elle obéissait à Cortés. La situation dura plusieurs mois, au cours desquels Cortés interrogea Montezuma et son entourage, forma des traducteurs à toutes sortes de langues locales et dépêcha de petites expéditions espagnoles dans toutes les directions afin de se familiariser avec l'Empire aztèque et les multiples tribus, peuples et cités qu'il dirigeait.

L'élite aztèque finit par se révolter contre Cortés et Montezuma. Ils élirent un nouvel empereur et chassèrent les Espagnols de Tenochtitlan. Mais l'édifice impérial se fissurait désormais de tous côtés. Fort des connaissances acquises, Cortés s'engouffra dans la brèche pour faire éclater l'empire de l'intérieur. Il persuada nombre des peuples soumis de l'empire de le rejoindre contre l'élite dirigeante aztèque. Les peuples en question firent une erreur de calcul. S'ils haïssaient les Aztèques, ils ne savaient rien de l'Espagne ni du génocide des Caraïbes. Ils imaginèrent pouvoir se libérer du joug aztèque avec l'aide des Espagnols. Jamais il ne leur vint à l'idée que ceux-ci prendraient le dessus. Pour eux, la chose était claire : si Cortés et ses quelques centaines de suppôts causaient le moindre souci, ils les écraseraient sans mal. Les peuples rebelles apportèrent à Cortés une armée de dizaines de milliers d'hommes. Avec son aide, Cortés assiégea Tenochtitlan et prit la ville.

À ce stade, soldats et colons espagnols étaient toujours plus nombreux à arriver au Mexique : les uns de Cuba, d'autres carrément d'Espagne. Quand la population locale comprit ce qui était en train de se passer, il était trop tard. Un siècle après le débarquement de Vera Cruz, la population indigène des Amériques avait diminué d'environ 90 %, largement du fait de maladies inconnues arrivées en Amérique avec les envahisseurs. Les survivants se retrouvèrent sous la coupe d'un régime cupide et raciste bien pire que celui des Aztèques.

Dix ans après le débarquement de Cortés au Mexique, Pizarro arriva sur les côtes de l'Empire inca. Il avait beaucoup moins de soldats que Cortés : 168 hommes pour toute son expédition ! Mais Pizarro bénéficia des connaissances et de l'expérience acquises lors des précédentes invasions. Les Incas, en revanche, ne savaient rien du sort des Aztèques. Pizarro plagia Cortés. Se présentant en émissaire pacifique du roi d'Espagne, il invita le souverain inca, Atahualpa, à un entretien diplomatique et le kidnappa. Puis, avec l'aide d'alliés locaux, il entreprit de conquérir l'empire paralysé. Si les peuples soumis de l'Empire inca avaient su le destin des habitants du Mexique, ils n'auraient pas lié leur sort à celui des envahisseurs. Mais ils n'en savaient rien.

*

Les peuples indigènes de l'Amérique ne furent pas les seuls à payer un lourd tribut à leur esprit de clocher. Les grands empires d'Asie – ottoman, safavide, moghol et chinois – surent très vite que les Européens avaient découvert quelque chose de géant. Mais ils manifestèrent peu d'intérêt pour ces découvertes. Ils continuèrent de croire que le monde tournait autour de l'Asie et ne firent aucun effort pour disputer aux Européens la domination de l'Amérique ou des nouvelles routes océaniques dans l'Atlantique ou le Pacifique. Même de chétifs royaumes européens comme l'Écosse et le Danemark dépêchèrent quelques expéditions d'exploration et de conquête vers l'Amérique, mais jamais aucune expédition de ce genre ne partit du monde islamique, de l'Inde ou de la Chine. Le Japon fut la première puissance non européenne qui ait essayé d'envoyer une expédition militaire vers l'Amérique : ce fut en juin 1942, quand une expédition japonaise s'empara des îles Kiska et Attu, au large des côtes de l'Alaska, et captura à l'occasion dix soldats américains et un chien. Les Japonais n'approchèrent jamais plus près du continent.

On ne saurait guère soutenir que les Ottomans ou les Chinois étaient trop loin, ni qu'ils manquaient des ressources techniques, économiques ou militaires nécessaires. Les ressources qui permirent à Zheng He d'aller en Afrique orientale dans les années 1420 eussent été suffisantes pour atteindre l'Amérique. C'est simplement que cela n'intéressait pas les Chinois. La première carte chinoise du monde à indiquer l'Amérique ne fut publiée qu'en 1602... et encore par un missionnaire européen !

Trois siècles durant, les Européens jouirent d'une domination incontestée en Amérique, en Océanie ainsi que dans l'Atlantique et le Pacifique. Les seuls affrontements significatifs dans ces régions opposèrent les différentes puissances européennes. La richesse et les ressources accumulées par les Européens leur permirent d'envahir l'Asie, de vaincre ses empires et de se les partager. Quand les Ottomans, les Perses, les Indiens et les Chinois se réveillèrent et commencèrent à faire attention, il était trop tard.

*

C'est seulement au XXe siècle que les cultures non européennes adoptèrent une vision véritablement globale. C'est un des facteurs cruciaux qui menèrent à l'effondrement de l'hégémonie européenne. Au cours de la guerre d'Algérie (1954-1962), la guérilla algérienne triompha ainsi d'une armée française dont l'avantage numérique, technique et économique était écrasant. Les Algériens l'emportèrent parce qu'ils pouvaient compter sur le soutien d'un réseau anticolonial mondial et qu'ils surent mobiliser les médias du monde au service de leur cause, mais aussi l'opinion publique en France. La défaite que le petit Vietnam du Nord infligea au colosse américain repose sur une stratégie semblable. Ces guérillas montrèrent que les superpuissances elles-mêmes pouvaient être vaincues si une lutte locale devenait une cause mondiale. Il est intéressant de se demander ce qui aurait pu se passer si Montezuma avait pu manipuler l'opinion publique espagnole et trouver de l'aide auprès d'un rival de l'Espagne : le Portugal, la France ou l'Empire ottoman.

Araignées rares et écritures oubliées

La science moderne et les empires modernes étaient animés par un sentiment qui ne les laissait jamais en paix. Et si quelque chose d'important les attendait au-delà de l'horizon : une chose qu'il valait mieux explorer et dominer ? Mais le lien entre science et empire était autrement plus profond. Les motivations, mais aussi les pratiques des bâtisseurs d'empire se mêlaient à celles des savants. Pour les Européens modernes, bâtir un empire était un projet scientifique, et instaurer une discipline scientifique, un projet impérial.

Quand les musulmans conquirent l'Inde, ils ne vinrent pas avec des archéologues chargés d'étudier systématiquement l'histoire du pays, des anthropologues pour en étudier les cultures, des géologues pour en étudier les sols, ni des zoologistes pour en étudier la faune. Quand les Britanniques conquirent l'Inde, ils firent tout cela. Le 10 avril 1802 fut lancé le Grand Relèvement (Great Survey) du sous-continent. Il dura soixante ans. Avec le concours de dizaines de milliers de travailleurs, savants et guides indigènes, les Britanniques cartographièrent méticuleusement le pays, marquant les frontières, mesurant les distances et calculant même pour la première fois l'altitude exacte du mont Everest et des autres sommets himalayens. Les Britanniques explorèrent les ressources militaires des provinces indiennes et la place de leurs mines d'or, mais ils se donnèrent aussi la peine de recueillir des informations sur des araignées indiennes rares, de cataloguer les papillons colorés, de retracer les lointaines origines des langues indiennes éteintes et d'exhumer des ruines oubliées.

Mohenjo-Daro était une des principales cités de la civilisation de la vallée de l'Indus, qui fleurit au IIIe millénaire avant l'ère commune et fut détruite autour de 1900 avant J.-C. Aucun des maîtres britanniques de l'Inde – ni les Maurya, ni les Gupta ni les sultans de Delhi, ni les Grands Moghols – n'avait jamais jeté le moindre coup d'œil aux ruines. Mais une mission archéologique britannique s'intéressa au site en 1922 : une équipe britannique commença les fouilles et découvrit la mère de la première grande civilisation de l'Inde, dont aucun Indien ne se souvenait.

Un autre exemple parlant de curiosité scientifique est le déchiffrement du cunéiforme, qui fut la principale écriture du Moyen-Orient pendant près de trois millénaires. Or, la dernière personne capable de lire le cunéiforme mourut probablement au début du Ier millénaire de notre ère. Depuis lors, les habitants de la région ne cessaient de trouver des inscriptions en cunéiforme sur des monuments, des stèles, des ruines et des tessons de poterie. Mais ils n'avaient aucune idée de la façon de lire ces bizarres égratignures anguleuses : pour autant que nous le sachions, ils n'essayèrent jamais. Le cunéiforme attira l'attention des Européens en 1618, quand l'ambassadeur d'Espagne se rendit sur les ruines de l'antique Persépolis, où il vit des inscriptions que personne ne put lui expliquer. Le bruit de la découverte d'une écriture inconnue se répandit parmi les savants européens et piqua leur curiosité. En 1657, des savants européens publièrent la première transcription d'un texte cunéiforme de Persépolis. Les transcriptions se multiplièrent, et pendant près de deux cents ans les savants d'Occident essayèrent des les déchiffrer. Aucun n'y réussit.

Dans les années 1830, un officier britannique du nom de Henry Rawlinson fut dépêché en Perse pour aider le Shah à entraîner son armée à l'européenne. Dans ses moments perdus, Rawlinson fit le tour de la Perse. Un jour, des guides locaux le conduisirent à une falaise des monts Zagros. L'immense inscription de Behistun, de 15 mètres de haut sur 25 mètres de large environ, avait été gravée au sommet d'une falaise autour de 500 avant notre ère sur ordre du roi Darius Ier. Elle était en écriture cunéiforme dans trois langues : vieux-persan, élamite et babylonien. Elle était bien connue de la population locale, mais personne ne savait la lire. Rawlinson se persuada que, si seulement il pouvait déchiffrer l'écriture, cela permettrait aux autres savants comme à lui de lire les nombreux autres textes et inscriptions que l'on découvrait à l'époque à travers tout le Moyen-Orient, ouvrant la porte d'un monde antique oublié.

La première étape du déchiffrement des caractères consistait à produire une transcription exacte qu'on pourrait envoyer en Europe. Intrépide, Rawlinson escalada la falaise à-pic pour recopier les lettres étranges. Il recruta plusieurs habitants du coin pour l'aider, notamment un petit Kurde qui grimpa jusqu'aux parties les plus inaccessibles de la falaise afin de copier la partie supérieure de l'inscription. Le travail fut achevé en 1847, et une copie exacte fut acheminée en Europe.

Rawlinson ne se reposa pas sur ses lauriers. Officier, il avait des missions politiques et militaires à accomplir, mais chaque fois qu'il avait un moment de liberté il se penchait sur l'écriture secrète. Essayant une méthode après l'autre, il finit par déchiffrer la partie en vieux-persan. C'était le plus facile, parce que le vieux-persan n'était pas très différent du persan moderne, que Rawlinson connaissait bien. La compréhension de cette section lui donna la clé dont il avait besoin pour percer le secret des sections en élamite et en babylonien. La porte s'ouvrit, et en jaillit une multitude de voix anciennes mais vivantes : le brouhaha des bazars sumériens, les proclamations des potentats assyriens et les chamailleries des bureaucrates babyloniens. Sans les efforts des impérialistes européens modernes comme Rawlinson, nous ne saurions pas grand-chose du destin des empires antiques du Moyen-Orient.

*

William Jones est un autre exemple remarquable de savant impérialiste. Sir Jones arriva en Inde en septembre 1783 pour siéger en qualité de juge à la Cour suprême du Bengale. Il fut à ce point captivé par les merveilles de l'Inde que, moins de six mois après son arrivée, il avait fondé l'Asiatic Society. Cette société académique se proposait d'étudier les cultures, les histoires et les sociétés de l'Asie, en particulier celles de l'Inde. Deux ans plus tard, Jones publiait ses observations sur le sanskrit, faisant œuvre de pionnier de la linguistique comparée.

Dans ses publications, Jones insistait sur les étonnantes similitudes entre le sanskrit, langue indienne ancienne devenue langue sacrée du rituel hindou, et le grec et le latin, mais aussi les similitudes entre toutes ces langues et le gothique, le celtique, le vieux-persan, l'allemand, le français et l'anglais. Ainsi, mère (*mother*, en anglais) se dit *matar* en sanskrit, *mater* en latin et *mathir* en vieux celtique. Jones conjectura que toutes ces langues devaient partager une origine commune et qu'elles s'étaient développées à partir d'un ancêtre antique oublié. Il fut donc le premier à identifier ce qu'on devait appeler la famille des langues indo-européennes.

L'étude de Jones fut une étape importante : en raison de ses hypothèses hardies (et exactes), mais aussi de la méthodologie rigoureuse qu'il élabora pour comparer les langues. Adoptée par d'autres savants, elle leur permit d'étudier systématiquement l'évolution de toutes les langues du monde.

La linguistique suscita le soutien enthousiaste des empires. Les empires européens croyaient que, pour gouverner efficacement, ils devaient connaître les langues et les cultures de leurs sujets. Les officiers britanniques arrivant en Inde étaient censés passer jusqu'à trois ans dans un collège de Calcutta, où ils étudiaient le droit hindou et musulman en même temps que le droit anglais ; le sanskrit, l'ourdou, le persan en plus du grec et du latin ; ainsi que les cultures tamoul, bengali et hindoustani parallèlement aux mathématiques, à l'économie et à la géographie. L'étude de la linguistique fut d'une aide inestimable pour comprendre la structure et la grammaire des langues locales.

Grâce aux travaux d'hommes tels que William Jones et Henry Rawlinson, les conquérants européens connaissaient fort bien leurs empires. Bien mieux, en vérité, que les conquérants passés, voire que la population indigène elle-même. Leur connaissance supérieure avait des avantages pratiques évidents. Sans ce savoir, il est peu probable qu'un nombre ridiculement petit de Britanniques auraient réussi à gouverner, opprimer et exploiter deux siècles durant des centaines de millions d'Indiens. Tout au long des XIXe et XXe siècles, moins de 5 000 fonctionnaires, entre 40 000 et 70 000 soldats et peut-être 100 000 autres Britanniques – hommes d'affaires, parasites, femmes et enfants – suffirent à conquérir et à gouverner jusqu'à 300 millions d'Indiens[1].

---

1. Edward M. Spiers, *The Army and Society : 1815-1914*, Londres, Longman, 1980, p. 121 ; Robin Moore, « Imperial India, 1858-1914 », in Andrew Porter (dir.), *The Oxford History of the British Empire : The Nineteenth Century*, vol. 3, New York, Oxford University Press, 1999, p. 442.

Pourtant, ces avantages pratiques ne furent pas la seule raison qui poussa les empires à financer les études linguistiques, botaniques, géographiques et historiques. Non moins importante est la justification idéologique que la science apporta aux empires. Les Européens modernes finirent par croire que l'acquisition de nouvelles connaissances était toujours bonne. Le flux constant de nouvelles connaissances produites donnait aux empires des allures d'entreprises progressistes et positives. Aujourd'hui encore, l'histoire de sciences comme la géographie, l'archéologie et la botanique ne saurait éviter de créditer les empires européens, tout au moins indirectement. Les histoires de la botanique n'ont pas grand-chose à dire de la souffrance des aborigènes d'Australie, mais trouvent généralement des mots aimables pour James Cook et Joseph Banks.

De plus, le nouveau savoir accumulé par les empires permit, au moins en théorie, d'en faire profiter les populations conquises et de leur apporter les lumières du « progrès » : de leur assurer soins médicaux et éducation, de construire des voies ferrées et des canaux, de veiller à la justice et à la prospérité. Les impérialistes prétendirent que leurs empires n'étaient pas de vastes entreprises d'exploitation, mais des projets altruistes poursuivis pour le bien de races non européennes – suivant les mots de Rudyard Kipling, le « fardeau de l'homme blanc » :

Ô Blanc, reprends ton lourd fardeau :
Envoie au loin ta plus forte race,
Jette tes fils dans l'exil
Pour servir les besoins de tes captifs ;

Pour – lourdement équipé – veiller
Sur les races sauvages et agitées,
Sur vos peuples récemment conquis,
Mi-diables, mi-enfants.

Naturellement, les faits démentaient souvent ce mythe. En 1764, les Britanniques conquirent le Bengale, la province la plus riche de l'Inde. Les nouveaux maîtres ne pensaient guère à autre chose qu'à s'enrichir. Ils menèrent une politique économique désastreuse qui se solda quelques années plus tard par la grande famine du Bengale.

Elle commença en 1769 pour prendre des proportions catastrophiques en 1770 et se prolongea jusqu'en 1773. Elle coûta la vie à une dizaine de millions de Bengalis, soit un tiers de la population de la province[1].

En vérité, ni le récit de l'oppression et de l'exploitation ni celui du «fardeau de l'homme blanc» ne cadrent parfaitement avec les faits. Les empires européens firent tant de choses différentes sur une si grande échelle que l'on peut trouver quantité d'exemples pour prouver tout ce que l'on veut. Vous pensez que ces empires étaient des monstruosités qui apportèrent mort, oppression et injustices à travers le monde? Vous pourriez aisément remplir une encyclopédie de leurs crimes. Voulez-vous plaider qu'ils ont en fait amélioré les conditions de leurs sujets grâce à de nouveaux médicaments, de meilleures conditions économiques et plus de sécurité? Vous pourriez faire une autre encyclopédie de leurs réalisations. Du fait de leur étroite coopération avec la science, ces empires eurent tant de pouvoir et changèrent le monde sur une telle échelle qu'on ne saurait les qualifier simplement de blancs ou de noirs. Ils créèrent le monde tel que nous le connaissons, y compris les idéologies qui nous servent à les juger.

Mais la science servit aussi aux impérialistes à des fins plus sinistres. Biologistes, anthropologues et même linguistes fournirent des preuves de la supériorité des Européens sur toutes les autres races, légitimant ainsi leur droit – voire leur devoir – de les dominer. William Jones ayant soutenu que les langues indo-européennes descendaient toutes d'une seule langue ancienne, beaucoup de savants eurent hâte de découvrir qui étaient les locuteurs de cette langue. Ils observèrent que les tout premiers locuteurs du sanskrit, qui envahirent l'Inde depuis l'Asie centrale voici plus de 3 000 ans, s'appelaient *Arya*. Les locuteurs de la plus ancienne langue perse s'appelaient *Airiia*. Les savants européens conjecturèrent alors que le peuple parlant la langue primordiale qui donna naissance à la fois

---

1. Vinita Damodaran, «Famine in Bengal: A Comparison of the 1770 Famine in Bengal and the 1897 Famine in Chotanagpur», *The Medieval History Journal*, 10:1-2, 2007, p. 151.

au sanskrit et au persan (mais aussi au grec, au latin, au gothique et au celtique) devaient s'appeler les Aryens. Était-ce un hasard si ceux qui fondèrent les magnifiques civilisations indienne, persane, grecque et romaine étaient tous aryens ?

Des savants britanniques, français et allemands associèrent ensuite la théorie linguistique sur les industrieux aryens à la théorie darwinienne de la sélection naturelle pour postuler que les Aryens n'étaient pas simplement un groupe linguistique mais aussi une entité biologique : une race. Et pas n'importe laquelle : une race de seigneurs, d'hommes grands aux cheveux blonds et aux yeux bleus, travailleurs acharnés et super-rationnels, émergés des brumes du Nord pour jeter les fondements de la culture à travers le monde. Malheureusement, les Aryens qui envahirent l'Inde et la Perse se mêlèrent aux indigènes qu'ils trouvèrent sur place, perdant leur teint clair et leurs cheveux blonds en même temps que leur rationalité et leur diligence. Dès lors, les civilisations de l'Inde et de la Perse déclinèrent. En Europe, en revanche, les Aryens préservèrent leur pureté raciale. C'est pour cela que les Européens avaient réussi à conquérir le monde, et pourquoi ils étaient aptes à le dominer – sous réserve qu'ils prissent la précaution de ne pas frayer avec les races inférieures.

Éminentes et respectables de longues décennies durant, ces théories racistes sont devenus anathèmes dans les milieux scientifiques aussi bien que politiques. D'aucuns continuent à mener un combat héroïque contre le racisme sans remarquer que le front a changé. Le « culturalisme » a remplacé le « racisme ». Le mot est encore peu usité en ce sens, mais il est temps de l'imposer. Parmi les élites actuelles, les affirmations sur les mérites contrastés des divers groupes humains sont presque toujours formulées en termes de différences historiques entre cultures plutôt que de différences biologiques entre les races. Nous ne disons plus, « c'est dans leur sang », mais « c'est dans leur culture ».

Les partis européens de droite hostiles à l'immigration musulmane prennent habituellement soin d'éviter la terminologie raciale. Marine le Pen n'aurait pas manqué de flanquer ses conseillers à la porte s'ils avaient suggéré au leader du Front national de tenir ce

langage à la télévision : « Nous ne voulons pas de ces Sémites inférieurs qui viennent diluer notre sang aryen et gâter notre civilisation aryenne. » Le Front national, le Parti de la liberté en Hollande,
l'Alliance pour le futur de l'Autriche et leurs pareils préfèrent soutenir que la culture occidentale, telle qu'elle a évolué en Europe,
se caractérise par les valeurs démocratiques, la tolérance et l'égalité des sexes, tandis que la culture islamique, telle qu'elle a évolué
au Moyen-Orient, se caractérise par la hiérarchie politique, le fanatisme et la misogynie. Puisque les deux cultures sont si différentes,
et que beaucoup d'immigrés musulmans ne veulent pas (et, peut-
être, ne peuvent pas) adopter les valeurs occidentales, il ne faut pas
les laisser entrer, de peur qu'ils ne fomentent des conflits intérieurs
et corrodent la démocratie et le libéralisme européens.

Ces arguments culturalistes se nourrissent d'études menées dans
le champ des sciences humaines et sociales, qui mettent en évidence le prétendu choc des civilisations et les différences fondamentales entre cultures. Tous les historiens et anthropologues n'acceptent pas ces théories ni n'approuvent leurs usages politiques.
Mais alors que les biologistes, aujourd'hui, n'ont aucun mal à désavouer le racisme, expliquant simplement que les différences biologiques entre les populations humaines actuelles sont insignifiantes,
il est plus difficile aux historiens et anthropologues de désavouer
ce « culturalisme ». Après tout, si les différences entre cultures
humaines sont insignifiantes, pourquoi payer des historiens ou des
anthropologues à les étudier ?

*

Les chercheurs ont fourni au projet impérial connaissances
pratiques, justification idéologique et gadgets techniques. Sans
cette contribution, il est très douteux que les Européens auraient
pu conquérir le monde. Les conquérants les ont payés de retour
en fournissant aux scientifiques information et protection, en soutenant toutes sortes de projets étranges et fascinants et en propageant les formes de pensée scientifiques jusque dans les coins les
plus reculés de la Terre. Sans ce soutien impérial, il est douteux que
la science moderne aurait pu progresser très loin. Il est fort peu de

disciplines scientifiques qui n'aient pas commencé par servir l'essor impérial et qui ne doivent une large proportion de leurs découvertes, de leurs collections, de leurs bâtiments et de leurs fonds à l'aide généreuse d'officiers, de capitaines de la marine et de gouverneurs impériaux.

À l'évidence, ce n'est pas toute l'histoire. La science a été soutenue par d'autres institutions – pas uniquement par les empires. Et les empires européens se sont développés et ont fleuri aussi grâce à d'autres facteurs que la science. Derrière l'essor météorique de la science et de l'empire se cache une force particulièrement importante : le capitalisme. Sans les hommes d'affaires avides de faire de l'argent, Christophe Colomb n'aurait pu atteindre l'Amérique ni James Cook l'Australie, et Neil Armstrong n'aurait jamais pu faire son fameux petit pas sur la surface de la Lune.

16.

Le credo capitaliste

L'argent a été essentiel pour bâtir des empires et promouvoir la science. Mais l'argent est-il le but ultime de ces entreprises, ou peut-être juste une dangereuse nécessité ?

Il n'est pas facile de saisir le véritable rôle de l'économie dans l'histoire moderne. Des volumes entiers ont été écrits sur la manière dont l'argent a créé des États et les a ruinés, ouvert des horizons nouveaux et asservi des millions de gens, fait tourner les rouages de l'industrie et condamné des centaines d'espèces à l'extinction. Pourtant, si l'on veut comprendre l'histoire économique moderne, il n'y a en vérité qu'un seul mot à comprendre. Et ce mot, c'est « croissance ». Pour le meilleur ou pour le pire, malade ou en bonne santé, l'économie moderne a crû tel un adolescent gavé d'hormones. Elle avale tout ce qu'elle trouve et pousse sans même qu'on s'en rende compte.

Pendant la majeure partie de l'histoire, l'économie a gardé largement la même taille. Certes, la production mondiale s'est accrue, mais cette croissance fut essentiellement l'effet de l'expansion démographique et de la colonisation de terres nouvelles. Tout cela changea cependant à l'époque moderne. En 1500, la production mondiale de biens et de services se situait autour de 250 milliards de dollars ; aujourd'hui, elle tourne autour de 60 billions de dollars. Qui plus est, en 1500, la production annuelle moyenne par tête était de 550 dollars, alors qu'aujourd'hui chaque homme, chaque femme et chaque enfant produit en moyenne 8 800 dollars par an[1]. Comment expliquer cette prodigieuse croissance ?

L'économie est un sujet notoirement compliqué. Pour faciliter les choses, prenons un exemple simple.

Sam Cupide, financier malin, fonde une banque à El Dorado, en Californie.

A. Pierre, entrepreneur d'El Dorado qui monte, achève son premier gros chantier pour lequel il reçoit un million de dollars en espèces. Il dépose cette somme à la banque de M. Cupide. La banque détient maintenant un capital d'un million de dollars.

Dans le même temps, Jane Bonnepâte, chef cuisinière expérimentée mais impécunieuse à El Dorado, pense voir une opportunité de faire des affaires : la ville manque d'une boulangerie digne de ce nom. Mais elle n'a pas assez d'argent pour acheter une affaire bien équipée avec des fours industriels, des éviers, des couteaux et des casseroles. Elle va à la banque, soumet son projet à Cupide et le persuade que le placement en vaut la peine. Il lui accorde un prêt d'un million de dollars, créditant son compte en banque de cette somme.

Bonnepâte fait alors appel aux services de Pierre, chargeant l'entrepreneur de construire et d'équiper la boulangerie. Il lui demande un million de dollars.

Quand elle le paie, avec un chèque tiré sur son compte, Pierre le dépose sur son compte à la banque Cupide. Combien d'argent Pierre a-t-il alors sur son compte en banque ? Exactement 2 millions de dollars.

Mais combien d'argent, d'espèces, se trouve exactement dans le coffre de la banque ? Un million de dollars.

Ça ne s'arrête pas là. Après deux mois de chantier – c'est une habitude chez les entrepreneurs –, Pierre fait savoir à Bonnepâte qu'en raison de problèmes et de frais imprévus, la facture de la construction de la boulangerie s'élèvera en fait à deux millions de

---

1. Maddison, *World Economy*, vol. 1, p. 261, 264 ; « Gross National Income Per Capita 2009, Atlas Method and PPP », Banque Mondiale, accès le 10 décembre 2010, http://siteresources.worldbank.org/DATASTATISTICS/Resources/GNIPC.pdf.

dollars. Mme Bonnepâte est mécontente, mais elle ne peut guère arrêter le chantier en plein milieu. Elle se rend donc de nouveau à la banque et convainc M. Cupide de lui accorder un prêt supplémentaire : il dépose sur son compte encore un million de dollars, qu'elle vire sur le compte de l'entrepreneur.

Combien d'argent Pierre a-t-il alors sur son compte en banque ? Trois millions de dollars.

Mais combien d'argent se trouve réellement à la banque ? Toujours un million de dollars. En fait, le même million de dollars qui est à la banque depuis le début.

La loi bancaire actuelle, aux États-Unis, permet à la banque de répéter cet exercice encore sept fois. L'entrepreneur finirait par avoir dix millions de dollars sur son compte alors même que la banque n'a toujours qu'un million dans ses coffres. Les banques sont autorisées à prêter dix dollars pour chaque dollar qu'elles possèdent réellement, ce qui veut dire que 90 % des sommes déposées sur nos comptes en banque ne sont pas couvertes par des pièces de monnaie ou des billets de banque[1]. Si tous les titulaires de compte à la Barclays Bank exigent soudain leur argent, c'est la faillite assurée de la banque (à moins que les pouvoirs publics n'interviennent pour la sauver). Il en va de même pour Lloyds, Deutsche Bank, Citibank et toutes les autres banques du monde.

Ça vous a tout l'air d'une pyramide de Ponzi, n'est-ce pas ? Mais si c'est un montage frauduleux, alors toute l'économie moderne n'est qu'une fraude. Le fait est que ce n'est pas une duperie, mais plutôt un hommage aux ressources stupéfiantes de l'imagination des hommes. C'est notre confiance dans le futur qui permet aux banques – et à toute l'économie – de survivre et de prospérer. Cette confiance est l'unique support de la majeure partie de l'argent dans le monde.

---

1. Les mathématiques de mon exemple de boulangerie ne sont pas aussi exactes qu'elles pourraient l'être. Les banques étant autorisées à prêter dix dollars pour chaque dollar en leur possession, pour chaque million de dollars déposé à la banque, notre banque ne peut prêter à l'entrepreneur qu'autour de 909 000 dollars tout en conservant 91 000 dollars dans ses coffres. Pour faciliter les choses aux lecteurs, j'ai préféré arrondir les chiffres. De plus, les banques ne suivent pas toujours les règles.

Dans l'exemple de la boulangerie, l'écart entre le relevé de compte de l'entrepreneur et la somme effectivement à la banque correspond à la boulangerie de Bonnepâte. M. Cupide a placé l'argent de la banque dans cet actif, certain qu'il finirait par être profitable. La boulangerie n'a pas encore cuit une seule miche de pain, mais Bonnepâte et Cupide anticipent que, d'ici à un an, elle vendra chaque jour des milliers de pains, de viennoiseries, de gâteaux et de cookies avec un joli profit. Mme Bonnepâte pourra alors rembourser son prêt, avec les intérêts. Si M. Pierre décide de retirer ses économies, Cupide sera en mesure de lui verser des espèces. Toute l'entreprise est donc fondée sur la confiance en un avenir imaginaire : la confiance de l'entrepreneur et du banquier dans la boulangerie de leurs rêves, mais aussi celle de l'entrepreneur dans la solvabilité future de la banque.

Nous avons déjà vu que la monnaie est une chose stupéfiante parce qu'elle peut représenter une multitude d'objets différents et convertir tout en presque tout. Avant l'ère moderne, cependant, cette capacité était limitée. Dans la plupart des cas, l'argent ne pouvait représenter et convertir que des choses qui existaient réellement dans le présent. La croissance s'en trouvait de ce fait sévèrement limitée, puisqu'il devenait très difficile de financer les nouvelles entreprises.

Reprenons l'exemple de notre boulangerie. Bonnepâte pourrait-elle la faire construire si la monnaie ne pouvait représenter que des objets tangibles ? Non. Pour l'instant, elle n'a que des rêves, aucune ressource tangible. La seule manière pour elle de la faire construire serait de dénicher une entreprise prête à travailler aujourd'hui et à être réglée quelques années plus tard, quand la boulangerie commencerait à gagner de l'argent. Hélas, les entrepreneurs de ce genre sont une espèce rare. Tel est le dilemme de notre boulangère : sans boulangerie, pas de gâteaux. Sans gâteaux, pas d'argent. Sans argent, impossible de solliciter une entreprise. Et sans entrepreneur, pas de boulangerie.

Le dilemme de la boulangère

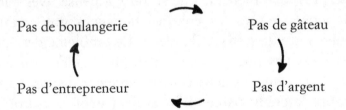

Pas de boulangerie

Pas de gâteau

Pas d'entrepreneur

Pas d'argent

L'humanité est demeurée piégée par ce dilemme des milliers d'années durant. De ce fait, l'économie est restée figée. L'issue n'a été découverte que dans les Temps modernes, avec l'apparition d'un nouveau système fondé sur la confiance dans l'avenir. Les hommes consentirent alors à représenter des biens imaginaires – des biens qui n'existent pas à l'heure actuelle – par une forme de monnaie spéciale qu'ils nommèrent « crédit ». Le crédit nous permet de construire le présent aux dépens du futur. Il repose sur le postulat que nos ressources futures seront à coup sûr bien plus abondantes que nos ressources présentes. Si nous pouvons utiliser des revenus futurs pour construire des choses à présent, de nouvelles opportunités merveilleuses s'ouvrent à nous.

Le cercle magique de l'économie moderne

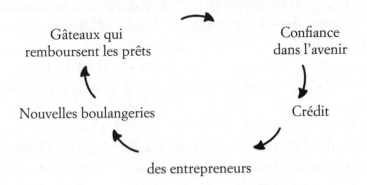

Gâteaux qui remboursent les prêts

Confiance dans l'avenir

Nouvelles boulangeries

Crédit

des entrepreneurs

*

Si le crédit est une chose aussi merveilleuse, pourquoi personne n'y a pensé plus tôt? Bien sûr que si, on y a pensé. Dès l'antique Sumer, au moins, toutes les cultures humaines ont connu une forme ou une autre de système de crédit. Le problème des époques antérieures n'est pas que personne n'en ait eu l'idée ou n'ait su s'en servir. Il était que les gens étaient rarement disposés à accorder beaucoup de crédit parce qu'ils avaient peine à croire que le futur vaudrait mieux que le présent. Ils croyaient généralement que le passé était meilleur que leur propre époque, et que l'avenir serait pire, ou au mieux largement pareil. En termes économiques, ils pensaient que la quantité de richesse totale était limitée, si elle ne s'amenuisait pas. Ils estimaient donc que c'était un mauvais pari que de supposer qu'eux-mêmes, leur royaume ou le monde entier produiraient plus de richesse dans dix ans. Les affaires ressemblaient à un jeu à somme nulle. Certes, les profits de telle ou telle boulangerie pouvaient augmenter, mais cela ne se faisait qu'au détriment de la boulangerie voisine. Venise pouvait prospérer, mais uniquement en appauvrissant Gênes. Le roi d'Angleterre pouvait s'enrichir, mais à la seule condition de voler le roi de France. Il y avait de multiples façons de découper le gâteau, mais il n'était jamais plus gros.

C'est précisément ce qui amena de nombreuses cultures à conclure qu'amasser de gros pécules était un péché: «Il est plus facile à un chameau de passer par un trou d'aiguille, dit Jésus, qu'à un riche d'entrer dans le Royaume de Dieu» (Matthieu 19,24). Si le gâteau est statique, et si j'en ai une grosse part, c'est que j'ai dû prendre la tranche d'un autre. Les riches devaient se repentir de leurs méfaits en consacrant une partie de leur excédent de richesses à la charité.

Si le gâteau total restait de la même taille, il n'y avait aucune marge de crédit. Le crédit, c'est la différence entre le gâteau d'aujourd'hui et celui de demain. S'il reste le même, pourquoi accorder du crédit? Ce serait prendre un risque inacceptable, sauf à croire que le boulanger ou le roi qui vous demande de l'argent pourra en voler une tranche à un concurrent. Aussi était-il difficile d'obtenir un prêt dans le monde prémoderne, et quand vous en obteniez un, il était généralement *modique, à court terme et assorti de taux d'intérêt élevés.* Les entrepreneurs en herbe avaient donc du mal à ouvrir de nouvelles boulangeries, et les grands rois qui voulaient construire des palais ou mener des guerres n'avaient d'autre choix que de lever les fonds nécessaires par des impôts et tarifs douaniers élevés. C'était fort bien pour les rois (tant que leurs sujets restaient dociles), mais une fille de cuisine qui avait une grande idée de boulangerie et voulait s'élever dans le monde en était généralement réduite à rêver de la richesse en récurant le sol des cuisines royales.

C'était perdant-perdant. Le crédit étant limité, les gens avaient du mal à financer de nouvelles entreprises. Celles-ci étant rares, l'économie ne croissait pas. Faute de croissance, les gens supposaient qu'il n'y en aurait jamais, et ceux qui avaient du capital hésitaient à faire crédit. La prévision de stagnation se réalisait d'elle-même.

UN GÂTEAU CROISSANT

Puis survint la Révolution scientifique, avec la notion de progrès. Cette notion repose sur l'idée que, pour peu que nous reconnaissions notre ignorance et investissions des ressources dans la recherche, les choses peuvent s'améliorer. Cette idée allait bientôt trouver une traduction économique. Croire au progrès, c'est croire que les découvertes géographiques, les inventions techniques et les développements organisationnels peuvent accroître la somme totale de la production humaine, du commerce et de la richesse. De nouvelles routes commerciales pouvaient prospérer sans ruiner les routes anciennes de l'océan Indien. On pouvait produire de nouvelles marchandises sans réduire la production des anciennes. Par exemple, on pouvait ouvrir une nouvelle boulangerie spécialisée dans les gâteaux au chocolat et les croissants sans que les boulangeries spécialisées dans le pain n'aillent dans le mur. De nouveaux goûts pouvaient se former, et les gens manger plus. Je peux m'enrichir sans que vous deveniez pauvre. Je puis être obèse sans que vous mouriez de faim. La taille du gâteau peut augmenter.

Au cours des cinq derniers siècles, l'idée de progrès a convaincu les hommes d'avoir toujours plus confiance dans l'avenir. Cette confiance a créé le crédit, et le crédit s'est soldé par une réelle croissance économique, laquelle a renforcé à son tour la confiance dans le futur et ouvert la voie à encore plus de crédit. Cela n'est pas arrivé du jour au lendemain : le comportement de l'économie ressemble moins à la trajectoire d'un ballon qu'à des montagnes russes. À long terme, cependant, les bosses égalisées, la direction générale ne faisait pas l'ombre d'un doute. De nos jours, le crédit est si abondant que les États, les entreprises et les particuliers n'ont aucun mal à obtenir des *prêts importants, à long terme et à faibles taux d'intérêt* qui dépassent de beaucoup leur revenu actuel.

Histoire économique du monde en résumé

Économie prémoderne

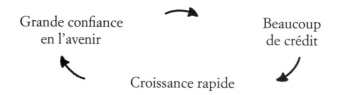

Peu de confiance en l'avenir — Peu de crédit — Croissance lente

Économie moderne

Grande confiance en l'avenir — Beaucoup de crédit — Croissance rapide

La croyance à la croissance du gâteau global se révéla finalement révolutionnaire. En 1776, l'économiste écossais Adam Smith publia *La Richesse des nations*, qui est probablement le manifeste économique le plus important de tous les temps. Au chapitre 8 de son premier volume, Smith avance un argument inédit. Quand un propriétaire terrien, un tisserand ou un cordonnier réalise plus de profits qu'il n'en a besoin pour entretenir sa famille, il utilise le surplus pour employer des collaborateurs et augmenter encore ses profits. Plus il fait de profits, plus il peut employer d'aides. Il s'ensuit que l'augmentation des profits des entrepreneurs privés est la base d'une croissance de la richesse et de la prospérité collectives.

Si cela ne vous frappe pas par son originalité, c'est que nous vivons tous dans un monde capitaliste qui tient le raisonnement de Smith pour acquis. Nous entendons des variations sur ce thème à longueur de journée aux actualités. Pourtant, l'idée de Smith selon laquelle la pulsion égoïste qui pousse l'homme à accroître ses profits est la base de la richesse collective est l'une des idées les plus révolutionnaires de l'histoire humaine : révolutionnaire non pas simplement dans une perspective économique, mais plus encore dans une perspective morale et politique. Ce que dit Smith, au fond, c'est qu'il est bien d'être cupide et qu'en m'enrichissant je profite à tout le monde, pas simplement à moi. *L'égoïsme est altruiste.*

Smith a appris à penser l'économie comme une situation « gagnant-gagnant », où mes profits sont aussi les vôtres. Non seulement nous pouvons avoir tous les deux en même temps une plus grosse part de gâteau, mais l'augmentation de votre part dépend de l'augmentation de la mienne. Si je suis pauvre, vous aussi serez pauvre parce que je ne peux pas acheter vos biens et vos services. Si je suis riche, vous aussi vous enrichirez parce que vous allez pouvoir me vendre quelque chose. Smith nia la contradiction traditionnelle entre richesse et morale et ouvrit aux riches les portes du Ciel. Être riche, c'était être moral. Dans la version de Smith, on s'enrichit non pas en dépouillant ses voisins, mais en augmentant la taille générale du gâteau. Et quand celui-ci augmente, tout le monde en profite. Les riches sont en conséquence les membres les plus utiles et les plus bienfaisants de la société, parce qu'ils font tourner les roues de la croissance à l'avantage de tous.

Encore faut-il que les riches utilisent leurs profits pour ouvrir de nouvelles usines et recruter de nouveaux employés plutôt que de les gaspiller en activités non productives. Aussi Adam Smith devait-il répéter comme un mantra cette maxime : « Si ses profits augmentent, le propriétaire foncier ou le tisserand embauchera des aides », et non, « Si ses profits augmentent Harpagon fourrera son argent dans sa cassette et ne l'en sortira que pour compter ses pièces ». Un élément crucial de l'économie capitaliste moderne a été l'émergence d'une nouvelle éthique, suivant laquelle les profits doivent être réinvestis dans la production. Celle-ci procure encore des profits, et ainsi de suite, *ad infinitum.* L'investissement peut prendre des formes diverses : agrandir l'usine, mener des recherches scientifiques, mettre au point de nouveaux produits. Mais tous ces investissements doivent d'une manière ou d'une autre accroître la production et se traduire par de plus gros profits. Dans le nouveau credo capitaliste, tel est le premier commandement, le plus sacré : « Tu réinvestiras les profits de la production pour augmenter la production. »

C'est pour cela que le capitalisme s'appelle le « capitalisme ». Le capitalisme distingue le « capital » de la simple « richesse ». Le capital, c'est l'argent, les biens et les ressources investis dans la production. La richesse, à l'opposé, est enfouie dans le sol ou dilapidée en activités improductives. Un pharaon qui consacre ses ressources à une pyramide improductive n'est pas un capitaliste. Un pirate qui pille la flotte espagnole et enfouit un coffre plein de pièces rutilantes dans le sable d'une plage d'une île des Caraïbes n'est pas un capitaliste. L'ouvrier d'usine qui trime et place une partie de son revenu à la bourse en est un.

Économie prémoderne

Profits

Production

Économie moderne

Profits   Production

L'idée que les « profits de la production doivent être réinvestis dans l'accroissement de la production » paraît triviale. Elle n'en fut pas moins étrangère à la plupart tout au long de l'histoire. Dans les temps prémodernes, les gens croyaient que la production était plus ou moins constante. En ce cas, à quoi bon réinvestir ses profits si cela ne fait guère augmenter la production, quoi qu'on fasse ? Aussi les nobles du Moyen Âge épousaient-ils une éthique de la générosité et de la consommation ostentatoire. Ils dépensaient leur fortune en tournois, banquets, palais et guerres, mais aussi en œuvres de charité et en cathédrales monumentales. Peu essayaient de réinvestir leurs profits en accroissant la production de leurs manoirs, en développant de meilleures espèces de blé ou en se mettant en quête de nouveaux marchés.

Dans les Temps modernes, la noblesse a laissé la place à une nouvelle élite de vrais croyants au credo capitaliste. Cette nouvelle élite capitaliste se compose non pas de ducs et de marquises, mais de présidents de conseils d'administration, de courtiers en bourse et d'industriels. Ces magnats sont bien plus riches que la noblesse du Moyen Âge, mais bien moins intéressés par la consommation extravagante, et ils consacrent une partie bien moindre de leurs profits en activités non productives.

Les nobles du Moyen Âge portaient des robes colorées d'or et de soie, et consacraient une bonne partie de leur temps en ripailles, aux carnavals et aux tournois de prestige. En comparaison, les PDG modernes portent de sinistres uniformes – qu'on appelle « costumes » – qui leur donnent des allures de horde de corbeaux, tandis qu'ils manquent de temps pour les festivités. Le capitaliste à risque typique court d'un rendez-vous d'affaires à l'autre, essayant de repérer où investir ses fonds tout en suivant les hauts et les bas des actions et obligations qu'il possède. Certes, il peut s'habiller chez Versace et voyager en jet privé, mais ces frais ne sont rien en comparaison de ce qu'il investit pour accroître la production.

Les grosses légumes habillées par Versace ne sont pas les seules à investir pour accroître la productivité. Les gens ordinaires et les organismes officiels se livrent au même genre de réflexion. Combien de conversations de table, dans des quartiers modestes, s'enlisent tôt ou tard en un débat interminable pour savoir s'il vaut mieux placer ses économies en actions, en obligations ou dans l'immobilier ? L'État s'efforce lui aussi d'investir les recettes fiscales en entreprises productives qui augmenteront les revenus futurs. Par exemple, la construction d'un nouveau port pourrait aider les usines à exporter leurs produits, leur permettant de dégager davantage de chiffre d'affaires et laissant ainsi espérer aux pouvoirs publics une augmentation des recettes fiscales. Un autre gouvernement préférera investir dans l'éducation, sous prétexte que les gens instruits sont la base des industries lucratives de haute technologie, lesquelles font rentrer beaucoup d'argent dans les caisses de l'État sans nécessiter des installations portuaires onéreuses.

*

Le capitalisme fut d'abord une théorie du fonctionnement de l'économie. Cette théorie était à la fois descriptive et prescriptive : elle expliquait les mécanismes monétaires et encourageait l'idée que réinvestir les profits dans la production est la source d'une croissance rapide. Peu à peu, cependant, le capitalisme devint bien plus qu'une simple doctrine économique : il comprend désormais une éthique, un ensemble de doctrines sur la façon dont les individus doivent se conduire, éduquer leurs enfants et même penser. Son principal dogme est que la croissance économique est le bien suprême, parce que tout le reste en dépend : la justice, la liberté et même le bonheur. Demandez à un capitaliste comment apporter la justice et la liberté politique à un pays comme le Zimbabwe ou l'Afghanistan. Probablement aurez-vous droit à une leçon vous expliquant combien l'abondance économique et une classe moyenne prospère sont essentielles à des institutions démocratiques stables ou soulignant la nécessité d'inculquer aux tribus afghanes les valeurs de la libre entreprise, de l'épargne et de l'autonomie.

Cette nouvelle religion a également eu une influence décisive sur le cours de la science moderne. Le financement de la recherche scientifique est généralement assuré par l'État ou les entreprises privées. Quand des États et des sociétés capitalistes envisagent

d'investir dans un projet scientifique donné, la première question est habituellement : « Ce projet va-t-il nous permettre d'accroître la production et les profits ? Va-t-il susciter la croissance
économique ? » Faute de franchir ces obstacles, un projet a peu
de chances de trouver un sponsor. Aucune histoire de la science
moderne ne peut faire l'impasse sur le capitalisme.

Inversement, l'histoire du capitalisme est inintelligible si l'on
ne tient pas compte de la science. La croyance du capitalisme en
une croissance économique perpétuelle va contre tout ce que
nous savons ou presque de l'univers. Ce serait pure folie pour une
société de loups que de croire que l'offre de moutons ne cessera de
croître. L'économie humaine n'en a pas moins réussi à continuer
de croître tout au long de l'ère moderne, pour la simple raison que
les hommes de science ont enchaîné les découvertes et les gadgets :
continent américain, moteur à combustion interne ou moutons
génétiquement modifiés. Banques et pouvoirs publics impriment la
monnaie, mais, au bout du compte, ce sont les hommes de science
qui casquent.

Au cours des toutes dernières années, banques et États ont fré-
nétiquement fait tourner la planche à billets. Tout le monde est
terrifié à l'idée que la crise économique actuelle puisse arrêter la
croissance. Aussi créent-ils de toutes pièces des billions de dollars,
d'euros et de yens, injectant dans le système du crédit bon marché,
tout en espérant qu'hommes de sciences, techniciens et ingénieurs
parviendront à trouver quelque chose de vraiment géant avant que
la bulle n'explose. Tout dépend des gens dans les labos. De nouvelles découvertes dans le domaine de la biotechnologie ou des
nanotechnologies pourraient créer des industries entièrement nouvelles, dont les profits pourraient soutenir les billions de monnaie
factice que les banques et les États factices ont créée depuis 2008.
Si les labos ne répondent pas à ces attentes avant que la bulle n'explose, nous allons au-devant de temps très rudes.

CHRISTOPHE COLOMB À LA RECHERCHE D'UN INVESTISSEUR

Le capitalisme a joué un rôle décisif dans l'essor de la science moderne, mais aussi dans l'émergence de l'impérialisme européen. Et c'est avant tout celui-ci qui a créé le système de crédit capitaliste. Certes, le crédit n'est pas une invention de l'Europe moderne. Il a existé dans presque toutes les sociétés agricoles et, au début des Temps modernes, l'émergence du capitalisme européen a été étroitement liée aux développements économiques en Asie. Ne perdons pas de vue non plus que jusqu'à la fin du XVIIIᵉ siècle, l'Asie a été la dynamo économique du monde : les Européens disposaient de bien moins de capitaux que les Chinois, les musulmans ou les Indiens.

Dans les systèmes sociopolitiques de la Chine, de l'Inde et du monde musulman, le crédit ne jouait qu'un rôle secondaire. Sur les marchés d'Istanbul, d'Ispahan, de Delhi et de Pékin, marchands et banquiers pensaient sans doute dans un esprit capitaliste, mais les rois et généraux des palais et des forts étaient enclins à mépriser les marchands et la pensée mercantile. La plupart des empires non européens de l'aube des Temps modernes furent l'œuvre de grands conquérants comme Nurhachi et Nader Shah, ou d'élites bureaucratiques et militaires comme dans les empires Qing et ottoman. Finançant la guerre par l'impôt et le pillage (sans s'embarrasser de subtiles distinctions entre les deux), ils ne devaient pas grand-chose aux systèmes de crédit et se souciaient encore moins des intérêts des banquiers ou des investisseurs.

En Europe, en revanche, rois et généraux adoptèrent progressivement la façon de penser mercantile, jusqu'à ce que marchands et banquiers deviennent l'élite dirigeante. La conquête européenne du monde fut de plus en plus financée par le crédit, plutôt que par l'impôt, et toujours plus dirigée par les capitalistes dont la grande ambition était d'avoir un maximum de retour sur investissement. Les empires des banquiers et des marchands en redingote et haut-de-forme triomphèrent des empires bâtis par des rois et des nobles en habits dorés et armure étincelante. Les empires mercantiles se montrèrent simplement bien plus habiles à financer leurs conquêtes. Personne ne veut payer des impôts, mais tout le monde investit volontiers.

En 1484, Christophe Colomb approcha le roi du Portugal, lui proposant de financer une flotte qui ferait voile vers l'Ouest et trouverait une nouvelle route commerciale vers l'Est asiatique. Ces explorations étaient une affaire très risquée et coûteuse. Il fallait beaucoup d'argent pour construire des navires, acheter des provisions, payer marins et soldats, et rien ne garantissait la rentabilité de l'investissement. Le roi du Portugal déclina la proposition.

Tel un patron de start-up aujourd'hui, Colomb ne baissa pas les bras. Il fit valoir son idée auprès d'autres investisseurs potentiels en Italie, en France, en Angleterre et de nouveau au Portugal. Chaque fois, il essuya un refus. Il tenta alors sa chance auprès de Ferdinand et Isabelle, les souverains de l'Espagne unie depuis peu. S'entourant de lobbyistes aguerris, il parvint à convaincre la reine Isabelle d'investir. Chaque écolier le sait : la reine Isabelle remporta le jackpot. Les découvertes de Colomb permirent aux Espagnols de conquérir l'Amérique, où ils exploitèrent des mines d'or et d'argent mais aussi des plantations de canne à sucre et de tabac qui enrichirent les rois, les banquiers et les marchands espagnols au-delà de leurs rêves les plus fous.

Cent ans plus tard, princes et banquiers accordaient bien plus volontiers du crédit aux successeurs de Christophe Colomb. Grâce aux trésors moissonnés en Amérique, ils avaient plus de capitaux à leur disposition. Non moins important était le fait que princes et banquiers eussent bien plus confiance dans le potentiel de l'exploration et fussent plus disposés à céder leur argent. Tel était le cercle magique du capitalisme impérial : crédit finançant les découvertes, découvertes menant aux colonies, colonies rapportant des profits, profits alimentant la confiance, et confiance se traduisant en davantage de crédit. Nurhachi et Nader Shah se retrouvèrent à court de carburant après quelques milliers de kilomètres. De conquête en conquête, la dynamique financière des entrepreneurs capitalistes ne cessa de prendre de l'élan.

Ces expéditions n'en demeuraient pas moins des affaires de chance, en sorte que les marchés restaient très prudents. Beaucoup d'expéditions revenaient en Europe les mains vides, sans avoir rien trouvé de valeur. Les Anglais, par exemple, perdirent beaucoup de capitaux en vaines tentatives pour découvrir un passage du Nord-Ouest vers l'Asie en passant par l'Arctique. Beaucoup d'autres expéditions ne devaient jamais revenir. Des navires heurtèrent des icebergs ou sombrèrent dans des tempêtes tropicales quand ils ne furent pas victimes de pirates. Afin d'accroître le nombre d'investisseurs potentiels et de réduire les risques encourus, les Européens se tournèrent vers des sociétés anonymes à responsabilité limitée. Au lieu qu'un seul investisseur mise tout son argent sur une seule vieille guimbarde, la société par actions recueillait des fonds auprès d'un grand nombre d'investisseurs, chacun ne risquant qu'une petite portion de son capital. Les risques étant ainsi réduits, plus rien ne limitait les profits. Même un modeste investissement dans le bon navire pouvait faire de vous un millionnaire.

Décennie après décennie, l'Europe occidentale vit se développer un système financier sophistiqué capable de réunir des fonds importants à bref délai pour les mettre à la disposition des entreprises privées et des pouvoirs publics. Ce système pouvait financer explorations et conquêtes bien plus efficacement que n'importe quel royaume ou empire. On trouve un aperçu de la toute nouvelle puissance du crédit dans le combat acharné opposant l'Espagne aux Pays-Bas. Au XVIe siècle, l'Espagne était l'État le plus puissant d'Europe, dominant un vaste empire mondial. Elle gouvernait une bonne partie de l'Europe, d'énormes morceaux de l'Amérique du Nord et du Sud, les Philippines et tout un chapelet de bases le long des côtes d'Afrique et d'Asie. Chaque année, des flottes chargées de trésors américains et asiatiques regagnaient les ports de Séville et de Cadix. Les Pays-Bas n'étaient qu'un petit marais venteux, dépourvu de ressources naturelles, un petit coin des dominions du roi d'Espagne.

En 1568, les Hollandais, majoritairement protestants, se révoltèrent contre leur suzerain catholique espagnol. Au début, les rebelles ressemblaient à des don Quichotte bataillant contre d'invincibles moulins à vent. Quatre-vingts ans plus tard, cependant, les Hollandais avaient non seulement arraché leur indépendance à l'Espagne, mais aussi évincé les Espagnols et leurs alliés portugais pour devenir les maîtres des grands-routes océaniques et bâtir un empire mondial qui fit d'eux l'État le plus riche d'Europe.

Le secret de la réussite hollandaise fut le crédit. Les bourgeois hollandais, qui n'avaient guère le goût du combat sur terre, recrutèrent des armées de mercenaires appelés à combattre les Espagnols pour leur compte. Pendant ce temps, eux-mêmes prenaient la mer avec une flotte toujours plus importante. Si les armées de mercenaires et les flottes équipées de canons coûtaient une fortune, les Hollandais avaient plus de facilités à financer leurs expéditions militaires que le puissant empire espagnol, parce qu'ils avaient la confiance du système financier européen en plein essor quand le roi espagnol ne cessait de la compromettre par négligence. Les financiers accordèrent suffisamment de crédit aux Hollandais pour qu'ils puissent monter des armées et des flottes, qui leur permirent de dominer les routes commerciales à travers le monde et leur assurèrent ainsi de confortables profits. Ces profits leur permirent de rembourser leurs emprunts, renforçant ainsi la confiance des financiers. Amsterdam devenait à vue d'œil l'un des ports d'Europe les plus importants, mais aussi La Mecque financière du continent.

*

Comment les Hollandais gagnèrent-ils la confiance du système financier ? Primo, ils veillèrent à rembourser les emprunts dans les délais et intégralement, rendant le crédit moins risqué pour les prêteurs. Secundo, le système judiciaire de leur pays était indépendant et protégeait les droits des particuliers : notamment, les droits attachés à la propriété privée. Les capitaux s'éloignent des dictatures qui ne défendent pas les particuliers et leurs biens pour affluer dans les pays qui défendent l'état de droit et la propriété privée.

Imaginez-vous en fils d'une solide famille de financiers allemands. Votre père voit une occasion de développer ses affaires en ouvrant des succursales dans les grandes villes européennes. Il vous envoie à Amsterdam et dépêche votre frère cadet à Madrid, vous donnant à chacun 10 000 pièces d'or à investir. Votre frère prête son capital initial à intérêt au roi d'Espagne, qui en a besoin pour lever une armée afin de combattre le roi de France. Vous décidez de prêter le vôtre à un marchand qui souhaite investir dans la brousse, à la pointe sud d'une île désolée qu'on appelle Manhattan, certain que l'immobilier va monter en flèche tandis que l'Hudson se transformera en grande artère commerciale. Les deux prêts doivent être remboursés dans un an.

L'année passe. Le marchand hollandais vend la terre achetée avec un joli bénéfice et vous rembourse avec les intérêts promis. Votre père est content. À Madrid, cependant, votre petit frère commence à s'inquiéter. La guerre contre la France a bien tourné pour le roi d'Espagne, mais il s'est laissé entraîner dans un conflit avec les Turcs. Il a besoin de chaque sou pour financer la nouvelle guerre, et estime que c'est bien plus important que de rembourser de vieilles dettes. Votre frère envoie des lettres au palais et demande à des amis bien introduits auprès de la Cour d'intercéder. En vain. Non seulement votre frère n'a pas touché les intérêts promis, mais il a perdu le principal. Votre père est mécontent.

Et, pour comble, le roi dépêche auprès de votre frère un officier du Trésor qui lui signifie, sans détours, que le roi compte bien recevoir un autre prêt du même montant, tout de suite. Votre frère n'a pas d'argent à prêter. Il écrit à papa, essayant de le persuader que cette fois, c'est la bonne. Le roi s'en sortira. Le *paterfamilias* a un faible pour le petit dernier : le cœur gros, il consent. De nouveau, 10 000 pièces d'or disparaissent dans le Trésor espagnol. On ne les reverra plus. Pendant ce temps, à Amsterdam, les perspectives sont brillantes. Vous accordez de plus en plus de prêts aux marchands hollandais, qui remboursent vite et intégralement, mais votre chance ne dure pas indéfiniment. Un de vos clients habituels a le pressentiment que les sabots vont bientôt faire fureur à Paris et vous demande de quoi ouvrir un magasin de souliers dans la capitale française. Vous lui prêtez l'argent. Malheureusement, les galoches ne sont pas au goût des Françaises, et le marchand maussade refuse de rembourser son emprunt.

Votre père est furieux. Il vous dit à tous les deux qu'il est temps de lâcher les hommes de loi. À Madrid, votre frère engage des poursuites contre le monarque espagnol, tandis qu'à Amsterdam vous faites un procès au magicien des galoches d'antan. En Espagne, les tribunaux sont soumis au roi : son bon plaisir décide du sort des juges, et ceux-ci redoutent le châtiment qui les attend s'ils ne se plient pas à son bon vouloir. Aux Pays-Bas, la justice est séparée de l'exécutif, elle n'est tributaire ni des bourgeois ni des princes du pays. La cour madrilène rejette la plainte de votre frère ; la cour amstellodamoise tranche en votre faveur et vous octroie un privilège sur les actifs du marchand de galoches afin de le forcer à vous rembourser. Votre père en a tiré la leçon. Mieux vaut faire des affaires avec les marchands qu'avec les rois, et mieux vaut en faire en Hollande qu'à Madrid.

Les peines de votre frère ne s'arrêtent pas là. Le roi d'Espagne a désespérément besoin d'argent frais pour payer son armée. Il est certain que votre père a des réserves. Et il forge de toutes pièces des accusations de trahison contre votre frère. S'il ne lui fournit sur-le-champ 20 000 pièces d'or, il le jettera dans un cachot et l'y laissera croupir jusqu'à ce que mort s'ensuive.

C'est plus que votre père n'en peut supporter. Il paie la rançon de son fils chéri, mais se jure de ne plus jamais faire d'affaires en Espagne. Il ferme sa succursale madrilène et envoie votre frère à Rotterdam. Deux succursales en Hollande : cela a tout l'air d'une bonne idée. Il s'est laissé dire que même les capitalistes espagnols sortent leur fortune en fraude du pays. Eux aussi comprennent que, s'ils veulent garder leur argent, et s'en servir pour acquérir plus de richesse, mieux vaut l'investir dans un pays où prévaut l'État de droit et où la propriété privée est respectée : aux Pays-Bas, par exemple.

Le roi d'Espagne a dilapidé le capital de confiance des investisseurs au moment même où les marchands hollandais gagnaient leur confiance. Et ce sont les marchands hollandais, non pas l'État hollandais, qui ont construit l'Empire hollandais. Le roi d'Espagne n'eut de cesse de financer et maintenir ses conquêtes en levant des impôts impopulaires. Les marchands hollandais financèrent la conquête en empruntant, et de plus en plus aussi en vendant des parts dans leurs compagnies qui permettaient aux détenteurs de toucher une portion des profits. Des investisseurs prudents qui n'auraient jamais donné leur argent au roi d'Espagne, et qui auraient réfléchi à deux fois avant de faire crédit au gouvernement hollandais se firent une joie d'investir des fortunes dans les compagnies par actions hollandaises, qui furent le pivot du nouvel empire.

Si vous pensiez qu'une compagnie allait réaliser de gros profits, mais qu'elle eût déjà vendu toutes ses parts, vous pouviez toujours en racheter à d'autres actionnaires, probablement à un prix plus élevé qu'ils ne les avaient payées. Si vous achetiez des parts pour découvrir ensuite que la compagnie était dans une mauvaise passe, vous pouviez essayer de vous en défaire à moindre prix. Le marché des parts qui en résulta aboutit à la mise en place, dans la plupart des grandes villes européennes, de bourses : des lieux où s'échangeaient les participations dans les compagnies.

La plus célèbre des compagnies hollandaises par actions, la Compagnie des Indes orientales (Verenigde Oost-Indische Compagnie, ou VOC), vit le jour en 1602, alors même que les Hollandais se délestaient de la domination espagnole et que l'on entendait encore les tirs de l'artillerie ennemie non loin des remparts d'Amsterdam. La VOC se servit de l'argent de la vente des titres pour armer des navires, les envoyer en Asie et en rapporter des produits chinois, indiens et indonésiens. Elle finança aussi les opérations militaires des navires de la Compagnie contre des concurrents ou des pirates. Finalement, c'est l'argent de la VOC qui finança la conquête de l'Indonésie.

L'Indonésie est le plus grand archipel du monde. Au début du XVIIe siècle, ses milliers et milliers d'îles étaient aux mains de centaines de royaumes, principautés, sultanats et tribus. La première fois qu'ils débarquèrent en Indonésie, les marchands de la VOC poursuivaient des objectifs strictement commerciaux. Pour assurer leurs intérêts commerciaux, cependant, et maximiser les profits de leurs actionnaires, les marchands de la VOC se mirent à combattre les potentats locaux qui pratiquaient des tarifs exorbitants, mais aussi la concurrence européenne. La VOC arma de canons ses navires marchands, recruta des mercenaires européens, japonais, indiens et indonésiens et construisit des forts, livrant des batailles et organisant des sièges de grande ampleur. Cette entreprise peut bien nous paraître curieuse, mais au début des Temps modernes, il était assez courant de voir des compagnies privées recruter non seulement des soldats, mais aussi des généraux et des amiraux, acquérir des canons et des navires, et même des armées entières prêtes au combat. Cela allait de soi pour la communauté internationale, qui ne fronçait pas les sourcils en voyant une compagnie privée se tailler un empire.

Les îles tombèrent l'une après l'autre dans les mains des mercenaires de la VOC qui transforma en colonie une bonne partie de l'Indonésie. La VOC dirigea l'Indonésie pendant près de deux cents ans. C'est seulement en 1800 que l'État hollandais prit le contrôle de l'Indonésie, laquelle allait rester une colonie nationale pendant un siècle et demi. D'aucuns nous mettent en garde aujourd'hui : les entreprises du XXIe siècle accumuleraient beaucoup trop de pouvoir. L'histoire moderne montre jusqu'où cela peut aller si on laisse les entreprises privées poursuivre leurs intérêts sans les brider.

Tandis que la VOC s'activait dans l'océan Indien, la Compagnie hollandaise des Indes occidentales (Geoctroyeerde Westindische Compagnie ou GWC) sillonnait l'Atlantique. Afin de contrôler le commerce sur l'Hudson, la GWC créa la New Amsterdam sur une île située à l'embouchure du fleuve. Menacée par les Indiens, la colonie subit plusieurs assauts des Britanniques qui finirent par la prendre en 1664 et lui donnèrent un nouveau nom : New York. Les vestiges du mur construit par la GWC pour défendre sa colonie contre les Indiens et les Britanniques sont aujourd'hui recouverts par la rue la plus célèbre du monde : Wall Street.

*

Le XVIIe siècle touchant à sa fin, l'autosatisfaction et des guerres continentales coûteuses amenèrent les Hollandais à perdre non seulement New York, mais aussi leur place dans le moteur financier et impérial de l'Europe. La France et la Grande-Bretagne se disputèrent avec acharnement la place laissée vacante. Au commencement, la France parut être dans une position bien plus forte. Elle était plus étendue que sa rivale, plus riche, plus peuplée et elle possédait une armée plus grande et plus expérimentée. Mais, contrairement à la France, la Grande-Bretagne sut gagner la confiance du système financier. Particulièrement notoire fut le comportement de la Couronne française au cours de ce qu'on a appelé la bulle du Mississippi, la plus grande crise financière de l'Europe au XVIIIe siècle. Au départ, on retrouve une compagnie par actions bâtisseuse d'empire.

En 1717, la Compagnie du Mississippi, installée en France, entreprit de coloniser la vallée du Mississippi inférieur, créant au passage la ville de la Nouvelle-Orléans. Pour financer ses projets ambitieux, la Compagnie, bien introduite à la cour de Louis XV, vendit des actions à la Bourse de Paris. John Law, le directeur de la Compagnie, était aussi le gouverneur de la Banque centrale. Le roi le nomma de surcroît contrôleur général des finances : poste *grosso modo* équivalent à celui de ministre des Finances de nos jours. En 1717, la vallée du Mississippi inférieur offrait peu d'attraits, hors des marais et des alligators, mais la Compagnie du Mississippi répandit le bruit de richesses fabuleuses et d'opportunités sans bornes. Aristocrates, hommes d'affaires et membres flegmatiques de la bourgeoisie se laissèrent prendre par ces chimères, et le cours des actions s'envola. Dans un premier temps, les actions se vendaient 500 livres pièce. Le 1er août 1719, elles se négociaient à 2 750 livres. Le 30 août, elles valaient 4 100 livres, et le 4 septembre 5 000 livres. Le 2 décembre, le prix d'une action de la Compagnie du Mississippi franchit le seuil des 10 000 livres. Une vague d'euphorie déferla dans les rues de Paris. D'aucuns vendirent tous leurs biens et souscrivirent d'énormes emprunts pour acquérir des actions. Tout le monde croyait avoir découvert un moyen d'enrichissement facile.

Quelques jours plus tard, c'était la panique. Certains spéculateurs comprirent que le cours des actions était totalement irréaliste et insoutenable. Ils se dirent que mieux valait vendre tant que le cours était au plus haut. L'offre augmentant, le prix baissa. Les autres investisseurs, voyant le prix chuter, voulurent aussi se débarrasser de leurs actions en vitesse. Le cours continua de chuter, provoquant une véritable avalanche. Pour stabiliser les prix, la Banque de France – dont le gouverneur était John Law – acheta des actions de la Compagnie, mais elle ne pouvait le faire éternellement. Et elle finit par être à court d'argent. Quand cela arriva, le contrôleur général des finances – le même John Law – ordonna de faire marcher la planche à billets pour acheter des actions supplémentaires. Du coup, c'est le système financier français tout entier qui fut pris dans la bulle. Ce tour de magie financier ne réussit pas. Le cours des actions chuta de 10 000 à 1 000 livres, puis s'effondra carrément jusqu'à perdre toute valeur. La Banque centrale et le Trésor royal possédaient une grosse quantité d'actions sans valeur et n'avaient plus d'argent. Les gros spéculateurs s'en sortirent largement indemnes : ils avaient vendu à temps. Les petits investisseurs avaient tout perdu. Beaucoup se suicidèrent.

La bulle du Mississippi fut l'une des crises financières les plus spectaculaires de l'Histoire. Le système financier du royaume ne se remit jamais totalement du coup. La manière dont la Compagnie du Mississippi se servit de son poids politique pour manipuler les cours des actions et alimenter la frénésie d'achats ruina la confiance dans le système bancaire français et la sagesse financière du roi. Louis XV eut de plus en plus de mal à trouver du crédit. Ce fut l'une des principales raisons de la chute de l'Empire français d'outre-mer entre les mains des Britanniques. Alors que ceux-ci pouvaient emprunter aisément et à faible taux d'intérêt, la France avait du mal à obtenir des prêts et on exigeait d'elle des intérêts plus élevés. Pour financer ses dettes croissantes, le roi de France empruntait de plus en plus d'argent à des taux d'intérêt toujours plus élevés. Dans les années 1780, Louis XVI, qui était monté sur le trône à la mort de son grand-père, finit par comprendre que son budget annuel était contraint par le service de la dette et qu'il courait à la banqueroute. À contrecœur, en 1789, Louis XVI réunit les États généraux – le parlement français qui n'avait pas siégé depuis un siècle et demi – afin de trouver une solution à la crise. Ainsi commença la Révolution française.

Tandis que l'Empire français d'outre-mer s'émiettait, l'Empire britannique connaissait une rapide expansion. De même que l'Empire hollandais auparavant, l'Empire britannique fut créé et largement dirigé par des compagnies privées par actions dont la base était la Bourse de Londres. Les premières implantations anglaises en Amérique du Nord, au début du XVIIᵉ siècle, furent l'œuvre de compagnies telles que la London Company, la Plymouth Company, la Dorchester Company et la Massachusetts Company.

Le sous-continent indien fut lui aussi conquis non par l'État britannique, mais par l'armée de mercenaires de la British East India Company. Cette compagnie fit même mieux que la VOC. Depuis son siège de Leadenhall Street, à Londres, elle dirigea pendant près d'un siècle un puissant empire indien, maintenant une force militaire allant jusqu'à 350 000 soldats – soit nettement plus que les forces armées de la monarchie britannique. C'est seulement en 1858 que la Couronne nationalisa l'Inde en même temps que l'armée privée de la Compagnie. Napoléon se moquait des Britanniques : cette nation de boutiquiers ! Or, ce sont ces boutiquiers qui lui infligèrent une défaite. Et leur empire était le plus vaste que le monde eût jamais vu.

AU NOM DU CAPITAL

La nationalisation de l'Indonésie par la Couronne hollandaise (1800) et de l'Inde par la Couronne britannique (1858) ne mit guère fin aux embrassades du capitalisme et de l'empire. Bien au contraire, le lien ne fit que se renforcer au cours du XIXᵉ siècle. Les compagnies par actions n'avaient plus besoin de se tailler des colonies privées et de les gouverner : c'étaient leurs dirigeants et gros actionnaires qui tiraient désormais les ficelles du pouvoir à Londres, Amsterdam et Paris. Ils pouvaient compter sur l'État pour veiller à leurs intérêts. Les gouvernements occidentaux étaient en passe de se transformer en syndicats de capitalistes, raillait Marx avec d'autres.

La première guerre de l'Opium, opposant la Grande-Bretagne à la Chine (1840-1842), est l'exemple le plus notoire de la façon dont les États agissaient sur ordre du grand capital. Dans la première moitié du XIXᵉ siècle, la British East India Company et divers hommes d'affaires firent fortune en exportant de la drogue, notamment de l'opium, vers la Chine. Des millions de Chinois devinrent opiomanes, ce qui ne manqua pas d'affaiblir le pays tant socialement qu'économiquement. À la fin des années 1830, le gouvernement chinois décida d'interdire le trafic de drogue, mais les marchands britanniques firent comme si de rien n'était. Les autorités chinoises se mirent à confisquer et à détruire les cargaisons de drogue. Les cartels de la drogue étaient très liés à Westminster et à Downing Street : beaucoup de parlementaires et de ministres avaient des actions dans les compagnies vendant de la drogue, et ils pressèrent donc le gouvernement d'intervenir.

En 1840, la Grande-Bretagne déclara dûment la guerre à la Chine au nom du « libre-échange ». Ce fut une promenade de santé. Trop sûrs d'eux, les Chinois n'étaient pas de taille à affronter les nouvelles armes miracles de la Grande-Bretagne : vapeurs, artillerie lourde, fusées et fusils à tir rapide. Suivit un traité de paix, par lequel la Chine accepta de ne pas restreindre les activités des marchands de drogue et de les indemniser des dommages infligés par sa police. Les Britanniques exigèrent aussi, et reçurent, le contrôle de Hong Kong, qu'ils transformèrent en base du trafic de drogue (Hong Kong resta jusqu'en 1997 entre les mains des Britanniques). À la fin du XIXe siècle, la Chine comptait autour de 40 millions d'opiomanes, soit un dixième de sa population[1].

L'Égypte apprit aussi à respecter le bras long du capitalisme britannique. Au XIXe siècle, des investisseurs français et britanniques prêtèrent des sommes considérables aux souverains égyptiens, pour financer d'abord le canal de Suez, puis des entreprises beaucoup moins heureuses. La dette égyptienne enfla, et les créanciers européens s'immiscèrent de plus en plus dans les affaires égyptiennes. En 1881, les nationalistes égyptiens en eurent assez et se rebellèrent, décrétant l'abrogation unilatérale de toute la dette étrangère. Cela ne devait pas amuser la reine Victoria qui, un an plus tard, dépêcha son armée et sa flotte vers le Nil : l'Égypte resta un protectorat britannique jusqu'au lendemain de la Seconde Guerre mondiale.

*

---

1. Carl Trocki, *Opium, Empire and the Global Political Economy*, New York, Routledge, 1999, p. 91.

Ces guerres sont loin d'être les seules qui aient été livrées dans l'intérêt des investisseurs. En vérité, la guerre elle-même pouvait devenir une marchandise au même titre que l'opium. En 1821, les Grecs se rebellèrent contre l'Empire ottoman. Le soulèvement suscita une grande sympathie dans les cercles libéraux et romantiques de Grande-Bretagne : le poète Lord Byron alla même en Grèce se battre aux côtés des insurgés. Mais les financiers londoniens perçurent aussi une opportunité. Ils proposèrent aux chefs rebelles d'émettre à la Bourse de Londres des obligations négociables « Rébellion grecque ». Les Grecs devaient promettre de les rembourser, avec des intérêts, s'ils arrachaient leur indépendance. Les investisseurs privés en achetèrent pour réaliser des profits ou par sympathie pour la cause grecque, voire pour les deux raisons à la fois. Le cours des obligations oscilla à la Bourse de Londres au gré des victoires et des défaites sur les champs de bataille de l'Hellade. Les Turcs prirent progressivement le dessus. Devant l'imminence de la défaite des rebelles, les détenteurs d'obligations risquaient de perdre leurs pantalons. Leur intérêt se confondant avec l'intérêt national, les Britanniques organisèrent une flotte internationale qui, en 1827, coula la principale flottille ottomane dans la bataille de Navarin. Après des siècles d'assujettissement, la Grèce était enfin libre. Mais cette liberté s'accompagnait d'une dette immense que le nouveau pays n'avait aucun moyen de rembourser. L'économie grecque fut hypothéquée des décennies durant au profit des créanciers britanniques.

Cette étreinte du capital et de la politique eut des conséquences de grande portée pour le marché du crédit. Dans une économie, le montant du crédit n'est pas uniquement déterminé par des facteurs comme la découverte d'un nouveau gisement de pétrole ou l'invention d'une nouvelle machine. Il peut l'être aussi par des événements politiques tels que des changements de régime ou une politique étrangère plus ambitieuse. Après la bataille de Navarin, les capitalistes britanniques furent plus disposés à placer leur argent dans des opérations risquées outre-mer. Ils avaient bien vu que, si un débiteur étranger refusait de rembourser, l'armée de Sa Majesté irait récupérer leur argent.

C'est pourquoi, de nos jours, la réputation de solvabilité d'un pays importe bien plus pour sa prospérité économique que ses ressources naturelles. Cette réputation de solvabilité indique la probabilité qu'un pays rembourse ses dettes. Outre des données purement économiques, elle tient compte de facteurs politiques, sociaux et même culturels. Un pays riche en pétrole mais affligé d'un gouvernement despotique, d'un état de guerre endémique et d'un système judiciaire corrompu aura une mauvaise notation de crédit. De ce fait, probablement restera-t-il relativement pauvre puisqu'il ne sera pas capable de lever les capitaux nécessaires pour tirer parti de sa richesse pétrolière. Un pays dépourvu de ressources naturelles, mais qui jouit de la paix, d'un système judiciaire équitable et d'un gouvernement libre a toutes chances d'être bien noté. À ce titre, il n'aura sans doute pas de mal à trouver suffisamment de capitaux bon marché pour financer un bon système éducatif et encourager une industrie high-tech florissante.

LE CULTE DU MARCHÉ

Le capital et la politique s'influencent mutuellement à un point tel que leurs relations sont l'objet d'un vif débat entre économistes, responsables politiques et grand public. Les fervents capitalistes ont tendance à considérer que le capital devrait être libre d'influencer la politique, mais qu'il ne faut pas laisser la politique influencer le capital. Ils soutiennent que lorsque l'État interfère avec le marché, les intérêts politiques se soldent par des investissements malencontreux et donc une croissance léthargique. Par exemple, un gouvernement peut imposer lourdement les industriels et utiliser l'argent pour verser de généreuses indemnités de chômage, qui sont populaires auprès des électeurs. De l'avis de nombreux hommes d'affaires, il serait bien préférable que le gouvernement ne touche pas à leur argent, dont ils se serviraient, assurent-ils, pour ouvrir de nouvelles usines et embaucher les chômeurs.

De ce point de vue, la politique économique la plus sage consiste à tenir l'État à l'écart de l'économie, à réduire la fiscalité et la régulation au strict minimum pour laisser les marchés suivre librement leur cours. Sans s'encombrer de considérations politiques, les investisseurs privés placeront l'argent dans les activités qui leur laissent espérer le plus de profit. La manière d'assurer le plus de croissance économique – profitable à tous, industriels aussi bien que travailleurs – est pour le gouvernement d'en faire le moins possible. Cette doctrine de la liberté du marché est aujourd'hui la variante la plus influente du credo capitaliste. Les partisans les plus enthousiastes de la liberté du marché critiquent les aventures militaires à l'étranger avec autant d'ardeur que les programmes de protection sociale à l'intérieur. Ils donnent au gouvernement le même conseil que les maîtres zen aux initiés : le non-agir.

Sous sa forme extrême, cependant, croire à la liberté du marché c'est être aussi naïf que croire au Père Noël. Il n'existe rien qui ressemble à un marché libre exempt de tout travers politique. La ressource économique qui compte le plus est la confiance en l'avenir, et cette ressource est constamment menacée par les voleurs et les charlatans. Les marchés en eux-mêmes n'offrent aucune protection contre la fraude, le vol ou la violence. C'est au système politique qu'il appartient d'instaurer la confiance par des lois sanctionnant les tricheries, mais aussi de mettre en place des forces de police, des tribunaux et des prisons pour faire respecter la loi. Quand les lois font mal leur travail et sont incapables de réguler convenablement les marchés, la confiance se perd, le crédit s'amenuise et l'économie s'enfonce dans la crise. Telle fut la leçon tirée de la bulle du Mississippi en 1719 ; ceux qui l'auraient oubliée ont eu un piqûre de rappel avec la bulle immobilière américaine de 2007, et la crise du crédit et la récession qui suivirent.

L'ENFER CAPITALISTE

Il est une raison encore plus fondamentale qui explique pourquoi il est dangereux de lâcher entièrement la bride aux marchés. Un cordonnier, enseignait Adam Smith, utiliserait son excédent de profit pour embaucher des aides. Ce qui signifie que la cupidité égoïste est bénéfique à tous puisque les profits excédentaires sont utilisés pour développer la production et recruter davantage d'employés.

Mais que se passe-t-il si le cordonnier cupide accroît ses profits en payant moins ses employés et en allongeant leur journée de travail ? La réponse classique est que le marché protégerait les employés. Si notre cordonnier payait trop peu et exigeait trop, les meilleurs employés le laisseraient naturellement tomber et iraient travailler chez la concurrence. Le cordonnier tyrannique se retrouverait avec les plus mauvais ouvriers, voire sans plus aucune main-d'œuvre. Il lui faudrait s'amender ou abandonner le métier. Sa cupidité le forcerait à traiter correctement ses employés.

Cela paraît imparable en théorie ; en pratique, ça ne tient pas deux secondes. Sur un marché totalement libre, sans supervision des rois ou des prêtres, des capitalistes avaricieux peuvent asseoir des monopoles ou se liguer contre leurs personnels. Si une seule société a le monopole de la fabrique des chaussures dans le pays ou si tous les patrons conspirent pour baisser les salaires en même temps, les ouvriers perdent la possibilité de se protéger en changeant d'emploi.

Pire encore, les patrons cupides pourraient amputer la liberté de mouvement en recourant à la servitude pour dette, voire à l'esclavage. À la fin du Moyen Âge, l'esclavage était presque inconnu dans l'Europe chrétienne. Au début des Temps modernes, l'essor du capitalisme européen alla de pair avec l'essor du trafic d'esclaves transatlantique. Les responsables de cette calamité ne furent pas des rois tyranniques ni des idéologues racistes, mais les forces débridées du marché.

Quand les Européens conquirent l'Amérique, ils ouvrirent des mines d'or et d'argent et établirent des plantations de sucre, de tabac et de coton. Ces mines et plantations devinrent le pilier de la production et des exportations américaines. Les plantations de sucre étaient particulièrement importantes. Au Moyen Âge, le sucre était un luxe rare en Europe. On l'importait du Moyen-Orient à des prix prohibitifs et on l'utilisait avec parcimonie tel un ingrédient secret dans des friandises et des médicaments à base d'huile de serpent. Avec les grandes plantations de l'Amérique, des quantités toujours croissantes de sucre commencèrent à arriver en Europe. Son prix baissa, et l'Europe devint très friande de sucreries. Les entrepreneurs satisfirent ce besoin en en produisant d'énormes quantités: gâteaux, chocolat, bonbons et boissons sucrées telles que le cacao, le café ou le thé. La consommation annuelle de sucre de l'Anglais moyen passa pour ainsi dire de zéro, au début du XVIIᵉ siècle, à environ huit kilos à l'aube du XIXᵉ siècle.

Faire pousser des cannes et en extraire le sucre était toutefois une activité de forte main-d'œuvre. Peu de gens avaient envie de travailler de longues heures sur des plantations infestées par la malaria sous le soleil des Tropiques. La main-d'œuvre sous contrat eût rendu le produit beaucoup trop onéreux pour une consommation de masse. Sensibles aux forces du marché et avides de profit et de croissance économique, les planteurs firent travailler des esclaves.

Du XVIᵉ au XIXᵉ siècle, l'Amérique importa autour de dix millions d'esclaves africains, dont près de 70 % pour les plantations de canne à sucre. Les conditions de travail étaient abominables. La plupart avaient une vie brève et misérable. Des millions d'autres moururent au cours des guerres menées pour les capturer ou au cours du long voyage du cœur de l'Afrique aux côtes de l'Amérique. Tout cela pour que les Européens sucrent leur thé et mangent des bonbons… et que les magnats du sucre empochent d'énormes profits.

Aucun État ou gouvernement ne contrôlait la traite négrière. Il s'agissait d'une entreprise purement économique organisée et financée par le marché au gré des lois de l'offre et de la demande. Les compagnies de traite négrière vendaient des actions dans les bourses d'Amsterdam, Londres et Paris. Les bourgeois européens en quête de bons placements en acquéraient. Grâce à ces fonds, les compagnies achetaient des esclaves en Afrique et les acheminaient en Amérique pour les vendre aux plantations. Avec les gains ainsi obtenus, elles achetaient les produits des plantations: sucre, cacao, café, tabac, coton et rhum. De retour en Europe, elles vendaient le sucre et le coton à bon prix, puis repartaient en Afrique pour recommencer le circuit. Les actionnaires étaient ravis de cet arrangement. Tout au long du XVIIIe siècle, placer son argent dans la traite devait rapporter près de 6 % par an. N'importe quel consultant moderne le reconnaîtrait : l'affaire était juteuse !

Tel est bien le gros défaut du capitalisme de marché. Il ne saurait assurer que les profits sont acquis ou distribués de manière équitable. Bien au contraire, la soif de profit et de production empêche de voir tout ce qui pourrait s'opposer à elle. Quand la croissance devient un bien suprême, sans aucune considération éthique pour la freiner, elle risque fort de mener à la catastrophe. Certaines religions, comme le christianisme ou le nazisme, brûlaient d'une haine qui leur a fait tuer des millions de gens. Le capitalisme en a tué aussi des millions, par indifférence et cupidité. La traite des nègres n'est pas née d'une haine raciste envers les Africains. Ceux qui achetaient les actions, les courtiers qui les vendaient et les gérants des compagnies négrières pensaient rarement aux Africains. Tout comme les patrons des plantations. Beaucoup vivaient loin d'elles, et n'exigeaient qu'une chose : un compte bien tenu des profits et des pertes.

Il importe de ne pas perdre de vue que la traite négrière n'a pas été une aberration unique dans une histoire par ailleurs immaculée. La grande famine du Bengale, évoquée dans le chapitre précédent, trouve son origine dans une dynamique semblable : la British East India Company se souciait plus de ses profits que de la vie de dix millions de Bengalis. Les campagnes militaires de la VOC en Indonésie furent financées par d'honnêtes bourgeois hollandais, qui aimaient leurs enfants, faisaient la charité, goûtaient la bonne musique et les beaux-arts, mais n'avaient cure de la souffrance des habitants de Java, Sumatra ou Malacca. D'innombrables autres crimes et méfaits accompagnèrent l'essor de l'économie moderne dans d'autres parties de la planète.

*

Le XIXe siècle n'apporta aucune amélioration à l'éthique du capitalisme. La Révolution industrielle qui balaya l'Europe enrichit les banquiers et détenteurs de capitaux mais condamna des millions de travailleurs à une misère noire. Dans les colonies européennes, la situation fut pire encore. En 1876, le roi Léopold II de Belgique créa une organisation humanitaire non gouvernementale dont le but déclaré était d'explorer l'Afrique centrale et de combattre le trafic d'esclaves le long du fleuve Congo. Elle avait aussi pour mission d'améliorer les conditions de vie des habitants de la région en construisant des routes, des écoles et des hôpitaux. En 1885, les puissances européennes acceptèrent de donner à cette organisation le contrôle de 2,3 millions de km² dans le bassin du Congo. Ce territoire, soixante-quinze fois plus grand que la Belgique, allait être désormais connu sous le nom d'État libre du Congo. Nul ne demanda leur avis aux 20 ou 30 millions d'habitants de ce territoire.

Très vite, l'organisation humanitaire se transforma en entreprise commerciale dont l'objectif véritable était la croissance et le profit. Oubliés les écoles et les hôpitaux. Le bassin du Congo se couvrit plutôt de mines et de plantations, le plus souvent dirigées par des fonctionnaires belges qui exploitaient implacablement la population locale. Particulièrement notoire était l'industrie du caoutchouc. Ce dernier devint rapidement un produit industriel de base, et son exportation la principale source de revenus du Congo. Les villageois africains chargés de récolter le caoutchouc se virent imposer des quotas toujours plus hauts. Ceux qui n'y parvenaient pas étaient brutalement châtiés pour leur « paresse » : on leur coupait les bras, par exemple, quand on ne massacrait pas des villages entiers. Entre 1885 et 1908, d'après les estimations les plus modérées, la poursuite de la croissance et des profits coûta la vie à 6 millions de personnes (au moins 20 % de la population du Congo). Certaines estimations vont jusqu'à 10 millions de morts[1].

Après 1908, et surtout après 1945, la cupidité capitaliste fut légèrement bridée, notamment du fait de la peur du communisme. Les iniquités n'en continuèrent pas moins de sévir. Le gâteau économique de 2014 est bien plus grand que celui de 1500, mais sa distribution est si inégale que beaucoup de paysans africains et de travailleurs indonésiens rentrent chez eux après une journée de labeur avec moins à manger que leurs ancêtres voici 500 ans.

---

1. Georges Nzongola-Ntalaja, *The Congo from Leopold to Kabila: A People's History*, Londres, Zed Books, 2002, p. 22.

De même que la Révolution agricole, la croissance de l'économie moderne pourrait bien apparaître comme une colossale imposture. L'espèce humaine et l'économie mondiale peuvent poursuivre leur croissance, cela n'empêche pas que beaucoup vivent dans la faim et le besoin.

Le capitalisme a deux réponses à cette critique. Premièrement, il a créé un monde que personne ne peut diriger si ce n'est un capitaliste. La seule tentative sérieuse pour le gérer autrement – le communisme – a été tellement pire à tous égards que personne n'a le cran de recommencer. En 8500 avant notre ère, on pouvait verser des larmes amères sur la Révolution agricole, mais il était trop tard pour renoncer à l'agriculture. De même, le capitalisme n'est pas forcément à notre goût, mais nous ne pouvons pas nous en passer.

La seconde réponse est qu'il nous suffit de patienter : le paradis, la promesse capitaliste, est au coin de la rue. Certes, des erreurs ont été commises, telles la traite négrière et l'exploitation de la classe laborieuse européenne. Mais nous en avons tiré la leçon. Il suffit d'attendre encore un peu : le gâteau va augmenter et tout le monde aura une tranche plus épaisse. Le partage des dépouilles ne sera jamais équitable, mais il y aura assez pour satisfaire chacun : homme, femme et enfant, même au Congo.

Il y a bel et bien quelques signes positifs. Du moins si nous recourons à des critères purement matériels comme l'espérance de vie, la mortalité infantile et la consommation de calories, le niveau de vie de l'homme moyen en 2013 est sensiblement plus haut qu'il l'était en 1913, malgré une croissance démographique exponentielle.

Le gâteau économique peut-il cependant croître éternellement ? Tout gâteau nécessite des matières premières et de l'énergie. Des prophètes de malheur nous préviennent que tôt ou tard *Homo sapiens* épuisera les matières premières et l'énergie de la planète Terre. Et que se passera-t-il ensuite ?

17.

Les rouages de l'industrie

La croissance économique moderne tient à notre confiance dans le futur et à l'empressement des capitalistes à réinvestir leurs profits dans la production. Mais cela ne suffit pas. La croissance économique nécessite aussi énergie et matières premières. Or, celles-ci ne sont pas infinies. Si elles s'épuisent, c'est tout le système qui s'effondrera.

Tous les éléments de preuve glanés dans le passé indiquent cependant qu'elles ne sont finies qu'en théorie. De manière contre-intuitive, alors que la consommation d'énergie et de matières premières a foisonné au cours des tout derniers siècles, les quantités exploitables ont bel et bien *augmenté*. Chaque fois qu'une pénurie a menacé de ralentir la croissance économique, les fonds ont afflué au profit de la recherche scientifique et technique. Invariablement ont été découvertes de nouvelles manières plus efficaces d'exploiter les ressources existantes, mais aussi des types d'énergie et de matériaux entièrement nouveaux.

Prenez l'industrie des véhicules. Au fil des trois derniers siècles, l'humanité en a fabriqué des milliards ; des charrettes et des brouettes aux avions supersoniques et aux navettes spatiales en passant par les trains et les automobiles. On aurait pu imaginer qu'un effort aussi prodigieux eût épuisé les sources d'énergie et les matières premières disponibles pour la production de véhicules, en sorte que nous en serions réduits aujourd'hui aux raclures.

C'est le contraire qui est arrivé. Alors qu'en 1700 l'industrie mondiale des véhicules comptait avant tout sur le bois et le fer, elle dispose aujourd'hui d'une corne d'abondance de matériaux nouveaux comme le plastique, la caoutchouc, l'aluminium et le titane, dont aucun de nos ancêtres n'avait la moindre idée. En 1700, la construction des charrettes reposait surtout sur la force musculaire des menuisiers et des forgerons. De nos jours, les machines des usines Toyota ou Boeing sont alimentées par des moteurs à combustion internes et des centrales nucléaires. Une semblable révolution a balayé presque tous les domaines de l'industrie. C'est ce que nous appelons la Révolution industrielle.

*

Dans les millénaires précédant la Révolution industrielle, les hommes savaient déjà exploiter un large éventail de sources d'énergie. Ils brûlaient du bois pour faire fondre le fer, chauffer des maisons et cuire des gâteaux. Les bateaux à voile utilisaient le vent pour se déplacer, et les moulins hydrauliques captaient l'eau des rivières pour moudre le grain. Toutes ces énergies n'en avaient pas moins des limites claires et n'étaient pas sans problèmes. Il n'y avait pas d'arbres partout, le vent ne soufflait pas toujours quand on en avait besoin, et l'énergie hydraulique n'était utile que si l'on vivait près d'une rivière.

Il existait un problème encore plus grave : on ne savait pas transformer une forme d'énergie dans une autre. On savait exploiter le cours du vent et de l'eau pour piloter un navire ou actionner une meule, mais on ne savait ni chauffer l'eau ni fondre le fer. À l'inverse, on ne savait pas utiliser la chaleur produite par le bois qui brûlait pour faire tourner une meule. Les hommes ne connaissaient qu'une machine capable d'accomplir une transformation d'énergie : le corps. Par son métabolisme naturel, le corps des humains et des autres animaux brûle des combustibles organiques – la nourriture – et transforme l'énergie libérée en mouvements musculaires. Hommes, femmes et bêtes pouvaient consommer grains et viandes, brûler les glucides et les graisses, et employer l'énergie pour conduire un pousse-pousse ou tirer une charrue.

Le corps des hommes et des bêtes étant le seul moyen de conversion de l'énergie disponible, la force musculaire était la clé de presque toutes les activités humaines. C'est la force des muscles humains qui construisait charrettes et maisons, celle des bœufs qui labourait les champs, et celle des chevaux qui transportait les biens. L'énergie qui alimentait ces machines musculaires organiques venait en fin de compte d'une seule et unique source : les plantes, lesquelles tiraient à leur tour leur énergie du soleil. Par la photosynthèse, elles captaient l'énergie solaire pour la concentrer en composés organiques. Presque tout ce que les hommes ont accompli dans l'histoire s'est fait avec l'énergie solaire captée par les plantes et transformée en force musculaire.

L'histoire humaine a donc été dominée par deux grands cycles : le cycle de croissance des plantes et le cycle changeant de la lumière solaire (jour et nuit, été et hiver). Quand la lumière du soleil était rare, et les champs de blé encore verts, les hommes avaient peu d'énergie. Les greniers étaient vides, les collecteurs d'impôts oisifs, les soldats avaient du mal à se déplacer et à se battre et les rois avaient tendance à rester en paix. Quand le soleil brûlait d'une lumière vive, et que les blés mûrissaient, les paysans moissonnaient et emplissaient les greniers. Les collecteurs d'impôts se hâtaient de prendre leur part. Les soldats jouaient de leurs muscles et affûtaient leurs épées. Les rois réunissaient leurs conseils pour préparer les prochaines campagnes. Tout le monde marchait à l'énergie solaire, captée et concentrée dans le blé, le riz et les pommes de terre.

SECRET DE CUISINE

Au fil de ces longs millénaires, à longueur de journée, les hommes avaient sous les yeux l'invention la plus importante de toute l'histoire de la production d'énergie… et ils ne le savaient pas. Ils avaient le nez dessus chaque fois qu'une ménagère ou une servante mettait une bouilloire à chauffer pour le thé ou une casserole de pommes de terre sur le four. Dès que l'eau se mettait à bouillir, le couvercle de la bouilloire ou de la casserole sautait. La chaleur se transformait en mouvement. Mais les couvercles qui sautent étaient une gêne, surtout si l'on oubliait la casserole sur le feu et que l'eau débordait. Personne ne voyait leur véritable potentiel.

L'invention de la poudre à canon, dans la Chine du IXᵉ siècle, fut suivie d'une percée partielle dans la conversion de la chaleur en mouvement. Au début, l'idée d'utiliser la poudre à canon pour propulser des projectiles était tellement contre-intuitive que des siècles durant on s'en servit avant tout pour fabriquer des feux d'artifice. Finalement, peut-être après qu'un expert ès bombes broyant de la poudre dans un mortier avait vu son pilon partir comme une flèche, les canons firent leur apparition. De l'invention de la poudre à canon au développement d'une artillerie efficace, il s'écoula près de six siècles.

L'idée de transformer la chaleur en mouvement n'en restait pas moins si contraire à l'intuition que trois siècles passèrent encore avant que des gens n'inventent une nouvelle machine utilisant la chaleur pour déplacer les choses. La nouvelle technique vit le jour dans les mines de charbon britanniques. La population britannique augmentant, on abattit des forêts pour alimenter la croissance économique, mais aussi faire de la place pour les maisons et les champs. La Grande-Bretagne souffrit d'une pénurie croissante de bois de chauffe. Elle se mit à brûler du charbon à la place. Maintes veines de charbon se trouvaient dans des zones détrempées, et l'inondation empêchait les mineurs d'accéder aux couches inférieures des mines. Il fallait trouver une solution au problème. Elle fut trouvée autour de 1700, et un bruit étrange se fit alors entendre autour des puits de mine britanniques. Ce bruit, annonciateur de la Révolution industrielle, fut d'abord très discret. À chaque décennie, il se fit de plus en plus fort, jusqu'à envelopper le monde entier dans une cacophonie assourdissante. Il provenait d'une machine à vapeur.

Il existe de nombreux types de machines à vapeur, mais toutes partagent un principe commun. On brûle un combustible – du charbon, par exemple – et on utilise la chaleur ainsi obtenue pour faire bouillir l'eau et produire de la vapeur. La vapeur qui se répand actionne un piston. Le piston bouge, et tout ce qui lui est attaché bouge en même temps. Ainsi la chaleur est-elle convertie en mouvement. Au XVIIIe siècle, dans les mines de charbon britanniques, le piston était attaché à une pompe qui extrayait l'eau du fond des puits de mine. Le toutes premières machines étaient incroyablement peu efficaces. Il fallait brûler une énorme quantité de charbon pour pomper une infime quantité d'eau. Dans les mines, toutefois, le charbon était abondant et à portée de main. Personne ne s'en souciait.

Au fil des décennies suivantes, les entrepreneurs britanniques améliorèrent l'efficacité de la machine à vapeur, la sortirent des seuls puits de mine pour l'associer à des métiers à tisser et à des égreneuses. Cela révolutionna la production textile, permettant de produire des quantités toujours plus grandes de textiles bon marché. En un clin d'œil, la Grande-Bretagne devint l'atelier du monde. Qui plus est, la sortie de la machine à vapeur des mines fit tomber une barrière psychologique importante. Si l'on pouvait brûler du charbon pour actionner les métiers à tisser, pourquoi ne pas employer la même méthode pour déplacer d'autres machines, des véhicules par exemple ?

En 1825, un ingénieur britannique attacha une machine à vapeur à un train de wagons de mines pleins de charbon. La machine tira les wagons sur vingt kilomètres de rails de fer – de la mine jusqu'au port le plus proche. Ce fut la première locomotive à vapeur de l'histoire. De toute évidence, si l'on pouvait utiliser la vapeur pour transporter du charbon, pourquoi pas d'autres biens ? Et pourquoi pas des gens ? Le 15 septembre 1830 fut ouverte la première ligne ferroviaire commerciale, reliant Liverpool à Manchester. La même vapeur qui avait pompé l'eau et actionnait les métiers à tisser faisait maintenant avancer les trains. À peine vingt ans plus tard, la Grande-Bretagne avait plusieurs dizaines de milliers de kilomètres de voies[1].

L'idée que l'on pouvait utiliser des machines et des moteurs pour transformer un type d'énergie dans un autre tourna alors à l'obsession. Partout dans le monde, on pourrait exploiter n'importe quel type d'énergie et l'adapter à ses besoins pour peu qu'on inventât la bonne machine. Par exemple, quand les physiciens s'aperçurent que les atomes enferment une immense quantité d'énergie, ils se

---

1. Mark, *The Origins of the Modern World*, p. 109.

mirent aussitôt à réfléchir aux moyens de libérer cette énergie et de l'utiliser pour produire de l'électricité, propulser des sous-marins et anéantir des villes. Entre le jour où des alchimistes chinois découvrirent la poudre à canon et celui où un canon turc pulvérisa les murs de Constantinople, six siècles s'étaient écoulés. Quarante années seulement séparent l'instant où Einstein comprit que n'importe quelle sorte de masse peut être convertie en énergie – tel est le sens de $E = mc^2$ – du jour où des bombes atomiques effacèrent Hiroshima et Nagasaki et où les centrales nucléaires se mirent à foisonner à travers le monde.

Le moteur à combustion interne fut une autre découverte cruciale. Il lui fallut un peu plus d'une génération pour révolutionner les transports humains et transformer le pétrole en énergie politique liquide. Le pétrole était connu depuis des millénaires. On s'en servait pour étanchéifier les toits ou lubrifier les essieux. Pourtant, voici tout juste un siècle, personne n'imaginait qu'il pût servir à bien plus que cela. L'idée de faire couler le sang pour le pétrole eût semblé ridicule. On pouvait faire la guerre pour la terre, l'or, le poivre ou les esclaves... mais le pétrole ?

Plus déroutante encore est la carrière de l'électricité. Voici deux siècles, elle ne jouait aucun rôle dans l'économie. Tout au plus servait-elle à d'ésotériques expériences scientifiques et à des tours de magie à deux balles. Une série d'inventions allait en faire notre djinn universel. Un claquement de doigts et elle va au bout du monde pour exaucer tous nos vœux. C'est elle qui imprime les livres et coud les vêtements, garde nos légumes au frais et nos crèmes glacées, cuisine nos repas et exécute nos criminels, enregistre nos pensées et garde trace de nos sourires, éclaire nos nuits et nous divertit par d'innombrables shows à la télévision. Peu savent comment l'électricité fait tout cela, mais moins encore imaginent la vie sans elle.

Un océan d'énergie

La Révolution industrielle a été au fond une révolution de la conversion énergétique. Elle a démontré mainte et mainte fois que la quantité d'énergie à notre disposition n'a pas de limites. Ou, plus exactement, que la seule limite est celle de notre ignorance. Toutes les quelques décennies, nous découvrons une nouvelle source d'énergie, en sorte que la somme totale d'énergie à notre disposition ne cesse de croître.

D'où vient que tant de gens aient peur que nous soyons à court d'énergie ? Pourquoi annoncent-ils une catastrophe le jour où nous aurons épuisé tous les carburants fossiles ? Visiblement, le monde ne manque pas d'énergie. Ce qui nous manque, c'est uniquement les connaissances nécessaires pour la domestiquer et la transformer au gré de nos besoins. La quantité d'énergie stockée dans les combustibles fossiles sur terre est négligeable en comparaison de la quantité que dispense chaque jour le soleil… et gratuitement. Seule une infime proportion de l'énergie solaire atteint la Terre mais cela équivaut à 3 766 800 exajoules d'énergie chaque année (le joule est une unité d'énergie dans le système métrique, à peu près l'équivalent de ce que vous dépensez pour soulever une petite pomme à un mètre de haut ; un exajoule équivaut à un milliard de milliards de joules – ce qui fait beaucoup de pommes)[1]. Toutes les plantes du monde ne capturent que 3 000 environ de ces exajoules solaires à travers la photosynthèse[2]. Toutes les activités et industries humaines réunies consomment annuellement autour de 500 exajoules, soit l'équivalent de l'énergie que la Terre reçoit du soleil en 90 petites minutes[3]. Et ce n'est que l'énergie solaire. Nous sommes de surcroît entourés d'énormes sources d'énergie, comme l'énergie nucléaire et l'énergie gravitationnelle – nulle part plus manifeste que dans les

---

1. Nathan S. Lewis et Daniel G. Nocera, «Powering the Planet: Chemical Challenges in Solar Energy Utilization», *Proceedings of the National Academy of Sciences*, 103:43, 2006, p. 15731.

2. Kazuhisa Miyamoto (éd.), «Renewable Biological Systems for Alternative Sustainable Energy Production», *FAO Agricultural Services Bulletin*, p. 128 (Osaka, Osaka University, 1997), chapitre 2.1.1, accès le 10 décembre 2010, http://www.fao.org/docrep/W7241E/w7241e06.htm#2.1.1percent20solarpercent20energy; James Barber, «Biological Solar Energy», *Philosophical Transactions of the Royal Society A*, 365:1853, 2007, p. 1007.

3. «International Energy Outlook 2010», U. S. Energy Information Administration, 9, accès le 10 décembre 2010, http://www.eia.doe.gov/oiaf/ieo/pdf/0484(2010).pdf.

marées océaniques causées par les effets de l'attraction lunaire sur la Terre.

Avant la Révolution industrielle, le marché de l'énergie était presque entièrement tributaire des plantes. Les gens vivaient à côté d'une réserve d'énergie verte de 3 000 exajoules par an et essayaient d'en pomper le plus possible. Reste que la quantité qu'ils pouvaient pomper était clairement limitée. Au cours de la Révolution industrielle, nous avons fini par comprendre que nous vivions à proximité d'un vaste océan énergétique, contenant des milliards et des milliards d'exajoules d'énergie potentielle. Tout ce dont nous avons besoin, c'est d'inventer de meilleures pompes.

*

Apprendre à domestiquer et à convertir efficacement l'énergie résolut l'autre problème qui ralentit la croissance économique : la rareté des matières premières. Les hommes imaginant les moyens de domestiquer de grosses quantités d'énergie bon marché, ils purent se mettre à exploiter des gisements de matières premières précédemment inaccessibles (l'extraction de minerai de fer dans les friches de Sibérie, par exemple), ou à transporter des matières premières d'endroits toujours plus lointains (en livrant de la laine australienne à une filature britannique, par exemple). Dans le même temps, les percées scientifiques permirent à l'humanité d'inventer des matières premières entièrement nouvelles, comme le plastique, et à découvrir des matières naturelles précédemment inconnues, comme le silicium et l'aluminium.

Les chimistes ne découvrirent l'aluminium que dans les années 1820, mais séparer le métal du minerai était une opération très délicate et onéreuse. Des décennies durant, l'aluminium fut plus coûteux que l'or. Dans les années 1860, Napoléon III exigeait des couverts en aluminium à sa table pour recevoir des hôtes de marque. Les visiteurs de moindre importance devaient se contenter de couteaux et de fourchettes en or[1]. À la fin du XIXe siècle, cependant,

---

1. S. Venetsky, «"Silver" from Clay», *Metallurgist*, 13:7, 1969, p. 451 ; Fred Aftalion, *A History of the International Chemical Industry*, Philadelphie, University

les chimistes trouvèrent le moyen d'extraire d'immenses quantités d'aluminium bon marché. La production mondiale actuelle se situe autour de 30 millions de tonnes par an. Napoléon III serait surpris d'apprendre que les descendants de ses sujets utilisent du papier d'aluminium jetable et bon marché pour emballer leurs sandwichs et se débarrasser de leurs restes.

Voici deux mille ans, quand les habitants du Bassin méditerranéen avaient la peau sèche, ils se frottaient les mains avec de l'huile d'olive. De nos jours, ils ouvrent un tube de crème. Voici la liste des ingrédients d'une crème pour les mains moderne, toute simple, que j'ai achetée dans une boutique du coin :

eau déionisée, acide stéarique, glycérine, triglycéride caprylique/caprique, propylène glycol, myristate d'isopropyle, extrait de racine de ginseng panax, fragrance, alcool cétylique, triéthanolamine, diméticone, extrait de feuille arctostaphylos uva-ursi, magnésium ascorbyl-phosphate, imidazolidinylurée, méthylparaben, camphre, propylparaben, hydroxyisohexyl 3-cyclohexene carboxaldehyde, hydroxycitronellal, linalol, butylphenyl methylproplonal, citronellol, limonène, géraniol

Presque tous ces ingrédients ont été découverts ou inventés au cours des deux derniers siècles.

Au cours de la Première Guerre mondiale, du fait du blocus, l'Allemagne souffrit de graves pénuries de matières premières, et notamment de salpêtre – ingrédient essentiel de la poudre à canon et d'autres explosifs. Les gisements de salpêtre les plus importants se trouvaient au Chili et en Inde ; il n'y en avait absolument pas en Allemagne. On pouvait certes le remplacer par l'ammoniac, mais sa production était aussi coûteuse. Par chance pour les Allemands, un de leurs concitoyens, le chimiste juif Fritz Haber, avait découvert en 1908 comment en produire à partir de l'atmosphère. Quand la guerre éclata, les Allemands utilisèrent cette découverte pour engager la production industrielle d'explosifs en se servant de l'air comme matière première. Certains chercheurs pensent que,

---

of Pennsylvania Press, 1991, p. 64 ; A. J. Downs, *Chemistry of Aluminium, Gallium, Indium and Thallium*, Glasgow, Blackie Academic & Professional, 1993, p. 15.

n'eût été la découverte d'Haber, l'Allemagne eût été contrainte de se rendre bien avant novembre 1918[1]. En 1918, le prix Nobel de chimie couronna la découverte d'Haber (qui, au cours du conflit, fut aussi le pionnier de l'utilisation de gaz toxiques dans la bataille).

LA VIE SUR LE TAPIS ROULANT

La Révolution industrielle se solda par un mélange sans précédent d'énergie abondante et bon marché avec des matières premières abondantes et bon marché. Il en résulta une explosion de la productivité, qui se fit sentir d'abord et avant tout dans l'agriculture. Habituellement, quand nous pensons Révolution industrielle, nous pensons au paysage urbain de cheminées qui fument ou au triste sort des gueules noires exploitées qui suent dans les boyaux de la terre. Mais la Révolution industrielle fut avant toute chose la Seconde Révolution agricole.

Dans les deux cents dernières années, les méthodes de la production industrielle sont devenues le pilier de l'agriculture. Diverses machines, comme les tracteurs, se sont chargées de tâches jusquelà accomplies par la force musculaire, ou pas accomplies du tout. Champs et animaux sont devenus infiniment plus productifs grâce aux engrais artificiels, aux insecticides industriels ainsi qu'à tout un arsenal d'hormones et de médicaments. Réfrigérateurs, navires et avions ont permis de stocker les produits des mois durant, et de les transporter rapidement et à bon marché à l'autre bout du monde. Les Européens se sont mis à manger du bœuf argentin et des sushis japonais frais.

Même les plantes et les bêtes ont été mécanisées. Alors que les religions humanistes élevaient l'*Homo sapiens* au rang de dieu, les animaux de ferme ont cessé d'être considérés comme des créatures vivantes capables de ressentir douleur et détresse, pour être traités plutôt en machines. De nos jours, ces animaux sont souvent produits en masse dans des installations qui ressemblent à des usines.

---

1. Jan Willem Erisman *et al.*, « How a Century of Ammonia Synthesis Changed the World », *Nature Geoscience*, 1, 2008, p. 637.

Leurs corps sont façonnés en accord avec les besoins de l'industrie. Ils passent leur vie entière comme simples rouages d'une chaîne de production géante, et ce sont les pertes et profits des sociétés qui déterminent la durée et la qualité de leur existence. Même quand l'industrie prend soin de les garder en vie, en relative bonne santé et bien nourris, elle n'a aucun intérêt intrinsèque pour les besoins sociaux et psychologiques des animaux (à moins qu'ils n'aient un impact direct sur la production).

Les poules pondeuses, par exemple, se distinguent par tout un monde complexe de pulsions et de besoins comportementaux. Une forte démangeaison les pousse à explorer leur environnement, fourrager et picorer, à déterminer des hiérarchies sociales, construire des nids et faire leur toilette. Or l'industrie de l'œuf les enferme dans des cages minuscules, parfois même à quatre par cage, ce qui leur laisse à chacune un espace au sol de 25 cm sur 22 cm. Les poules reçoivent assez à manger, mais elles sont incapables de revendiquer un territoire, de se construire un nid ou de se livrer à d'autres activités naturelles. La cage est en fait si exiguë que souvent les poules ne peuvent même pas battre des ailes ou se redresser entièrement.

Poussins sur un tapis roulant d'un incubateur industriel. Les mâles et les femelles imparfaites sont retirés du tapis roulant puis asphyxiés dans des chambres à gaz, lancés dans des déchiqueteuses automatiques, ou simplement jetés aux ordures et broyés. Des centaines de millions de poussins meurent chaque année dans des couvoirs de ce genre.

Les cochons comptent au nombre des mammifères les plus intelligents et curieux, juste après les grands singes. Les élevages de porc industriels n'en confinent pas moins les truies allaitantes dans des caisses si étroites qu'elles sont littéralement incapables de se retourner (sans parler de marcher ou de fourrager). Elles y sont maintenues jour et nuit, quatre semaines durant, après qu'elles ont eu des petits. Après quoi ces derniers leur sont retirés pour être engraissés, et les truies sont fécondées avec le prochain lot de porcelets.

Beaucoup de vaches laitières passent la quasi-totalité des années de vie qui leur sont accordées dans un petit enclos, condamnées à se tenir debout, à se coucher et à dormir dans leur urine et leurs excréments. Une batterie de machines leur fournit leur dose de nourriture, d'hormones et de médicaments, tandis que, à heures régulières, une autre série d'appareils se chargent de la traite. La vache coincée entre les machines est à peine plus qu'une bouche qui ingurgite des matières premières et un pis qui produit une marchandise. Traiter des êtres vivants possédant tout un univers émotionnel complexe comme des machines ne saurait être pour eux qu'une source d'inconfort physique, mais aussi de fort stress social et de frustration psychologique[1].

De même que le trafic d'esclaves transatlantique n'était pas le fruit d'une haine vouée aux Africains, ce n'est pas l'animosité qui inspire l'industrie animalière moderne, mais l'indifférence. La plupart des gens qui produisent et consomment des œufs, du lait et de la viande prennent rarement le temps de penser aux poulets, aux vaches ou aux porcs dont ils consomment la chair ou les émissions. Ceux qui y pensent soutiennent souvent qu'en réalité ces animaux sont à peine différents de machines, dépourvus de sensations et d'émotions, incapables de souffrance. Paradoxalement, les mêmes disciplines scientifiques qui conçoivent ces machines laitières et pondeuses ont derniè-

---

1. G. J. Benson et B. E. Rollin (éd.), *The Well-Being of Farm Animals: Challenges and Solutions*, Ames, IA, Blackwell, 2004 ; M. C. Appleby, J. A. Mench et B. O. Hughes, *Poultry Behaviour and Welfare*, Wallingford, CABI Publishing, 2004 ; J. Webster, *Animal Welfare: Limping Towards Eden*, Oxford, Blackwell Publishing, 2005 ; C. Druce et P. Lymbery, *Outlawed in Europe: How America Is Falling Behind Europe in Farm Animal Welfare*, New York, Archimedean Press, 2002.

rement démontré sans doute possible que mammifères et oiseaux ont une constitution sensorielle et émotionnelle complexe. Leur souffrance n'est pas seulement physique, mais aussi émotionnelle.

Suivant la psychologie de l'évolution, les besoins émotionnels et sociaux des animaux de ferme ont évolué à l'état sauvage, quand ils étaient essentiels à la survie et à la reproduction. Par exemple, une vache sauvage devait savoir nouer des relations étroites avec d'autres vaches et des taureaux, sans quoi elle ne pouvait survivre ni se reproduire. Pour apprendre les connaissances nécessaires, l'évolution implanta chez les veaux – et chez tous les petits des autres mammifères sociaux – un fort désir de jouer (jouer est la manière propre aux mammifères d'acquérir des compétences sociales). Et elle leur inculqua un désir plus fort encore de se lier à leurs mères, dont le lait et les attentions étaient essentiels à leur survie.

Que se passe-t-il maintenant si les paysans prennent un jeune veau, le séparent de sa mère, le placent dans une cage fermée, lui donnent nourriture, eau et vaccins contre les maladies puis quand, la femelle est assez grande, lui inséminent du sperme de taureau? Objectivement, le veau n'a plus besoin du lien maternel ni de camarades de jeu pour survivre et se reproduire. Subjectivement, cependant, le veau éprouve toujours un besoin très fort de s'attacher à sa mère et de jouer avec d'autres veaux. Si ces besoins ne sont pas satisfaits, il souffre terriblement. Telle est la leçon de base de la psychologie de l'évolution: un besoin qui s'est formé à l'état sauvage continue d'être ressenti subjectivement même s'il n'est plus vraiment nécessaire à la survie et à la reproduction dans les fermes industrielles. La tragédie de l'agriculture industrielle est qu'elle prend grand soin des besoins objectifs des animaux tout en négligeant leurs besoins subjectifs.

Le bien-fondé de cette théorie est connu depuis les années 1950, quand le psychologue américain Harry Harlow étudia le développement des singes. Il sépara des bébés singes de leurs mères quelques heures après la naissance. Les singes furent ensuite isolés dans des cages puis confiés à des mères de substitution: deux dans chaque cage. L'une était faite de fils métalliques et équipée d'une bouteille de lait à laquelle le bébé singe pouvait téter. L'autre, de bois, était habillée de tissus qui lui donnaient l'apparence d'une vraie maman singe sans qu'elle n'ait rien de concret à offrir au petit. On supposait que les petits s'accrocheraient à la mère nourricière métallique plutôt qu'à la mère de chiffons stérile.

À la grande surprise de Harlow, les bébés singes montrèrent une nette préférence pour la seconde, passant le plus clair de leur temps auprès d'elle. Lorsqu'il plaçait les deux mères à proximité, les petits s'accrochaient aux chiffons tout en tétant la mère métallique. Soupçonnant que c'était une question de froid, Harlow plaça une ampoule électrique dans la mère faite de fils de fer, désormais rayonnante de chaleur. Hormis les plus petits, la plupart des singes continuèrent de préférer la mère de chiffons.

Un des singes orphelins de Harlow s'accroche à sa mère de chiffons tout en tétant le lait de sa mère métallique

Les recherches ultérieures ont montré que les singes orphelins de Harlow souffraient adultes de troubles émotionnels alors même qu'ils n'avaient pas manqué de nourriture. Jamais ils ne s'intégrèrent dans une société de singes. Ils eurent des difficultés à communiquer avec leurs congénères tout en souffrant de forts niveaux d'angoisse et d'agressivité. La conclusion était incontournable : les singes doivent avoir des besoins et des désirs psychologiques qui vont au-delà des nécessités matérielles ; s'ils ne sont pas comblés, ils souffriront terriblement. Les petits singes de Harlow préféraient passer leur temps entre les mains de la mère de chiffons parce qu'ils avaient besoin d'un lien émotionnel et pas seulement de lait. Dans les décennies suivantes, de nombreuses études ont montré que cette conclusion ne vaut pas seulement pour les singes, mais aussi pour d'autres mammifères et pour les oiseaux. À l'heure actuelle, des millions d'animaux sont soumis aux mêmes conditions que les singes de Harlow, avec la routine des fermiers qui enlèvent les veaux, les chevreaux et les autres petits à leurs mères pour les élever séparément[1].

Au total, la vie de dizaines de millions d'animaux de ferme se déroule de nos jours dans le cadre d'une chaîne de montage mécanisée, et autour de dix milliards sont abattus chaque année. Ces méthodes d'élevage industriel ont permis une forte hausse de la production agricole et des réserves alimentaires mondiales. Avec la mécanisation de la culture des plantes, l'élevage industriel est la base de l'ordre socio-économique moderne. Avant l'industrialisation de l'agriculture, l'essentiel des vivres produits au champ ou à la ferme était « gaspillé » à nourrir les paysans et les animaux

---

1. Harry Harlow et Robert Zimmermann, « Affectional Responses in the Infant Monkey », *Science*, 130:3373, 1959, p. 421-432 ; Harry Harlow, « The Nature of Love », *American Psychologist*, 13, 1958, p. 673-685 ; Laurens D. Young *et al.*, « Early Stress and Later Response to Separation in Rhesus Monkeys », *American Journal of Psychiatry*, 130:4, 1973, p. 400-405 ; K. D. Broad, J. P. Curley et E. B. Keverne, « Mother-Infant Bonding and the Evolution of Mammalian Social Relationships », *Philosophical Transactions of the Royal Society B*, 361:1476, 2006, p. 2199-2214 ; Florent Pittet *et al.*, « Effects of Maternal Experience on Fearfulness and Maternal Behaviour in a Precocial Bird », *Animal Behavior*, mars 2013 ; disponible en ligne http://www.sciencedirect.com/science/article/pii/S0003347213000547.

de ferme. Il ne restait qu'un petit pourcentage pour nourrir artisans, enseignants, prêtres et bureaucrates. Dans la quasi-totalité des
sociétés, les paysans représentaient donc plus de 90 % de la population. À la suite de l'industrialisation de l'agriculture, un nombre
toujours plus réduit de paysans allait suffire à nourrir un nombre
croissant d'employés de bureau et d'ouvriers d'usine. Aujourd'hui,
aux États-Unis, 2 % seulement de la population gagne sa vie dans
l'agriculture[1], mais ces 2 % suffisent non seulement à nourrir toute
la population américaine, mais aussi à exporter des excédents
vers le reste du monde. Sans l'industrialisation de l'agriculture,
la Révolution industrielle urbaine n'aurait jamais eu lieu : il aurait
manqué de mains et de cerveaux dans les usines et les bureaux.

Alors que ceux-ci absorbaient les milliards de mains et de cerveaux libérés des travaux des champs, il devait en résulter une avalanche de produits sans précédent. Les hommes produisent désormais bien plus d'acier, fabriquent beaucoup plus de vêtements et
construisent bien plus de bâtiments qu'ils ne l'ont jamais fait. De
plus, ils produisent un éventail ahurissant de produits inimaginables, comme des ampoules électriques, des téléphones cellulaires,
des caméras et des lave-vaisselle. Pour la première fois dans l'histoire des hommes, l'offre a commencé à dépasser la demande. Ainsi
est apparu un problème entièrement nouveau : qui va acheter toute
cette camelote ?

L'ÂGE DU SHOPPING

Pour survivre, l'économie capitaliste moderne doit sans cesse
augmenter la production, tel un requin qui doit nager sous peine
de suffoquer. Mais produire ne suffit pas. Encore faut-il trouver des
acheteurs, sans quoi industriels et investisseurs feront faillite. Pour
empêcher cette catastrophe et s'assurer que les gens continueront

---

1. «National Institute of Food and Agriculture», United States Department of
Agriculture, accès le 10 décembre 2010, http://www.csrees.usda.gov/qlinks/extension.
html.

d'acheter toutes les nouveautés que produit l'industrie, une nouvelle forme d'éthique est apparue : le consumérisme.

Tout au long de l'histoire, la plupart des gens ont vécu dans la rareté. Leur mot d'ordre était la frugalité. Les puritains et les spartiates avec leur éthique austère n'en sont que deux exemples célèbres. Une bonne personne évitait le luxe, ne gaspillait jamais la nourriture, et rapiéçait les pantalons déchirés au lieu d'en acheter des neufs. Seuls les rois et les nobles s'autorisaient à renoncer publiquement à ces valeurs pour étaler leurs richesses avec ostentation.

Dans le consumérisme, consommer toujours plus de biens et de services est une chose positive. Il encourage les gens à se régaler, à se gâter et même à se tuer à petit feu par surconsommation. La frugalité est une maladie qu'il faut soigner. Nul n'est besoin de chercher bien loin pour voir l'éthique du consommateur en action : regardez donc au dos de la boîte de céréales. Voici un extrait d'une boîte de mes céréales préférées pour le petit déjeuner, produites par la société israélienne Telma :

> On a parfois besoin de se faire plaisir. On a parfois besoin d'un petit supplément d'énergie. Il y a un temps pour surveiller son poids et un temps pour se faire plaisir… maintenant ! Telma offre toute une variété de céréales savoureuses. Rien que pour vous ! Régalez-vous sans remords !

Sur le même paquet, figure une pub pour une autre marque de céréales, « Régals sains » :

> « Régals sains » offre quantité de céréales, fruits et noix pour une expérience qui associe goût, plaisir et santé. Pour un petit extra en milieu de journée, qui convienne à une vie saine. *Un vrai régal avec le goût merveilleux du plus* [souligné dans l'original].

Pendant le plus clair de l'histoire, un texte de ce genre eût probablement inspiré le dégoût aux lecteurs. Ils l'eussent jugé égoïste, décadent, corrompu. Avec le concours de la psychologie populaire (*« Just do it ! »*), le consumérisme s'est acharné à convaincre que le sybaritisme est une bonne chose, tandis que rester frugal, c'est s'opprimer soi-même.

Il a réussi. Nous sommes tous de bons consommateurs. Nous achetons d'innombrables produits dont nous n'avons pas réellement besoin et dont, hier encore, nous ignorions l'existence. Les industriels conçoivent délibérément des produits éphémères et inventent inutilement de nouveaux modèles de produits qui donnent pourtant entière satisfaction. Mais il nous faut les acheter pour rester « in », dans le coup. Le shopping est devenu un passe-temps favori, et les biens de consommation sont désormais des médiateurs essentiels dans les relations entre membres de la famille, époux et amis. Les fêtes religieuses comme Noël sont devenues des fêtes du shopping ! Aux États-Unis, même le Memorial Day – initialement, une fête solennelle pour honorer la mémoire des soldats tombés au champ d'honneur – est aujourd'hui prétexte à des ventes spéciales. La plupart des gens marquent ce jour en faisant des courses, peut-être pour prouver que les défenseurs de la liberté ne sont pas morts en vain.

L'épanouissement de l'éthique consumériste est on ne peut plus clair sur le marché de l'alimentation. Les sociétés agricoles traditionnelles vivaient dans l'ombre effroyable de la famine. Dans le monde d'abondance qui est le nôtre, l'un des principaux problèmes de santé est l'obésité, qui frappe les pauvres (lesquels se gavent de hamburgers et de pizzas) plus fortement encore que les riches (amateurs de salades bio et de jus de fruits). Chaque année, la population américaine dépense plus d'argent en régimes qu'il n'en faudrait pour nourrir tous les gens qui ont faim dans le reste du monde. L'obésité est une double victoire pour le consumérisme. Au lieu de manger peu, ce qui provoquerait une récession économique, les gens mangent trop puis achètent des produits diététiques – contribuant ainsi doublement à la croissance économique.

*

Comment faire cadrer l'éthique consumériste avec l'éthique capitaliste de l'homme d'affaires, suivant laquelle il ne faut pas dilapider les profits mais les réinvestir dans la production ? Élémentaire. Comme dans les périodes antérieures, l'élite et les masses se partagent le travail. Dans l'Europe médiévale, les aristocrates insouciants dépensaient leur argent en luxes extravagants, tandis que les paysans vivaient frugalement, comptant chaque sou. De nos jours, la table a tourné. Les riches prennent grand soin de gérer leurs actifs et investissements alors que les moins nantis s'endettent pour acheter des voitures et des télévisions dont ils n'ont pas vraiment besoin.

Les éthiques capitaliste et consumériste sont les deux côtés de la même médaille, la fusion de deux commandements. Le commandement suprême du riche est : « Investis ! » Celui du commun des mortels : « Achète ! »

L'éthique capitalistico-consumériste est révolutionnaire d'un autre point de vue. La plupart des systèmes éthiques antérieurs proposaient aux gens un marché assez rude. Ils leur promettaient le paradis, si seulement ils cultivaient la compassion et la tolérance, dominaient l'envie et la colère et refrénaient leurs intérêts égoïstes. Pour la plupart, c'était trop dur. L'histoire de l'éthique est la triste histoire de merveilleux idéaux que personne ne saurait atteindre. La plupart des chrétiens n'imitent pas le Christ, la plupart des bouddhistes sont incapables de suivre Bouddha, et la plupart des confucéens auraient provoqué une crise de rage chez Confucius.

À l'opposé, la plupart des gens, aujourd'hui, n'ont aucun mal à se hisser à la hauteur de l'idéal capitalistico-consumériste. La nouvelle éthique promet le paradis à condition que les riches restent cupides et passent leur temps à se faire du fric, et que les masses lâchent la bride à leurs envies et à leurs passions, et achètent de plus en plus. C'est la première religion de l'histoire dont les adeptes font vraiment ce qu'on leur demande de faire. Mais comment savons-nous que nous aurons vraiment le paradis en retour ? Nous l'avons vu à la télévision.

18.

Une révolution permanente

La Révolution industrielle a ouvert des voies nouvelles pour transformer l'énergie et produire des biens, libérant largement l'humanité de sa dépendance envers l'écosystème environnant. Les hommes ont abattu des forêts, drainé des marécages, endigué des fleuves, inondé, posé des dizaines de milliers de kilomètres de voies ferrées, et construit des métropoles de gratte-ciel. Le monde étant façonné pour répondre aux besoins d'*Homo sapiens*, des habitats ont été détruits, des espèces se sont éteintes. Jadis bleue et verte, notre planète se transforme en un centre commercial de béton et de plastique.

Aujourd'hui, les continents abritent près de 7 milliards de Sapiens. Si vous preniez tous ces gens pour les placer sur le plateau d'une balance, leur masse combinée tournerait autour de 300 millions de tonnes. Prenez ensuite tous nos animaux de ferme domestiqués – vaches, cochons, moutons et poulets – et pesez-les : leur masse tournerait autour de 700 millions de tonnes. À titre de comparaison, la masse combinée de tous les grands animaux sauvages survivants – des porcs-épics et des pingouins aux éléphants et aux baleines – ne dépasse pas 100 millions de tonnes. Nos livres d'enfants, notre iconographie et nos écrans de télévision sont encore pleins de girafes, de loups et de chimpanzés, alors qu'en réalité il en reste fort peu. On compte à peu près 80 000 girafes, contre 1,5 milliard de bestiaux ; juste 200 000 loups gris pour 400 millions de chiens domestiques ; et seulement 250 000 chimpanzés contre plusieurs milliards d'êtres humains. L'humanité a réellement pris possession du monde[1].

Dégradation écologique et rareté des ressources sont deux choses différentes. Les ressources à la disposition de l'humanité (voir le chapitre 17) ne cessent de croître et continueront probablement sur cette lancée. Aussi les prophètes de malheur qui invoquent la rareté des ressources se fourvoient-ils vraisemblablement. À l'opposé, la peur de la dégradation écologique n'est que trop fondée. L'avenir pourrait bien voir Sapiens prendre le contrôle d'une corne d'abondance de matériaux nouveaux et de nouvelles sources d'énergie tout en détruisant simultanément ce qu'il reste de l'habitat naturel et en provoquant l'extinction de la plupart des autres espèces.

En vérité, le chambardement écologique pourrait mettre en danger la survie même de l'*Homo sapiens*. Le réchauffement climatique, la fonte de la calotte glaciaire, la montée des océans et la pollution généralisée pourraient rendre la Terre moins hospitalière aux nôtres. Dès lors, l'avenir pourrait nous réserver une spirale infernale, une course poursuite entre la puissance de l'homme et les catastrophes naturelles qu'il provoque. En utilisant leur pouvoir pour contrer les forces de la nature et soumettre l'écosystème à leurs besoins et caprices, les hommes pourraient bien causer de plus en plus d'effets pervers imprévus et dangereux. Probablement ne pourrait-on en venir à bout qu'au prix de manipulations plus drastiques encore de l'écosystème, qui ne manqueraient pas de produire un chaos encore pire.

Beaucoup parlent à ce propos de « destruction de la nature ». Or, c'est moins une destruction qu'un changement. La nature ne saurait être détruite. Voici soixante-cinq millions d'années, un astéroïde fit disparaître les dinosaures mais, ce faisant, ouvrit la voie aux mam-

---

1. Vaclav Smil, *The Earth's Biosphere : Evolution, Dynamics, and Change*, Cambridge, Mass., MIT Press, 2002 ; Michael Gleich *et al.*, *Life Counts : Cataloging Life on Earth*, New York, Atlantic Monthly Press, 2002 ; Sarah Catherine Walpole *et al.*, « The Weight of Nations : An Estimation of Adult Human Biomass », *BMC Public Health* 12:439, 2012, http://www.biomedcentral.com/1471-2458/12/439.

mifères. De nos jours, l'humanité pousse maintes espèces à l'extinction. Elle pourrait même s'anéantir. Mais d'autres organismes s'en tirent fort bien. Rats et cancrelats, par exemple, connaissent leur âge d'or. Ces créatures tenaces réussiraient probablement à s'extraire des décombres fumants d'un Armageddon nucléaire, prêts à répandre leur ADN. Dans 65 millions d'années, peut-être, des rats intelligents nous sauront gré de la décimation opérée par l'humanité, de même que nous pouvons remercier aujourd'hui l'astéroïde qui a éliminé les dinosaures.

Reste que les rumeurs de notre extinction sont prématurées. Depuis la Révolution industrielle, la population mondiale a proliféré comme jamais. En 1700, le monde comptait 700 millions d'habitants. En 1800, nous étions 950 millions. En 1900, ce chiffre avait presque doublé pour atteindre 1,6 milliard. La population a encore quadruplé pour atteindre 6 milliards de Sapiens en 2000, et un peu moins de 7 actuellement.

TEMPS MODERNES

Si tous ces Sapiens sont de plus en plus imperméables aux caprices de la nature, ils sont devenus toujours plus soumis aux diktats de l'industrie moderne et de l'État. La Révolution industrielle a ouvert la porte à une longue chaîne d'expériences de génie social et à une série plus longue encore de changements non prémédités touchant la vie quotidienne et les mentalités. Un exemple parmi tant d'autres est le remplacement des rythmes de l'agriculture traditionnelle par le calendrier uniforme et précis de l'industrie.

L'agriculture traditionnelle reposait sur les cycles du temps naturel et de la croissance organique. La plupart des sociétés n'étaient pas capables de mesures précises du temps et, au demeurant, ne s'y intéressaient guère. Le monde vaquait à ses occupations sans horloges ni horaires, juste sujet aux mouvements du soleil et aux cycles de croissance des plantes. Il n'y avait pas de journée de travail uniforme, et les routines changeaient radicalement d'une saison à l'autre. Les gens savaient où était le soleil. Ils guettaient anxieusement les signes annonciateurs de la saison des pluies et du temps de la récolte, mais ils ne savaient pas l'heure et n'avaient cure de l'année. Si un voyageur dans le temps égaré surgissait dans un village médiéval et demandait à un passant : « En quelle année est-on ? », le manant aurait été médusé par la question de l'étranger autant que par son accoutrement même ridicule.

Au contraire des paysans et cordonniers du Moyen Âge, l'industrie moderne se soucie peu du soleil ou des saisons. C'est la précision et l'uniformité qu'elle sanctifie. Dans un atelier médiéval, par exemple, chaque cordonnier faisait la totalité du soulier, de la semelle à la boucle. Si l'un prenait du retard dans son travail, il ne paralysait pas les autres. Sur la chaîne de montage d'une usine moderne, en revanche, chaque ouvrier fait marcher une machine qui ne produit qu'une petite partie de la chaussure puis la fait passer à la machine suivante. Si l'ouvrier de la machine n° 5 a eu une panne d'oreiller, il bloque toutes les autres machines. Pour empêcher de telles calamités, tout le monde est astreint à des horaires précis. Chaque ouvrier doit être à son poste à la même heure. Tous font la pause-repas à l'unisson, qu'ils aient faim ou non. Tout le monde rentre à la maison quand un coup de sifflet annonce la fin de la journée du travail, non pas quand le projet est terminé.

La Révolution industrielle fit des horaires et de la chaîne de montage le gabarit de toutes les activités humaines. Peu après que les usines eurent encadré le comportement des employés par leurs horaires, les écoles adoptèrent à leur tour des horaires précis, suivies par les hôpitaux, l'administration publique et les épiceries. Jusque dans les endroits sans travail à la chaîne ni machines, l'horaire devint roi. Si le travail à l'usine s'arrête à 17 heures, le pub du coin a tout intérêt à ouvrir à 17 h 02.

Les transports publics ont été un maillon crucial dans la propagation du système des horaires. Si les ouvriers devaient être à leur poste à 8 heures, le train ou le bus devait les déposer à la porte de l'usine à 7 h 55. Un retard de quelques minutes nuirait à la production et pourrait même conduire à la mise à pied des malheureux retardataires. En 1784 commença à opérer en Grande-Bretagne un service de voitures avec des horaires publics : ceux-ci n'indiquaient que l'heure de départ, pas celle d'arrivée. En ce temps-là, chaque ville ou chaque bourg avait son heure locale, laquelle pouvait différer de celle de Londres d'une bonne demi-heure. Quand il était midi à Londres, il pouvait être 12 h 20 à Liverpool et 11 h 50 à Canterbury. Comme il n'y avait ni téléphones, ni radio, ni télévision, et pas de trains rapides, qui pouvait savoir, et qui s'en souciait[1] ?

La première liaison ferroviaire commerciale ouvrit en 1830 entre Liverpool et Manchester. Dix ans plus tard sortaient les premiers horaires. Les trains étaient beaucoup plus rapides que les vieux attelages, en sorte que les étranges différences d'heures locales devinrent une grande nuisance. En 1847, les compagnies ferroviaires britanniques se concertèrent et convinrent que les horaires des trains seraient désormais calibrés sur l'heure de l'observatoire de Greenwich, plutôt que sur les heures locales de Liverpool, Manchester ou Glasgow. De plus en plus d'institutions suivirent l'exemple des compagnies ferroviaires. Puis, en 1880, le gouvernement britannique prit enfin une mesure sans précédent : la loi imposa à tous de se régler sur l'heure de Greenwich. Pour la première fois de l'histoire, un pays adopta une heure nationale et obligea sa population à se régler sur une horloge artificielle, plutôt que sur l'heure locale, ou les cycles du lever et du coucher du soleil.

Ce modeste commencement engendra tout un réseau mondial d'horaires, synchronisés jusqu'à la plus infime fraction de seconde. Quand la radiodiffusion, puis la télévision firent leurs débuts, elles entrèrent dans un monde d'horaires, dont elles devinrent les principales exécutantes et évangélistes. Les signaux horaires furent parmi les premières choses diffusées par les stations de radio : des bips qui permettaient aux populations isolées ou aux navires en mer de régler leurs horloges. Plus tard, les stations de radio prirent pour habitude de diffuser des bulletins d'information toutes les heures. De nos

---

1. William T. Jackman, *The Development of Transportation in Modern England*, Londres, Frank Cass & Co., 1966, p. 324-327 ; H. J. Dyos et D. H. Aldcroft, *British Transport – An Economic Survey from the Seventeenth Century to the Twentieth*, Leicester, Leicester University Press, 1969, p. 124-131 ; Wolfgang Schivelbusch, *The Railway Journey : The Industrialization of Time and Space in the 19th Century*, Berkeley, University of California Press, 1986.

jours, chaque bulletin s'ouvre immanquablement par l'heure – qui importe même davantage que le déclenchement d'une guerre. Au cours de la Seconde Guerre mondiale, BBC News diffusait en direction de l'Europe sous occupation nazie. Chaque bulletin d'infos commençait par la retransmission en direct des cloches de Big Ben : le son magique de la liberté. D'ingénieux physiciens allemands trouvèrent le moyen de savoir quel temps il faisait à Londres en se fondant sur les infimes différences de ton des ding-dong retransmis. Cette information fut d'une aide précieuse à la Luftwaffe. Quand les services secrets britanniques s'en aperçurent, ils remplacèrent la retransmission en direct par un enregistrement de la fameuse horloge.

La bonne marche du réseau d'horaires supposait l'omniprésence d'horloges portables bon marché mais précises. Dans les villes assyriennes, sassanides ou incas, il y avait tout au plus des cadrans solaires. Dans les villes européennes du Moyen Âge, il n'y avait généralement qu'une horloge : une horloge géante montée au sommet d'une grande tour sur la place. Ces horloges de tour étaient notoirement inexactes, mais comme il n'y avait pas d'autres horloges en ville pour les contredire, c'était sans grande importance. Aujourd'hui, une famille aisée compte plus de montres ou d'horloges à la maison qu'un pays tout entier au Moyen Âge. Pour savoir l'heure, il suffit de regarder sa montre-bracelet, de jeter un coup d'œil à son Androïde, de consulter le réveil à son chevet ou l'horloge au mur de la cuisine, de se pencher sur le micro-ondes, d'allumer la télévision ou de passer un DVD, ou encore de penser à regarder la barre des tâches de notre ordi du coin de l'œil. Pour *ne pas* savoir l'heure qu'il est, il faut vraiment le vouloir !

L'homme moyen consulte l'heure des douzaines de fois par jour, parce que presque tout ce que nous faisons doit être fait à l'heure. Le réveil sonne à 7 heures, nous passons le petit pain surgelé cinquante secondes au micro-ondes, nous nous brossons les dents trois minutes jusqu'au bip, puis filons attraper le train de 7 h 40 qui nous conduira au boulot ; la journée terminée, nous nous accordons une demi-heure d'exercice sur le tapis de jogging jusqu'à ce que le beeper annonce que la demi-heure est terminée, puis nous nous postons devant la télé à 19 heures pour regarder notre émission favorite, interrompue par des pubs qui coûtent mille dollars la seconde et finissons par vider toute l'angoisse accumulée dans le cabinet d'un thérapeute, qui restreint notre babillage à la séance désormais standard de cinquante minutes.

*

La Révolution industrielle a produit des douzaines de bouleversements majeurs dans la société humaine. L'adaptation à l'heure industrielle n'en est qu'un exemple. Il en est d'autres notables : l'urbanisation, la disparition de la paysannerie, l'essor du prolétariat industriel, l'octroi de droits à l'homme ordinaire, la démocratisation, la culture de la jeunesse et la désintégration du patriarcat.

Mais tous ces chambardements ne sont rien en comparaison de la révolution sociale la plus capitale qu'ait jamais connue l'humanité : l'effondrement de la famille et de la communauté locale remplacés par l'État et le marché. Pour autant qu'on puisse le dire, depuis les temps les plus reculés, voici un million d'années, les hommes ont toujours vécu en petites communautés intimes essentiellement formées de parents. La Révolution cognitive et la Révolution agricole n'y avaient rien changé. Elles agglutinèrent familles et communautés pour créer tribus, cités, royaumes et empires, mais les familles ou les communautés restèrent l'élément de base de toutes les sociétés humaines. En revanche, en un peu plus de deux siècles la Révolution industrielle réussit à atomiser ces éléments. Les États et les marchés ont repris la plupart des fonctions traditionnelles des familles et des communautés.

L'EFFONDREMENT DE LA FAMILLE ET DE LA COMMUNAUTÉ

Avant la Révolution industrielle, la vie quotidienne de la plupart des hommes se déroulait dans trois cadres anciens : la famille nucléaire, la famille élargie et la communauté intime locale[1]. La plupart des gens travaillaient dans des affaires familiales – à la ferme

---

1. Une « communauté intime » est un groupe de gens qui se connaissent bien et ont besoin les uns des autres pour survivre.

ou à l'atelier, par exemple – ou dans les affaires familiales des voisins. C'est aussi la famille qui pourvoyait à la protection sociale, à la santé et à l'éducation et qui faisait office d'industrie du bâtiment, de syndicat, de fonds de pension, de compagnie d'assurances, de radio, de télévision, de journal, de banque et même de police.

Quand une personne tombait malade, la famille s'occupait d'elle, de même qu'elle s'occupait des vieux – les enfants jouant alors le rôle de fonds de pension. Si un parent mourait, la famille veillait sur les orphelins. Voulait-on se construire une cabane ? La famille donnait un coup de main. Voulait-on lancer une affaire ? La famille levait les fonds nécessaires. Si l'on avait envie de se marier, c'est la famille qui choisissait l'épouse ou l'examinait sous toutes les coutures. En cas de conflit avec le voisinage, la famille jouait des muscles. Mais si la maladie était trop grave pour que la famille puisse faire face, que la nouvelle affaire nécessitait un investissement trop lourd, ou que la querelle de voisinage dégénérait, la communauté locale volait à la rescousse.

La communauté apportait son aide sur la base des traditions locales et d'une économie de faveurs, souvent très différente des lois de l'offre et de la demande sur le marché. Dans une communauté médiévale à l'ancienne, quand mon voisin était dans le besoin, je l'aidais à construire sa cabane et à garder ses moutons, sans attendre de paiement en retour. Quand j'étais à mon tour dans le besoin, mon voisin me rendait la pareille. Dans le même temps, le potentat local pouvait mobiliser tous les villageois pour construire son château sans payer le moindre sou. En échange, nous comptions sur lui pour nous défendre des brigands et des barbares. La vie villageoise impliquait de nombreuses transactions, mais peu de paiements. Il y avait bien entendu des marchés, mais leurs rôles étaient limités. On y trouvait des épices rares, du tissu et des outils, et l'on pouvait faire appel aux services d'hommes de loi ou de médecins. Cependant, moins de 1 % des produits et des services d'usage courant s'achetaient sur le marché. La famille et la communauté pourvoyaient à la plupart des besoins humains.

Il y avait aussi des royaumes et des empires qui accomplissaient des tâches importantes : guerres à livrer, routes à construire et palais à bâtir. À ces fins, les rois levaient des impôts et, à l'occasion, enrôlaient des soldats et de la main-d'œuvre. À de rares exceptions près, cependant, ils avaient tendance à rester à l'écart des affaires quotidiennes des familles et des communautés. Même s'ils voulaient intervenir, la plupart des rois ne pouvaient le faire qu'avec difficulté. Les économies agricoles traditionnelles dégageaient peu d'excédent pour nourrir des foules de commis de l'État, de policiers, de travailleurs sociaux, d'enseignants et de médecins. Par voie de conséquence, la plupart des souverains ne mettaient pas en place de systèmes de soins ou d'éducation, mais abandonnaient ces domaines aux familles et aux communautés. Même dans les rares occasions où ils essayèrent d'intervenir de manière plus poussée dans la vie quotidienne de la paysannerie (ainsi en Chine, dans l'empire Qin), ils le firent en transformant les chefs de famille et les anciens de la communauté en agents de l'État.

Assez souvent, du fait des difficultés de transport et de communication, il était si malaisé d'intervenir dans les affaires des communautés lointaines que beaucoup de royaumes préféraient même céder aux communautés les prérogatives royales les plus fondamentales telles que la fiscalité et la violence. Plutôt que d'entretenir de grandes forces de police impériales, l'Empire ottoman, par exemple, autorisait les vendettas familiales pour faire régner la justice : si mon cousin tuait quelqu'un, le frère de la victime pouvait me trucider dans le cadre d'une vengeance légitime. Ni le sultan d'Istanbul ni même le pacha de la province n'intervenait dans ces différends du moment que la violence restait dans des limites acceptables.

Dans l'Empire chinois des Ming (1368-1644), la population était organisée en système de *baojia*. Dix familles se regroupaient pour former un *jia*, et dix *jia* constituaient un *bao*. Quand le membre d'un *bao* commettait un crime, les autres membres pouvaient le châtier, notamment les anciens. Les impôts étaient également levés sur le *bao*, et il incombait aux anciens, plutôt qu'à des bureaucrates, d'évaluer la situation de chaque famille et de déterminer le montant qu'elle devait payer. Dans la perspective de l'empire, ce système présentait un immense avantage. Au lieu d'entretenir des milliers d'agents du fisc et de collecteurs d'impôts, chargés de surveiller les gains et les dépenses de chaque famille, il abandonnait ces tâches aux anciens de la communauté. Les anciens savaient combien valait chaque villageois et pouvaient généralement faire rentrer les impôts sans le secours de l'armée impériale.

En vérité, bien des royaumes et des empires étaient à peine plus que des formes de racket et de protection. Le roi était le *capo di tutti capi*, le parrain qui recueillait l'argent, et, en retour, veillait à ce que les syndicats du crime voisins et le menu fretin local ne fissent pas de tort aux gens placés sous sa protection. Il ne faisait pas grand-chose d'autre.

La vie au sein de la famille et de la communauté était loin d'être idéale. Les familles et les communautés pouvaient opprimer leurs membres non moins brutalement que les États et marchés modernes, et leur dynamique interne était souvent chargée de tensions et de violences, mais les gens n'avaient guère le choix. Autour de 1750, qui perdait sa famille et sa communauté était pour ainsi dire un homme mort : sans travail ni éducation, ni soutien dans la maladie ou la détresse. En cas de problèmes, il ne trouvait personne pour lui prêter de l'argent ou le défendre. Il n'y avait ni policiers, ni travailleurs sociaux, ni scolarité obligatoire. Pour survivre, il fallait vite se trouver une famille ou une communauté de remplacement. Les garçons et les filles qui fuyaient leur domicile pouvaient espérer au mieux une place de serviteurs dans une nouvelle famille. Au pire, il y avait l'armée ou le bordel.

*

Les choses ont changé du tout au tout au cours des deux derniers siècles. La Révolution industrielle a donné au marché de nouveaux pouvoirs immenses, fourni à l'État de nouveaux moyens de communication et de transports, mais aussi mis à la disposition du gouvernement une armée de fonctionnaires, d'enseignants, de policiers et de travailleurs sociaux. Au départ, le marché et l'État trouvèrent en travers de leur chemin les familles et les communautés traditionnelles qui avaient peu de goût pour les interventions extérieures. Parents et anciens répugnaient à laisser les jeunes se faire endoctriner par les systèmes éducatifs nationalistes, enrôler dans l'armée ou transformer en prolétaires urbains sans racines.

Au fil du temps, États et marchés se servirent de leur pouvoir croissant pour affaiblir les liens traditionnels de la famille et de la communauté. L'État envoya sa police arrêter les vendettas familiales pour les remplacer par des décisions de justice. Le marché dépêcha des démarcheurs pour en finir avec les vénérables traditions locales et les remplacer par des modes commerciales qui changent sans cesse. Mais cela se révéla insuffisant. Pour briser réellement le pouvoir de la famille et de la communauté, il leur fallait le concours d'une cinquième colonne.

L'État et le marché soumirent aux gens une offre qui ne se refuse pas : « Devenez des individus. Épousez qui vous désirez, sans demander la permission à vos parents. Prenez le travail qui vous convient, même si les anciens froncent les sourcils. Vivez comme vous l'entendez, même si vous n'allez pas chaque semaine au repas de famille. Vous n'êtes plus dépendants de votre famille ou de votre communauté. Nous, l'État et le marché, nous allons prendre soin de vous. Nous vous fournirons nourriture, hébergement, éducation, santé, aide sociale et emploi, mais aussi pensions, assurances et protection. »

La littérature romantique décrit souvent un individu pris dans le conflit qui oppose l'État et le marché. Rien ne saurait être plus éloigné de la vérité. L'État et le marché sont la mère et le père de l'individu, et l'individu ne peut survivre que grâce à eux. Le marché nous fournit travail, assurance et pension. Voulons-nous apprendre un métier, les écoles publiques sont là pour dispenser l'enseignement souhaité. Voulons-vous créer une affaire, la banque nous prête de l'argent. Voulons-nous construire une maison, un entrepreneur s'en charge, et la banque nous accorde un prêt hypothécaire, le cas échéant garanti ou assuré par l'État. La police nous protège en cas de flambée de violence. L'assurance-santé veille sur nous si nous sommes malades quelques jours. En cas d'incapacité de travail de plusieurs mois, les services sociaux interviennent. S'il nous faut une aide à longueur de journée, il suffit de se tourner vers le marché pour embaucher une infirmière : généralement une étrangère venue du bout du monde, qui prend soin de nous avec un dévouement que nous n'attendons même plus de nos enfants. Pour peu que nous en ayons les moyens, nous pouvons vivre nos « années dorées » dans un foyer pour séniors. Le fisc nous traite en individus, et n'attend pas de nous que nous payions les impôts de nos voisins. Les tribunaux voient aussi en nous des individus et ne nous punissent jamais pour les crimes de nos cousins.

La qualité d'individu n'est plus reconnue aux seuls hommes adultes, mais aussi aux femmes et aux enfants. Dans la majeure partie de l'histoire, les femmes ont souvent été considérées comme la propriété de la famille ou de la communauté. Les États modernes, en revanche, voient en elles des individus, jouissant de droits économiques et juridiques propres, indépendamment de leur famille et de leur communauté. Elles peuvent ouvrir des comptes en banque, épouser qui elles veulent et même choisir de divorcer ou vivre seules.

Mais la libération de l'individu a un coût. Nous sommes nombreux à déplorer la perte des familles et communautés fortes, à nous sentir aliénés et menacés par le pouvoir de l'État et du marché impersonnels sur nos vies. Des États et des marchés composés d'individus aliénés peuvent s'immiscer dans la vie des citoyens plus aisément que les États et les marchés formés de familles et de communautés fortes. Quand, dans un immeuble d'habitation, les voisins ne parviennent pas à s'entendre sur la rémunération du concierge, comment espérer qu'ils résistent à l'État ?

Famille et communauté vs. État et marché

Cercle prémoderne

Famille et communauté   État et marché
fortes   faibles

Individus faibles

Cercle moderne

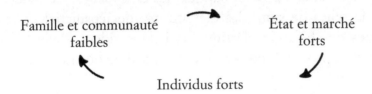

Famille et communauté
faibles

État et marché
forts

Individus forts

Le *deal* entre États, marchés et individus est malaisé. L'État et le marché ne sont pas d'accord sur leurs droits et obligations mutuels, et les particuliers déplorent que tous deux exigent trop et apportent trop peu. Dans bien des cas, les marchés exploitent les individus, et les États emploient leurs armées, leurs forces de police et leurs bureaucraties pour persécuter les individus au lieu de les défendre. Que ce *deal* marche, fût-ce imparfaitement, ne laisse pas d'étonner tant il fait violence à d'innombrables générations d'arrangements sociaux humains. Des millions d'années d'évolution nous ont modelés pour vivre et penser en membres d'une communauté. Il aura suffi de deux petits siècles pour faire de nous des individus aliénés. Rien n'atteste mieux l'impressionnant pouvoir de la culture.

*

La famille nucléaire n'a pas entièrement disparu du paysage moderne. Quand les États et les marchés ont dépouillé la famille de la plupart de ses rôles économiques et politiques, ils lui ont laissé quelques fonctions émotionnelles importantes. On attend toujours de la famille moderne qu'elle pourvoie aux besoins intimes, que l'État et le marché sont (jusqu'ici) incapables de combler. Même ici, pourtant, la famille est sujette à des interventions croissantes. Le marché façonne toujours plus la manière dont les gens vivent leur vie affective et sexuelle. Alors que, traditionnellement, la famille était la principale marieuse, c'est aujourd'hui le marché qui ajuste nos préférences affectives et sexuelles, puis aide à les satisfaire – moyennant des honoraires coquets. Jadis, les fiancés se rencontraient au salon, et l'argent passait des mains d'un père aux mains d'un autre. De nos jours, on drague dans les bars et les cafés, et l'argent passe des mains des amants à celles des serveuses. Plus d'argent encore va sur les comptes en banque des dessinateurs de mode, des gérants de salles de gym, des diététiciens, des cosméticiens et des spécialistes de chirurgie plastique, qui nous aident à aller au café en étant aussi proches que possible de l'idéal de beauté du marché.

L'État prête aussi une attention plus soutenue aux relations familiales, surtout entre parents et enfants. Les parents sont obligés d'envoyer leurs enfants à l'école. L'État peut prendre des mesures contre les parents particulièrement abusifs ou violents. Au besoin, il peut même les jeter en prison ou placer leurs enfants dans des familles nourricières. Il n'y a pas si longtemps, l'idée que l'État doive empêcher les parents de battre ou d'humilier leur progéniture eût été balayée d'un revers de main comme une idée ridicule et inapplicable. Dans la plupart des sociétés, l'autorité parentale est sacrée. Le respect et l'obéissance dus à ses parents comptaient parmi les valeurs consacrées entre toutes, et les parents pouvaient faire presque tout ce qu'ils voulaient, y compris tuer les nouveau-nés, vendre leurs enfants en esclavage ou marier leurs filles à des hommes qui avaient plus de deux fois leur âge. Aujourd'hui, l'autorité parentale bat en retraite. Les jeunes sont de plus en plus dispensés d'obéir à leurs aînés tandis que les parents sont blâmés de tout ce qui ne va pas dans la vie de leur rejeton. Au tribunal freudien, papa et maman ont aussi peu de chance d'être acquittés que les accusés d'un grand procès stalinien !

COMMUNAUTÉS IMAGINAIRES

De même que la famille nucléaire, la communauté ne pouvait entièrement disparaître de notre monde sans substitut émotionnel. De nos jours, marchés et États satisfont l'essentiel des besoins matériels auxquels pourvoyaient autrefois les communautés, mais ils doivent aussi veiller aux liens tribaux.

Marchés et États le font en encourageant des « communautés imaginaires » qui contiennent des millions d'inconnus et qui sont adaptées aux besoins nationaux et commerciaux. Une communauté imaginaire est une communauté de gens qui ne se connaissent pas vraiment, mais imaginent se connaître. Ces communautés ne sont pas une invention récente. Royaumes, empires et Églises ont fonctionné des millénaires durant sous forme de communautés imaginaires. Dans la Chine antique, des dizaines de millions de gens se pensaient membres d'une même famille, dont l'empereur était le père. Au Moyen Âge, des millions de musulmans s'imaginaient frères et sœurs dans la grande communauté de l'Islam. Tout au long de l'histoire, cependant, ces communautés imaginaires ont été des seconds violons, passant après les communautés intimes de plusieurs dizaines de personnes qui se connaissaient vraiment très bien. Les communautés intimes comblaient les besoins émotionnels de leurs membres et étaient essentielles à la survie et au bien-être de tous. Au cours des deux derniers siècles, les communautés intimes ont dépéri, laissant les communautés imaginaires occuper le vide émotionnel.

La nation et la tribu des consommateurs sont les deux exemples les plus importants de ces communautés imaginaires. La nation est la communauté imaginaire de l'État ; la tribu des consommateurs, la communauté imaginaire du marché. Toutes deux sont des communautés *imaginaires* parce qu'il est impossible à tous les clients d'un marché ou à tous les ressortissants d'une nation de se connaître réellement comme les villageois se connaissaient jadis. Aucun Allemand ne saurait intimement connaître ses quelque 80 millions de concitoyens, ni les 500 millions de consommateurs du Marché commun (qui s'est ensuite transformé en Communauté européenne, puis en Union européenne).

Le consumérisme et le nationalisme font des heures supplémentaires pour nous persuader que des millions d'inconnus appartiennent à la même communauté que nous, que nous avons tous un passé commun, des intérêts communs et un futur commun. Ce n'est pas un mensonge. C'est de l'imagination. Comme la monnaie, les sociétés anonymes à responsabilité limitée et les droits de l'homme, les nations et les tribus de consommateurs sont des réalités intersubjectives. Elles n'existent que dans notre imaginaire collectif, mais leur pouvoir est immense. Tant que des millions d'Allemands croient à l'existence d'une nation allemande, s'excitent à la seule vue de symboles nationaux, racontent des mythes germaniques et sont prêts à sacrifier argent, temps et membres pour leur nation, l'Allemagne restera une des plus grandes puissances du monde.

La nation fait de son mieux pour cacher son caractère imaginaire. La plupart des nations se présentent comme une entité naturelle ou éternelle, créée à quelque époque primordiale en mêlant le sang des hommes au sol de la mère patrie. Or ces allégations sont habituellement exagérées. Les nations ont existé dans un passé lointain, mais leur importance était bien moindre qu'aujourd'hui parce que l'importance de l'État était beaucoup plus réduite. Au Moyen Âge, un habitant de Nuremberg pouvait éprouver quelque loyauté envers la nation allemande, mais sa loyauté était autrement plus forte envers sa famille et sa communauté locale, qui pourvoyaient à l'essentiel de ses besoins. De surcroît, quelle qu'ait pu être l'importance des nations anciennes, peu ont survécu. La plupart des nations existantes sont apparues après la Révolution industrielle.

Les exemples abondent au Moyen-Orient. Les nations syrienne, libanaise, jordanienne et irakienne sont le produit de frontières aléatoires tracées dans le sable par des diplomates français et britanniques ignorant l'histoire, la géographie et l'économie locales. Ces diplomates décidèrent en 1918 que la population du Kurdistan, de Bagdad et de Bassora serait dorénavant les « Irakiens ». Ce sont surtout les Français qui décidèrent qui serait syrien, qui serait libanais. Saddam Hussein et Hafez el-Assad firent de leur mieux pour promouvoir et renforcer leur conscience nationale de fabrication anglo-française, mais leurs discours emphatiques sur les nations syrienne et irakienne prétendument éternelles sonnaient creux.

Il va sans dire qu'on ne saurait créer une nation à partir de rien. Ceux qui se donnèrent du mal pour construire l'Irak et la Syrie utilisèrent des matériaux bruts historiques, géographiques et culturels – pour certains vieux de plusieurs siècles, voire de millénaires. Saddam Hussein coopta l'héritage du califat abbasside et de l'Empire babylonien, allant jusqu'à donner le nom de « Division Hammurabi » à une de ses unités blindées d'élite. Pour autant, cela ne fait pas de l'Irak une entité ancienne. Si je fais un gâteau avec de la farine, de l'huile et du sucre qui traînent dans mon garde-manger depuis deux mois, cela ne veut pas dire que mon gâteau soit vieux de deux mois.

Au fil des dernières décennies, les communautés nationales ont été de plus en plus éclipsées par des foules de consommateurs qui ne se connaissent pas intimement, mais partagent les mêmes habitudes et intérêts de consommation et ont donc le sentiment de faire partie de la même tribu de consommateurs – et se définissent comme tels. Si étrange que cela paraisse, les exemples abondent autour de nous. Les fans de Madonna, par exemple, constituent une tribu de consommateurs. Ils se définissent largement par le shopping, achètent des billets pour les concerts de Madonna, des CD, des posters, des T-shirts et des sonneries pour téléphone portable, et ainsi définissent-ils ce qu'ils sont. Les supporters de Manchester United, les végétariens et les écolos en sont d'autres exemples. Eux aussi se définissent avant tout par ce qu'ils consomment. C'est la clé de voûte de leur identité. Un végétarien allemand préférerait sans doute épouser une végétarienne française plutôt qu'une carnivore allemande.

Perpetuum mobile

Les révolutions des deux siècles passés ont été si rapides et si radicales qu'elles ont changé la caractéristique la plus fondamentale de l'ordre social. Traditionnellement, celui-ci était dur et rigide. « Ordre » impliquait stabilité et continuité. Les révolutions sociales rapides étaient exceptionnelles, et la plupart des transformations sociales résultaient de l'accumulation d'une multitude de petits pas. Les hommes avaient tendance à supposer que la structure sociale est inflexible et éternelle. Familles et communautés pouvaient bien lutter pour changer de place au sein de l'ordre, l'idée qu'on puisse en modifier la structure fondamentale leur restait étrangère. Les gens avaient tendance à s'accommoder du *statu quo* : « Il en a toujours été ainsi, il en ira toujours ainsi. »

Au cours des deux derniers siècles, le rythme du changement a été si rapide que l'ordre social a acquis une nature dynamique et malléable. Il est désormais en perpétuel mouvement. Quand nous parlons des révolutions modernes, nous avons tendance à penser 1789 (Révolution française), 1848 (révolutions libérales) ou 1917 (Révolution russe). Mais le fait est que, ces temps-ci, chaque année est révolutionnaire. De nos jours, quelqu'un de trente ans peut honnêtement dire à des adolescents incrédules : « Quand j'étais jeune, le monde était entièrement différent. » L'Internet, par exemple, ne s'est généralisé qu'au début des années 1990, voici une petite vingtaine d'années. On ne saurait imaginer le monde sans lui aujourd'hui.

Dès lors, essayer de définir les caractéristiques de la société moderne, c'est un peu vouloir définir la couleur d'un caméléon. La seule caractéristique dont on puisse être certain, c'est que le changement est incessant. Les gens s'y sont habitués, et la plupart d'entre nous pensons à l'ordre social comme à quelque chose de flexible, que nous pouvons manipuler et améliorer à volonté. La grande promesse des souverains prémodernes était de préserver l'ordre traditionnel ou même de revenir à quelque âge d'or perdu. Depuis deux siècles, la politique vit de la promesse de détruire le vieux monde pour en construire un meilleur à sa place. Même les partis les plus conservateurs se gardent bien de jurer de maintenir simplement les choses en l'état. Tous promettent réforme sociale, réforme de l'éducation et réforme économique... et souvent, ils tiennent leurs promesses.

*

De même que les géologues s'attendent à ce que les mouvements tectoniques se traduisent par des tremblements de terre et des éruptions volcaniques, de même nous pourrions imaginer que des mouvements sociaux drastiques se solderont par de sanglantes explosions de violence. L'histoire politique des XIXe et XXe siècles est souvent racontée comme une série de guerres meurtrières, d'holocaustes et de révolutions. Tel un enfant chaussé de bottes neuves qui saute de flaque en flaque, l'histoire avance d'un bain de sang à l'autre : de la Première Guerre mondiale à la Seconde et à la guerre froide ; du génocide arménien à la Shoah et au génocide rwandais ; ou de Robespierre à Lénine et à Hitler.

Il y a du vrai là-dedans, mais cette liste de calamités qui ne nous est que trop familière est un peu trompeuse. Nous nous focalisons à l'excès sur les flaques et oublions la terre sèche qui les sépare. La fin des Temps modernes a vu des niveaux sans précédent de violence et d'horreur, mais aussi de paix et de tranquillité. Charles Dickens a pu ainsi écrire de la Révolution française qu'elle « fut le meilleur des temps, et le pire ». Sans doute est-ce vrai non seulement de la Révolution de 1789, mais aussi de toute l'époque qu'elle annonça.

C'est particulièrement vrai des sept décennies écoulées depuis la fin de la Seconde Guerre mondiale. Au cours de cette période, l'humanité a été pour la première fois confrontée à la possibilité d'un auto-anéantissement total et a connu bon nombre de guerres et de génocides. Mais ces décennies ont aussi été l'ère la plus pacifique de toute l'histoire humaine – et de beaucoup. C'est d'autant plus surprenant que ces mêmes décennies ont connu plus de changements politiques, économiques et sociaux que toute autre époque. Les plaques tectoniques de l'histoire se déplacent à une vitesse effroyable, mais les volcans se taisent le plus souvent. Le nouvel ordre élastique paraît capable de contenir et même d'initier des changements structurels radicaux sans dégénérer en conflit violent[1].

LA PAIX AUJOURD'HUI

La plupart des gens mesurent mal à quel point nous vivons dans une époque pacifique. Aucun de nous ne vivait il y a un millénaire, si bien que nous oublions facilement à quel point le monde était plus violent. Et, alors même qu'elles deviennent plus rares, les guerres attirent davantage l'attention. Beaucoup plus de gens pen-

---

1. Pour une discussion fouillée de l'état de paix sans précédent des dernières décennies, voir notamment Steven Pinker, *The Better Angels of Our Nature : Why Violence Has Declined*, New York, Viking, 2011 ; Joshua S. Goldstein, *Winning the War on War : The Decline of Armed Conflict Worldwide*, New York, N. Y., Dutton, 2011 ; Gat, *War in Human Civilization*.

sent aux guerres qui font rage aujourd'hui en Afghanistan et en Irak qu'à la paix dans laquelle vivent désormais la plupart des Brésiliens et des Indiens.

Qui plus est, il est plus facile de rapporter la souffrance d'individus que celle de populations entières. Cependant, pour apprécier les processus macro-historiques, il nous faut examiner les statistiques générales plutôt que les histoires individuelles. En l'an 2000, la guerre causa la mort de 310 000 personnes, et les crimes violents provoquèrent la mort de 520 000. Chaque victime est un monde qui est détruit, une famille ruinée, des amis et des parents meurtris à vie. Dans une perspective macro, cependant, ces 830 000 victimes ne représentent que 1,5 % des 56 millions de personnes mortes cette année-là – dont 1 260 000 victimes d'accidents de la route (2,25 % de la mortalité totale) et 815 000 qui se sont suicidées (1,45 %)[1].

Les chiffres pour 2002 sont encore plus surprenants. Sur 57 millions de morts, 172 000 seulement sont morts de la guerre et 569 000 de crimes violents, soit un total de 741 000 victimes de violences humaines, pour 873 000 suicides[2]. Le fait est que l'année qui suivit les attentats du 11-Septembre, et malgré tout ce qu'on a pu dire du terrorisme et de la guerre, l'homme de la rue risquait moins de se faire tuer par un terroriste, un soldat ou un trafiquant de drogue que de mourir de sa propre main.

Dans la majeure partie du monde, les gens vont se coucher sans craindre qu'au milieu de la nuit une tribu voisine vienne entourer leur village et massacrer tout le monde. Les sujets britanniques aisés traversent quotidiennement la forêt de Sherwood pour se rendre de Nottingham à Londres sans craindre qu'une bande de joyeux brigands tout de vert vêtus ne leur tende une embuscade et ne les dépouille de leur argent pour le donner aux pauvres (ou, plus

---

1. «World Report on Violence and Health : Summary, Geneva 2002», World Health Organization, accès le 10 décembre 2010, http://www.who.int/whr/2001/en/whr01_annex_en.pdf. Pour les taux de mortalité aux époques antérieures, cf. Lawrence H. Keeley, *War before Civilization : The Myth of the Peaceful Savage*, New York, Oxford University Press, 1996.

2. «World Health Report, 2004», World Health Organization, 124, accès le 10 décembre 2010, http://www.who.int/whr/2004/en/report04_en.pdf.

probablement, les trucide et garde l'argent pour elle). Les élèves ne supportent plus les coups de trique de leurs maîtres, les enfants n'ont plus à craindre d'être vendus en esclavage quand leurs parents ne peuvent plus payer leurs factures, et les femmes savent que la loi interdit à leurs maris de les frapper et de les forcer à rester à la maison. De plus en plus à travers le monde, ces espérances sont réalisées.

Le déclin de la violence est largement dû à l'essor de l'État. Tout au long de l'histoire, la violence est le plus souvent née d'affrontements locaux entre familles et communautés. (Aujourd'hui encore, les chiffres ci-dessus l'indiquent, le crime local est une menace bien plus meurtrière que les guerres internationales.) Les premiers cultivateurs, dont la communauté locale était l'organisation politique la plus importante, souffraient d'une violence endémique[1]. En se renforçant, royaumes et empires devaient serrer la bride aux communautés, en sorte que le niveau de violence décrût. Dans les royaumes décentralisés de l'Europe médiévale, entre 20 et 40 habitants sur 100 000 étaient assassinés chaque année. Dans les dernières décennies, alors que les États et les marchés sont devenus tout-puissants et que les communautés ont disparu, les taux de violence ont continué de baisser. La moyenne générale actuelle est de 9 meurtres par an pour 100 000 habitants, et la plupart de ces crimes ont lieu dans des États faibles tels que la Somalie et la Colombie. Dans les États centralisés d'Europe, la moyenne est de 1 meurtre par an pour 100 000 habitants[2].

---

1. Raymond C. Kelly, *Warless Societies and the Origin of War*, Ann Arbor, University of Michigan Press, 2000, p. 21. Voir aussi Gat, *War in Human Civilization*, p. 129-131 ; Keeley, *War before Civilization*.

2. Manuel Eisner, « Modernization, Self-Control and Lethal Violence », *British Journal of Criminology*, 41:4, 2001, p. 618-638 ; Manuel Eisner, « Long-Term Historical Trends in Violent Crime », *Crime and Justice: A Review of Research*, 30, 2003, p. 83-142 ; « World Report on Violence and Health : Summary, Geneva 2002 », World Health Organization, accès le 10 décembre 2010, http://www.who.int/whr/2001/en/whr01_annex_en.pdf ; « World Health Report, 2004 », World Health Organization, 124, accès le 10 décembre 2010, http://www.who.int/whr/2004/en/report04_en.pdf.

Il est certainement des cas où les États emploient leurs forces pour tuer leurs citoyens, et ces épisodes occupent une grande place dans nos mémoires et nos peurs. Au XXe siècle, des dizaines, voire des centaines de millions de gens ont été victimes des forces de sécurité de leurs propres États. Reste que, dans une perspective macro, les tribunaux et les forces de police relevant de l'État ont probablement accru le niveau de sécurité mondiale. Même dans les dictatures oppressives modernes, l'homme de la rue risque moins de mourir entre les mains d'une autre personne que dans les sociétés prémodernes. En 1964, l'armée brésilienne prit le pouvoir et instaura une dictature qui dirigea le pays jusqu'en 1985. En l'espace de vingt ans, le régime assassina plusieurs milliers de Brésiliens. Des millions d'autres furent incarcérés et torturés. Même durant les pires années, le Brésilien moyen de Rio de Janeiro risquait bien moins de se faire tuer par des hommes que le Waorani, Arawete ou Yanomani moyen, indigènes qui vivent au fin fond de la forêt amazonienne, sans armée, ni police, ni prison. Des études anthropologiques ont montré qu'entre un quart et la moitié des leurs meurent tôt ou tard dans des conflits violents pour des questions de propriété, de femmes ou de prestige[1].

Retraite impériale

Que la violence au sein des États ait décru ou augmenté depuis 1945 est peut-être sujet à discussion. Ce que personne ne saurait nier, c'est que la violence internationale est tombée au niveau le plus faible, toutes époques confondues. L'exemple le plus évident est peut-être l'effondrement des empires européens. Tout au long de l'histoire, les empires ont écrasé les rébellions d'une main de fer et, quand son heure a sonné, l'empire sombrant a utilisé tous les moyens pour se sauver, pour finir habituellement dans un bain de sang. Sa chute finale a généralement conduit à l'anarchie et à des guerres de succession. Depuis 1945, la plupart des empires ont

---

1. Walker et Bailey, « Body Counts in Lowland South American Violence », p. 30.

opté pour un retrait anticipé et pacifique. L'effondrement a été relativement rapide, calme et ordonné.

En 1945, la Grande-Bretagne dirigeait un quart de la planète. Trente ans plus tard, elle ne régnait plus que sur quelques îles. Dans l'intervalle, elle battit en retraite de la plupart de ses colonies de façon paisible et ordonnée. Même si, dans certains pays, comme en Malaisie et au Kenya, les Britanniques essayèrent de s'accrocher par la force des armes, le plus souvent ils acceptèrent la fin de l'Empire avec un soupir plutôt qu'en piquant une crise. Ils s'efforcèrent non pas de garder le pouvoir, mais de le transmettre en douceur. Une partie de l'éloge dont on couvre habituellement le Mahatma Gandhi pour son credo non violent revient en vérité à l'Empire britannique. Malgré de longues années de luttes âpres et souvent violentes, quand la fin du Raj arriva, les Indiens n'eurent pas à combattre les Britanniques dans les rues de Delhi ou de Calcutta. Une multitude d'États indépendants ont pris la place de l'Empire et ont joui depuis de frontières stables ; la plupart ont vécu pacifiquement à côté de leurs voisins. Certes, des dizaines de milliers de gens ont péri entre les mains de l'Empire britannique menacé et, dans plusieurs points chauds, sa retraite s'est soldée par l'éruption de conflits ethniques qui coûtèrent des centaines de milliers de vies (notamment en Inde). En comparaison de la moyenne historique à long terme, pourtant, le retrait des Britanniques fut un exemple d'ordre et de paix. L'Empire français fut plus opiniâtre. Son effondrement ne survint pas sans actions d'arrière-garde au Vietnam et en Algérie, qui coûtèrent également des centaines de milliers de vie. Mais les Français se retirèrent eux aussi rapidement et pacifiquement du reste de leurs dominions, laissant derrière eux des États ordonnés, plutôt qu'un chaos doublé d'une mêlée générale.

En 1989, l'effondrement de l'Union soviétique fut encore plus pacifique, malgré l'éruption de conflits ethniques dans les Balkans, le Caucase et l'Asie centrale. On n'avait encore jamais vu empire si puissant disparaître aussi rapidement et paisiblement. Hormis en Afghanistan, l'Empire soviétique n'avait pas subi de défaite militaire ; il n'avait pas connu non plus d'invasions ou de rébellions, ni même de campagnes de désobéissance civile de grande ampleur à la Martin Luther King. Les Soviétiques avaient encore des millions de soldats, des milliers de chars et d'avions et suffisamment d'armes nucléaires pour effacer plusieurs fois toute l'espèce humaine. L'armée Rouge et les autres armées du pacte de Varsovie restèrent loyales. Si le dernier dirigeant soviétique, Mikhaïl Gorbatchev, en avait donné l'ordre, l'armée Rouge aurait ouvert le feu sur les masses soumises.

Mais l'élite soviétique et les régimes communistes de la majeure partie de l'Europe de l'Est (excepté la Roumanie et la Serbie) choisirent de ne pas employer ne serait-ce qu'une infime fraction de cette force militaire. Quand ses membres comprirent la faillite du communisme, ils renoncèrent à la force, reconnurent leur échec, firent leurs valises et rentrèrent à la maison. Gorbatchev et ses collègues abandonnèrent sans combattre les conquêtes soviétiques de la Seconde Guerre mondiale ainsi que les conquêtes tsaristes beaucoup plus anciennes de la Baltique, de l'Ukraine, du Caucase et de l'Asie centrale. Il est glaçant d'envisager ce qui aurait pu se passer si Gorbatchev s'était conduit comme les dirigeants serbes, ou les Français en Algérie.

PAX ATOMICA

Les États indépendants arrivés après ces empires s'intéressent étonnamment peu à la guerre. Depuis 1945, à de rares exceptions près, les États n'envahissent plus d'autres États pour les conquérir et les engloutir. Depuis des temps immémoriaux, ces conquêtes avaient été le pain et le beurre de l'histoire politique. C'est ainsi que la plupart des grands empires virent le jour, et la plupart des souverains et des populations s'attendaient à voir les choses demeurer en l'état. Des campagnes de conquête comme celles des Romains, des Mongols ou des Ottomans ne sauraient plus se dérouler nulle part aujourd'hui dans le monde. Depuis 1945, aucun pays indépendant reconnu par les Nations unies n'a été conquis et rayé de la carte. De temps à autre éclatent certes des guerres limitées, et des millions de gens meurent encore dans les guerres, mais même les guerres limitées ne sont plus la norme.

Beaucoup de gens croient que la disparition de la guerre internationale est le propre des démocraties riches d'Europe occidentale. En réalité, la paix s'imposa en Europe après avoir triomphé dans d'autres parties du monde. Les dernières grandes guerres internationales entre pays sud-américains furent la guerre de 1941 entre le Pérou et l'Équateur et celle de 1932-1935 opposant la Bolivie au Paraguay. La dernière guerre sérieuse entre pays de la région remontait aux années 1879-1884, opposant le Chili d'un côté à la Bolivie et au Pérou de l'autre.

Nous pensons rarement au monde arabe comme à une région particulièrement pacifique. Or, depuis que les pays arabes ont acquis leur indépendance, il n'est arrivé qu'une seule fois que l'un d'eux en envahisse un autre (en 1990, quand l'Irak envahit le Koweït). Il y a eu pléthore de heurts frontaliers (par exemple, en 1970, entre la Syrie et la Jordanie), beaucoup d'interventions armées dans les affaires d'autres pays (on pense à la Syrie au Liban), de nombreuses guerres civiles (Algérie, Yémen, Libye), et quantité de coups d'État et de révoltes. Mais, la guerre du Golfe exceptée, il n'y a pas eu de guerres internationales de grande ampleur entre États arabes. Même si l'on élargit le champ à tout le monde islamique, on ne trouve qu'un autre exemple, celui de la guerre Iran-Irak. Il n'y a pas eu de guerre Turquie-Iran, Pakistan-Afghanistan ou Indonésie-Malaisie.

La situation est bien moins rose en Afrique. Même là, cependant, la plupart des conflits prennent la forme de guerres civiles et de coups d'État. Depuis que les États africains ont obtenu leur indépendance dans les années 1960 et 1970, il y a eu très peu d'invasions à des fins de conquête.

Le monde avait déjà connu des périodes d'accalmie relative, comme en Europe entre 1871 et 1914, mais elles ont toujours mal fini. Cette fois-ci, pourtant, c'est différent. La vraie paix, c'est quand la guerre n'est plus plausible. Il n'y a jamais eu de paix véritable dans le monde. Entre 1871 et 1914, la guerre européenne était demeurée une éventualité. L'attente d'une guerre dominait la réflexion des armées, des responsables politiques et des citoyens ordinaires. Cette prémonition fut la règle dans toutes les autres périodes de paix de l'histoire. Telle était une des règles d'airain de la politique internationale : « Chaque fois qu'on est en présence de deux régimes politiques voisins, il existe un scénario plausible qui les conduira à se faire la guerre dans l'année. » Cette loi de la jungle a prévalu en Europe à la fin du XIXe siècle, dans l'Europe médiévale, en Chine ancienne et dans la Grèce antique. Si Spartes et Athènes étaient en paix en 450 avant notre ère, un scénario possible laissait penser qu'elles seraient en guerre en 459.

L'humanité a aujourd'hui brisé cette loi de la jungle. Règne enfin une paix véritable, qui n'est pas simple absence de guerre. Dans la plupart des régimes, il n'est pas de scénario envisageable menant à un conflit de grande ampleur dans l'année. Qu'est-ce qui pourrait déboucher sur une guerre entre l'Allemagne et la France l'année prochaine ? ou entre la Chine et le Japon ? entre le Brésil et l'Argentine ? Certains heurts frontaliers mineurs pourraient bien se produire, mais seul un scénario apocalyptique pourrait se solder par une grande guerre à l'ancienne en 2015, avec les divisions blindées de l'Argentine qui déferleraient jusqu'aux portes de Rio et un tapis de bombes brésilien qui pulvériserait les quartiers de Buenos Aires. De telles guerres pourraient encore éclater l'an prochain entre plusieurs couples d'État : Israël et la Syrie, par exemple, l'Éthiopie et l'Érythrée, ou encore les États-Unis et l'Iran. Mais ce ne sont que les exceptions qui confirment la règle.

La situation pourrait bien changer à l'avenir et, rétrospectivement, le monde actuel pourrait nous frapper par son incroyable naïveté. Dans une perspective historique, cependant, notre naïveté même est fascinante. Jamais encore la paix n'avait été si présente qu'on ne pouvait même imaginer la guerre.

Les spécialistes ont essayé d'expliquer cette heureuse évolution dans plus de livres et d'articles que vous n'auriez jamais envie d'en lire et ont identifié plusieurs facteurs qui y ont contribué. D'abord et avant tout, le prix de la guerre a spectaculairement augmenté. Le « prix Nobel de la paix pour mettre fin à tous les prix de la paix » aurait dû être remis à Robert Oppenheimer et à ses collègues dans la mise au point de la bombe atomique. Les armes nucléaires ont transformé une éventuelle guerre de superpuissances en suicide collectif et, de ce fait, ont interdit de chercher à dominer le monde par la force des armes.

Ensuite, alors que le prix de la guerre s'envolait, ses profits déclinaient. Pendant le plus clair de l'histoire, les pays ont pu s'enrichir en pillant ou en annexant des territoires ennemis. L'essentiel de la richesse consistait en bien matériels tels que champs, bétail, esclaves et or, en sorte que pillage et occupation étaient aisés. De nos jours, la richesse consiste surtout en capital humain et savoir-faire organisationnel. Aussi est-il difficile de les emporter ou de les conquérir par la force.

Prenez l'exemple de la Californie. Sa richesse s'est d'abord construite sur les mines d'or. Aujourd'hui, cependant, elle se fonde sur le silicium et le celluloïd : la Silicon Valley et la pellicule d'Hollywood ! Qu'adviendrait-il si les Chinois se lançaient à l'assaut de la Californie, débarquaient un million de soldats sur les plages de San Francisco et déboulaient dans l'intérieur du pays ? Ils n'y gagneraient pas grand-chose. La richesse réside dans l'esprit des ingénieurs de Google et des script-docteurs, metteurs en scène et magiciens des effets spéciaux d'Hollywood, qui prendraient le premier avion à destination de Bangalore ou Bombay bien avant que les chars chinois ne foncent sur Sunset Boulevard. Ce n'est pas un hasard si les rares guerres de grande ampleur qui éclatent encore dans le monde, telle l'invasion irakienne du Koweït, se déroulent dans les régions dont la richesse reste une richesse matérielle à l'ancienne. Les cheiks du Koweït purent fuir à l'étranger, mais les gisements de pétrole restèrent et furent occupés.

Si la guerre est devenue moins profitable, la paix est plus lucrative que jamais. Dans les économies agricoles traditionnelles, le commerce à longue distance et les investissements étrangers étaient des détails. Dès lors, la paix apportait peu de profit, si ce n'est qu'elle évitait les coûts de la guerre. Si, en 1400, l'Angleterre et la France étaient en paix, les Français n'avaient pas à payer de lourds impôts de guerre ni à pâtir d'invasions destructrices ; par ailleurs, cependant, leurs portefeuilles n'en profitaient pas. Dans les économies capitalistes modernes, le commerce extérieur et les investissements ont pris une importance primordiale. La paix apporte donc des dividendes uniques. Tant que la Chine et les États-Unis sont en paix, les Chinois peuvent prospérer en vendant leurs produits aux Américains, en négociant à Wall Street et en accueillant les investissements américains.

Enfin, et ce n'est pas le moins important, la culture politique mondiale a connu un véritable glissement tectonique. Dans l'histoire, maintes élites – chefs huns, nobles Vikings et prêtres aztèques, par exemple – tenaient la guerre pour un bien. D'autres y reconnaissaient un mal, mais un mal inévitable, qu'il valait donc mieux tourner à notre avantage. Pour la première fois de l'histoire, notre monde est dominé par une élite éprise de paix : des responsables politiques, des hommes d'affaires, des intellectuels et des artistes tiennent vraiment la guerre pour un mal, de surcroît évitable. (Il y a eu des pacifistes dans le passé : ainsi des premiers chrétiens. Mais les rares fois où ils accédèrent au pouvoir, ils eurent tendance à oublier l'injonction à «tendre l'autre joue».)

Entre ces quatre facteurs existe une boucle de rétroaction positive. La menace d'un holocauste nucléaire favorise le pacifisme ; quand le pacifisme progresse, la guerre recule et le commerce fleurit ; et le commerce augmente à la fois les profits de la paix et les coûts de la guerre. Avec le temps, cette boucle de rétroaction crée un autre obstacle à la guerre, qui peut se révéler en fin de compte d'une suprême importance. La toile toujours plus serrée des connexions internationales érode l'indépendance de la plupart des pays, amenuisant les chances que l'un d'eux lâche unilatéralement sa meute. La plupart des pays ne lancent plus de guerre de grande ampleur pour la simple raison qu'ils ne sont plus indépendants. Bien que les citoyens d'Israël, de l'Italie, du Mexique ou de la Thaïlande puissent nourrir des illusions d'indépendance, le fait est que leurs gouvernements ne sauraient conduire des politiques économiques ou étrangères indépendantes, et sont certainement incapables de lancer et de mener de leur propre chef une guerre de grande ampleur. Nous assistons à la formation d'un empire mondial (voir le chapitre 11). Comme les précédents empires, celui-ci impose la paix à l'intérieur de ses frontières. Et comme celles-ci enferment la Terre entière, l'empire mondial fait effectivement régner la paix mondiale.

*

L'époque moderne est-elle une ère de carnages absurdes, de guerres et d'oppression illustrée par les tranchées de la Grande Guerre, le champignon atomique au-dessus d'Hiroshima et les manies sanguinaires de Hitler et de Staline? Ou une ère de paix, dont les symboles sont les tranchées qui n'ont jamais été creusées en Amérique du Sud, les nuages atomiques qui ne sont jamais apparus au-dessus de Moscou et de New York, et les visages sereins du Mahatma Gandhi et de Martin Luther King?

La réponse est affaire de calendrier. La manière dont les événements des toutes dernières années déforment notre vision du passé donne à réfléchir. Écrit en 1945 ou en 1962, ce chapitre eût probablement été beaucoup plus sombre. Écrit en 2014, il traduit une approche relativement optimiste de l'histoire moderne.

Pour satisfaire les optimistes aussi bien que les pessimistes, nous pouvons conclure que notre époque est au seuil du ciel et de l'enfer, passant nerveusement de la porte de l'un à l'antichambre de l'autre. L'histoire n'a pas encore décidé où elle finira, et une ribambelle de coïncidences pourrait encore nous propulser dans l'une ou l'autre direction.

19.

Et ils vécurent heureux

Les cinq cents dernières années ont connu une série époustouflante de révolutions. La Terre est devenue une seule sphère écologique et historique. L'économie a connu une croissance exponentielle, et l'humanité jouit aujourd'hui d'une richesse qui n'existait que dans les contes de fées. La science et la révolution industrielle ont donné à l'humanité des pouvoirs surhumains et une énergie quasi illimitée. L'ordre social a été entièrement transformé, tout comme la politique, la vie quotidienne et la psychologie humaine.

Sommes-nous pour autant plus heureux ? La richesse que l'humanité a accumulée au cours des cinq derniers siècles s'est-elle traduite par une satisfaction inédite ? La découverte de sources d'énergie inépuisables nous a-t-elle ouvert des réserves de félicité intarissables ? Pour remonter plus loin dans le temps, les quelque soixante-dix millénaires écoulés depuis la Révolution cognitive ont-ils rendu le monde plus agréable à vivre ? Le regretté Neil Armstrong, dont l'empreinte de pas demeure intacte sur la Lune qu'aucun vent ne balaye, fut-il plus heureux que le chasseur-cueilleur anonyme qui, voici 30 000 ans, laissa l'empreinte de sa main sur une paroi de la grotte Chauvet ? Sinon, à quoi rimait de développer l'agriculture, les cités, l'écriture, le monnayage, les empires, la science et l'industrie ?

Ce sont des questions que posent rarement les historiens. Ils ne se demandent pas si les citoyens d'Uruk et de Babylone étaient plus heureux que leurs ancêtres fourrageurs, si l'essor de l'islam a rendu les Égyptiens plus satisfaits de leur vie, ni en quoi l'effondrement des empires européens en Afrique a influencé le bonheur d'innombrables habitants. Ce sont pourtant les questions les plus importantes qu'on puisse poser à l'histoire. Les idéologies et les programmes politiques actuels reposent sur des idées assez minces quant à la source réelle du bonheur humain. Les nationalistes croient que le droit à l'autodétermination est la clé de notre bonheur. Les communistes postulent que tout le monde nagerait dans la félicité sous la dictature du prolétariat. Les capitalistes assurent que seul le marché peut assurer le plus grand bonheur du plus grand nombre en garantissant la croissance économique et l'abondance matérielle et en apprenant aux gens à compter sur eux-mêmes et à se montrer entreprenants.

Et si une recherche sérieuse devait infirmer toutes ces hypothèses ? Si la croissance économique et l'indépendance ne rendent pas plus heureux, quel est l'avantage du capitalisme ? Et s'il s'avère que les sujets des grands empires sont généralement plus heureux que les citoyens des États indépendants et que, par exemple, les Ghanéens étaient plus heureux sous la domination coloniale britannique que sous leur propre dictature ? Que faudrait-il en conclure sur la décolonisation et la valeur du droit des nations à disposer d'elles-mêmes ?

Ce sont là autant de possibilités hypothétiques, parce que jusque-là les historiens ont évité de poser ces questions et, à plus forte raison, d'y répondre. Ils ont étudié l'histoire d'à peu près tout – politique, société, économie, genre, maladies, sexualité, alimentation, habillement – mais se sont rarement donné le temps de se demander en quoi tout cela influence le bonheur.

Si peu ont étudié l'histoire du bonheur sur la longue durée, presque chaque chercheur ou profane a de vagues préjugés à ce sujet. Dans une approche courante, les capacités humaines se sont accrues tout au long de l'histoire. Comme les hommes se servent généralement de leurs capacités pour soulager les misères et combler les aspirations, il s'ensuit que nous devons être plus heureux que nos ancêtres du Moyen Âge, qui devaient être plus heureux que les chasseurs-cueilleurs de l'Âge de pierre.

Mais ce tableau progressiste est peu convaincant. On a vu que nouvelles aptitudes et nouveaux comportements ou talents ne rendent pas nécessairement la vie meilleure. Quand les hommes ont appris à cultiver la terre au cours de la Révolution agricole, leur pouvoir collectif de façonner leur milieu s'est accru, mais le sort de nombreux individus est devenu plus rude. Les paysans ont dû travailler plus dur que les fourrageurs pour vivoter avec une alimentation moins variée et moins nourrissante tout en étant bien davantage exposés à la maladie et à l'exploitation. De même, l'essor des empires européens a considérablement accru la puissance collective de l'humanité en faisant circuler idées, technologies et cultures et en ouvrant de nouvelles voies au commerce. Mais tout cela n'était pas vraiment une bonne nouvelle pour des millions d'Africains, d'indigènes d'Amérique ou d'aborigènes d'Australie. Compte tenu de la propension notoire des hommes à abuser de leur pouvoir, il semble naïf de croire que plus de pouvoir implique nécessairement plus de bonheur.

Certains critiques adoptent une position diamétralement opposée. Pour eux, il existe une corrélation inverse entre les capacités humaines et le bonheur. Le pouvoir corrompt, comme on dit, et en gagnant toujours plus de pouvoir, l'humanité a créé un monde froid et mécanique mal adapté à nos besoins véritables. L'évolution a adapté nos esprits et nos corps à la vie des chasseurs-cueilleurs. La transition agricole, puis industrielle, nous a condamnés à une vie contre nature où nos inclinations et instincts naturels ne sauraient s'exprimer pleinement, et où nos envies les plus profondes ne sauraient donc trouver satisfaction. Rien, dans le confort de la vie bourgeoise urbaine, ne saurait approcher l'excitation sauvage et la joie pure d'une bande de fourrageurs amateurs de mammouths qui ont fait bonne chasse. Chaque invention nouvelle nous éloigne un peu plus du jardin d'Éden.

Les romantiques soulignent en particulier que le monde de nos sens s'est considérablement appauvri par rapport à celui de nos ancêtres. Les anciens fourrageurs vivaient dans l'instant présent, attentifs au moindre bruit, aux goûts, aux odeurs. Il y allait de leur survie. Nous autres, en revanche, sommes horriblement distraits.

Nous pouvons aller au supermarché, où nous avons le choix entre des milliers de produits. Mais, quoi que nous choisissions, il est probable que nous l'avalerons à la hâte devant la télé, sans vraiment prêter attention au goût. Nous pouvons aller en vacances dans des milliers d'endroits plus stupéfiants les uns que les autres. Mais, où que nous allions, nous jouerons probablement avec notre Smartphone au lieu de voir réellement les lieux. Nous n'avons jamais eu autant le choix, mais à quoi bon ce choix quand nous avons perdu la capacité d'y faire réellement attention ?

Reste que ce romantisme qui s'obstine à voir le côté sombre de chaque invention est aussi dogmatique que la croyance au progrès est inéluctable. Peut-être avons-nous perdu le contact avec notre chasseur-cueilleur intérieur, mais ce n'est pas si mal. Au cours des deux derniers siècles, par exemple, la médecine moderne a réduit la mortalité infantile de 33 % à moins de 5 %. Peut-on douter que cela ait largement contribué au bonheur non seulement des enfants qui seraient morts autrement, mais aussi de leurs familles et amis ?

Les plus nuancés s'en tiennent à une voie moyenne. Jusqu'à la Révolution scientifique, il n'existait pas de corrélation claire entre pouvoir et bonheur. Sans doute les paysans du Moyen Âge étaient-ils plus misérables que leurs ancêtres chasseurs-cueilleurs. Dans les tout derniers siècles, cependant, les hommes ont appris à utiliser leurs capacités à meilleur escient. Les triomphes de la médecine moderne n'en sont qu'un exemple. Parmi les autres acquis sans précédent, il faut citer la chute sensible de la violence, la quasi-disparition des guerres internationales et la quasi-élimination des grandes famines.

Là encore, cependant, c'est simplifier à outrance. Premièrement, l'optimisme se fonde sur un tout petit échantillon d'années. La majorité des êtres humains n'a pas commencé à jouir des fruits de la médecine moderne avant 1850 et la forte chute de la mortalité infantile est un phénomène du XXe siècle. Les grandes famines ont continué à détruire une bonne partie de l'humanité jusqu'au milieu du siècle dernier. En Chine communiste, lors du Grand Bond en avant de 1958-1961, entre 10 et 50 millions d'êtres humains sont morts de faim. Les guerres internationales ne sont devenues rares qu'après 1945, essentiellement du fait de la menace nouvelle d'un anéantissement nucléaire. Dès lors, même si les toutes dernières décennies ont été un âge d'or sans précédent pour l'humanité, il est trop tôt pour savoir si cela représente un changement fondamental des cours de l'histoire ou un éphémère tourbillon de bonne fortune. Quand on juge la modernité, il n'est que trop tentant d'adopter le point de vue d'un Occidental de la classe moyenne au XXIe siècle. N'oublions pas les points de vue d'un mineur gallois du XIXe siècle, d'un opiomane chinois ou d'une aborigène de Tasmanie : Truganini n'est pas moins importante qu'Homer Simpson.

Deuxièmement, il n'est pas exclu que le court âge d'or du dernier demi-siècle ait semé les germes d'une catastrophe future. Durant les dernières décennies, nous avons perturbé l'équilibre écologique de notre planète d'une multitude de façons, avec des conséquences qui ont tout l'air d'être fâcheuses. De nombreux éléments laissent penser que nous détruisons les fondements de la prospérité humaine dans une débauche de consommation téméraire.

Enfin, nous ne pouvons nous féliciter des réalisations sans précédent du Sapiens moderne que si nous faisons l'impasse sur le sort de tous les autres animaux. Une bonne partie de la richesse matérielle tant vantée qui nous préserve de la maladie et de la famine a été accumulée aux dépens des singes de laboratoire, des vaches laitières et des poulets de tapis roulants. Au cours des deux derniers siècles, des dizaines de milliards ont été soumis à un régime d'exploitation industrielle dont la cruauté est sans précédent dans les annales de la planète Terre. Si nous acceptions juste un dixième de ce que réclament les défenseurs des droits des animaux, l'agriculture industrielle moderne pourrait bien être le plus grand crime de l'histoire. Quand nous évaluons le bonheur global, on a tort de compter le seul bonheur des classes supérieures, des Européens ou des hommes. Peut-être a-t-on également tort de ne penser qu'au bonheur des êtres humains.

Comptabiliser le bonheur

Nous avons jusqu'ici traité du bonheur comme s'il était largement un produit de facteurs matériels tels que la santé, le régime alimentaire et la richesse. Si les gens sont plus riches et se portent mieux, ils doivent être aussi plus heureux. Mais est-ce réellement si évident ? Philosophes, prêtres et poètes ruminent depuis des millénaires sur la nature du bonheur et beaucoup ont conclu que les facteurs sociaux, éthiques et spirituels n'ont pas moins d'effet sur notre bonheur que les conditions matérielles. Malgré la prospérité, peut-être les citoyens des sociétés d'abondance souffrent-ils beaucoup de l'aliénation et du manque de sens ? Et peut-être nos ancêtres moins à l'aise trouvaient-ils beaucoup de satisfaction dans la communauté, la religion et leur lien avec la nature ?

Dans les dernières décennies, psychologues et biologistes ont relevé le défi d'une étude scientifique de ce qui rend réellement heureux. L'argent, la famille, la génétique ? La vertu, peut-être ? La première étape consiste à définir ce qu'il faut mesurer. Suivant la définition généralement acceptée, le bonheur est le « bien-être subjectif ». Dans cette optique, le bonheur est une chose que je ressens en moi, un sentiment de plaisir immédiat ou de contentement à long terme du cours que suit ma vie. Mais si c'est une chose ressentie intérieurement, comment la mesurer de l'extérieur ? Nous pouvons vraisemblablement y parvenir en demandant aux gens de nous dire ce qu'ils ressentent. Les psychologues ou les biologistes qui veulent évaluer le bonheur qu'éprouvent les gens leur donnent des questionnaires à remplir et comptabilisent les résultats.

Un questionnaire type sur le bien-être subjectif demande aux personnes interrogées de noter de 0 à 10 leur accord avec des propositions du style : « Je suis satisfait de ma situation », « Je trouve la vie très gratifiante », « Je suis optimiste quant à l'avenir » et « La vie est belle ». Le chercheur additionne ensuite les réponses et calcule le niveau général de bien-être subjectif du sujet.

On se sert de questionnaires de ce genre pour corréler le bonheur à divers facteurs objectifs. Une étude pourrait ainsi comparer un millier de gens qui gagnent 100 000 dollars par an à un millier d'autres qui en gagnent 50 000. S'il observe que le premier groupe a un indice moyen de bien-être subjectif de 8,7, et le second de 7,3 seulement, le chercheur peut raisonnablement conclure à l'existence d'une corrélation positive entre la richesse et le bien-être subjectif. En bon français, l'argent fait le bonheur. On peut employer la même méthode pour voir si les habitants des démocraties sont plus heureux que ceux des dictatures ou si les gens mariés sont plus heureux que les célibataires, les divorcés ou les veufs.

Cela donne des bases aux historiens qui peuvent alors examiner la richesse, la liberté politique et les taux de divorce dans le passé. Si les gens sont plus heureux dans les démocraties, et les gens mariés plus heureux que les divorcés, l'historien est fondé à soutenir que la démocratisation des toutes dernières décennies a contribué au bonheur de l'humanité, alors que le nombre croissant des divorces indique une tendance contraire.

Cette approche n'est pas exempte de défauts, mais avant d'en pointer les failles, il vaut la peine de s'arrêter sur les conclusions.

L'une d'elles, intéressante, est que l'argent est bel et bien une source de bonheur. Mais uniquement jusqu'à un certain point : au-delà, il a peu de sens. Pour les gens cloués au bas de l'échelle, plus d'argent signifie un plus grand bonheur. Si vous êtes une mère célibataire américaine qui gagne 12 000 dollars par an comme femme de ménage et que vous gagnez soudain 500 000 dollars au loto, probablement connaîtrez-vous une poussée significative et durable de votre bien-être subjectif. Vous allez pouvoir nourrir et habiller vos enfants sans vous endetter davantage. Mais si vous êtes un cadre supérieur à 250 000 dollars par an et que vous en gagniez un million, ou que votre conseil d'administration décide subitement de doubler votre salaire, la poussée risque fort de ne durer que quelques semaines. Si l'on en croit les données empiriques, cela ne changera pas grand-chose à ce que vous ressentez à la longue. Vous achèterez une chouette voiture, emménagerez dans un palais, prendrez l'habitude de boire du château Pétrus plutôt que du cabernet de Californie, mais tout cela vous paraîtra bien vite routinier et ordinaire.

Un autre constat est que la maladie diminue le bonheur à courte échéance, mais n'est une source de détresse à plus long terme que si l'état de la personne ne cesse de se dégrader et entraîne une douleur permanente et débilitante. Les gens auxquels on diagnostique des maladies chroniques comme le diabète passent généralement par une phase de déprime, mais si la maladie n'empire pas ils se font à leur nouvel état et évaluent leur bonheur au même niveau que les bien-portants. Imaginez que Lucie et Luc, jumeaux appartenant aux classes moyennes, acceptent de participer à une étude du bien-être subjectif. Ils rentrent du labo de psychologie quand un bus heurte la voiture de Lucie. Bilan : fractures multiples et une jambe définitivement amochée. Alors que les sauveteurs la retirent de la carcasse de sa voiture, le téléphone sonne. C'est Luc, qui crie qu'il a gagné le jackpot de 10 millions au loto. Deux ans plus tard, elle claudiquera et il sera beaucoup plus riche, mais quand le psychologue viendra pour l'étude de suivi, probablement donneront-ils tous deux les mêmes réponses que le matin de ce jour fatidique.

Il semble que la famille et la communauté aient plus d'impact que l'argent et la santé sur notre bonheur. Les gens qui ont des familles solides et qui vivent au sein de communautés serrées où l'entraide est de règle sont sensiblement plus heureux que les gens dont les familles sont dysfonctionnelles et n'ont jamais cherché (ou trouvé) de communauté. Le mariage est particulièrement important. Des études répétées ont constaté l'existence d'une relation très étroite entre couples bien assortis et bien-être subjectif élevé, et entre mariages ratés et misère. Cela est vérifié indépendamment des conditions économiques et même physiques. Un invalide impécunieux entouré d'une épouse aimante, d'une famille dévouée et d'une communauté chaleureuse peut fort bien se sentir mieux qu'un milliardaire aliéné, sous réserve que la pauvreté de l'invalide ne soit pas trop sévère, et qu'il ne souffre pas d'une maladie dégénérative ou douloureuse.

Dès lors, on ne saurait exclure la possibilité que l'immense amélioration des conditions matérielles au cours des deux derniers siècles ait été annulée par l'effondrement de la famille et de la communauté. Les habitants du monde développé comptent sur l'État et le marché pour presque tout ce dont ils ont besoin : vivres, toit, éducation, santé, sécurité. Il est donc devenu possible de survivre sans famille élargie et sans amis véritables. Une personne habitant un grand immeuble est entourée de milliers de gens où qu'elle aille, mais elle pourrait bien ne jamais mettre le pied chez ses voisins et ne pas savoir grand-chose de ses collègues de travail. Ses amis aussi pourraient bien être de simples camarades de bistrot. De nos jours, les amitiés se réduisent souvent à parler et à s'amuser ensemble. On retrouve un ami au pub, on lui passe un coup de fil, on lui envoie un e-mail, et l'on peut vider ainsi sa colère après ce qui s'est passé au bureau ou partager nos points de vue sur le tout dernier scandale politique. Mais comment connaître réellement une personne sur la seule base des conversations ?

À la différence des camarades de bistrot, les amis de l'Âge de pierre avaient besoin les uns des autres pour survivre. Les êtres humains vivaient en communautés très soudées, et les amis étaient des gens avec qui on partait chasser le mammouth. On survivait ensemble à de longs périples et à des hivers rigoureux. Si l'un tombait malade, on prenait soin de lui et, en cas de pénurie, on partageait ses derniers morceaux de nourriture. Ces amis se connaissaient plus intimement que bien des couples de nos jours. Combien de maris peuvent dire comment leur femme se conduira s'ils sont chargés par un mammouth enragé ? Le remplacement de ces réseaux tribaux précaires par la sécurité des économies et des États-nourrices modernes présente d'immenses avantages. Mais la qualité et la profondeur des relations intimes en a probablement souffert.

Toutefois, le constat de loin le plus important est que le bonheur ne dépend pas vraiment des conditions objectives : richesse, santé ou même communauté. Il dépend plutôt de la corrélation entre conditions objectives et attentes subjectives. Si vous voulez un char à bœufs et que vous en obtenez un, vous êtes satisfait. Si vous voulez une Ferrari neuve et que vous n'obtenez qu'une Fiat d'occase, vous êtes frustré. C'est bien pourquoi, le temps passant, gagner à la loterie a le même impact sur le bonheur des gens qu'un accident de voiture qui vous laisse invalide. Quand les choses s'améliorent, les espérances s'envolent, au point que même des améliorations spectaculaires des conditions objectives peuvent laisser insatisfaits. Si les choses se dégradent, les espérances se réduisent, au point que même une maladie grave pourrait bien vous laisser aussi heureux qu'auparavant.

Peut-être direz-vous qu'on n'avait pas besoin d'une bande de psys et de leurs questionnaires pour le découvrir. Voici des milliers d'années que les prophètes, les poètes et les philosophes ont découvert qu'être satisfait de ce que l'on a déjà importe bien davantage que d'obtenir plus de ce que l'on désire. C'est quand même épatant que la recherche moderne, à grand renfort de chiffres et de graphiques, en arrive aux mêmes conclusions que les Anciens.

*

L'importance cruciale des espérances humaines est lourde de conséquences pour comprendre l'histoire du bonheur. Si le bonheur ne dépendait que de conditions objectives, telles que la richesse, la santé et les relations sociales, il eût été relativement facile d'en étudier l'histoire. Qu'il dépende d'attentes subjectives achève de compliquer la tâche des historiens. Nous, modernes, avons à notre disposition tout un arsenal de tranquillisants et d'analgésiques, mais nos attentes en matière d'aises et de plaisir, et notre intolérance à toute forme de gêne ou d'inconfort, ont pris tant d'ampleur que nous pouvons bien souffrir de la douleur plus que n'en ont jamais souffert nos ancêtres.

Cette forme de raisonnement est difficile à accepter. Le problème est un sophisme bien ancré dans notre psyché. Quand nous essayons de deviner ou d'imaginer dans quelle mesure les autres sont heureux, ou l'étaient jadis, nous nous imaginons immanquablement dans leurs souliers. Or, cela ne fonctionne pas, parce que cela revient à plaquer nos espérances sur les conditions matérielles des autres. Dans les sociétés d'abondance moderne, il est devenu courant de prendre une douche quotidienne et de changer de vêtements. Les paysans du Moyen Âge passaient des mois sans se laver et ne changeaient pour ainsi dire jamais d'habits. La seule pensée de vivre ainsi, crasseux et empestant, nous révulse. Apparemment, nos paysans s'en fichaient. Ils étaient habitués au contact et à l'odeur d'une chemise sale. Non qu'ils eussent aimé se changer, mais qu'ils ne le pouvaient pas ; ils avaient ce qu'ils voulaient. Côté habillement, ils étaient satisfaits.

Quand on y pense, ce n'est pas si étonnant. Après tout, nos cousins chimpanzés se lavent rarement et ne changent jamais d'habits. Et que nos chiens ou chats domestiques ne se douchent ni ne se toilettent tous les jours ne nous répugne pas. Nous les caressons, les serrons dans nos bras et les embrassons quand même. Dans les sociétés d'abondance, les enfants en bas âge aiment rarement se doucher, et il faut des années d'éducation et de discipline parentale pour adopter cette discipline censément attrayante. Tout cela est affaire d'attentes.

Si ce sont les attentes qui déterminent le bonheur, il est fort possible que les deux piliers de notre société – les médias et la publicité – épuisent à leur insu les réserves de contentement de notre planète. Dans un petit village, voici cinq mille ans, un jeune de dix-huit ans devait se trouver canon, vu qu'il n'y avait que cinquante autres hommes : pour la plupart des vieux, balafrés et ridés, ou des gosses. De nos jours, un adolescent a toute chance de se sentir mal dans sa peau. Même si les copains d'école sont mochards, ce n'est pas à eux qu'il se compare, mais aux stars de cinéma, aux athlètes et aux mannequins qu'on voit tous les jours à la télé, sur Facebook ou sur les panneaux d'affichage géants.

Peut-être le malaise du Tiers Monde n'est-il pas simplement l'effet de la pauvreté, de la maladie, de la corruption et de l'oppression politique mais aussi celui de la simple exposition aux normes du Premier Monde ? L'Égyptien moyen risquait beaucoup moins de mourir de faim, d'épidémie ou de violence sous Hosni Moubarak que sous Ramsès II ou Cléopâtre. Jamais la situation matérielle des Égyptiens moyens n'avait été aussi bonne. On aurait pu croire qu'ils allaient danser dans les rues en 2011, pour remercier Allah de leur bonne fortune. Au lieu de quoi ils se révoltèrent pour renverser Moubarak. Ce n'est pas à leurs ancêtres du temps des pharaons qu'ils se comparaient mais à leurs contemporains occidentaux aisés.

Si tel est le cas, même l'immortalité pourrait nourrir le mécontentement. Supposons que la science trouve des remèdes à toutes les maladies, des thérapies efficaces contre le vieillissement et des traitements régénérateurs qui gardent les gens indéfiniment jeunes. Il en résultera très probablement une épidémie de colère et d'anxiété. Ceux qui ne pourront s'offrir les nouveaux traitements miraculeux – l'immense majorité des gens – seront fous de rage. Tout au long de l'histoire, les pauvres et les opprimés se consolaient à l'idée que la mort, au moins, était équitable : les riches et les puissants mourront eux aussi. Les pauvres auront du mal à avaler qu'ils sont promis à la mort alors que les riches resteront à jamais jeunes et beaux.

L'infime minorité de ceux qui ont les moyens de s'offrir les nouveaux traitements ne sera pas euphorique non plus. Ils ne manqueront pas de raisons de s'inquiéter. Si les nouvelles thérapies peuvent prolonger la vie et la jeunesse, elles ne peuvent ressusciter les morts. Que c'est affreux de se dire que moi et ceux que j'aime nous sommes promis à la vie éternelle... à moins qu'un camion ne nous renverse ou qu'un terroriste ne nous réduise en charpie ! Des gens a-mortels ont toute chance d'acquérir une forte aversion pour le risque, si infime soit-il, et la souffrance liée à la perte d'un conjoint, d'un enfant ou d'un ami proche sera insupportable.

Bonheur chimique

Les sociologues distribuent des questionnaires sur le bien-être pour établir ensuite des corrélations avec des facteurs socio-économiques comme la richesse et la liberté politique. Les biologistes utilisent les mêmes questionnaires, mais établissent des corrélations avec des facteurs biochimiques et génétiques. Leurs conclusions sont troublantes.

Pour les biologistes, notre univers mental et émotionnel est régi par des mécanismes biochimiques façonnés au fil des millions d'années de l'évolution. Comme tous les autres états mentaux, notre bien-être subjectif n'est pas déterminé par des paramètres extérieurs tels que le salaire, les relations sociales ou les droits politiques, mais par un système complexe de nerfs, de neurones, de synapses et de diverses substances biochimiques comme la sérotonine, la dopamine et l'ocytocine.

Gagner au loto, acheter une maison, décrocher une promotion ou même trouver le grand amour n'a jamais rendu personne heureux. La seule et unique chose qui rende les gens heureux, ce sont les sensations plaisantes du corps. Quelqu'un qui vient de gagner au loto ou de trouver l'amour et saute de joie ne réagit pas réellement à l'argent ou à l'objet de son amour, mais aux hormones qui font ribote à travers son système sanguin et au déchaînement des signaux électriques entre les différentes parties de son cerveau.

Malheureusement pour ceux qui espèrent créer le paradis sur terre, notre système biochimique interne paraît programmé pour maintenir le bonheur à des niveaux relativement constants. Il n'y a pas de sélection naturelle pour le bonheur en tant que tel : la lignée génétique d'un ermite heureux s'éteindra avec la transmission à la génération suivante des gènes de deux parents anxieux. Bonheur et misère ne jouent un rôle dans l'évolution que dans la mesure où ils encouragent ou découragent la survie et la reproduction. Dès lors, il n'y aurait pas lieu de s'étonner que l'évolution nous ait façonnés pour n'être ni trop malheureux ni trop heureux. Elle nous permet de jouir d'une poussée momentanée de sensations agréables, mais celles-ci ne durent jamais éternellement. Tôt ou tard, elles refluent et laissent place à des sensations déplaisantes.

Par exemple, l'évolution a assuré des sensations plaisantes pour récompenser les hommes qui répandent leurs gènes en ayant des rapports sexuels avec des femmes fécondes. Si la sexualité ne s'accompagnait pas de ce plaisir, peu d'hommes s'en donneraient la peine. Dans le même temps, l'évolution a veillé à ce que cet agrément retombe rapidement. Si les orgasmes duraient éternellement, les mâles très heureux mourraient de faim, faute d'intérêt pour la nourriture, et ne se donneraient pas la peine de chercher d'autres femmes fécondes.

Certains chercheurs comparent la biochimie humaine à un système d'air conditionné qui garde la température constante, que survienne une vague de chaleur ou une tempête de neige. Les événements peuvent bien changer momentanément la température, le système d'air conditionné ramène toujours la température au même point fixe.

Certains systèmes d'air conditionné sont réglés à 25°, d'autres à 20°. Les systèmes de bonheur conditionné diffèrent aussi d'une personne à l'autre. Sur une échelle de 1 à 10, certains naissent avec un système biochimique allègre qui permet à leur humeur d'osciller entre 6 et 10 pour finir par se stabiliser à 8. Une personne de ce genre est parfaitement heureuse, qu'elle vive dans l'aliénation d'une grande ville, perde tout son argent dans un crash boursier ou se découvre diabétique. D'autres sont affligés d'une biochimie lugubre qui oscille entre 3 et 7 et se stabilise à 5. Une telle personne reste déprimée même si elle jouit du soutien d'une communauté soudée, qu'elle gagne des millions au loto ou qu'elle a une santé de champion olympique. En fait, jamais notre triste sire ne pourra dépasser le niveau 7 de bonheur, même s'il gagne 50 millions le matin, découvre le remède du SIDA et du cancer à midi, fait la paix entre Israéliens et Palestiniens dans l'après-midi et le soir retrouve son enfant disparu des années plus tôt. Quoi qu'il arrive, son cerveau n'est pas fait pour l'exaltation.

Pensez un instant à votre famille et à vos amis. Probablement en connaissez-vous qui sont toujours relativement joyeux, quoi qu'il arrive. Mais d'autres sont d'éternels ronchons, indépendamment des cadeaux que le monde dépose à leurs pieds. Nous avons tendance à croire que nous serions les plus heureux du monde si seulement... nous changions de travail, nous nous mariions, nous terminions ce roman, achetions une voiture neuve ou remboursions notre hypothèque. Mais si notre désir est comblé, nous ne semblons pas le moins du monde plus heureux. Acheter une automobile et écrire un roman ne change en rien notre biochimie. Tout cela peut la secouer un instant, mais elle ne tardera pas à retrouver son point fixe.

*

Comment concilier cela avec les données psychologiques et sociologiques indiquées plus haut – par exemple, que les gens mariés sont en moyenne plus heureux que les célibataires ? Pour commencer, il s'agit de corrélations : la relation de causalité peut être à l'opposé de ce que certains chercheurs ont supposé. Certes, les gens mariés sont plus heureux que les célibataires ou les divorcés, mais cela ne signifie pas nécessairement que le mariage engendre le bonheur. Il se pourrait bien que le bonheur soit la cause du mariage. Ou, plus justement, que la sérotonine, la dopamine et l'ocytocine poussent au mariage et le soutiennent. Ceux qui naissent avec une biochimie joyeuse sont généralement heureux et satisfaits. Ils font des conjoints plus attrayants, et ont donc plus de chances de se marier. Ils sont aussi moins susceptibles de divorcer parce qu'il est beaucoup plus facile de vivre avec un conjoint heureux et satisfait qu'avec un partenaire déprimé et frustré. Dès lors, il est exact que les gens mariés sont plus heureux que les gens seuls, mais une femme seule encline à la morosité par sa biochimie ne serait pas nécessairement plus heureuse si elle mettait le grappin sur un mari.

En outre, la plupart des biologistes ne sont pas des fanatiques. Pour eux, le bonheur est *essentiellement* déterminé par la biochimie, mais ils admettent que des facteurs psychologiques et sociologiques ont aussi un rôle. Notre système d'air mental conditionné garde une certaine liberté de mouvement à l'intérieur de frontières prédéterminées. Il est presque impossible de franchir la barrière émotionnelle la plus haute et la plus basse, mais un mariage ou un divorce peut avoir un impact dans l'entre-deux. Qui est né avec un niveau moyen de bonheur de 5 ne dansera jamais dans la rue. Mais un bon mariage peut lui permettre de se hisser de temps à autre au niveau 7 et d'éviter le marasme du niveau 3.

Si nous acceptons l'approche biologique du bonheur, l'histoire n'a qu'une importance mineure, puisque la plupart des événements historiques n'ont eu aucun impact sur notre biochimie. L'histoire peut changer les stimuli externes qui font secréter la sérotonine : elle ne change pas les niveaux de sérotonine qui en résultent, et ne saurait donc rendre les gens plus heureux.

Comparez un paysan français du Moyen Âge à un banquier parisien moderne. Le paysan vivait dans un gourbi sans chauffage qui donnait sur la porcherie ; le banquier loge dans un luxueux penthouse pourvu des gadgets les plus récents et avec vue sur les Champs-Élysées. Intuitivement, on s'attendrait à ce que le banquier soit beaucoup plus heureux que le paysan. Or, gourbis, penthouses ou Champs-Élysées ne déterminent pas vraiment notre humeur, la sérotonine, si. Quand le paysan du Moyen Âge acheva la construction de son gourbi, ses neurones secrétèrent de la sérotonine, la portant au niveau X. Quand, en 2013, le banquier paya la dernière échéance de son merveilleux penthouse, ses neurones secrétèrent une même dose de sérotonine, la portant à un même niveau X. Le cerveau n'a pas conscience que le penthouse est bien plus confortable que le gourbi. La seule chose qui importe, c'est que la sérotonine est maintenant au niveau X. En conséquence, le banquier ne serait pas un iota plus heureux que son quadrisaïeul, le paysan pauvre du Moyen Âge.

Cela vaut pour la vie privée, mais aussi pour les grands événements collectifs. Prenez l'exemple de la Révolution française. Les révolutionnaires avaient de quoi s'occuper : ils coupèrent la tête du roi, donnèrent la terre aux paysans, proclamèrent les droits de l'homme, abolirent les privilèges et firent la guerre à l'Europe entière. Mais rien de tout cela ne changea la biochimie des Français. De ce fait, malgré tous les chambardements politiques, sociaux, idéologiques et économiques produits par la Révolution, son impact sur le bonheur des Français fut modeste. Ceux qui avaient gagné une biochimie enjouée à la loterie génétique étaient tout aussi heureux avant la révolution qu'après. Ceux qui avaient hérité d'une biochimie morose se plaignirent de Robespierre et de Napoléon avec la même aigreur qu'ils se plaignaient avant de Louis XVI et de Marie-Antoinette.

Mais alors, quel bien a fait la Révolution française ? Si les gens n'en sont pas devenus plus heureux, à quoi riment tout ce chaos, la peur, le sang et la guerre ? Jamais les biologistes n'auraient pris la Bastille. Les gens pensent que telle révolution politique ou telle réforme sociale les rendra heureux, mais leur biochimie ne cesse de leur jouer des tours.

Il n'y a qu'un seul développement historique qui ait une réelle importance. Aujourd'hui que nous comprenons enfin que les clés du bonheur sont entre les mains de notre système biochimique, nous pouvons cesser de perdre notre temps en combats politiques et réformes sociales, en putschs et en idéologies, pour nous focaliser plutôt sur la seule chose qui puisse nous rendre vraiment heureux : manipuler notre biochimie. Si nous investissons des milliards pour comprendre la chimie du cerveau et mettre au point des traitements appropriés, nous pouvons rendre les gens bien plus heureux que jamais, sans nécessité d'une quelconque révolution. Le Prozac, par exemple, ne change pas le régime mais, en relevant le niveau de sérotonine, il arrache les gens à leur dépression.

Rien ne résume mieux l'argument biologique que le fameux slogan New Age : « Le bonheur commence en soi. » Argent, statut social, chirurgie plastique, belle maison, pouvoir : rien de tout cela ne vous apportera le bonheur. Le bonheur durable ne saurait venir que de la sérotonine, de la dopamine et de l'ocytocine[1].

Dans *Le Meilleur des mondes*, le roman dystopique qu'Aldous Huxley publia en 1932 à l'apogée de la Grande Dépression, le bonheur est la valeur suprême, et les médicaments psychiatriques remplacent la police et le scrutin au fondement de la politique. Chaque jour, chacun prend sa dose de « soma », un produit de synthèse qui rend les gens heureux sans nuire à leur productivité et à leur efficacité. Il n'y a pas de guerre, de révolution, de grèves ou de manifestations pour menacer l'État mondial qui gouverne la Terre entière, parce que tout le monde est suprêmement satisfait de ses conditions présentes, quelles qu'elles soient. La vision d'Huxley est bien plus troublante que celle du *1984* de George Orwell. Le monde d'Huxley paraît monstrueux à la plupart des lecteurs, mais il est difficile d'expliquer pourquoi. Tout le monde est heureux tout le temps ! Qu'est-ce qui ne va pas ?

---

1. Sur la psychologie et la biochimie du bonheur, voici de bons points de départ : Jonathan Haidt, *The Happiness Hypothesis : Finding Modern Truth in Ancient Wisdom*, New York, Basic Books, 2006 ; R. Wright, *The Moral Animal : Evolutionary Psychology and Everyday Life*, New York, Vintage Books, 1994 ; M. Csikszentmihalyi, « If We Are So Rich, Why Aren't We Happy ? », *American Psychologist*, 54:10, 1999, p. 821-827 ; F. A. Huppert, N. Baylis et B. Keverne (éd.), *The Science of Well-Being*, Oxford, Oxford University Press, 2005 ; Michael Argyle, *The Psychology of Happiness*, 2ᵉ édition, New York, Routledge, 2001 ; Ed Diener (dir.), *Assessing Well-Being : The Collected Works of Ed Diener*, New York, Springer, 2009 ; Michael Eid et Randy J. Larsen (dir.), *The Science of Subjective Well-Being*, New York, Guilford Press, 2008 ; Richard A. Easterlin (éd.), *Happiness in Economics*, Cheltenham, Edward Elgar Pub., 2002 ; Richard Layard, *Happiness : Lessons from a New Science*, New York, Penguin, 2005.

Le sens de la vie

Le monde déconcertant d'Huxley repose sur l'hypothèse biologique que bonheur égale plaisir. Être heureux, ce n'est ni plus ni moins qu'expérimenter des sensations physiques plaisantes. Notre biochimie limitant le volume et la durée de ces sensations, il n'y a qu'un moyen de faire en sorte que les gens connaissent un niveau élevé de bonheur sur une longue période : c'est de manipuler leur système biochimique.

Certains chercheurs contestent toutefois cette définition du bonheur. Dans une étude célèbre, le prix Nobel d'économie Daniel Kahneman a demandé aux gens de raconter une journée de travail typique, épisode par épisode, en précisant chaque fois à quel point ils en concevaient plaisir ou déplaisir. Dans la façon dont les gens voient leur vie, il a découvert ce qui a tout l'air d'un paradoxe. Prenez le travail qu'implique d'élever un enfant : Kahneman observe que, si l'on compte les moments de joie et les moments fastidieux, on a l'image d'une affaire assez déplaisante qui consiste largement à changer les couches, faire la vaisselle et affronter des crises de rage – toutes choses que personne n'aime faire. Et pourtant, la plupart des parents déclarent que leurs enfants sont leur principale source de bonheur. Est-ce à dire que les gens ne savent pas vraiment ce qui est bon pour eux ?

C'est une possibilité. Une autre est que ces conclusions démontrent que le bonheur n'est pas l'excédent de moments plaisants sur les moments déplaisants. Le bonheur consiste plutôt à voir la vie dans sa totalité : une vie qui a du sens et qui en vaut la peine. Le bonheur a une composante cognitive et éthique importante. « Pitoyable esclave d'un bébé dictateur » ou « éducateur affectueux d'une vie nouvelle », ce sont nos valeurs qui font la différence[1]. « Celui qui a une raison de vivre, disait Nietzsche, peut endurer n'importe quelle épreuve ou presque. » Une vie qui a du sens

---

1. Daniel Kahneman *et al.*, *Thinking, Fast and Slow*, New York, Farrar, Straus and Giroux, 2011 ; Inglehart *et al.*, « Development, Freedom, and Rising Happiness », p. 278-281.

peut être extrêmement satisfaisante même en pleine épreuve, alors qu'une vie dénuée de sens est un supplice, si confortable soit-elle.

De tous temps, dans toutes les cultures, les gens ont éprouvé le même type de plaisirs et de peines, mais le sens qu'ils ont pu attribuer à leurs expériences a probablement varié amplement. Dès lors, l'histoire du bonheur pourrait bien avoir été beaucoup plus troublée que ne l'imaginent les biologistes. Et cette conclusion n'est pas nécessairement au bénéfice de la modernité. Évaluée minute par minute, la vie au Moyen Âge était certainement rude. Toutefois, si les hommes croyaient à la promesse d'une félicité éternelle après la mort, leur vie pouvait leur paraître bien plus riche de sens et précieuse qu'aux modernes sécularisés qui n'ont d'autre espoir à long terme qu'un oubli total et vide de sens. À la question « Êtes-vous satisfait de votre vie dans son ensemble ? », les gens du Moyen Âge auraient sans doute apporté une réponse très positive dans le questionnaire sur le bien-être subjectif.

Nos ancêtres du Moyen Âge étaient-ils donc heureux parce qu'ils trouvaient un sens à la vie dans des illusions collectives sur l'au-delà ? Oui. Tant que personne ne ruina leurs chimères, pourquoi pas ? D'un point de vue scientifique, pour autant qu'on puisse le dire, la vie humaine n'a absolument aucun sens. Les hommes sont le résultat de processus évolutifs aveugles qui n'ont ni fin ni but. Nos actions ne relèvent pas d'un plan divin cosmique. Si la planète Terre devait sauter demain matin, probablement l'univers suivrait-il son cours comme à l'ordinaire. Pour autant qu'on puisse le dire à ce stade, la subjectivité humaine ne manquerait pas. Dès lors, *tout* sens donné à la vie n'est qu'une illusion. Chercher un sens à sa vie dans l'au-delà, comme au Moyen Âge, n'était pas plus illusoire que de le trouver dans l'humanisme, le nationalisme ou le capitalisme à l'instar des modernes. L'homme de science qui dit que sa vie a du sens parce qu'il augmente le savoir humain, le soldat qui déclare que sa vie a du sens parce qu'il se bat pour défendre sa patrie, et l'entrepreneur qui trouve du sens dans le lancement d'une nouvelle société ne s'illusionnent pas moins que leurs homologues du Moyen Âge qui trouvaient du sens dans la lecture des Écritures, les Croisades ou la construction d'une nouvelle cathédrale.

Peut-être le bonheur consiste-t-il alors à synchroniser ses illusions personnelles de sens avec les illusions collectives dominantes. Dès lors que mon récit personnel est au diapason des récits de mon entourage, je puis me convaincre que ma vie a du sens et trouver mon bonheur dans cette conviction.

C'est une conclusion très déprimante. Faut-il vraiment s'illusionner pour être heureux ?

CONNAIS-TOI TOI-MÊME

Si le bonheur repose sur les sensations plaisantes que l'on éprouve, pour être plus heureux il nous faut réaménager notre système biochimique. S'il repose sur le sentiment que la vie a du sens, c'est en nous débarrassant de nos illusions que nous serons plus heureux. Y a-t-il une troisième voie ?

Les deux points de vue énoncés plus haut partent de l'hypothèse que le bonheur est une sorte de sensation subjective (de plaisir ou de sens) et que, pour juger du bonheur des gens, il suffit de leur demander ce qu'ils ressentent. Pour nombre d'entre nous, cela paraît logique puisque le libéralisme est la religion dominante de notre époque. Le libéralisme sanctifie les sentiments subjectifs des individus au point d'en faire la source suprême de l'autorité. Tout est déterminé par ce que chacun de nous ressent : ce qui est bien et ce qui est mal, ce qui est beau ou laid, ce qui devrait être ou ne devrait pas être.

La politique libérale se fonde sur l'idée que les électeurs savent à quoi s'en tenir, et que nous n'avons pas besoin d'un Big Brother qui vienne nous dire ce qui est bon pour nous. L'économie libérale repose sur l'idée que le client a toujours raison. L'art libéral proclame que la beauté est dans l'œil du spectateur. Quant aux étudiants des écoles et universités libérales, on leur apprend à penser par eux-mêmes. *« Just do it ! »*, nous exhortent les publicités. Films d'action, drames, feuilletons à l'eau de rose, romans et rengaines populaires ne cessent de nous le seriner : « Restez fidèle à vous-même ! » « Écoutez-vous ! » « Suivez votre cœur ! » C'est Jean-

Jacques Rousseau qui en a donné la formulation la plus classique :
« Tout ce que je sens être bon est bon ; tout ce que je sens être mauvais est mauvais. » Les gens élevés depuis leur plus tendre enfance
à grand renfort de slogans de ce genre sont enclins à croire que
le bonheur est un sentiment subjectif et que chacun est le mieux
placé pour savoir s'il est heureux ou misérable. Mais cette vue est le
propre du libéralisme. Tout au long de l'histoire, la plupart des religions et des idéologies ont déclaré qu'il existe des étalons objectifs
du bien, du beau et de ce qui devrait être. Elles ont regardé d'un
œil méfiant les sentiments et préférences de l'homme ordinaire. À
l'entrée du temple d'Apollon à Delphes, une inscription accueillait
les pèlerins : « Connais-toi toi-même ! » Sous-entendu, l'homme
moyen ignore son vrai moi ; de ce fait, probablement ignore-t-il
aussi le vrai bonheur. Freud aurait sans doute acquiescé[1].

Tout comme les théologiens chrétiens. Saint Paul et saint
Augustin savaient parfaitement que, si on les interrogeait, la plupart des gens préféreraient coucher que prier Dieu. Cela prouve-t-il que le sexe soit la clé du bonheur ? Pas selon saint Paul et saint
Augustin. Cela prouve seulement que l'humanité est pécheresse
par nature, et que les êtres humains se laissent aisément abuser par
Satan. D'un point de vue chrétien, l'immense majorité des gens
sont plus ou moins dans la même situation que les héroïnomanes.
Imaginons un psychologue qui entreprenne d'étudier le bonheur
chez les drogués. Il les sonde et observe qu'ils déclarent, tous sans
exception, qu'ils ne sont heureux que lorsqu'ils se shootent. Le psychologue aurait-il l'idée de publier un article expliquant que l'héroïne est la clé du bonheur ?

L'idée qu'il ne faut pas se fier aux sentiments n'est pas l'apanage
du christianisme. Du moins pour ce qui est de la valeur des sentiments, Darwin et Dawkins pourraient trouver un terrain d'entente
avec saint Paul et saint Augustin. Selon la théorie du Gène égoïste,

---

1. Paradoxalement, alors que les études psychologiques du bien-être subjectif
s'appuient sur la capacité de chacun à diagnostiquer correctement son bonheur, la
raison d'être fondamentale de la psychothérapie est que les gens ne se connaissent pas
réellement, et qu'ils ont parfois besoin de l'aide de professionnels pour se libérer de
conduites autodestructrices.

la sélection naturelle amène les gens, comme les autres organismes, à choisir ce qui est bon pour la reproduction de leurs gènes, même si cela n'est pas bon pour eux à titre individuel. La plupart des mâles passent leur vie à trimer, s'inquiéter, rivaliser et se battre, plutôt que de jouir d'un bonheur paisible, parce que leur ADN les manipule à ses propres fins égoïstes. Comme Satan, l'ADN se sert de plaisirs fugitifs pour tenter les gens et les mettre en son pouvoir.

De ce fait, la plupart des religions et des philosophies ont adopté une approche du bonheur très différente de celle du libéralisme[1]. La position bouddhiste est particulièrement intéressante. Le bouddhisme a en effet attribué à la question du bonheur plus d'importance, peut-être, qu'aucune autre confession. Depuis 2 500 ans, les bouddhistes ont systématiquement étudié l'essence et les causes du bonheur, ce qui explique l'intérêt croissant de la communauté scientifique pour leur philosophie et leurs pratiques de méditation.

Le bouddhisme partage les intuitions élémentaires de l'approche biologique du bonheur, à savoir que le bonheur résulte de processus qui se produisent à l'intérieur de son corps, non pas d'événements survenus dans le monde extérieur. Toutefois, partant de la même intuition, le bouddhisme en arrive à des conclusions très différentes.

Selon le bouddhisme, la plupart des gens identifient le bonheur à des sentiments plaisants, et la souffrance à des sentiments déplaisants. De ce fait, les gens attachent une importance immense à ce qu'ils ressentent et sont avides de connaître toujours plus de plaisirs et d'éviter la douleur. Quoi que nous fassions au fil de notre vie – nous gratter la jambe, pianoter la chaise ou livrer des guerres mondiales –, nous essayons juste de nous procurer des sensations agréables.

Le problème, selon le bouddhisme, c'est que nos sentiments ne sont rien de plus que des vibrations fugitives, qui changent à chaque instant, telles les vagues de l'océan. Voici cinq minutes, j'étais joyeux et déterminé, mais ces sentiments ont disparu, et je pourrais bien me sentir triste et abattu. Si je veux connaître des sentiments

---

1. D. M. McMahon, *The Pursuit of Happiness: A History from the Greeks to the Present*, Londres, Allen Lane, 2006.

plaisants, il me faut donc être constamment à leur poursuite, tout en chassant ceux qui sont désagréables. Même si j'y réussis, tout est aussitôt à recommencer, sans que je sois jamais récompensé durablement de ma peine.

À quoi rime de remporter des prix aussi éphémères ? À quoi bon s'acharner à décrocher une chose qui disparaît presque sitôt apparue ? Selon le bouddhisme, la racine de la souffrance n'est ni le sentiment de peine ni celui de tristesse, voire d'absence de sens. La véritable racine est plutôt cette poursuite incessante et absurde de sensations éphémères qui nous mettent dans un état permanent de tension, d'agitation et d'insatisfaction. Du fait de cette poursuite, l'esprit n'est jamais satisfait. Quand bien même il éprouve du plaisir, il n'est pas content, parce qu'il a peur qu'il ne dure pas et voudrait tant que cette expérience se prolonge et s'intensifie.

Les gens sont libérés de la souffrance non pas quand ils éprouvent tel ou tel plaisir fugitif, mais quand ils comprennent l'impermanence de leurs sensations et cessent de leur courir après. Tel est l'objectif des pratiques de méditation bouddhistes. Qui médite est censé observer de près son esprit et son corps, suivre l'apparition et la disparition de tous ses sentiments et comprendre combien il est absurde de les poursuivre. Quand la poursuite cesse, l'esprit est détendu, clair et comblé. Toutes sortes de sentiments ne cessent de naître et de passer – joie, colère, ennui, concupiscence –, mais dès l'instant où vous cessez de courir après, vous pouvez les accepter pour ce qu'ils sont. Vous vivez dans l'instant présent au lieu de fantasmer sur ce qui aurait pu être.

La sérénité qui en résulte est si profonde que ceux qui passent leur vie dans la poursuite frénétique de sentiments plaisants ne peuvent guère l'imaginer. On peut les comparer à un homme qui passerait des décennies sur le rivage à étreindre certaines « bonnes » vagues et à essayer d'empêcher qu'elles ne se désintègrent mais tenterait de repousser les « mauvaises » pour empêcher qu'elles ne s'approchent de lui. Il se tient sur la plage à longueur de journée, jusqu'à devenir fou devant la vanité de son exercice. Il finit par s'asseoir sur le sable et se contente de regarder le sac et le ressac des vagues. Que c'est paisible !

Cette idée est si étrangère à la culture libérale moderne que quand les mouvements occidentaux New Age ont découvert les intuitions bouddhistes, ils les ont traduites en termes libéraux, les mettant ainsi sens dessus dessous. Les cultes New Age assurent souvent : « Le bonheur ne dépend pas de conditions extérieures. Il dépend uniquement de ce que nous éprouvons au fond de nous. Que les gens cessent de poursuivre des buts extérieurs comme la richesse et le statut, et se mettent plutôt en phase avec leurs sentiments intimes. » Ou, plus succinctement : « Le bonheur commence en soi. » C'est exactement ce que disent les biologistes, mais plus ou moins le contraire de ce que disait Bouddha.

Bouddha convenait avec la biologie moderne et les mouvements New Age que le bonheur est indépendant des conditions extérieures. Son intuition majeure, et autrement plus profonde, est que le vrai bonheur est aussi indépendant de nos sentiments intérieurs. Plus nous attachons d'importance à nos sentiments, plus nous leur courons après, plus nous souffrons. Bouddha recommandait de cesser de poursuivre les objectifs extérieurs, mais aussi les sentiments intérieurs.

*

Bref, les questionnaires relatifs au bien-être subjectif identifient notre bien-être à nos sentiments subjectifs, et la poursuite du bonheur à la poursuite d'états émotionnels particuliers. Pour maintes philosophies et religions traditionnelles comme le bouddhisme, en revanche, la clé du bonheur est de connaître la vérité sur soi, de comprendre qui ou ce que l'on est. La plupart des gens s'identifient à tort à leurs sentiments, à leurs pensées, à leurs goûts et dégoûts. Quand ils sont fâchés, ils pensent : « Je suis en colère. Voici ma colère ! » En conséquence, ils passent leur vie à éviter certaines espèces de sentiments et à en poursuivre d'autres. Jamais ils ne se rendent compte qu'ils ne sont pas leurs sentiments et que la quête incessante de tel ou tel sentiment ou sensation les piège dans la misère.

Si tel est le cas, c'est toute notre intelligence de l'histoire du bonheur qui pourrait bien être fourvoyée. Peut-être n'est il pas si important que les attentes des gens soient comblées et qu'ils éprouvent des sensations plaisantes. La question essentielle est de savoir si les gens savent la vérité sur eux-mêmes. Quelle preuve avons-nous que les gens d'aujourd'hui comprennent cette vérité un tant soit peu mieux que les fourrageurs d'antan ou les paysans du Moyen Âge ?

Voici quelques années à peine que les chercheurs se sont penchés sur l'histoire du bonheur, et nous n'en sommes qu'au stade des hypothèses initiales et de la quête de méthodes de recherche appropriées. Il est beaucoup trop tôt pour tirer des conclusions rigides et clore un débat à peine amorcé. Ce qui importe, c'est de connaître autant d'approches que possible et de poser les bonnes questions.

La plupart des livres d'histoire se concentrent sur les idées des grands penseurs, la bravoure des guerriers, la charité des saints et la créativité des artistes. Ils sont intarissables sur les structures sociales qui se tissent et s'effilochent, sur l'essor et la chute des empires, sur la découverte et la propagation des techniques. En revanche, ils n'ont rien à dire quant à l'influence de tout cela sur le bonheur et la souffrance des individus. C'est la plus grosse lacune de notre intelligence de l'histoire. Nous ferions bien de commencer à la combler.

20.

La fin d'*Homo sapiens*

Au début de ce livre, j'ai présenté l'histoire comme la dernière étape en date du continuum menant de la physique à la chimie et à la biologie. Les Sapiens sont sujets aux mêmes forces physiques, relations chimiques et processus de sélection naturelle qui gouvernent tous les êtres vivants. Sans doute, celle-ci a donné à l'*Homo sapiens* un terrain de jeu bien plus grand qu'à tout autre organisme, mais le terrain a tout de même ses limites. Autrement dit, quoi qu'il en soit de leurs efforts et de leurs réalisations, les Sapiens sont incapables de se libérer de leurs limites biologiques.

À l'aube du XXIᵉ siècle, ce n'est plus vrai : *Homo sapiens* dépasse ces limites. Le voici qui commence à briser les lois de la sélection naturelle, pour les remplacer par les lois du dessein intelligent.

Pendant près de quatre milliards d'années, chaque organisme de la planète a évolué dans la soumission à la sélection naturelle. Pas un seul n'était l'œuvre d'un créateur intelligent. La girafe, par exemple, a dû son long cou à la concurrence entre girafes archaïques plutôt qu'aux caprices d'un être sur-intelligent. Les proto-girafes qui avaient un cou plus long avaient accès à davantage de nourriture et avaient donc plus de petits que celles dont le cou était plus court. Personne, et certainement pas les girafes, n'a dit : « Un long cou permettrait aux girafes de mâchonner les feuilles de la cime des arbres. Étirons-le. » La beauté de la théorie de Darwin est qu'elle n'a pas besoin de supposer un créateur intelligent pour expliquer que les girafes aient hérité d'un long cou.

Des milliards d'années durant, la création intelligente n'était même pas une option, faute d'une intelligence capable de concevoir des choses. Les micro-organismes, qui ont été les seuls êtres vivants pendant des milliards d'années, sont capables de prouesses stupéfiantes. Un micro-organisme qui appartient à une espèce peut incorporer dans ses cellules les codes génétiques d'une espèce entièrement différente et, ce faisant, acquérir de nouvelles capacités telles que la résistance aux antibiotiques. Pour autant que nous le sachions, cependant, les micro-organismes n'ont ni conscience, ni objectifs dans la vie, ni capacité de planifier à l'avance.

Le moment venu, des organismes comme les girafes, les dauphins, les chimpanzés et les Neandertal ont acquis une conscience et la capacité de planifier. Mais même si un Neandertal rêvait de volailles si grasses et si lentes qu'il n'aurait qu'à les ramasser quand il aurait faim, il n'avait aucun moyen de transformer cette fantaisie en réalité. Il lui fallait chasser les oiseaux issus de la sélection naturelle.

La première fissure affectant l'ancien régime s'est produite voici environ 10 000 ans, au cours de la Révolution agricole. Le Sapiens qui rêvait de poulets gras et lents découvrit que s'il accouplait la poule la plus grasse au coq le plus lent, certains de leurs rejetons seraient gras et lents. En accouplant ces derniers entre eux on pouvait obtenir une race d'oiseaux gras et lents : une race de poulets inconnus de la nature, œuvre du dessein intelligent d'un homme, non pas d'un dieu.

En comparaison d'un dieu tout-puissant, l'*Homo sapiens* restait cependant limité dans ses desseins. Le Sapiens pouvait se servir de la reproduction sélective afin de dévier et d'accélérer la sélection naturelle qui affectait normalement les poulets. Mais il ne pouvait introduire des caractéristiques entièrement nouvelles absentes du pool génétique des poulets sauvages. En un sens, la relation entre *Homo sapiens* et poulets était comparable à bien d'autres relations symbiotiques si souvent apparues spontanément dans la nature. Sapiens exerça sur les poulets des pressions sélectives qui se traduisirent par la prolifération des éléments gras et lents, de même que les abeilles pollinisatrices sélectionnent les fleurs, faisant proliférer celles qui ont les couleurs les plus vives.

De nos jours, notre régime de sélection naturelle vieux de quatre milliards d'années est confronté à un défi entièrement différent. Dans les laboratoires du monde entier, les chercheurs manipulent des êtres vivants. Ils brisent en toute impunité les lois de la sélection naturelle. Rien ne les arrête, pas même les caractéristiques originelles d'un organisme. En l'an 2000, le bio-artiste brésilien Eduardo Kac conçut une nouvelle œuvre d'art : un lapin vert fluorescent. À cette fin, il prit contact avec un laboratoire français et, moyennant finances, le chargea de produire un lapin rayonnant suivant ses spécifications. Les chercheurs sélectionnèrent un embryon de lapin blanc ordinaire et implantèrent dans son ADN un gène de méduse verte fluorescente, et voilà ! Un lapin vert fluo pour le monsieur ! Kac l'appela Alba.

Il est impossible d'expliquer l'existence d'Alba par les lois de la sélection naturelle. Il est le produit d'un dessein intelligent. Il est aussi annonciateur de choses à venir. Si le potentiel que représente Alba est pleinement exploité – et si l'humanité ne s'anéantit pas entre-temps –, la Révolution scientifique pourrait se révéler bien plus grande qu'une simple révolution scientifique. Ce pourrait bien être la révolution *biologique* la plus importante depuis l'apparition de la vie sur terre. Après quatre milliards d'années de sélection naturelle, Alba se situe à l'aube d'une nouvelle ère cosmique, où la vie sera régie par un dessein intelligent. Si cela arrive, c'est toute l'histoire humaine qui, avec le recul, pourrait être réinterprétée comme un processus d'expérimentation et d'apprentissage qui a révolutionné le jeu de la vie. Il faudrait alors aborder ce processus dans une perspective cosmique de milliards d'années, non pas dans une perspective humaine de quelques millénaires.

Les biologistes du monde entier sont engagés dans une bataille avec le mouvement du dessein intelligent, lequel s'oppose à l'enseignement de l'évolution darwinienne à l'école et prétend que la complexité biologique prouve l'existence d'un créateur qui a pensé à l'avance tous les détails biologiques. Les biologistes ont raison pour ce qui est du passé; paradoxalement, l'avenir pourrait bien donner raison au mouvement du dessein intelligent.

À l'heure où j'écris ces lignes, le remplacement de la sélection naturelle par un dessein intelligent pourrait se produire de trois façons: par le génie biologique, le génie cyborg (les cyborgs sont des êtres qui mêlent parties organiques et non organiques) ou le génie de la vie inorganique.

DES SOURIS ET DES HOMMES

Le génie biologique consiste en une intervention humaine délibérée au niveau biologique (l'implantation d'un gène, par exemple) en vue de modifier la forme d'un organisme, ses capacités, ses besoins ou ses désirs pour réaliser une idée culturelle préconçue comme les prédilections artistiques d'Eduardo Kac.

Le génie biologique en soi n'a rien de nouveau. Voici des millénaires que les hommes y recourent pour remodeler des organismes, eux compris. La castration en est un exemple simple. Cela fait peut-être dix mille ans que les hommes castrent les taureaux pour créer des bœufs. Ceux-ci sont moins agressifs et donc plus dociles pour qu'on les habitue à tirer des charrues. Les hommes ont aussi appris à châtrer leurs petits mâles pour créer des sopranos à la voix enchanteresse et des eunuques auxquels on pouvait confier en toute sécurité la surveillance du harem du sultan.

Les progrès récents concernant le fonctionnement des organismes, jusqu'aux niveaux cellulaire et nucléaire, ont ouvert des possibilités voici peu encore inimaginables. Par exemple, nous savons châtrer un homme mais aussi, désormais, changer son sexe par un double traitement chirurgical et hormonal. Mais ce n'est pas tout. Songez à la surprise, au dégoût et à la consternation qu'a provoqués en 1996 la diffusion de la photo suivante dans la presse et à la télévision:

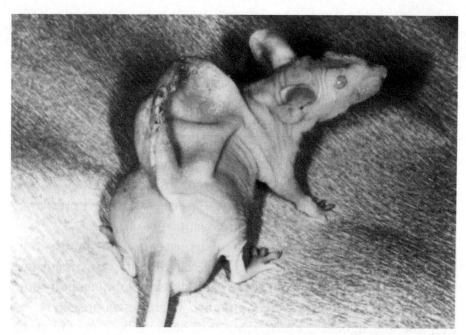

Souris sur le dos de laquelle des chercheurs ont fait pousser une « oreille » formée de cellules de cartilage de bétail. On a là un mystérieux écho de la statue de l'homme-lion de la grotte Stadel. Voici 30 000 ans, les humains se laissaient déjà aller à imaginer la combinaison de diverses espèces.

Aucune manipulation sur Photoshop en l'occurrence. La photo n'a pas été retouchée. Il s'agit d'une vraie souris sur le dos de laquelle des chercheurs ont implanté des cellules de cartilage de bétail. Ils ont pu contrôler la croissance du nouveau tissu, lui donner en l'espèce une forme qui rappelle une oreille humaine. Le procédé pourrait bientôt permettre aux chercheurs de fabriquer des oreilles artificielles pour les implanter sur des hommes[1].

Parce qu'il peut accomplir des prodiges encore plus remarquables, le génie génétique soulève une foule de problèmes éthiques, politiques et idéologiques. Et les monothéistes pieux ne sont pas les seuls à voir d'un mauvais œil l'homme usurper le rôle de Dieu. Beaucoup d'athées confirmés ne sont pas moins choqués de voir les scientifiques chausser les souliers de la nature. Les

---

1. Keith T. Paige *et al.*, « De Novo Cartilage Generation Using Calcium Alginate-Chondrocyte Constructs », *Plastic and Reconstructive Surgery*, 97:1, 1996, p. 168-178.

défenseurs des droits des bêtes dénoncent les souffrances infli-
gées aux animaux de laboratoire du fait des expériences de génie
génétique, mais aussi aux animaux de ferme qui sont manipulés au
mépris total de leurs besoins et de leurs désirs. Les militants des
droits animaliers ont peur que le génie génétique ne serve à créer
des surhommes qui feront de nous des serfs. Des Jérémie nous présentent des visions apocalyptiques de bio-dictatures qui cloneront
des soldats intrépides et des ouvriers dociles. Le sentiment dominant est que trop d'occasions s'ouvrent trop rapidement et que
notre capacité de modifier les gènes est en avance sur notre capacité d'en faire un usage sage et clairvoyant.

Résultat : nous n'utilisons actuellement qu'une petite fraction du potentiel du génie génétique. La plupart des organismes
aujourd'hui manipulés sont ceux qui ont les lobbies politiques
les plus faibles : plantes, champignons, bactéries et insectes. Par
exemple, des lignées d'Escherichia coli, de cette bactérie qui vit en
symbiose dans nos boyaux (mais qui fait les gros titres de la presse
quand elle en sort et cause des infections mortelles), ont été génétiquement manipulées pour produire du biocarburant[1]. Escherichia
coli et plusieurs espèces de champignons ont aussi été trafiquées
afin de produire de l'insuline et abaisser ainsi le coût du traitement
du diabète[2]. Un gène extrait d'un poisson de l'Arctique a été inséré
dans des pommes de terre afin de les rendre plus résistantes au gel[3].

Quelques mammifères ont également été sujets à des manipulations génétiques. Chaque année, l'industrie laitière perd des milliards de dollars du fait de la mastite – une maladie qui affecte le
pis des vaches laitières. Les chercheurs expérimentent actuellement
des vaches génétiquement modifiées dont le lait contient de la lysos-

---

1. David Biello, « Bacteria Transformed into Biofuel Refineries », *Scientific
American*, 27 janvier 2010, accès le 10 décembre 2010, http://www.scientificameri-
can.com/article.cfm?id=bacteria-transformed-into-biofuel-refineries.

2. Gary Walsh, « Therapeutic Insulins and Their Large-Scale Manufacture »,
Applied Microbiology and Biotechnology, 67:2, 2005, p. 151-159.

3. James G. Wallis *et al.*, « Expression of a Synthetic Antifreeze Protein in Potato
Reduces Electrolyte Release at Freezing Temperatures », *Plant Molecular Biology*,
35:3, 1997, p. 323-330.

taphine, une substance biochimique qui attaque la bactérie responsable de la maladie[1]. L'industrie du porc, qui a souffert d'une baisse de ses ventes parce que les consommateurs se méfient des mauvaises graisses du jambon et du bacon, place ses espoirs dans la création d'une lignée encore expérimentale de porcs auxquels on a implanté le matériau génétique d'un ver. Avec les nouveaux gènes, les porcs transforment l'acide gras oméga-6 en oméga-3, son cousin sain[2].

Pour le génie génétique de la génération suivante, fabriquer des porcs qui ont des bonnes graisses sera un jeu d'enfant. Les généticiens ont réussi non seulement à sextupler l'espérance de vie moyenne des vers, mais aussi à produire des souris géniales qui ont une mémoire et des capacités d'apprentissage meilleures[3]. Les campagnols sont de petits rongeurs énergiques qui ressemblent aux souris. Si la plupart des variétés vivent dans la promiscuité, il est une espèce dans laquelle mâles et femelles forment des relations monogames durables. Les généticiens assurent avoir isolé les gènes responsables de la monogamie du campagnol. Si l'ajout d'un gène peut transformer un don Juan campagnol en mari fidèle et attentionné, sommes-nous si loin du jour où nous pourrons manipuler génétiquement les capacités individuelles des rongeurs (et des hommes), mais aussi leurs structures sociales[4] ?

LE RETOUR DES NEANDERTAL

Mais les généticiens ne veulent pas seulement changer des lignages vivants. Ils cherchent aussi à ressusciter des créatures éteintes.

---

1. Robert J. Wall *et al.*, «Genetically Enhanced Cows Resist Intramammary *Staphylococcus Aureus* Infection», *Nature Biotechnology*, 23:4, 2005, p. 445-451.

2. Liangxue Lai *et al.*, «Generation of Cloned Transgenic Pigs Rich in Omega-3 Fatty Acids», *Nature Biotechnology*, 24:4, 2006, p. 435-436.

3. Ya-Ping Tang *et al.*, «Genetic Enhancement of Learning and Memory in Mice», *Nature*, 401, 1999, p. 63-69.

4. Zoe R. Donaldson et Larry J. Young, «Oxytocin, Vasopressin, and the Neurogenetics of Sociality», *Science*, 322:5903, 2008, p. 900-904 ; Zoe R. Donaldson, «Production of Germline Transgenic Prairie Voles (Microtus Ochrogaster) Using Lentiviral Vectors», *Biology of Reproduction*, 81:6, 2009, p. 1189-1195.

Et pas simplement des dinosaures, comme dans *Jurassic Park*. Une équipe de chercheurs russes, japonais et coréens a dernièrement cartographié le génome de mammouths découverts gelés dans les glaces sibériennes. Ils envisagent maintenant de prélever un œuf d'éléphante fécondé, de remplacer son ADN par de l'ADN reconstitué de mammouth pour implanter ensuite l'œuf dans la matrice d'une éléphante. Au bout de 22 mois, ils espèrent voir naître le premier mammouth depuis 5 000 ans[1].

Mais pourquoi s'arrêter aux mammouths ? Le professeur George Church de Harvard University a dernièrement fait une autre suggestion : avec l'achèvement du Projet génome de Neandertal, nous pouvons désormais implanter de l'ADN de Neandertal dans un œuf de Sapiens et produire ainsi le premier enfant Neandertal depuis 30 000 ans. Church a assuré pouvoir le faire pour la somme dérisoire de 30 millions de dollars. Plusieurs femmes se sont déjà déclarées volontaires pour servir de mères porteuses[2].

Mais qu'avons-nous besoin de Neandertal ? Si nous pouvions étudier des Neandertal vivants, affirment certains, nous pourrions répondre à certaines des questions les plus lancinantes sur les origines et l'unicité d'*Homo sapiens*. En comparant un cerveau de Neandertal à un cerveau d'*Homo sapiens*, et en dressant l'inventaire de leurs différences, peut-être pourrions-nous identifier le changement biologique qui a produit la conscience telle que nous la connaissons. Mais il y a aussi une raison éthique : d'aucuns ont soutenu que, si *Homo sapiens* était responsable de l'extinction des Neandertal, c'était un devoir moral de les ressusciter. Il pourrait

---

1. Terri Pous, « Siberian Discovery Could Bring Scientists Closer to Cloning Woolly Mammoth », *Time*, 17 septembre 2012, accès du 19 février 2013 ; Pasqualino Loi *et al.*, « Biological Time Machines : A Realistic Approach for Cloning an Extinct Mammal », *Endangered Species Research*, 14, 2011, p. 227-233 ; Leon Huynen, Craig D. Millar et David M. Lambert, « Resurrecting Ancient Animal Genomes : The Extinct Moa and More », *Bioessays*, 34, 2012, p. 661-669.

2. Nicholas Wade, « Scientists in Germany Draft Neanderthal Genome », *New York Times*, 12 février 2009, accès du 10 décembre 2010, http://www.nytimes.com/2009/02/13/science/13neanderthal.html ?_r=2&ref=science ; Zack Zorich, « Should We Clone Neanderthals ? », *Archaeology*, 63:2, 2009, accès du 10 décembre 2010, http://www.archaeology.org/1003/etc/neanderthals.html.

être utile d'avoir des Neandertal dans les parages. Beaucoup d'in-dustriels seraient ravis de payer un Neandertal pour accomplir les tâches subalternes de deux Sapiens.

Mais pourquoi s'arrêter aux Neandertal ? Pourquoi ne pas remonter à la planche à dessin de Dieu pour concevoir un meilleur Sapiens ? Les capacités, les besoins et les désirs d'*Homo sapiens* ont une base génétique, et le génome de Sapiens n'est pas plus complexe que celui des campagnols et des souris. (Le génome de la souris contient environ 2,5 milliards de bases nucléiques, celui du Sapiens autour de 2,9 : autrement dit, la différence n'est que de 14 %[1].) À moyenne échéance, dans quelques décennies, peut-être, le génie génétique et d'autres formes de génie biologique pourraient nous permettre d'apporter des altérations de grande ampleur à notre physiologie, à notre système immunitaire et à notre espérance de vie, mais aussi à nos facultés intellectuelles et émotionnelles. Si le génie génétique peut créer des souris géniales, pourquoi pas des génies humains ? S'il peut créer des campagnols monogames, pourquoi ne pas câbler les humains en sorte qu'ils restent fidèles à leurs partenaires ?

La Révolution cognitive qui transforma l'*Homo sapiens* de singe insignifiant en maître du monde ne nécessitait pas un changement physiologique notable, pas même un changement du volume et de la forme extérieure du cerveau du Sapiens. Il semble qu'elle n'ait impliqué que de menus changements dans la structure interne du cerveau. Peut-être un autre petit changement suffirait-il à amorcer une Seconde Révolution cognitive et à créer un type entièrement nouveau de conscience, pour transformer l'*Homo sapiens* en un être totalement différent.

Nous manquons certes encore de flair pour y parvenir, mais il ne semble pas qu'une barrière technique insurmontable nous sépare de la production de surhommes. Les principaux obstacles sont des objections éthiques et politiques qui ont ralenti la recherche sur les hommes. Et, si convaincants que puissent être les arguments

---

1. Robert H. Waterston *et al.*, « Initial Sequencing and Comparative Analysis of the Mouse Genome », *Nature*, 420:6915, 2002, p. 520.

éthiques, on voit mal comment ils pourraient retarder durablement l'étape suivante, surtout si l'enjeu est la possibilité de prolonger indéfiniment la vie humaine, de guérir des maladies incurables et de rehausser nos capacités cognitives et émotionnelles.

Que se passerait-il, par exemple, si nous trouvions un remède à la maladie d'Alzheimer, dont un bénéfice secondaire serait d'améliorer spectaculairement la mémoire des gens sains ? Quelqu'un pourrait-il arrêter la recherche en question ? Et une fois le traitement au point, un conseil de l'ordre quelconque pourrait-il le réserver aux patients d'Alzheimer et empêcher les gens sains d'acquérir des super-mémoires ?

On ne sait pas trop si la biogénie pourrait effectivement ressusciter des Neandertal, mais très probablement abaisserait-elle le rideau sur l'*Homo sapiens*. Bricoler nos gènes ne nous tuera pas nécessairement. Mais nous pourrions bien tripatouiller l'*Homo sapiens* au point que nous ne serions plus l'*Homo sapiens*.

VIE BIONIQUE

Il existe une autre technologie nouvelle qui pourrait changer les lois de la vie : le génie cyborg. Les cyborgs sont des êtres qui mêlent parties organiques et inorganiques : par exemple, un être humain avec des mains bioniques. En un sens, nous sommes presque tous bioniques, désormais, puisque nos sens et nos fonctions naturelles sont complétés par des appareils divers : lunettes, pacemakers, orthèses et même ordinateurs et téléphones cellulaires (qui soulagent partiellement nos cerveaux du poids du stockage et du traitement des données). Nous sommes sur le point de devenir de vrais cyborgs, avec des traits inorganiques indissociables de nos corps, des traits qui modifient nos capacités, nos désirs, nos personnalités et nos identités.

La Defense Advanced Research Projects Agency (DARPA), agence américaine de recherche militaire, crée des cyborgs à partir d'insectes. L'idée est d'implanter dans le corps d'une mouche ou d'un cancrelat des puces électroniques, des détecteurs et des processeurs qui permettront à un opérateur humain ou à un automate de contrôler les déplacements de l'insecte pour absorber et transmettre des informations. Une mouche de ce genre pourrait se poser sur le mur du QG ennemi, épier ses conversations les plus secrètes et, à moins de tomber entre les pattes d'une araignée, pourrait nous informer exactement de ce que prépare l'ennemi[1]. En 2006, l'US Naval Undersea Warfare Center a fait part de son intention de mettre au point des cyborg-requins en déclarant : « Le NUWC met au point un marqueur des poissons (*fish tag*) dont le but est de contrôler le comportement des animaux marqués à travers des implants naturels. » Les chercheurs espèrent identifier les champs électromagnétiques des sous-marins et des mines en exploitant les facultés de détection magnétique naturelles des requins, supérieures à celles des détecteurs artificiels[2].

Les Sapiens sont eux aussi transformés en cyborgs. Les appareils auditifs de la toute dernière génération sont parfois présentés comme des « oreilles bioniques ». Le système consiste en un implant qui absorbe le son par un micro placé dans la partie extérieure de l'oreille. L'implant filtre les sons, identifie les voix humaines et les traduit en signaux électriques directement envoyés au nerf auditif et de là au cerveau[3].

---

1. « Hybrid Insect Micro Electromechanical Systems (HI-MEMS) », Microsystems Technology Office, DARPA, accès du 22 mars 2012, http://www.darpa.mil/Our_Work/MTO/Programs/Hybrid_Insect_Micro_Electromechanical_Systems_percent28HIMEMSpercent29.aspx. Voir aussi Sally Adee, « Nuclear-Powered Transponder for Cyborg Insect », *IEEE Spectrum*, décembre 2009, accès du 10 décembre 2010, http://spectrum.ieee.org/semiconductors/devices/nuclearpowered-transponder-for-cyborginsect?utm_source=feedburner&utm_medium=feed&utm_campaign=Feedpercent3A+IeeeSpectrum+percent28IEEE+Spectrumpercent29&utm_content=Google+Reader ; Jessica Marshall, « The Fly Who Bugged Me », *New Scientist*, 197:2646, 2008, p. 40-43 ; Emily Singer, « Send In the Rescue Rats », *New Scientist*, 183:2466, 2004, p. 21-22 ; Susan Brown, « Stealth Sharks to Patrol the High Seas », *New Scientist*, 189:2541, 2006, p. 30-31.

2. Bill Christensen, « Military Plans Cyborg Sharks », *Live Science*, 7 mars 2006, accès du 10 décembre 2010, http://www.livescience.com/technology/060307_shark_implant.htm.

3. « Cochlear Implants », National Institute on Deafness and Other Communication Disorders, accès du 22 mars 2012, http://www.nidcd.nih.gov/health/hearing/pages/coch.aspx.

Retina Implant, société allemande parrainée par les pouvoirs publics, met au point une prothèse rétinienne qui peut rendre à des aveugles une vision partielle. L'opération consiste à implanter une micropuce dans l'œil du patient. Des photocellules absorbent la lumière qui tombe sur l'œil et la transforment en énergie électrique, stimulant ainsi les cellules nerveuses intactes de la rétine. Les impulsions nerveuses de ces cellules stimulent le cerveau, où elles sont traduites en vues. Pour l'instant, la technologie permet aux patients de s'orienter dans l'espace, d'identifier des lettres et même de reconnaître des visages[1].

En 2001, un accident coûta les deux bras, jusqu'à l'épaule, à l'électricien américain Jesse Sullivan. Aujourd'hui, grâce au Rehabilitation Institute of Chicago, il est muni de deux bras bioniques. La singularité de ces nouveaux bras est qu'ils sont actionnés par la seule pensée. Des micro-ordinateurs reçoivent les signaux neuronaux qui arrivent du cerveau de Jesse et les traduisent en commandes électriques qui font bouger les bras. Quand Jesse veut lever le bras droit, il fait ce qu'une personne normale fait inconsciemment. Ces bras peuvent accomplir un éventail beaucoup plus limité de mouvements que les bras organiques mais ils lui permettent d'exécuter des fonctions quotidiennes simples. Un bras bionique semblable a été dernièrement posé sur Claudia Mitchell, militaire américaine qui avait perdu le bras dans un accident de moto. Les chercheurs pensent que nous aurons bientôt des bras bioniques qui pourront non seulement bouger quand nous le voulons, mais aussi transmettre des signaux au cerveau, permettant ainsi aux amputés de retrouver même la sensation du toucher[2] !

Pour l'heure, ces bras bioniques sont un piètre substitut de nos originaux organiques, mais leur développement potentiel est illimité. Par exemple, on peut faire des bras bioniques bien plus

---

1. Sur l'implant rétinien : http://www.retina-implant.de/en/doctors/technology/default.aspx.

2. David Brown, « For 1st Woman With Bionic Arm, a New Life Is Within Reach », *The Washington Post*, 14 septembre 2006, consultation le 10 décembre 2010, http://www.washingtonpost.com/wpdyn/content/article/2006/09/13/AR2006091302271.html?nav=E8.

puissants que leurs parents organiques : en comparaison, même le champion de boxe aura l'air d'un gringalet. De plus, les bras bioniques ont l'avantage de pouvoir être remplacés régulièrement, ou détachés du corps et actionnés à distance.

Jesse Sullivan et Claudia Mitchell se tenant la main. Le plus stupéfiant est que leurs bras bioniques sont actionnés par la pensée.

Les chercheurs de Duke University, en Caroline du Nord, en ont fait la démonstration avec des macaques rhésus dans le cerveau desquels ont été implantées des électrodes. Celles-ci recueillent des signaux du cerveau qu'elles transmettent à des appareils extérieurs. Les macaques ont été entraînés à contrôler par la seule pensée les bras et jambes bioniques détachés. Une femelle macaque, Aurora, a appris à contrôler par la pensée un bras bionique détaché tout en bougeant simultanément ses deux bras bioniques. Telle une déesse hindoue, Aurora a désormais trois bras – lesquels peuvent être situés dans des pièces, voire des villes, différentes. Assise dans son labo de Caroline du Nord, elle peut se gratter le dos avec un bras, la tête avec sa deuxième main et, au même moment, chaparder une banane à New York (même si la faculté de manger un fruit dérobé à distance demeure un rêve). En 2008, une autre macaque rhésus, Idoya, est devenue une célébrité mondiale en contrôlant par la pensée une paire de jambes bioniques à Kyoto, au Japon, depuis sa chaise de Caroline du Nord. Les jambes en question pesaient vingt fois son poids[1].

Dans le syndrome d'enfermement, une personne perd entièrement ou presque la faculté de bouger la moindre partie de son corps alors que ses facultés cognitives demeurent intactes. Jusqu'à maintenant, les patients qui souffrent de ce syndrome n'ont pu communiquer avec le monde extérieur que par d'infimes mouvements des yeux. Dans le cerveau de quelques patients, cependant, on a pu implanter des électrodes recueillant les signaux cérébraux. Des efforts sont réalisés pour traduire ces derniers non seulement en mouvements, mais aussi en mots. Si les expériences réussissent, les patients atteints de ce syndrome pourraient enfin parler directement avec le monde extérieur et nous pourrions finalement nous servir de cette technologie pour lire dans l'esprit des autres[2].

De tous les projets en cours, cependant, le plus révolutionnaire est l'effort pour mettre au point une interface directe à double sens entre cerveau et ordinateur. Celle-ci permettra aux ordinateurs de lire les signaux électriques d'un cerveau humain tout en transmettant des signaux que le cerveau peut lire. Et si l'on utilisait ces interfaces pour rattacher directement un cerveau à l'Internet, ou relier plusieurs cerveaux les uns aux autres, créant ainsi un Inter-cérébro-net? Qu'adviendrait-il de la mémoire, de la conscience et de l'identité humaines si le cerveau jouissait d'un accès direct à une banque de mémoire collective? Dans une telle situation, un cyborg pourrait, par exemple, retrouver les souvenirs d'un autre. Non pas en entendre parler, s'en informer dans une autobiographie ou les imaginer. Non. S'en souvenir directement comme s'ils étaient les siens à lui… ou à elle. Qu'advient-il de concepts comme le soi ou l'identité de genre quand les esprits deviennent collectifs?

---

1. Miguel Nicolelis, *Beyond Boundaries: The New Neuroscience of Connecting Brains and Machines – and How It Will Change Our Lives*, New York, Times Books, 2011; en français, *Objectif télépathie: tout ce que votre cerveau pourra bientôt faire sans que vous l'ayez même imaginé*, trad. J. Dobouvetzky, Paris, Flammarion, 2013.

2. Chris Berdik, «Turning Thought into Words», *BU Today*, 15 octobre 2008, accès du 22 mars 2012, http://www.bu.edu/today/2008/turning-thoughts-into-words/.

Comment pourrais-tu te connaître toi-même ou poursuivre ton rêve si ledit rêve n'est pas dans ta tête mais dans quelque réservoir collectif d'aspirations ?

Un tel cyborg ne serait plus humain, ni même organique. Ce serait quelque chose de totalement différent. Ce serait un être si foncièrement différent que nous ne saurions même en saisir les implications philosophiques, psychologiques ou politiques.

Une autre vie

La troisième voie pour changer les lois de la vie consiste à fabriquer des êtres entièrement inorganiques. Les exemples les plus évidents en sont les programmes et les virus informatiques capables d'évolution indépendante.

Le domaine de la programmation génétique est aujourd'hui l'un des points les plus intéressants du monde de l'informatique. Son ambition est de prendre exemple sur les méthodes de l'évolution génétique. Beaucoup de programmeurs rêvent de créer un programme d'apprentissage qui puisse apprendre à évoluer en toute indépendance par rapport à son créateur. En ce cas, le programmeur serait un *primum mobile*, un moteur premier, mais sa création serait libre d'évoluer dans des directions que ni son auteur ni aucun autre homme n'aurait jamais pu envisager.

Il existe déjà un prototype de programme de ce genre : ce qu'on appelle un virus informatique. En se propageant dans l'Internet, le virus se reproduit des millions et des millions de fois tout en étant pourchassé par des programmes antiviraux prédateurs et en disputant à d'autres virus une place dans le cyberespace. Un jour où le virus se reproduit, une erreur intervient : une mutation informatisée. Peut-être la mutation vient-elle de ce que l'ingénieur humain a programmé le virus en sorte que se produisent à l'occasion des erreurs aléatoires de duplication. À moins qu'elle ne soit due à une erreur aléatoire. Si, par hasard, le virus modifié réussit mieux à échapper aux programmes antiviraux sans perdre sa faculté de s'insinuer dans d'autres ordinateurs, il se propagera dans le cyberespace. En ce cas, les mutants survivront et se reproduiront. Avec le temps, le cyber-espace finirait par grouiller de nouveaux virus que personne n'a fabriqués et qui suivraient une évolution non organique.

S'agit-il de créatures vivantes ? Tout dépend de ce qu'on entend par « créatures vivantes ». En revanche, ils ont certainement été produits par un nouveau processus évolutif, totalement indépendant des lois et des limites de l'évolution organique.

Voyons une autre possibilité. Imaginez que vous puissiez brancher votre cerveau sur un disque dur externe et vous en servir ensuite sur votre portable. Votre portable serait-il capable de sentir et de penser comme un Sapiens ? En ce cas, serait-il vous ou un autre ? Et si les programmeurs informaticiens pouvaient créer un esprit entièrement nouveau mais numérique, sur la base des codes informatiques, bien qu'avec un sens du soi, une conscience et une mémoire ? Si vous équipiez votre ordinateur de ce programme, serait-il une personne ? Si vous l'effaciez, pourrait-on vous accuser de meurtre ?

Nous pourrions sous peu devoir répondre à des questions de ce genre. Le Human Brain Project, lancé en 2005, espère recréer un cerveau humain complet dans un ordinateur, avec des circuits électroniques imités des réseaux neuronaux du cerveau. Sous réserve de financements suffisants, a assuré le directeur du projet, nous pourrions avoir d'ici une décennie ou deux un cerveau humain artificiel au sein d'un ordinateur capable de parler et de se conduire largement comme un humain. S'il réussit, cela signifierait qu'après quatre milliards d'années passées à grouiller dans le petit monde de la vie organique, la vie fera soudain irruption dans l'immensité du domaine inorganique, prête à prendre des formes qui dépassent nos rêves les plus fous. Bien que tous les chercheurs n'acceptent pas l'idée que le cerveau fonctionne de manière analogue aux ordinateurs numériques – si ce n'est pas le cas, les ordinateurs actuels ne sauraient le simuler –, ce serait folie que de rejeter catégoriquement cette possibilité avant d'avoir essayé. En 2013, le projet a reçu de l'Union européenne une enveloppe d'un milliard d'euros[1].

---

1. Jonathan Fildes, « Artificial Brain "10 years away" », *BBC News*, 22 juillet 2009, accès du 19 septembre 2012, http://news.bbc.co.uk/2/hi/8164060.stm.

La singularité

Pour l'heure, seule une infime fraction de ces nouvelles occasions ont été saisies. Pourtant, le monde de 2014 est déjà un monde où la culture se libère des fers de la biologie. Notre capacité de manipuler le monde qui nous entoure, mais aussi l'intérieur de nos corps et de nos esprits, progresse à une vitesse époustouflante. De plus en plus de domaines d'activité sont arrachés à leur routine autosatisfaite. Les juristes doivent repenser les questions de la vie privée et de l'identité ; les pouvoirs publics vont devoir repenser les affaires de santé et d'égalité ; les associations sportives et les institutions éducatives doivent redéfinir le fair-play et les résultats ; les fonds de pension et les marchés du travail devraient se réajuster à un monde où on se porte aussi bien à soixante ans que naguère à trente. Tous doivent se frotter aux énigmes de la biogénie, des cyborgs et de la vie inorganique.

Cartographier le premier génome humain a nécessité quinze ans et trois milliards de dollars. De nos jours, il suffit de quelques semaines pour dresser la carte ADN de quelqu'un et de quelques centaines de dollars[1]. L'ère de la médecine personnalisée – qui ajuste le traitement à l'ADN – a commencé. Le médecin de famille pourra bientôt vous dire avec plus de certitude que vous avez de gros risques de déclarer un cancer du foie, mais que vous n'avez pas vraiment à craindre de crise cardiaque. Il pourra constater qu'un

---

1. Radoje Drmanac *et al.*, «Human Genome Sequencing Using Unchained Base Reads on Self-Assembling DNA Nanoarrays», *Science*, 327:5961, 2010, p. 78-81 ; site «Complete Genomics» : http://www.completegenomics.com/ ; Rob Waters, «Complete Genomics Gets Gene Sequencing under 5 000 $ (Update 1)», *Bloomberg*, 5 novembre 2009, accès en date du 10 décembre 2010 ; http://www.bloomberg.com/apps/news?pid=newsarchive&sid=aWutnyE4SoWw ; Fergus Walsh, «Era of Personalized Medicine Awaits», *BBC News*, dernière actualisation 8 avril 2009, accès du 22 mars 2012, http://news.bbc.co.uk/2/hi/health/7954968.stm ; Leena Rao, «PayPal Co-Founder And Founders Fund Partner Joins DNA Sequencing Firm Halcyon Molecular», *TechCrunch*, 24 septembre 2009, accès du 10 décembre 2010, http://techcrunch.com/2009/09/24/paypal-co-founder-and-founders-fund-partner-joins-dna-sequencing-firm-halcyon-molecular/.

médicament populaire qui aide 92 % des patients ne vous servirait à rien et qu'il vaut mieux pour vous prendre un autre comprimé, fatal à quantité de gens, mais qui est exactement ce qu'il vous faut. La route de la médecine quasi parfaite est devant nous.

Toutefois, les progrès des connaissances médicales s'accompagneront de nouveaux casse-tête éthiques. Spécialistes d'éthique et juristes sont déjà aux prises avec l'épineuse question de la vie privée en rapport avec l'ADN. Les compagnies d'assurances auraient-elles le droit de nous demander nos scans d'ADN et d'augmenter les primes s'ils découvrent une tendance génétique à des comportements à risque ? Serions-nous tenus de faxer notre ADN, plutôt que notre CV, aux employeurs potentiels ? Un employeur pourrait-il privilégier un candidat dont l'ADN semble meilleur ? En ce cas, pourrions-nous engager des poursuites pour « discrimination génétique » ? Une compagnie qui met au point une nouvelle créature ou un nouvel organe pourrait-elle breveter ses séquences d'ADN ? Il va de soi qu'on peut posséder un poulet, mais peut-on posséder une espèce entière ?

Tous ces dilemmes sont bien peu de chose au regard des implications éthiques, sociales et politiques du Projet Gilgamesh et de nos nouvelles capacités potentielles de créer des surhommes. La Déclaration universelle des droits de l'homme, les programmes médicaux officiels, les programmes nationaux d'assurance-santé et les constitutions des divers pays à travers le monde reconnaissent qu'une société humaine digne de ce nom doit assurer à tous ses membres un traitement médical équitable et veiller à ce qu'ils restent en relativement bonne santé. Tout cela était bel et bien tant que la médecine se souciait avant tout de prévenir la maladie et de guérir les malades. Que se passerait-il le jour où la médecine se soucierait d'accroître les facultés humaines ? Tous les hommes y auraient-ils droit, ou verrait-on se former une nouvelle élite de surhommes ?

Notre monde moderne se targue de reconnaître, pour la première fois de l'histoire, l'égalité foncière de tous les hommes. Il pourrait être sur le point de créer la plus inégale de toutes les sociétés. Tout au long de l'histoire, les classes supérieures ont toujours prétendu être plus intelligentes, plus fortes et dans l'ensemble

meilleures que les classes inférieures. Généralement, elles s'illu-
sionnaient. Le bébé d'une famille paysanne sans le sou avait toute
chance d'être aussi intelligent que le prince héritier. Grâce aux nouvelles capacités médicales, les prétentions des classes supérieures
pourraient bientôt devenir une réalité objective.

Ce n'est pas de la science-fiction. La plupart des scénarios de
science-fiction décrivent un monde dans lequel des Sapiens – pareils
à nous – jouissent d'une technologie supérieure : des vaisseaux spatiaux qui se déplacent à la vitesse de la lumière, par exemple, ou
des fusils laser. Les dilemmes éthiques et politiques qu'on trouve au
cœur de ces intrigues sont empruntés à notre monde et ils ne font
que recréer nos tensions émotionnelles et sociales sur une toile de
fond futuriste. En revanche, les technologies futures sont à même
de changer l'*Homo sapiens* lui-même, y compris nos émotions et nos
désirs, pas simplement nos véhicules et nos armes. Qu'est-ce qu'un
vaisseau spatial en comparaison d'un cyborg éternellement jeune, qui
ne se reproduit pas et n'a pas non plus de sexualité, qui peut partager directement ses pensées avec d'autres êtres, dont les capacités
de concentration et de remémoration sont mille fois supérieures aux
nôtres et qui n'est jamais en colère ni triste, mais qui a des émotions
et des désirs que nous ne saurions même commencer à imaginer ?

La science-fiction décrit rarement un avenir pareil, parce qu'une
description exacte est par définition incompréhensible. Produire
un film sur la vie d'un super-cyborg, c'est un peu donner *Hamlet*
devant un public de Neandertal. En fait, les futurs maîtres du
monde seront probablement plus différents de nous que nous ne
le sommes des Neandertal. Au moins les Neandertal, tout comme
nous, sont-ils humains ; nos héritiers seront pareils à des dieux.

Les physiciens définissent le Big Bang comme une singularité :
un point où toutes les lois de la nature connues n'existaient pas. Le
temps non plus n'existait pas. Il n'y a donc aucun sens à dire que
quelque chose existait « avant » le Big Bang. Peut-être approchons-
nous à vue d'œil d'une nouvelle singularité, où tous les concepts
qui donnent du sens à notre monde – moi, vous, hommes, femmes,
amour et haine – perdront toute pertinence. Tout ce qui se produit
au-delà de ce point n'a aucun sens pour nous.

LA PROPHÉTIE DE FRANKENSTEIN

En 1818, Mary Shelley publia *Frankenstein*, l'histoire d'un savant qui essaie de créer un être supérieur et crée plutôt un monstre. Depuis deux siècles, on ne compte plus les variations de cette même histoire, devenue un thème central de notre nouvelle mythologie scientifique. À première vue, l'histoire de Frankenstein semble nous mettre en garde : si nous essayons de jouer à Dieu en manipulant la vie, nous en serons sévèrement châtiés. Mais l'histoire a un sens plus profond.

Le mythe de Frankenstein rappelle à l'*Homo sapiens* que les derniers jours approchent à vue d'œil. Sauf catastrophe nucléaire ou écologique, poursuit l'histoire, le rythme du développement technique conduira sous peu au remplacement d'*Homo sapiens* par des êtres entièrement nouveaux dont le physique sera différent, mais dont l'univers cognitif et émotionnel sera aussi très différent. La plupart des Sapiens trouvent cette perspective pour le moins déconcertante. Nous aimons à croire qu'à l'avenir des gens comme nous iront d'une planète à l'autre à bord de vaisseaux spatiaux. Nous n'aimons pas envisager la possibilité qu'il n'y ait plus d'êtres dont les émotions et les identités soient semblables aux nôtres, et que notre place soit prise par des formes de vie étrangères dont les capacités écraseront les nôtres.

Nous nous consolons en imaginant que le Dr Frankenstein ne peut créer que d'horribles monstres, qu'il nous faut détruire pour sauver le monde. Nous nous plaisons à raconter l'histoire ainsi, parce qu'elle suppose qu'il n'y a pas meilleur que nous. Il n'y a jamais eu et il n'y aura jamais rien de meilleur. Tout effort pour nous améliorer échouera immanquablement parce que, même si nous pouvions améliorer nos corps, on ne saurait toucher à l'esprit humain.

Nous aurions du mal à admettre que les savants puissent manipuler les esprits aussi bien que les corps, et que les futurs Dr Frankenstein pourraient donc créer quelque chose qui nous est réellement supérieur, un être qui nous regardera de haut, comme nous considérons les Neandertal.

*

Nous ne saurions savoir avec certitude si les Frankenstein d'au-jourd'hui vont accomplir cette prophétie. L'avenir est inconnu, et il serait surprenant que les prévisions des toutes dernières pages se réalisent pleinement. L'histoire nous apprend que ce qui nous semble à portée de main ne se matérialise jamais en raison de bar-rières imprévues, et que d'autres scénarios qu'on n'avait pas ima-ginés se réalisent. Quand l'âge du nucléaire est arrivé dans les années 1940, on a vu se multiplier les prévisions sur le futur monde nucléaire de l'an 2000. Quand le spoutnik et Apollo 11 embra-sèrent l'imagination du monde, on se mit à prédire que, d'ici la fin du siècle, on vivrait dans des colonies spatiales sur Mars et Pluton. Peu de ces prévisions ont été confirmées. Par ailleurs, nul n'avait prévu l'Internet.

Donc, ne vous précipitez pas pour souscrire une police d'assu-rance qui vous indemnisera contre les poursuites engagées par des êtres numériques. Les fantaisies – ou cauchemars – évoquées plus haut ne sont que des stimulants de l'imagination. L'idée qui mérite d'être prise au sérieux, c'est que l'étape suivante de l'histoire comportera des transformations technologiques et orga-nisationnelles, mais aussi des transformations essentielles de la conscience et de l'identité humaines. Et ces transformations pour-raient être fondamentales au point de remettre en question le mot même d'« humain ». De combien de temps disposons-nous ? Nul ne le sait vraiment. Certains disent qu'en 2050 quelques humains seront déjà a-mortels. Des prévisions moins radicales parlent du siècle prochain, ou du prochain millénaire. Mais que valent quelques millénaires dans la perspective des 70 000 années d'his-toire du Sapiens ?

Si le rideau est effectivement sur le point de tomber sur l'his-toire du Sapiens, nous, qui sommes membres de ses dernières géné-rations, nous devrions prendre le temps de répondre à une der-nière question : que voulons-nous devenir ? Cette question, parfois connue en anglais sous le nom de *Human Enhancement Question* – la question du « corps augmenté » ou du « développement humain artificiel » –, écrase les débats qui préoccupent actuellement la classe politique, les philosophes, les savants et les gens ordinaires.

Après tout, le débat présent entre religions, idéologies, nations et classes est très probablement appelé à disparaître avec l'*Homo Sapiens*. Si nos successeurs fonctionnent bel et bien sur un niveau de conscience différent (ou, peut-être, possèdent quelque chose au-delà de la conscience que nous ne saurions même concevoir), il semble douteux que le christianisme ou l'islam les intéresse, que leur organisation sociale puisse être communiste ou capitaliste, ou que leur genre puisse être masculin ou féminin.

Les grands débats de l'histoire n'en sont pas moins importants, parce que la première génération de ces dieux, au moins, serait façonnée par les idées culturelles de leurs concepteurs humains. Seraient-ils créés à l'image du capitalisme, de l'islam ou du féminisme ? La réponse à cette question pourrait leur faire donner de la bande dans de tout autres directions.

La plupart des gens préfèrent ne pas y penser. Même dans le domaine de la bioéthique, on préfère se poser une autre question : « Qu'est-il interdit de faire ? » Est-il acceptable de faire des expériences génétiques sur des êtres humains vivants ? sur des fœtus avortés ? des cellules souches ? Est-il éthique de cloner des moutons ? et des chimpanzés ? Et qu'en est-il des humains ? Ce sont toutes des questions importantes, mais il est naïf d'imaginer que nous pourrions simplement donner un coup de frein et arrêter les grands projets scientifiques qui promeuvent l'*Homo sapiens* au point d'en faire un être d'une espèce différente. Car ces projets sont inextricablement mêlés à la quête de l'immortalité : le Projet Gilgamesh. Demandez donc aux chercheurs pourquoi ils étudient le génome, essaient de relier un cerveau à un ordinateur ou de créer un esprit à l'intérieur d'un ordinateur. Neuf fois sur dix, vous recevrez la même réponse standard : nous le faisons pour guérir des maladies et sauver des vies humaines. Alors même que créer un esprit dans un ordinateur a des implications autrement plus spectaculaires que soigner des maladies psychiatriques, telle est la justification classique que l'on nous donne, parce que personne ne peut y redire quoi que ce soit. De là vient que le Projet Gilgamesh soit le vaisseau amiral de la science. Il sert à justifier tout ce que fait la science. Le Dr Frankenstein est juché sur les épaules de Gilgamesh.

Puisqu'il est impossible d'arrêter Gilgamesh, il est aussi impossible d'arrêter le Dr Frankenstein.

La seule chose que nous puissions faire, c'est influencer la direction que nous prenons. Mais puisque nous pourrions bien être capables sous peu de manipuler nos désirs, la vraie question est non pas : « Que voulons-nous devenir ? » mais : « Que voulons-nous vouloir ? » Si cette question ne vous donne pas le frisson, c'est probablement que vous n'avez pas assez réfléchi.

Épilogue

Un animal devenu dieu ?

Voici soixante-dix mille ans, *Homo sapiens* n'était encore qu'un animal insignifiant qui vaquait à ses affaires dans un coin de l'Afrique. Au fil des millénaires suivants, il s'est transformé en maître de la planète entière et en terreur de l'écosystème. Il est aujourd'hui en passe de devenir un dieu, sur le point d'acquérir non seulement une jeunesse éternelle, mais aussi les capacités divines de destruction et de création.

Par malheur, le régime du Sapiens sur terre n'a pas produit jusqu'ici grand-chose dont nous puissions être fiers. Nous avons maîtrisé ce qui nous entoure, accru la production alimentaire, construit des villes, bâti des empires et créé de vastes réseaux commerciaux. Mais avons-nous fait régresser la masse de souffrance dans le monde ? Bien souvent, l'accroissement massif de la puissance humaine n'a pas nécessairement amélioré le bien-être individuel des Sapiens tout en infligeant d'immenses misères aux autres animaux.

Pour ce qui est de la condition humaine, nous avons accompli de réels progrès au cours des toutes dernières décennies, avec la régression de la famine, des épidémies et de la guerre. Mais la situation des autres animaux se dégrade plus rapidement que jamais, et l'amélioration du sort de l'humanité est trop récente et fragile pour qu'on en soit assurés.

En outre, malgré les choses étonnantes dont les hommes sont capables, nous sommes peu sûrs de nos objectifs et paraissons plus que jamais insatisfaits. Des canoës nous sommes passés aux galères puis aux vapeurs et aux navettes spatiales, mais personne ne sait où nous allons. Nous sommes plus puissants que jamais, mais nous ne savons trop que faire de ce pouvoir. Pis encore, les humains semblent plus irresponsables que jamais. Self-made-dieux, avec juste les lois de la physique pour compagnie, nous n'avons de comptes à rendre à personne. Ainsi faisons-nous des ravages parmi les autres animaux et dans l'écosystème environnant en ne cherchant guère plus que nos aises et notre amusement, sans jamais trouver satisfaction.

Y a-t-il rien de plus dangereux que des dieux insatisfaits et irresponsables qui ne savent pas ce qu'ils veulent ?

Remerciements

Pour leurs conseils et leur aide : Sarai Aharoni, Dorit Aharonov, Amos Avisar, Tzafrir Barzilai, Noah Beninga, Tirza Eisenberg, Amir Fink, Benjamin Z. Kedar, Yossi Maurey, Eyal Miller, Shmuel Rosner, Rami Rotholz, Ofer Steinitz, Michael Shenkar, Guy Zaslavsky ainsi que tous les enseignants et élèves du programme d'histoire du monde de l'Université hébraïque de Jérusalem.

Je dois des remerciements particuliers à Jared Diamond, qui m'a appris à avoir une vision d'ensemble, à Diego Holstein, qui m'a incité à écrire une histoire ; ainsi qu'à Deborah Harris et Itzik Yahav, qui ont contribué à répandre l'histoire.

Chronologie

Années avant le présent

13,5 milliards	Apparition de la matière et de l'énergie. Début de la physique. Apparition des atomes et des molécules. Début de la chimie
4,5 milliards	Formation de la planète Terre
3,8 milliards	Émergence des organismes. Commencement de la biologie
6 millions	Dernière grand-mère commune des humains et des chimpanzés
2,5 millions	Évolution du genre *Homo* en Afrique. Premiers outils de pierre
2 millions	Propagation des humains de l'Afrique vers l'Eurasie. Évolution de différentes espèces humaines
500 000	Évolution des Neandertal en Europe et au Moyen-Orient
300 000	Usage quotidien du feu
200 000	Évolution de l'*Homo Sapiens* en Afrique orientale
70 000	Révolution cognitive. Émergence du langage fictif. Commencement de l'histoire. Sapiens se répand hors de l'Afrique

45 000	Sapiens s'établit en Australie. Extinction de la mégafaune australienne
30 000	Extinction des Neandertal
16 000	Sapiens s'établit en Amérique. Extinction de la mégafaune américaine
13 000	Extinction de l'*Homo floresiensis*. L'*Homo Sapiens* reste la seule espèce humaine survivante
12 000	Révolution agricole. Domestication des plantes et des animaux. Colonies de peuplement permanentes
5 000	Premiers royaumes, première écriture, premières monnaies. Religions polythéistes
4 250	Premier empire : Empire akkadien de Sargon
2 500	Invention du monnayage – monnaie universelle. Empire perse : ordre politique universel « pour le bienfait de tous les hommes » Bouddhisme en Inde : vérité universelle « pour libérer tous les hommes de la souffrance »
2 000	Empire des Han en Chine Empire romain en Méditerranée. Christianisme
1 400	Islam
500	Révolution scientifique. L'humanité admet son ignorance et commence à acquérir un pouvoir sans précédent. Les Européens entreprennent de conquérir l'Amérique et les océans. La planète entière n'est plus qu'une scène historique. Essor du capitalisme
200	Révolution industrielle. État et marché remplacent famille et communauté. Extinction massive des plantes et des animaux
Présent	Les hommes transcendent les limites de la planète Terre. Les armes nucléaires menacent la survie de l'humanité. Les organismes sont toujours plus façonnés par le dessein intelligent que par la sélection naturelle
Futur	Le dessein intelligent devient le principe de base de la vie ? Les humains se hissent au rang de dieux ?

Cartes

Table des illustrations

p. 115 : Vestiges des constructions monumentales de Göbekli Tepe. Photo : © Deutsches Archäologisches Institut

p. 120 : Attelage de bœufs labourant un champ, peinture de 1200 avant J.-C., tombe égyptienne. © Visual/Corbis

p. 123 : Veau moderne. Photo : © Anonymous for Animal Rights

p. 152 : Tablette d'argile d'un texte administratif d'Uruk, c. 3400-3000 avant J.-C. © The Schøyen Collection, Oslo et Londres, MS 1717. http://www.schoyencollection.com/

p. 154 : *Quipu* des Andes, XIIe siècle. © The Schøyen Collection, Oslo et Londres, MS 718. http://www.schoyencollection.com/

p. 182 : Portrait officiel de Louis XIV. © Réunion des musées nationaux/ Gérard Blot

p. 183 : Portrait officiel de Barack Obama. © Visual/Corbis

p. 193 : Pèlerins faisant le tour de la Kaaba à La Mecque. © Visual/Corbis

p. 243 : Gare de Chhatrapati Shivaji, Bombay. Photo : © fish-bone, http://en.wikipedia.org/wiki/File:Victoria_Terminus,_Mumbai.jpg

p. 244 : Le Taj Mahal. Photo : © Guy Gelbgisser Asia Tours

p. 274 : Affiche de propagande nazie. © Bibliothèque du Congrès, Bildarchiv Preussischer Kulturbesitz, United States Holocaust Memorial Museum, avec l'autorisation de Roland Klemig

p. 276: Caricature nazie. Photo : Boaz Neumann. *De Kladderadatsch*, 49, 1933, p. 7

p. 289 : Alamogordo, 16 juillet 1945, 5h29 du matin. © Visual/Corbis

p. 336 : Carte européenne du monde en 1459. © British Library Board, Shelfmark Add.11267

p. 339 : Carte du monde de Salviati en 1525. © Florence, Biblioteca Medicea Laurenziana, Ms. Laur. Med. Palat. 249 (mappa Salviati)

p. 401 : Poussins sur le tapis roulant d'un incubateur industriel. Photo : © Anonymous for Animal Rights

p. 404 : Expérience de Harlow. Photo : © Researchers/Visualphotos.com

p. 471 : Souris sur le dos de laquelle des chercheurs ont fait pousser une «oreille» formée de cellules de cartilage de bétail. Photo : © Charles Vacanti

p. 479 : Jesse Sullivan et Claudia Mitchell se tenant la main. © Image-Bank/Getty Images Israel

Table des matières

Deuxième partie
La Révolution agricole

QUATRIÈME PARTIE
LA RÉVOLUTION SCIENTIFIQUE

Impression : Normandie roto s.a.s. en août 2015
Éditions Albin Michel
22, rue Huyghens, 75014 Paris
www.albin-michel.fr

ISBN : 978-2-226-25701-7
N° d'édition : 20914/01 – N° d'impression : 1502878
Dépôt légal : septembre 2015
Imprimé en France